Las amigas
de ojos
oscuros

JUDITH LENNOX

Las amigas
de ojos
oscuros

Traducción:
Ana Herrera

MAEVA

Título original:
THE DARK-EYED GIRLS

Diseño e imagen de cubierta:
ELSA SUÁREZ sobre imagen de Getty Images

Fotografía de la autora:
HORST FRIEDRICHS

© JUDITH LENNOX, 2000
© de la traducción: ANA HERRERA, 2014
© MAEVA EDICIONES, 2014
  Benito Castro, 6
  28028 MADRID
  emaeva@maeva.es
  www.maeva.es

ISBN: 978-84-15532-71-2
Depósito legal: M-1.947-2014

Fotomecánica: Gráficas 4, S.A.
Impresión y encuadernación: Huertas, S.A.
Impreso en España / Printed in Spain

Para Danielle, en recuerdo de aquellos tiempos

PRIMERA PARTE

La orilla lejana

1960–1969

1

Liv buscaba entre las piedrecillas algún trocito de cristal de colores. Cuando era muy pequeña creía que eran joyas: esmeraldas, zafiros, diamantes y –más difícil de encontrar– alguna piedra roja, como un rubí. Su padre, Fin, le explicó que eran meros cristales pulidos por el mar. Liv se imaginaba que las olas recogían botellas rotas y cristales de ventana hechos añicos y los frotaban con un trapo hasta que adquirían el brillo suave de las perlas que Thea llevaba en torno al cuello.

Delante de ella, Fin y Thea paseaban por la playa con la cabeza gacha. Las piedrecillas crujían a su paso. El abrigo de Fin ondeaba hasta parecer una capa grande, oscura, y el pañuelo de seda de Thea se agitaba con la brisa como un gallardete pálido. Las gaviotas bajaban en picado y chillaban, haciéndose eco de las iracundas subidas y bajadas de sus graznidos. La pareja llevaba las manos metidas en los bolsillos del abrigo y, mientras paseaban, sus caminos divergían. Fin tendía a ir hacia el mar y Thea se dirigía, casi imperceptiblemente, tierra adentro. Liv no miraba a sus padres ni tampoco las olas, sino que mantenía la vista clavada en la estrecha franja de piedras, a la busca de rubíes y diamantes.

Un año más tarde, en un viaje desde la costa hacia el interior, la lluvia las acompañó durante todo el trayecto. Como lágrimas, pensaba Thea, mientras observaba ausente las gotas que resbalaban por la ventana del autobús. Miró a su hija, que iba sentada a su lado.

—Ya casi estamos –dijo Thea, sonriéndole alentadora.

Liv no le devolvió la sonrisa. Ni tampoco habló. Durante los ocho meses transcurridos desde que su padre se fue de casa, Liv cada vez racionaba más su conversación, y sus ojos, de un color castaño oscuro, habían adquirido un aspecto hermético. Una vez más, Thea intentó tranquilizarla:

—No tenemos que quedarnos si no nos gusta, cariño.

Pero la verdad es que no sabía a qué lugar del mundo podían ir si Fernhill no les parecía bien.

Todavía llovía cuando llegaron a su parada. Los castaños de Indias goteaban, y los sedosos pétalos de las amapolas en el ribazo estaban magullados por la tormenta. Las ruedas del autobús formaron unas ondas de agua marrón al alejarse, y madre e hija se quedaron solas a un lado de la carretera. Thea recordó las instrucciones de Diana: «A la derecha de la parada del autobús, alejándote del pueblo. Estamos justo en la cresta de la loma».

Thea llevaba la cabeza inclinada cuando se pusieron a andar, y le dolían las piernas. La energía feroz y chispeante que la sostuvo a lo largo del espantoso año pasado parecía haberla abandonado. Intentó recordar cuándo vio a Diana por última vez. En el bautizo de Rachel, sí, pero de eso hacía ya diez años... Desde entonces se tenían que haber visto, claro. Se frotó la frente con las yemas de los dedos húmedas.

En la cresta de la loma hizo una pausa; sin aliento, miró el rompecabezas de campos, corrientes y montículos que marcaban la frontera entre Cambridgeshire y Hertfordshire. A lo largo de la carretera corría un muro, en el cual se encontraban empotradas unas espléndidas puertas de hierro fundido. Thea leyó el letrero del portón: FERNHILL GRANGE. Vio entonces la casa grande, de ladrillo rojo, entre unos jardines muy cuidados.

—Dios mío... —exclamó, sorprendida, al intentar imaginar a la autoritaria y jovial Diana Marlowe que recordaba como señora de una mansión campestre tan impresionante. Pero Diana, recordó Thea al abrir la puerta, venía de buena familia y se había casado bien. Y, además, Diana tenía el don de caer siempre de pie.

10

Fueron chapoteando por el camino. Ante la puerta principal, Thea hizo una pausa y miró a su hija.

—No tenía ni idea de que fuera tan espléndida —dijo. Bajó la mano y le apartó con suavidad el húmedo flequillo negro a Liv de los ojos.

Mientras tomaban un té y unos pastelitos, Diana se lo recordó:

—Viniste a la reunión del cincuenta y tres, Thea. Esa fue la última vez.

—¿Hace ya siete años? ¿Tanto tiempo?

—Tendrías que haber venido el año pasado —sonrió Diana—. Fue divertidísimo. Estaba Bunty Naylor... ¿Te acuerdas de Bunty? Era un caso... Aquella vez que...

Diana continuó con sus recuerdos. Thea la escuchaba solo a medias, mientras su mirada revoloteaba por la enorme y cómoda habitación. Las dos niñas estaban arrodilladas en el alféizar de la ventana. Rachel parloteaba; Liv, como era habitual en aquellos tiempos, permanecía muda. Rachel solo era unos meses mayor que Liv. Thea recordaba su bautizo: Rachel, la niña perfecta, mirando serenamente con sus ojos oscuros entre espumosos encajes antiguos. Ahora, diez años después, Rachel seguía siendo perfecta. Más alta que Liv, era —no había otra palabra que pudiera definirla— bella, con el pelo de un intenso color castaño, ondulado, y los ojos de un castaño claro y tranquilo. Irradiaba salud y confianza. La mirada de Thea se desplazó de Rachel, con su vestido impoluto y llamativo de algodón, a Liv. La niña llevaba zurcidos en los codos del jersey, y sus ojos, asustados y atormentados, se veían sombreados por el largo flequillo. Thea tuvo que hacer un esfuerzo para disimular la amargura y el amor que la invadieron de repente.

—¿Thea?

Levantó la cabeza sobresaltada. Diana la miraba. Intentó rehacerse.

—Lo siento mucho, Diana. Es que..., bueno, parece que hace tanto tiempo... —Se retorció las manos, largas, pálidas—. La guerra, quiero decir. El FANY.* Aquel lugar espantoso donde nos enviaron.

Lo que quería decir era que no creía ser aquella persona ya. Y que apenas la recordaba.

—Claro, claro. Has pasado una temporada muy mala, ¿verdad? No me hagas caso, cariño, soy una charlatana. Siempre lo he sido, ¿no? —dijo Diana, comprensiva; hizo una pausa y, mirando a sus hijas, añadió algo en voz baja—: Nuestras niñas de ojos oscuros, Thea.

Thea se mordió los labios y se clavó las uñas en la palma de la mano. Oyó decir a Diana: «Rachel, ¿por qué no le enseñas tu dormitorio a Olivia?», y consiguió contenerse para que no se le escapara el primer sollozo antes de que la puerta se cerrase detrás de las dos niñas.

En cuanto empezó no pudo parar, hasta que Diana, con delicadeza, le puso un vaso entre los dedos y le dijo:

—Funciona mucho mejor que el té, siempre me lo ha parecido.

Thea dio un largo y tembloroso trago al whisky y se arrellanó en la silla, con los ojos cerrados. Al cabo de un largo rato los abrió y susurró:

—Lo siento.

—No seas ridícula, Thea. ¿Por qué no ibas a llorar?

—Me parece un abuso...

—Bobadas. Para eso están las amigas. —Thea se había olvidado de lo amable que era Diana. Mandona y a veces un poco ridícula, pero siempre amable—. ¿No has sabido nada...?

Thea meneó la cabeza.

—Han pasado ocho meses. Y dejó una nota en la mesa de la cocina.

«Lo siento. Estarás mejor sin mí. No te insultaré con explicaciones ni rogaré que me perdones. Te quiere, Fin.»

—No volverá —dijo luego, con firmeza—. Mi matrimonio ha terminado. Venir aquí... era lo mejor. Empezar desde cero. —Suspiró con fuerza—. Háblame de la casita, Diana.

---

* «First Aid Nursing Yeomanry»: Cuerpo de enfermeras de primeros auxilios creado en Gran Bretaña en 1907. *(N. de la T.)*

—Es pequeñísima. —Diana parecía dudar—. Pero encantadora. Hay un salón, una cocina y dos dormitorios, así que estará bien para... —Las palabras se extinguieron.

Thea completó la frase de Diana:

—Para nosotras, que somos dos. —Antes eran tres, ahora dos. Ya casi se había acostumbrado a ese hecho—. ¿Y hay baño?

Diana hizo una mueca.

—Hay un servicio, pero está fuera, y es bastante penoso. Y los Seagrove usaban una tina.

La señora Seagrove, la anterior inquilina de la casita, era la asistenta de Diana. Recientemente se había ido a vivir con su hija a Derby.

—El alquiler... —Thea tuvo que tragarse su orgullo. La opulenta sala de los Wyborne transpiraba dinero.

—Es muy razonable, me parece. —Thea ahogó un pequeño suspiro de alivio. Luego Diana añadió, dubitativa—: Podría ser más fácil, Thea, si...

—¿Sí?

—Sería más fácil para ti si hicieras creer a la gente que eres viuda. Fernhill es un pueblo pequeño y bastante anticuado, en algunos aspectos. Y la casita es propiedad de la Iglesia. El vicario es muy amigo nuestro, y... —la voz de Diana se apagó.

Thea no estaba segura de si su repentina explosión de ira iba dirigida a Diana o a Fin. Dijo fríamente:

—No te pondré en evidencia, Diana.

—No quería decir... —Diana estaba roja.

Thea se sintió avergonzada de pronto.

—Lo siento mucho. No debería haber dicho eso. Has sido muy amable conmigo. Y tienes razón, claro.

Diana miró su reloj.

—Podemos ir a ver la casita, si quieres. La señora Nelson vigilará a las niñas. Iremos en coche... ¿Por qué no me has dejado que fuera a buscarte a la estación de ferrocarril? Habrías evitado calarte hasta los huesos.

—Y esta es mi colección de muñecas —dijo Rachel, mientras abría la puerta de otro armario—. Papá me compra siempre una cuando va al extranjero.

Liv miró las muñecas: Miss Holanda, Miss Italia, Miss Japón con su quimono rosa. Rachel continuó:

—Esta es la más nueva. —Y le tendió a Liv a Miss Francia, que llevaba una toca bretona. Liv tocó la muñeca con mucho cuidado, temía estropear su rígida perfección.

»Podemos jugar al parchís —dijo Rachel. Liv reconoció y comprendió el atisbo de desesperación que se notaba en su voz. Sabía que ella era algo aburrida, sabía que apenas había dicho una palabra desde que Rachel se la llevó al piso de arriba y le enseñó los juguetes, adornos, libros y ropa que tenía en su amplio dormitorio. Sabía que debía hacerse amiga de Rachel, ya que, si iban a vivir en Fernhill, su madre esperaría que así lo hiciera. Sin embargo, el esplendor rosa y blanco de la habitación y la propia belleza y seguridad en sí misma de Rachel la abrumaban y hacían más honda aún la sensación que la tenía atrapada desde que su padre se fue: que todo lo que le era familiar había desaparecido, que no se podía confiar en nada.

»¿O quieres que juguemos en el jardín? —Rachel miró por la ventana—. Ya casi ha dejado de llover.

Liv asintió. Salieron. Anduvieron por el césped mojado y se arrodillaron junto al estanque, con sus nenúfares y sus gordezuelos peces de colores. Jugaron en el columpio y corrieron entre las largas filas de rosales. Unos tulipanes rojos florecían confinados en enormes arriates; las magnolias goteaban desde sus céreos pétalos hasta la hierba, bien cortada. A Liv le recordaba a los jardines municipales junto al mar, en Great Yarmouth.

Rachel llevó a Liv a ver el poni.

—¿Sabes montar a caballo? —le preguntó. Liv negó con la cabeza—. A mí me gusta mucho cabalgar. Pero no me gustan las competiciones.

—¿Porque hay demasiada expectación?

—¿Expectación?

—Como cuando vas a una escuela nueva. Cuando entras en la clase... y no conoces a nadie... y la gente te mira. —Aquellas palabras, y los temores de Liv, reprimidos durante demasiado tiempo, se desbordaron.

—Yo seré tu amiga —dijo Rachel con amabilidad—. Y también Katherine.

—¿Quién es Katherine?

—Es mi mejor amiga. ¿Cómo se llama tu mejor amiga?

—No tengo. —Temerosa de que aquello sonase patético, Liv explicó—: He estado en muchos colegios distintos, muchos... Y a veces no iba ni al colegio... a veces papá me enseñaba en casa.

Los ojos de Rachel se abrieron mucho.

—Qué suerte. No tener que ir al colegio.

—Pero ahora tendré que ir, supongo.

—¿Porque tu padre se ha ido?

Liv asintió, con abatimiento.

—A lo mejor vuelve.

—No se cómo va a volver, si vivimos aquí. No sabrá adónde ir —dijo Liv, con lógica.

Rachel frunció el ceño.

—Podemos hacer un hechizo.

Liv se la quedó mirando.

—¿Un hechizo?

—Para que vuelva.

—Pero ¿un hechizo de verdad?

—Katherine sabe hacerlo. Tiene un libro. Hicimos un hechizo para que la señorita Emblatt se pusiera enferma y Katherine no se metiera en líos por no haber hecho su bordado, y la señorita Emblatt se torció el tobillo. Y cuando Katherine quiso una bicicleta nueva, hicimos otro hechizo.

—¿Y consiguió una?

—No. Así que lo vamos a intentar otra vez. Mi papá dice que si al principio no tienes éxito, tienes que intentarlo una y otra vez. —Rachel soltó una risita—. Ese es el problema de las competiciones —acarició la crin del poni—. Yo no gano nunca, y no vale

15

la pena intentarlo otra vez. Los premios, las copas, las escarapelas... todo eso no sirve para nada, ¿verdad?

—Supongo —dijo Liv— que eso te demuestra que no puedes ser la mejor en todo.

—Eso es lo que dice mi padre. Pero a mí no me importa. De verdad, no me importa si puedo hacer las cosas mejor o no. —Rachel no parecía alterada—. Mi padre dice que no se trata de ganar, sino de participar. Luego se ríe y dice: «Bueno, en realidad, querida, lo importante es ganar».

El sol había salido al fin, y los campos húmedos y los tejados de las lejanas casas resplandecían. Liv se giró lentamente, protegiéndose los ojos de la luz.

—¿Qué buscas?

—El mar. —Liv guiñó los ojos—. Intento ver el mar.

—Está lejísimos. Mi padre nos llevó en verano, y tardamos horas y horas. Pero si haces esto, quizá puedas verlo. Hace que todo se incline.

Rachel estiró los brazos y empezó a girar cada vez más y más. Liv también estiró los brazos y dio vueltas, despacio al principio, luego cada vez más rápido. Entre el torbellino de colores vertiginosos en el que se mezclaban y se emborronaban campo, jardín, casa y árboles creyó ver, muy lejos, una delgada línea de mar plateado.

Luego, como peonzas que se quedaran sin impulso, las dos perdieron el equilibrio y cayeron, un revoltijo de brazos y piernas, jadeando por el mareo y por la risa.

«¿Qué opinas? —le preguntó Diana—. ¿Es demasiado horrible?». Y Thea pudo responderle, con toda sinceridad, que la casita no era horrible, en absoluto. Era diminuta, pero a Thea no le importaba, porque así sería más barato calentarla y no les daría demasiado trabajo.

Ahora, sola al fin —Diana había vuelto a la casa solariega a buscar a las niñas—, se movía silenciosamente por la casita, entrando en las habitaciones, imaginándose que era suya. En el jardín, el excusado —bastante limpio y con sus paredes de madera casi ocultas por un montón de fotos de escenas marinas recortadas de revistas– estaba junto a la carbonera. El pozo que se encontraba en el centro del pequeño césped recompensó los esfuerzos de Thea con un diminuto hilo de agua fría como el hielo. El jardín era largo y estrecho, y sorprendentemente encantador, con senderos que serpenteaban y diminutos patios. Thea se abrió camino entre rosas silvestres enmarañadas y madreselvas tempranas. Cerró los ojos y aspiró su aroma. Unos árboles altos se unían por encima de su cabeza, encerrándola en una caverna de un verde oscuro, allí donde surgían de la tierra los primeros brotes de jacintos y ajo silvestre. Al fondo del jardín corría un arroyo por una profunda zanja. Más allá, la vista se abría hacia los campos.

El viaje y las lágrimas de aquella tarde habían dejado exhausta a Thea, de modo que se sentó en un tronco caído, disfrutando del silencio y la paz. La ira irritante e implacable que la consumía desde que se fue Fin empezaba a remitir. Pensó: Lo recordaré solo una vez más y luego sencillamente me olvidaré de él. Recordó el día en que lo conoció. Fue durante un bombardeo alemán. Ella acababa de alistarse –con veintiún años, salía de casa por primera vez– y viajaba hacia su primer destino. El tren iba atestado; ella estaba aplastada en medio del vagón, con la cara a la altura de los botones de los abrigos de los soldados, entre húmedos uniformes caqui que olían a perro mojado, y con una conmoción y un terror tan grandes ante la perspectiva de su nueva vida que empezaba a desfallecer. Entonces, justo cuando la vergüenza parecía inevitable, unas fuertes manos la levantaron y una voz dijo: «Haced espacio para una pequeña», y pasó el resto del viaje sentada en el portaequipajes.

Su nombre, le dijo él entonces, era Finley Fairbrother. Demasiadas sílabas, añadió, llámame Fin, a secas. Tenía el pelo negro y rizado, los ojos tan oscuros como pozos de turba y, como los demás hombres del vagón, iba de uniforme. Thea aún recordaba que las cuerdas del portaequipajes se le clavaban en las piernas enfundadas en las medias. Todavía recordaba que los ojos de él la hipnotizaron.

Fin la cambió. Él supo ver una veta de excentricidad en la hija del vicario y la sacó a la luz. Thea nunca fue capaz de volver a ser la criatura convencional que fue. Se vieron intermitentemente a lo largo de los años de la guerra. Él le hablaba de los sitios que había visitado, de las cosas que había hecho. Su vida, llena de aventuras, colorido y viajes, parecía un antídoto contra los grises tiempos de guerra británicos. Thea perdió la virginidad en la deprimente habitación de un hotel de Paddington, con todos los escombros de la ciudad esparcidos a su alrededor, y los dos como únicas constantes en un mundo que se deshacía y se caía a pedazos.

Las amigas le advirtieron sobre Fin. «Claro, es monísimo y encantador, pero no es uno de "los que se quedan", cariño. No es de esos con los que te casas.» Pero sí, se casó con él. En 1947, Fin volvió del Lejano Oriente; la boda tuvo lugar al año siguiente. A lo largo de los primeros años de su vida de casados viajaron constantemente, y no vivieron más de unos pocos meses en cada sitio. Fue una época maravillosa, emocionante y perturbadora: cuidaron un rebaño en una colina galesa, hicieron cerámica en un sótano de Londres, enseñaron en un colegio de Lincolnshire. Nada les duraba, pero siempre había nuevas aventuras y nuevos horizontes hacia los que mirar, de modo que al principio Thea no se preocupaba. Era la originalidad de Fin, su energía y su despreocupación lo que la atrajo desde el primer momento.

Sin embargo, empezó a darse cuenta de que le faltaba algo: un hogar. La vaga sensación de intranquilidad se intensificó cuando descubrió que estaba embarazada. La idea de llevar a un niño recién nacido de una casa inadecuada a otra la horrorizaba. Alquilaron una casa en Oxford, donde nació Olivia. A Thea le gustaba aquella casa, y adoraba a su hijita, diminuta y con los ojos oscuros. Esperaba que la niña consiguiera estabilizar a Fin. Por el contrario, cuando Liv tenía seis meses, él se fue, dejando una nota en la mesa de la cocina que decía: «Vuelvo dentro de unos días. Te quiero». Estuvo ausente quince días. Al volver le pidió perdón, se cambiaron de casa y empezaron de nuevo. Al año siguiente él volvió a desaparecer, un mes entero. Viajando, explicó a la vuelta. Solo viajando.

Y así fue a partir de entonces el esquema de su vida. Separaciones y reencuentros, distintos trabajos, distintas casas, una espiral que se iba tensando. Se fueron alejando del centro de Inglaterra, hacia la costa de Suffolk, como si en el mar Fin viese una escapatoria. La casita rosa de paredes rugosas que alquilaron apenas podía contener su infelicidad. En unas playas de guijarros grises, Fin miraba hacia el horizonte. Thea sentía su desesperación; en ella, la ira bullía. «No es que no te quiera», le dijo él, y ella le chilló, golpeándole con los puños. No le sorprendió despertarse a la mañana siguiente y ver que él se había ido. Pasó un mes, dos, tres... Thea no podía recordar el momento exacto en que aceptó al fin que su ausencia era permanente.

La ira y la rebeldía que sentía impidieron al principio que se enfrentase a las dificultades prácticas de su situación. Luego, cuando llegaron en la misma semana una carta del banco y otra de su casero, diciéndole que el contrato de arrendamiento de la casa expiraba a fin de mes, se vio obligada a buscar soluciones. Durante sus años de vagabundeo con Fin, Thea perdió el contacto con la mayor parte de sus amigas. Sus padres habían muerto hacía una década. Tenía unos cuantos primos que le hacían reproches y a quienes no veía desde hacía años, pero Thea decidió que antes prefería dormir en el arroyo. Entonces pensó en Diana. Diana, cuya amistad la ayudó a sobrevivir en los primeros meses que pasó en el FANY; Diana, cuya vida —ejército, amor, matrimonio, hija— reflejaba de una manera tan fiel la suya propia. Diana, que se enamoró de Henry Wyborne, un héroe de Dunquerque. Durante la guerra, ambas se confiaban la una a la otra sus esperanzas y temores. Las cartas periódicas de Diana, con sus pacíficas noticias sobre detalles domésticos, fueron un gran consuelo para Thea en los años más tensos de su matrimonio. Desesperada, Thea escribió a Diana.

Recordaba su conversación de aquella misma tarde.

—Debería visitar el colegio, quizá —dijo ella.

Diana puso mala cara y respondió:

19

—¿El colegio del pueblo? Los aseos están fuera y no les hacen aprender la tabla de multiplicar. Olivia tiene que ir a Lady Margaret, en Cambridge, con Rachel. Ya hablaré con la directora. Tienen becas.

Desarraigarse, trasplantarse ella y Liv desde la remota, cambiante y plateada costa de East Anglia, confirmó el fin de su matrimonio. Y el Colegio Lady Margaret —un lugar, suponía Thea, con uniformes y reglas— podía proporcionar a Liv la seguridad que necesitaba con desesperación. Quizá también consiguiera contrarrestar la impulsividad y el romanticismo que Thea a veces temía que Liv hubiese heredado de su padre.

Se trasladaron a la casita una semana después. Liv hizo un examen de ingreso al Colegio Lady Margaret y aprobó, y Thea apretó los dientes y dio las gracias cuando Diana le obsequió con un montón de uniformes escolares de segunda mano. En verano, las alumnas del Lady Margaret llevaban vestidos con rayas rojas y jerseys rojos, que le quedaban muy bien a la morena y menuda Liv.

Thea encontró trabajo en una papelería del pueblo. El trabajo era muy fácil y extrañamente tranquilizador; le encantaba el olor azucarado de las golosinas que pesaba a cuartos para los niños del colegio, y le gustaban también las revistas satinadas, con sus recetas, sus patrones para hacer jerseys y sus emotivos artículos sobre jóvenes príncipes y princesas. Trabajar en la papelería permitió a Thea conocer a la gente del pueblo. Una vez a la semana asistía a las clases nocturnas de la escuela local, donde hacía enormes cacharros de cerámica de colores vivos y motivos atrevidos. En el pueblo se asumía que era viuda. A Thea se le ocurrió, claro está, que era muy probable que Fin estuviese muerto de verdad. Él nunca había sentido una preocupación excesiva por su propia seguridad.

Llevaban tres meses viviendo en Fernhill cuando Thea conoció a Richard Thorneycroft. El señor Thorneycroft se acercó al mostrador de la papelería y le tendió a Thea una moneda de seis peniques y una tarjeta para que la pusiera en el escaparate.

—Quince días —ladró, y se fue.

La señora Jessop, la propietaria de la tienda, dijo:

—No conseguirá a nadie, aunque la pongamos un año. Mabel Bryant lo intentó, y también Dot Pearce, y no pudo soportarlo más de una semana, aunque tiene la paciencia de una santa. —Bajó la voz—. Perdió a su mujer y a su niño en un bombardeo, ¿sabe? Es horrible, pero no es excusa para los malos modales, como digo yo siempre.

Thea leyó la tarjeta. Decía: «Se necesita ama de llaves, tres horas al día. Debe ser tranquila y trabajadora. Idiotas, inútil presentarse».

Aquel mismo día llamó a la puerta del señor Thorneycroft.

—Me llamo Thea Fairbrother —dijo—. He venido por el trabajo de ama de llaves.

Él la examinó. Era alto y delgado, y llevaba un pantalón de *tweed* muy desgastado. En la mano derecha sostenía un bastón.

—Entonces será mejor que entre.

Ella lo siguió al interior de la casa. Era estilo Reina Ana, supuso Thea, una de las casas más bonitas del pueblo, aunque su austeridad polvorienta no hacía justicia a su serena belleza.

—¿Cuáles serán mis obligaciones?

—Trabajo doméstico ligero. Viene una chica dos veces a la semana a fregar los suelos. Hace la compra. Tres horas cada mañana, cuatro chelines la hora.

—Dos horas cada tarde, cinco chelines la hora. Tengo que combinar este trabajo con el otro que tengo, y con el horario escolar de mi hija, señor Thorneycroft...

Él frunció el ceño y dijo:

—Uno no puede ponerse muy exigente, supongo.

Durante el primer mes como ama de llaves del señor Thorneycroft, la señora Jessop saludaba cada mañana a Thea en la tienda diciendo: «¿Ya ha dejado a ese malnacido?», ante lo cual Thea negaba con la cabeza.

—Me gusta trabajar allí —respondía, y lo decía sinceramente. Le gustaba la casa, que era tranquila y elegante, y le recordaba la vicaría de Dorset en la que pasó la niñez. La lengua de su nuevo patrón no era más afilada que la de su padre ni que la de su oficial en jefe en el FANY. Respetaba al señor Thorneycroft: tenía una tenacidad de la que, ciertamente, carecía Fin. Una mina terrestre en el sur de Italia le dejó la pierna derecha cinco centímetros más corta que la izquierda y, sin embargo, nunca se quejaba, aunque Thea sospechaba que a menudo tenía que sentir dolor.

El señor Thorneycroft estaba escribiendo un libro sobre la campaña de los Dardanelos. Su estudio era como una cueva del tesoro sombría y repleta de libros y documentos. La primera vez que Thea lo limpió, él se quedó en la puerta, para asegurarse de que no cambiaba nada de sitio. Ella fue a quitarle el polvo a un cuadro. Era un boceto, a lápiz y tinta, de unos acantilados salpicados de flores, que bajaban hasta un mar de color turquesa.

—¿Qué lugar es este? —preguntó ella.

Esperaba una respuesta despectiva, pero él dijo:

—Creta. Fue antes de la guerra.

—Es precioso.

—Entonces pensaba que era como el paraíso. —Y se alejó cojeando, dejándola con su trabajo.

Que Liv se adaptara rápidamente a la escuela se debió en gran medida, y Thea lo sabía, a Rachel. Esta había heredado la generosidad de espíritu que Thea aún veía en Diana, y que permitía a Thea tolerar el autoritarismo de Diana y sus torpes intentos de influir en ella. Rachel, que podría haber sido con toda facilidad la típica niña mimada, milagrosamente no lo era. Asistía a clases de danza, de música y de equitación con una risueña falta de interés que secretamente divertía a Thea. Rachel era feliz en un punto medio de la clase en Lady Margaret no porque careciese de inteligencia, sino porque no tenía ambición. A Rachel, concluyó Thea, no le faltaba de nada. A veces, Thea se preguntaba qué ocurriría si Rachel averiguaba alguna vez lo que era desear algo.

Rachel lo compartía todo con Liv: libros, ropa, pinturas, lápices. También compartía a Katherine. Katherine Constant era desgarbada, orgullosa y muy lista, con el pelo lacio y rubio, que escapaba en erráticos mechones de sus delgadas trenzas, y los ojos castaños del color del *toffee*. Thea se preguntaba el porqué de aquella pareja tan desigual, y al final concluyó que, en Katherine, Rachel encontraba el entusiasmo y la intensidad de los que ella misma carecía. Se notaba una impaciencia hambrienta y desdeñosa en la mirada oscura de Katherine que al principio sobresaltó a Thea. Una tarde llevó a Liv a casa de Katherine, en un pueblo cercano. Vio la casa grande, fea y sucia en la cual el padre de Katherine, que era médico, tenía su consulta general, y conoció a la exhausta señora Constant y a los tres hermanos de Katherine. Estaba Michael, el mayor; Simon, el gemelo de Katherine, y Philip, el más joven. Cuando era muy pequeño, unas complicaciones después de un brote de sarampión dejaron a Philip mental y físicamente discapacitado. A Thea le habría gustado decirle a Katherine: «Ten paciencia y lo que quieras te llegará», pero Katherine, tenía la sensación, despreciaba la paciencia. También le habría gustado dar a Katherine los abrazos que, según sospechaba, raramente recibía en su casa, y lo hacía a veces, pero notaba que el huesudo cuerpo de Katherine se tensaba entre sus brazos, como si aquella paz tan breve la alarmase.

A medida que pasaban los meses, Thea y Liv hacían suya la casita. Decoraron las sencillas paredes y las chimeneas vacías con semillas, hojas secas recogidas en los paseos por el camino, guijarros y conchas recolectadas durante sus años junto a la playa. Hicieron cortinas y visillos para cubrir las ventanas, de cristales pequeños, y cubiertas y cojines para alegrar los viejos sofás y sillas. Thea podía seguir toda la historia de la niñez de Olivia en las cortinas de *patchwork* del salón: un trocito de un pelele infantil en una esquina, un cuadrito de un vestido de verano en otra. En el jardín, geranios y lobelias brotaban de las macetas rosa y naranja de Thea; dentro de la casa, bandejas y cuencos que llevaban pintados dioses y diosas —Pomona, Diana, Apolo— contenían montoncitos de manzanas y ciruelas maduras.

Dos años después de trasladarse a Fernhill, el propietario construyó un cuarto de baño en la parte trasera de la casita. Thea y Liv dieron una fiesta para celebrar que desmontaban el excusado exterior. Bebieron sidra y refrescos, y encendieron una hoguera en la que quemaron los tablones de madera, el asiento y los recortes de playas tropicales. Diana y Rachel y los gemelos Constant asistieron a la fiesta, así como los amigos de Thea de la clase de cerámica y la señora Jessop, de la tienda.

En 1964 los conservadores perdieron las elecciones generales. Disimulando su indiferencia, Thea consoló a Diana:

—Al menos, Henry mantiene su escaño.

—Pero un Gobierno laborista..., qué horror.

Thea sospechaba que las cosas seguirían igual que siempre. Se asomó a la ventana y apoyó las manos en el alféizar, mirando al exterior, donde las tres niñas paseaban por el césped bajo la luz del sol, agarradas del brazo. Oyó una risa repentina. Y pensó: No lo he hecho tan mal, ¿verdad? Estés donde estés, Fin, no lo he hecho tan mal. Tenemos un hogar y un trabajo. Y Olivia se ríe.

2

Katherine vio el anuncio en el periódico local.

—Extras —dijo—, los necesitan para hacer una película en la zona. —Le enseñó el periódico a Liv y a Rachel—. ¡Una película! ¡Podríamos hacernos famosas!

No quiso escuchar las objeciones. Liv y Rachel tenían tiempo libre a última hora del miércoles; la propia Katherine tenía latín con la señorita Paul, que era una viejecita adorable. Sería muy fácil.

Liv fantaseó con la prueba: el director de la película sería alto y moreno, con acento extranjero, quizá. La elegiría a ella de entre un montón de gente.

«Es esa», diría. «Ella será mi musa.»

Llegaban tarde, así que tuvieron que correr. Se quitaron las boinas rojas y las corbatas y las escondieron en el bolso, y se enrollaron la cinturilla de la falda para que quedara más corta. Katherine llevó rímel y perfilador de ojos y base de maquillaje en un tono marrón anaranjado, el color, pensó Liv, que tenían los cacharros de arcilla de su madre antes de secarse. Rachel tenía un pintalabios color rosa claro y un frasquito de Joy de Patou, y se echaron unas gotas en el cuello y la muñeca mientras andaban. Era febrero y había escarcha en las partes que quedaban en sombra en la acera, y los dedos de Liv, mientras hacía una pausa momentánea para cubrir de maquillaje un grano persistente y deprimente, estaban entumecidos por el frío. No estaba segura de que el maquillaje ayudara demasiado. Temía que, por el contrario, diera a su cara un aspecto moteado: nariz azul, piel pálida, excepto por las manchas de maquillaje bronceado mal aplicado.

La cola del salón parroquial donde se estaban celebrando las pruebas llegaba hasta la calle. Había diez veces más mujeres que hombres, la mayoría chicas como ellas, de menos de veinte años. Algunas se peinaban el pelo largo y liso, ese pelo que Liv deseaba tener y nunca conseguía, por mucho gel que se pusiera en sus rizos apretados y oscuros. La mayor parte de las chicas llevaban ropa de calle, en lugar de uniformes escolares.

—He oído decir a alguien —murmuró Katherine— que es *Guerra y paz*.

—Pues querrán hombres... para las batallas.

—Se lo he dicho a Simon, pero creía que sería aburrido.

Liv pensaba a menudo que Simon era una Katherine invertida: ojos pálidos y pelo oscuro, en lugar de los ojos oscuros y el pelo claro de ella; indolente, cuando Katherine siempre estaba atareada. Imaginaba que debían de estar cara a cara en el útero, convirtiendo cada uno al otro en una imagen especular.

En octubre de aquel año, Katherine y Simon irían a Oxford. Liv también iba a ir a la universidad, en parte porque no se le ocurría nada mejor que hacer, y eligió Lancaster siguiendo un impulso, porque sonaba emocionante y nuevo, escabroso, frío y montañoso. Se imaginaba paseando por páramos, o teniendo que ir a clase entre tormentas de nieve. Añoraba la lejanía y lo inhóspito, y que algo —una causa, una persona, un arte— la absorbiera por completo. Necesitaba encontrar una solución al aburrimiento, que cada vez la acosaba más. Su pequeño dormitorio estaba atestado con los resultados de sus últimas pasiones: tapices, esculturas de papel, nido de abeja, papel elaborado por ella, muchos proyectos sin acabar. Nada duraba, nada la satisfacía.

Rachel dijo:

—¿Te lo he dicho? Me voy a París en septiembre. Papá ya lo ha preparado.

—París... —dijo Katherine, envidiosa.

—Pero es una escuela para señoritas. Aprender a hacer *soufflés*, a escribir cartas de agradecimiento...

Lentamente, subieron el pequeño tramo de escaleras hacia el salón. Rachel miró a Liv y a Katherine.

—No me olvidaréis, ¿verdad?

—¿Por qué vamos a olvidarte?

Las puntas de la bufanda de cachemira de Rachel se agitaban con el viento.

—Cuando vayáis a la universidad. Toda esa gente nueva. Tan emocionante. Me llamaréis, ¿verdad? Tengo miedo de sentir... como si me quedara atrás.

—Somos hermanas de sangre —dijo Liv—. ¿No te acuerdas?

—Nuestros hechizos. —Rachel sonrió—. Se me había olvidado.

Liv recordaba el hechizo que hicieron para que su padre volviese a casa: la luz de la luna moviéndose entre los sauces al fondo del jardín, y el olor a humo de la hoguera.

Entraron al salón. Dos hombres y una mujer estaban sentados ante un escritorio con unas tablillas con sujetapapeles en la mano, mientras otro hombre se ponía las manos en torno a la boca y pedía silencio.

—Ha venido tanta gente que solo necesitaré a una persona más, para una escena en concreto. —Recorrió despacio la habitación, mirando a todo el mundo a la cara. Katherine miraba a lo lejos, y Liv se tocó rápidamente el flequillo para esconder el grano. Su corazón pareció detenerse. Pensaba: Si me elige... Y se imaginaba las fotos en los suplementos en color: *Olivia Fairbrother, de dieciocho años, la nueva estrella rutilante de 1968...*

El hombre se detuvo ante Rachel:

—Tú —dijo—. Ven conmigo.

Todas las demás chicas se quedaron abatidas, y empezaron a salir lentamente de la habitación. Liv oyó que Katherine murmuraba:

—Rachel. Siempre Rachel.

Fuera, sentadas en el muro bajo que rodeaba la iglesia, Katherine rebuscó en el bolsillo y sacó el resto de un tubo de Polos. Pequeñas pelusas rojas de su jersey se habían pegado a los caramelos, pero se los comió de todos modos.

—Tampoco queríamos ser actrices —dijo Liv, consoladora.

—Cualquier cosa —dijo Katherine, orgullosa—. Haría cualquier cosa por irme de casa. A veces tengo un miedo terrible de acabar como mamá... ¡de ama de casa! —Miró a Liv—. Al menos tu madre cobra por cuidar al señor Thorneycroft. Mi madre lo hace gratis.

—No le van a pagar por cuidar a sus propios hijos, ¿no? Lo hace por amor, ¿no?

—¡Por amor! —exclamó Katherine, desdeñosa—. ¡Te enamoras de un hombre, te casas con un vestido blanco muy cursi y acabas teniendo un montón de niños babosos, fregando suelos y cocinando! Pues mira lo que te digo: ¡No, gracias!

—Pero ¿no crees —respondió Liv— que sería distinto si se tratara de tus niños y de tu marido? ¿Que entonces no te importaría?

Katherine entrecerró los ojos.

—A mi madre sí que le importa. Ella no lo dice, pero es así. Nunca seré como ella. Nunca, jamás. —Levantó la vista y vio que Rachel salía de la iglesia—. ¿Qué, es un papel de protagonista, Rachel? ¿Con tu nombre en los carteles?

—He dicho que no.

—¡Rachel!

—Van a rodar a finales de marzo. Pero nos vamos a Chamonix, así que no puedo.

—Pero Rachel...

—De todos modos, parecía horrible. Una comedia musical ambientada en la Inglaterra medieval. —Rachel comenzó a andar hacia la parada del autobús. Katherine, con un suspiro exagerado, la siguió.

Unas semanas después, Liv se reunió con Katherine en una discoteca juvenil en un pueblo cercano, un sábado por la tarde. La sala en la que se celebraba era grande y oscura y llena de corrientes de aire, y los chicos, que tenían acné y llevaban bigotitos ralos estilo Zapata, intentaban pasar inadvertidos, pegados a las paredes, observando furtivamente a las chicas, que bailaban solas con los bolsos en el suelo ante ellas.

Liv estaba apoyada en la pared, fuera, esperando a los gemelos Constant. Eran más de las nueve cuando aparecieron al fin.

—Sentimos llegar tarde —dijo Katherine—. Nos ha traído Jamie
Armstrong. Ha tenido que esperar para poder usar el coche de su padre.

Simon miró hacia la sala.

—Pero ¿sabe bailar de verdad alguno de esos paletos?

Katherine susurró:

—¿Dónde está el váter? He tenido que lavar los platos de la
cena y no he tenido tiempo de maquillarme.

En el atestado lavabo de señoras, Katherine escupió en su rímel,
miró con los ojos muy abiertos hacia el espejo lleno de excrementos de mosca y se cepilló con furia. Liv la admiraba. Llevaba un minivestido de *chiffon* a capas de un color verde grisáceo.

—¿Vestido nuevo?

—Me lo ha prestado Rachel. Es de Mary Quant. ¿A que es
fabuloso?

—Es una lástima que ella no haya podido venir.

—¿Rachel? ¿A una discoteca de pueblo? —Katherine puso una
voz aguda—. Con la de cosas que se pueden pillar... Y la gente que
podrías encontrarte...

—No es culpa suya.

—Ya lo sé. Es de su papá y su mamá. Pero tendría que enfrentarse a ellos.

Liv pensó en decirle a Katherine que Rachel hacía lo que le
pedían sus padres porque los quería y no deseaba que se enfada-
sen, y que los padres de Rachel eran demasiado protectores porque querían a su hija más que a nada en el mundo, y que Rachel,
usando el encanto y la persuasión, siempre conseguía lo que quería, de todos modos. Pero, por el contrario, dijo:

—Bueno, de todos modos, sus padres dan una fiesta y querían
que asistiera Rachel.

—¡Tu pelo! —exclamó Katherine de repente, mirando a Liv.

—Me lo he teñido. Se suponía que era color castaño.

—Más bien es remolacha.

—Creo que me lo he dejado demasiado tiempo. —Liv se miró
en el espejo—. A lo mejor me lo podría aclarar en el lavabo.

–No seas tonta. –Katherine se aplicó un pintalabios pálido. Sus ojos de un color castaño leonado, subrayados de negro, resaltaban en su blanco rostro–. Aquí está muy oscuro. Nadie se dará cuenta.

Volvieron a la sala. Katherine se metió entre los brazos de Jamie. Simon Constant tendió la mano a Liv.

–¿Sí?

–No te asustes. Solo te estoy pidiendo que bailes conmigo.

Cuando estuvo entre sus brazos, él bajó la vista y la miró.

–Es el convento ese, supongo. El Colegio Lady Margaret. Es antinatural tener a las chicas encerradas de esa manera. Todas esas hormonas ahí, bullendo... Ni siquiera la pobre Kitty se ha estrenado todavía, aunque sé que se muere por hacerlo. Sonrió–. Te estás poniendo roja, Liv.

–Es que hace calor.

–¿Te resulta violento que hable de sexo?

–Claro que no. –Lo más importante era que él no detectase la enormidad de su ignorancia. Ella conocía, por supuesto, el mecanismo del sexo, porque Thea se lo explicó hacía siglos, pero cómo se llegaba a esa situación, qué se sentía, y por qué la gente armaba tanto alboroto por aquello, todavía no lo tenía muy claro. Por ejemplo: ella nunca había besado a un chico. Los chicos que se ofrecían a besarla no eran el tipo de chicos a los que hubiera deseado besar. Liv quería que su primer beso fuera algo arrebatador y sublime, algo que pudiera recordar para el resto de su vida.

Cuando terminó la música y se encendieron las luces, Simon todavía la rodeaba con sus brazos. Liv levantó la vista y lo observó. Él la miraba fijamente. Dijo:

–¿Qué te has hecho en el pelo? –Las manos de ella se apartaron de él y enrojeció, mortificada.

Katherine dijo:

–Es color remolacha, ¿verdad, Simon?

–Color magenta. Bastante rococó –dijo Simon, sonriente. Miró su reloj–. Nos vamos ya. ¿Liv?

–¿Adónde vais?

–A Cambridge. Antes de que cierren los pubs.

—Yo no puedo.

—Una hora nada más...

—Le he prometido a mi madre que tomaría el último autobús. —Miró el reloj.

—No seas plomo, Liv.

—Si dice que no puede, Simon, es que no puede —soltó Katherine. Se fueron, peleándose aún, con un chirrido de ruedas sobre la gravilla. Liv buscó su jersey y su bolsa y corrió carretera abajo. Al dar la vuelta a la esquina vio que el autobús se alejaba de la parada. Aunque hizo señas y gritó, desapareció en la oscuridad. Miró el horario. El de las ocho menos diez era el último; no habría otro hasta el domingo por la mañana.

Después de que se le pasara el primer ataque de pánico, se puso a andar. Fernhill estaba a seis kilómetros de allí. Si andaba deprisa, pensó, llegaría a casa al cabo de una hora, quizá. Dirigiéndose hacia el pueblo, dejó atrás las luces de las farolas y de las casas. Buscó en el bolso la linterna que Thea insistía en que llevase siempre. Su pequeño círculo de luz acuosa iba temblequeando en la carretera, ante ella. Había empezado a lloviznar. Al menos, se dijo, quizá la lluvia se lleve el maldito tinte del pelo. Intentó no pensar en Thea, que fingía estar durmiendo cuando ella volvía a casa, pero que siempre la esperaba, Liv lo sabía muy bien. Deseó por enésima vez que tuvieran teléfono. Aunque se podía imaginar la alarma de Thea si le llega a explicar su situación. ¿Andando a casa? ¿Y sola? ¿En la oscuridad?

Cantó para sí, para animarse. «You Can't Hurry Love» y «Pretty Flamingo», y también «House of the Rising Sun». Cuando se le acabaron las canciones, pensó en sus personajes favoritos de los libros: Max de Winter en *Rebeca,* Heathcliff y el señor Darcy, por supuesto. Y todos esos héroes guapos e inquietantes de las novelas románticas cuya lectura empezaba a avergonzarla.

Su imaginación la consolaba, le servía de refugio, aunque era consciente de que la fantasía no se había visto reemplazada aún por la aventura y el amor real. Necesitaba emociones y desafíos; necesitaba sentirse en el centro de las cosas, en lugar de estar siempre en la periferia. Y sin embargo, ahora, rodeada de hojas que susurraban, ramas que crujían y roces indeterminados en la hierba, añoraba encontrarse ya en casa. Le dolían las piernas y notaba el pecho tenso, y de vez en cuando confundía el latido de su corazón con unos pasos, y miraba hacia atrás, segura de que alguien la seguía. Pero la carretera estaba siempre vacía.

Liv llevaba veinte minutos caminando cuando un coche pasó a su lado. Se oyó un chirrido de frenos y el coche retrocedió serpenteando. El latido de su corazón se aceleró cuando alguien bajó la ventanilla. Se asomó un hombre joven.

—Siento molestarte, ando un poco perdido. —Encendió la luz del interior del coche. Las gafas de montura metálica se le deslizaron por el puente de la nariz mientras miraba el mapa, y un mechón de pelo le cayó sobre la frente. Sujetó el mapa ante Liv—. ¿Podrías decirme dónde estoy?

Ella guiñó los ojos en la oscuridad.

—Justo aquí.

—Ah. A kilómetros de distancia, claro —dijo animadamente. La miró—. ¿Adónde vas?

—A Fernhill. —Le señaló el puntito en el mapa.

—Me pilla de paso. Sube.

Liv se quedó inmóvil durante un momento, paralizada por la indecisión y la ansiedad. Casi podía oír la voz de Thea: «Nunca subas al coche de un desconocido, Liv». Sin embargo, aquel desconocido tenía unos bonitos ojos azules y una voz agradable, y además era tarde y estaba muy cansada. Y si aceptaba que la llevasen, podría estar en casa al cabo de diez minutos, en vez de una hora.

Al abrir la portezuela del coche se imaginó los titulares en los periódicos: «El cuerpo destrozado de una chica encontrado en una zanja». Sin embargo, el espacio para las piernas y el asiento del pasajero estaban atestados de libros, mapas y estuches de gafas vacíos. El caos la tranquilizó un poco: un violador no tendría un coche tan acogedor y tan desordenado. Él apartó un poco el barullo del asiento delantero y lo echó todo hacia atrás. Al poner en marcha el motor, dijo:

–Nunca había estado en esta parte del país. Todos estos pueblecitos tan pequeños... parecen todos iguales, si no los has visto antes.

–¿De dónde vienes? –En cuanto soltó la pregunta lo lamentó. Demasiado personal, pensó. Él se inclinaría hacia ella, le daría una palmadita en el muslo y diría: «¿Y si te llevo allí, niña?».

Pero las manos de él siguieron sujetando el volante, y respondió:

–Northumberland. ¿Has estado allí alguna vez?

–No. Nunca.

–Pues deberías ir. Es el sitio más bonito del mundo. –La miró–. Hay unos caramelos de frutas en la guantera. ¿Quieres uno?

«Y nunca aceptes caramelos de desconocidos.»

–No, gracias.

–Sí, lo entiendo. Son un poco fuertes. A mí tampoco me gustan, pero estoy intentando dejar de fumar. Una costumbre muy fea... Empecé en el colegio y... –Calló y frunció el ceño. El coche empezó a dar bandazos–. ¡Maldita sea! Creo que he pinchado...

Frenó y se detuvo a un lado de la carretera. Liv se mordió los labios. Ahora él se abalanzaría sobre ella. Miró hacia fuera, con los ojos muy abiertos. Los arcenes no tenían árboles, estaban vacíos, y no se veía ni una sola casa. Bajo la luz de la luna podía ver las suaves formas de los montículos de caliza que salpicaban el paisaje. Pensó: Si me toca, chillaré. Sabía que podían ocurrir cosas malas y que, de hecho, ocurrían: su propio padre se había ido, y mira lo del pobre Philip Constant, se dijo. Solo la gente como Rachel llevaba una vida perfecta, en la que nada salía mal.

Pero ella le oyó decir, mientras abría la puerta del conductor:

–Lo siento muchísimo. Tendrás que perdonarme, pero será solo un momentito. Se me da bien lo de los pinchazos.

Liv salió del coche. El maletero se abrió y se oyeron entrechocar las herramientas. Liv le oyó cantar para sí y, una vez más, de una manera ilógica, se sintió tranquila. Cuando él terminó de reparar el pinchazo, le tendió un largo clavo de hierro.

–Ha sido culpa de esto. –Frunció el ceño–. Vaya, las manos...

Las tenía manchadas de grasa.

Ella le ofreció su pañuelo.

—Me parece una lástima —dijo. El blanco pañuelo estaba limpio y llevaba bordada en una esquina la letra O—. A ver... —La miró—. ¿Olga? ¿Oonagh? ¿Ophelia?

Ella sonrió.

—Olivia. Olivia Fairbrother.

—Yo me llamo Hector Seton. Te estrecharía la mano, pero te mancharías con la grasa.

Siguieron en el coche. Al acercarse a casa de Rachel, Liv pensó con rapidez.

—Podría dejarme aquí, si no le importa, señor Seton. —Sería difícil explicarle a Thea el sonido de un coche que parara justo delante de la casita.

Fernhill Grange estaba iluminada como un castillo de cuento de hadas. Los Wyborne estaban dando una fiesta. Se veía un entoldado e hileras de bombillas de colores se entrecruzaban en el jardín. Las parejas deambulaban por el césped y, en la distancia, Liv oyó música.

Entonces vio a Rachel. Llevaba un vestido que Liv no conocía, de una tela muy clara y brillante. Poniéndose de puntillas, agarrada con una mano a la verja de hierro forjado, Liv la llamó.

Años después, pensó en lo raro que debió de ser todo aquello para Hector. El aroma de las flores primaverales después de la lluvia, la luz de la luna, y Rachel que se volvía, sonreía y caminaba hacia ellos, como una llama plateada en la oscuridad.

Katherine estaba en la parte de atrás del coche de Jamie Armstrong.

—Dios mío, ha sido fantástico —dijo Jamie, y se apartó de ella.

Hubo una segunda pausa y luego Katherine dijo:

—Sí, ¿verdad? —y se enderezó, con esfuerzo, volviendo a colocarse bien la ropa.

—¿Un cigarrillo?

–Por favor. –Él le encendió uno. Hubo un largo silencio mientras fumaban.

–Me gustaría volver pronto, o si no mamá se enfadará –dijo ella.

–Por supuesto –contestó él, con algo de alivio, y se trasladaron a los asientos delanteros.

Cuando llegaron a la casa de los Constant, Jamie le dio un rápido y vergonzoso beso en la mejilla.

–¿El fin de semana que viene, quizá? –Katherine sonrió, entró en el jardín y cerró la cancela tras de sí, sin hacer ruido.

Pasó por el vestíbulo, siempre desordenado. No se fue inmediatamente a su dormitorio, sino que se sirvió un vaso de leche del frigorífico y se sentó en el salón, mirando el jardín iluminado por la luna. Aunque la casa de los Constant era grande, no parecía lo suficientemente grande para los seis. Daba la sensación de que brotaban cosas por todas partes –cañas de pescar, botas de fútbol, juguetes de Philip...–, de modo que no quedaba una sola superficie libre de objetos. En aquel preciso momento, Katherine compartía el sofá con dos ositos de peluche, el jersey de cricket de Simon y la bolsa de labor de punto de su madre. A Katherine le desconcertaba que su madre trabajase en la casa catorce horas cada día y que aun así la casa tuviese siempre aquel aspecto. Eso demostraba que ser ama de casa era una enorme pérdida de tiempo.

Lavó el vaso en la cocina y subió al piso de arriba. En su pequeño dormitorio, las paredes estaban cubiertas con los carteles que Katherine pedía en las agencias de viaje: la torre Eiffel, la *fontana* de Trevi en Roma, el Empire State Building... o fotos de playas del Caribe y montañas suizas, recortadas del *National Geographic,* que era, junto con *Punch,* el ingrediente básico en las lecturas de la sala de espera de su padre.

Al desvestirse, Katherine se examinó y notó un súbito pinchazo de decepción y de asombro. Pensaba que su aspecto sería distinto. Guiñó los ojos ante el espejo. Esperaba... ¿qué? ¿Un brillo, un misterio femenino, quizá? Se rio para sí, y vio su propio reflejo, los ojos color barquillo tostado que no se alteraban por la pérdida de su virginidad, la piel pálida, enmarcada por una cortina de pelo liso color arena. Por enésima vez deseó tener el pelo castaño y ondulado de Rachel, la piel cremosa y sin pecas de Rachel. Todo era tan fácil para Rachel...

Sentada en la cama, aferrada a sus rodillas, Katherine se enfrentó a su extrañeza. Sencillamente, no podía comprender a qué venía tanto escándalo. Unos breves momentos de incomodidad y molestia ¡y la gente escribía poemas sobre aquello, nada menos! Cuando Jamie jadeó y tembló y luego se apartó de ella, casi se le escapa: «¿Eso es todo?», pero consiguió morderse la lengua. Él parecía haber disfrutado; por tanto, debía de ser culpa suya. Todos los libros, todas las canciones decían que el sexo era maravilloso.

Pero junto con la confusión, sintió también triunfo y alivio. Se había prometido a sí misma dos cosas antes de cumplir los dieciocho, en agosto. Ropa nueva y perder la virginidad. Tenía ahorradas once libras de su trabajo de los sábados para ropa —el resto lo guardaba para su viaje alrededor del mundo; empezó a ahorrar para dar la vuelta al mundo cuando tenía ocho años—, pero su indeseada virginidad se le agarraba al cuello como un albatros. Solo las chicas realmente feas, o buenas chicas como Rachel, o románticas incorregibles como Liv eran todavía vírgenes a los dieciocho. De modo que ella había atravesado un puente. Que no se hubiese divertido demasiado carecía de importancia. Lo que importaba era el hecho.

Hector Seton se encontraba ante la casa de Liv cuando esta volvió a casa del colegio, el martes.

—Quería devolverte esto. —Le tendió su pañuelo, lavado y planchado—. He preguntado en la estafeta de Correos dónde vivíais... los Fairbrother...

Se pasó los dedos por el pelo revuelto.

—Me preguntaba si tendrías un minuto. Hay algo más...

Ella le ofreció una taza de té y él la siguió a la cocina. Una vez allí él hizo una pausa, sonriendo, tocando las sartas de conchas que servían como cortinas.

—Qué idea más estupenda. Mucho más alegre que el *chintz* floreado.

Liv puso la placa en el fogón. Hector dijo:

—Aquella chica que me presentaste la otra noche...

—¿Rachel?

—Sí. ¿Está... tiene... es...? Bueno, el caso es que no puedo dejar de pensar en ella.

—Oh —Liv lo miró. De modo que Hector Seton estaba enamorado de Rachel. No le sorprendía lo más mínimo que alguien se enamorase tan repentinamente: siempre ocurría así en los libros.

—Me preguntaba si hay alguien..., si está comprometida, por ejemplo.

—Rachel no tiene novio —y añadió enseguida—: Muchos chicos han querido salir con ella. Pero aún no ha encontrado a la persona adecuada. —Le tendió una taza de té—. ¿Quieres que salgamos al jardín?

Él le abrió la puerta. A media distancia se abría un claro, donde se encontraban dos sillas destartaladas y una mesa.

—Vaya, esto es increíble. —Hector admiró la mesa.

—La he hecho yo.

—¿Sí? Es muy ingeniosa. —Miró la superficie. Estaba formada por pulidos fragmentos de cristal coloreado incrustados en yeso.

—Los encontré en la playa. Antes vivíamos en la costa. Cuando era pequeña pensaba que eran joyas.

—Yo atesoraba cosas de la playa, en casa. Fósiles, conchas y trocitos de madera de desecho. Llené casi una habitación entera con cosas de esas.

Liv recordó la conversación que tuvieron en el coche.

—¿En Northumberland?

Hector parpadeó, con ojos de búho, detrás de las gafas.

—No vivo allí desde hace años. Ahora vivo en Londres. Pero todavía lo considero mi casa. —Miró a Liv—. Rachel...

—A ella le gustaste.

La expresión de él, todo su aspecto, cambiaron. Pareció iluminarse desde el interior.

—¿De verdad?

–Sí. Eso dijo.

Aunque no fue eso exactamente lo que dijo Rachel. «Sigo pensando, Liv, que lo he visto antes en algún sitio. Cuando hablo con él, es como si lo conociera desde hace años. Pero por más que lo pienso creo que no nos conocemos de antes.» Parecía sorprendida.

–Sus padres... ¿cómo son?

–La tía Diana es muy amable. El señor Wyborne... –Liv se imaginó al inteligente y ambicioso padre de Rachel– es miembro del Parlamento.

–Ah. Ese Henry Wyborne. –Al mirarla, él sonrió–. ¿Da miedo?

–Un poco.

Hubo un silencio y luego Hector dijo:

–Tengo que verla de nuevo.

No, según observó Liv, «me gustaría verla de nuevo», ni «sería agradable volverla a ver», sino «tengo que verla de nuevo».

Katherine se había hecho un calendario de repaso enorme y muy confuso, con los tres temas divididos en subtemas y marcados con rotuladores de distintos colores. Solo quedaban seis semanas en aquel calendario, y hasta el momento no había podido tachar ninguna de las chillonas categorías. Tapándose los oídos con las manos, Katherine miró su ejemplar de la *Eneida,* intentando acallar los gritos y el molesto timbre del teléfono y, sobre todo, su nombre, gritado insistentemente.

–*Tendebantque manus ripae ulterioris amore?* –Murmuró: «Tendían sus manos anhelando la costa lejana».

Unos nudillos llamaron a la puerta de su dormitorio:

–¡Kitty! –Más golpes–. ¡Kitty!

Abrió la puerta.

–¿Qué?

–Mamá te llama –dijo Simon–. El niño se está portando fatal, y alguien tiene que contestar el teléfono.

–¿Y por qué no contestas tú?

—Porque tengo clase de conducir —dijo Simon, con aire de suficiencia, y se fue dando saltitos por el pasillo, con las manos en los bolsillos y silbando.

—¡Y yo tengo exámenes! —chilló ella.

Él se volvió a mirarla.

—Valdrá la pena, si apruebo. Entonces no tendrás que depender de Jamie, ¿no, Kitty?

Ella notó que se ponía roja. Hacía más de un mes que no veía a Jamie Armstrong. No la había llamado. Ella casi se sintió aliviada: tenía que concentrarse en los estudios, y se alegraba secretamente de ahorrarse el desagradable forcejeo en la parte de atrás del coche. Sin embargo, caminando hacia casa, una tarde, pasó junto a Jamie, que estaba en la parada del autobús. Él no la vio; siguió hablando con sus amigos. Ella captó una palabra o dos de su conversación. «Fulana», oyó decir. «Fácil.» Katherine se alejó, mientras deseaba no haberse sonrojado. Sin embargo, el recuerdo de aquellas dos palabras pronunciadas en voz baja hacía que sintiera frío por dentro.

Barbara Constant estaba en la cocina con Philip, dándole de comer con una cuchara. Philip tenía doce años, pero los daños cerebrales que sufrió siendo un bebé, lo dejaron con la capacidad mental de un niño mucho más pequeño. A Katherine le parecía que a medida que Philip se hacía más grandote, su madre parecía encogerse, su cabello se volvía más gris, sus ropas más descuidadas, su rostro más cansado.

Barbara levantó la vista cuando oyó a Katherine entrar en la habitación.

—Está muy irritable. No quiere comer solo. Igual no se encuentra bien. Y la colada está sin hacer y las patatas sin pelar. Y el teléfono no para de sonar.

—Tengo deberes —dijo Katherine, malhumorada—. ¿No podría Michael...?

Pero vio que la cara de Philip estaba llena de manchas rojas y lágrimas. Cuando él tendió los brazos, Katherine lo abrazó, y su pelo claro, tieso y rojo, le rozó la mejilla. Él levantó la vista hacia ella y sus ojos, del mismo color castaño cálido que los de ella, la miraron fijamente, buscando su tranquilidad. El niño tomó aliento con fuerza, tembloroso, y se volvió a sentar en la silla mientras ella le daba palmaditas suavemente en la espalda.

La señora Constant le sirvió algo más de comida, pero Philip le tiró la cuchara de la mano, salpicando las baldosas.

–Por Dios bendito... –Las palabras sonaban trémulas por la tensión. El teléfono empezó a sonar otra vez.

Katherine dijo rápidamente:

–Vale, déjame a mí. –Recogió la cuchara y la aclaró bajo el grifo.

Su madre salió de la habitación. Siempre pasaba lo mismo, pensó Katherine, mientras recogía los últimos restos de patata y estofado. Los chicos cortaban el césped y lavaban el coche, pero lo de pelar patatas, planchar, poner la mesa, pasar el aspirador y quitar el polvo eran tareas de Katherine. Tenía que luchar mucho para que le quedase algo de tiempo para estudiar, pensó, resentida.

Pero al meter la cuchara en la boca de Philip, reconoció que si no repasaba era por su escaso interés, más que por falta de tiempo. Se tuvo que admitir, con desaliento, que no le gustaba nada el latín, ni el griego, ni la historia antigua. Ni siquiera quería asistir a Oxford. Una facultad solo de chicas sería lo mismo que el colegio.

Después de limpiarle bien la cara a Philip, Katherine lo convenció para que bajara de su silla y se fuera al destartalado y viejo sofá. Se sentó a su lado, lo rodeó con el brazo, y lo acunó mientras le cantaba. Al cabo de un rato se le cerraron los ojos y se durmió. Le apartó el flequillo de la frente con suavidad. Recordaba el día en que nació. Ella subió de puntillas las escaleras para ver a su nuevo hermanito. Quería una hermana, una aliada en aquella casa toda llena de chicos, pero llegó a quererlo enseguida. Era un bebé listo, feliz, sano. Y luego, junto con Michael, Simon y la propia Katherine, pilló el sarampión. Katherine recordaba estar en cama, llena de picor, abatida y aburrida. Su madre corría de una habitación a otra con bebidas frías y loción de calamina, y su padre decía, irritado:

—No hay que preocuparse, Barbara. La mitad de los niños de mi consulta tienen sarampión ahora mismo.

Katherine no podía recordar exactamente el momento en que los ánimos de la casa pasaron del cansancio y el tedio a la ansiedad y el miedo, pero sí recordaba la llegada de la ambulancia. La sirena la despertó, y ella llamó a su madre. Con solo seis años, se sentía abandonada y confusa. Le dijeron que se habían llevado a Philip al hospital, pero cuando regresó a casa creyó que habían secuestrado a su hermanito y que lo habían cambiado por aquel niño tan raro, con los miembros flácidos y los ojos vacíos. Le costó años, literalmente, años, entender del todo lo ocurrido. Hojeó un libro médico que estaba en la consulta de su padre, y leyó: «La encefalitis es una rara complicación del sarampión que puede conducir a la epilepsia, daños cerebrales, sordera y ceguera». Solo entonces comprendió, con una irrevocabilidad que hizo que las lágrimas se deslizaran silenciosamente por su rostro, que Philip nunca sería capaz de decir más que un puñado de palabras, que siempre andaría despacio y no muy lejos, y, lo más alarmante de todo, que seguiría sufriendo ataques.

Katherine arropó a Philip con su vieja mantita preferida, luego se levantó y se fue al fregadero, repleto de platos sucios y vasos manchados. Estaba a punto de sumergir las manos en el agua tibia cuando oyó un golpecito en la ventana. Se dio la vuelta y sonrió cuando vio a Rachel y Liv. Corrió fuera.

Dieron la vuelta en torno a sombríos laureles y polvorientos naranjos mexicanos y llegaron a un pequeño claro, donde se tumbaron.

—Vamos —dijo Katherine—, cuéntanos, Rachel.

La noche anterior Rachel había salido otra vez con Hector Seton.

—¿Te ha dado un beso? —preguntó Liv.

Rachel, que estaba sentada con las rodillas levantadas y los brazos alrededor, asintió.

—Y ¿cómo es?

—Encantador. Encantador de verdad. —Rachel se quedó callada, y Katherine fue consciente de un atisbo de irritación. Quizá

Rachel sentía por Hector Seton lo mismo que por su poni, por sus clases de danza y sus preciosas ropas: le pertenecían por derecho propio, y estaba agradecida, pero no lo deseaba de la forma que Katherine deseaba tantas cosas.

Entonces Rachel dijo de repente:

—Tenéis que ayudarme. Tengo que pensar lo que voy a hacer. —Su serenidad desapareció, cayó como una máscara. Arrancó una margarita y la apretó con el pulgar—. Hector quiere enseñarme su casa en Northumberland. Quiere que vaya a pasar un fin de semana allí.

—¿Y tus padres?

—No me dejarían, por supuesto.

—¿Se lo has pedido?

—No serviría de nada. Le he dicho a Hector que se lo preguntaría, pero no lo he hecho.

Hubo un silencio. Luego Liv dijo:

—Podrías decirle a tía Diana que vienes a pasar el fin de semana conmigo.

Rachel arrancó otra margarita.

—Sí, supongo que podría hacer eso.

Katherine levantó la vista, conmocionada. Rachel, la buena, la obediente Rachel, estaba planeando mentir a sus padres.

Frunció el ceño.

—Liv está demasiado cerca..., lo averiguarían. Diles que vienes conmigo. Eso es lo que debes hacer.

La luz del sol brillaba en las colinas de Northumberland y el aire olía de una forma picante y dulce.

—¿Te gusta? —Hector se volvió hacia Rachel.

—Es maravilloso.

—Lo deberías ver en invierno. Todo blanco y negro, como un boceto a tinta.

Habían ido en coche desde Cambridgeshire aquella mañana. Rachel aún se encogía al pensar en las mentiras que le había contado a su madre. Ahora miraba por la ventanilla del copiloto los muros de piedra que delineaban los campos, y las ovejas que salpicaban los promontorios amoratados. Nunca había estado tan al norte. Había viajado, desde luego, pero siempre a sitios como Cannes y St. Moritz, nunca al norte de Inglaterra.

Siguieron en el coche unos kilómetros más y Hector dijo:

—Ahí está mi casa. Ahí está Bellingford. Detrás de esos árboles.

Unos altos muros de piedra, perforados por estrechas ventanas, se alzaron tras una franja de hayas.

—¡Hector, es un castillo!

Él sonrió.

—Bueno, uno pequeñito.

Salieron de la carretera, giraron por un camino bordeado de árboles. En torno a la casa, más árboles formaban una oscura cortina, y, más allá, se alzaban las colinas Cheviot. Hector frenó en el patio y no salió del coche de inmediato.

Rachel puso su mano en la de él.

—¿Cariño?

—No he estado aquí desde el funeral de mi padre. Nunca lo había visto vacío.

Ella le apretó la mano.

—No estará vacío. Yo estoy aquí.

Hector abrió la puerta delantera y Rachel lo siguió al interior. Tuvo una impresión de oscuridad y solidez; el vestíbulo tenía un olor mohoso, a abandono. Se echó a temblar y Hector se quitó la chaqueta y se la colocó en los hombros.

—Tendría que haberte advertido, este sitio es una nevera. Las paredes tienen dos metros de grosor.

Una chimenea inmensa dominaba un extremo del salón, y unos muebles grandes, oscuros y tallados se alzaban junto a las paredes. Los cuadros que colgaban de los muros se veían tenebrosos por una pátina de antigüedad. Rachel puso su mano en la piedra fría e intentó imaginar cómo sería vivir en un lugar como aquel. Uno conocería, pensó, cada colina, cada arroyo. Los recuerdos de otras personas, los amores, los odios y las traiciones de otras personas, estaban grabados en aquellas piedras.

—¿Cuánto tiempo hace que vive aquí tu familia, Hector?

—Ah, siglos —dijo él, vagamente—. Uno de los Plantagenet... Un Enrique, pero nunca recuerdo cuál, le regaló estas tierras a uno de mis antepasados. Por los servicios prestados y todo eso.

—¿Hay fantasmas?

Él se rio y dijo:

—Nunca he visto ninguno. —Y le tomó la mano. La fue llevando de habitación en habitación. Cuando apartó las cortinas, la luz del sol inundó la oscuridad mohosa y motas de polvo bailaron en ella. Rachel miró las fotos en sepia de unos Seton ceñudos, con la mandíbula firme, y pasó las yemas de los dedos por unas mesas de roble cuyo pulimento de cera, tras siglos de aplicaciones, se había endurecido, formando un lacado de un color carmesí oscuro. En la torre, las escaleras giraban en torno a los muros circulares, trepando como la hiedra. Las ventanas eran estrechas troneras, como si un cuchillo hubiese cortado la tela del edificio.

Hicieron un picnic en el jardín. Al abrigo de tres enormes muros de piedra, el sol les fue calentando. Hector traía gambas, con su cáscara de color coral, y un trozo de brie, curado y rezumante. Acompañaron la comida con champán, la bebida favorita de Rachel: le gustaba mucho cómo rebotaban las burbujitas secas y agudas contra su paladar.

Casi habían acabado el almuerzo cuando Hector, mirando hacia la casa, dijo:

—Estoy intentando decidir qué hacer con esto, ya lo ves. Por eso quería traerte a Bellingford, Rachel. Tengo que decidir si volver a vivir aquí o dejar que se vaya enmoheciendo. O bien venderlo.

Ella lo miró.

—¡Hector, no puedes vender Bellingford!

—Sería difícil... Hay una serie de fideicomisos y cosas. Pero sería lo más sensato.

—Estaría mal hacerlo. Te pertenece a ti, Hector. Tú eres parte de esto. —Rachel miró a su alrededor—. Es que es tan bonito...

—Me encanta que te guste, pero hay que pagar impuestos de sucesiones y no queda demasiado dinero en el banco. Y al fin y al cabo yo vivo en Londres...

—Pero podrías trasladarte aquí. Aunque tu trabajo...

—Odio ese trabajo.

—Pues entonces...

—Pero míralo. Es un elefante blanco, enorme. ¿Qué demonios voy a hacer con todo esto?

—Pues podríamos abrir una academia de equitación. O criar gallinas. O —Rachel soltó una risita— un salón de té.

Hector se quedó inmóvil.

—¿Nosotros?

—Eso creo, ¿no? —Ella se sintió conmovida, sabiendo por primera vez en su vida lo que quería, y lo mucho que lo deseaba. Lo miró—. Me vas a pedir que nos casemos, ¿no, cariño?

Él parecía asombrado.

—Pues... claro... por eso te he traído aquí, pero...

—Pero ¿qué?

—Rachel, solo hace unos pocos meses que nos conocemos. Y yo tengo veintiséis años... ocho más que tú. Quizá ahora pienses que me quieres, pero ¿qué sentirás dentro de un año, o de cinco?

—Pues lo mismo que ahora. Te quiero, Hector. —Levantó los ojos hacia él—. ¿Y tú? ¿Todavía me quieres?

—Te querré dentro de diez años y dentro de veinte —dijo él, sencillamente—. Me enamoré de ti en el primer momento que te vi, Rachel, y seré tuyo hasta que me muera. —La acercó hacia él y empezó a besarla.

Volviendo a casa de su trabajo del sábado, Liv vio el coche aparcado junto a la casita. Diana Wyborne estaba sentada en el asiento del conductor. A Liv le dio un vuelco el estómago.

—¿Olivia?

—¿Sí, tía Diana? —Notó que sonreía desesperada, intentando congraciarse con ella.

—Quería decirte una cosa, por favor.

Diana Wyborne salió del coche. Torpemente, Liv metió la llave en la cerradura. Cerró la puerta después de entrar las dos, y Diana dijo:

—Tengo razón, ¿verdad? Rachel está con ese hombre.

El corazón de Liv martilleaba salvajemente. Como no contestó, Diana gritó:

—¡Al menos ten la cortesía de decirme que no tengo que llamar a la Policía! —Las palabras, duras y angustiadas, resonaron en la pequeña habitación.

—Rachel está con Hector.

—Ah. —Solo una pequeña exhalación, como un suspiro. Hubo un silencio y luego Diana dijo—: Y vosotras, las chicas, ¿lo sabíais?

—Sí.

La cara de Diana estaba blanca.

—Supongo que fue idea de Katherine decirme que Rachel estaba con ella.

—No, fue mía —susurró Liv. Miró al suelo.

—Ya veo. —Diana buscó cigarrillos en el bolso—. Y ¿adónde han ido?

—A Northumberland. A casa de Hector. —Se hizo el silencio, interrumpido solo por el chasquido del encendedor de Diana Wyborne. Liv hizo acopio de todo su valor—. Están enamorados, tía Diana. Rachel y Hector se quieren.

—Y supongo —susurró Diana— que tú crees que eso lo arregla todo, ¿no?

Frente a tal furia, tuvo que esforzarse para pronunciar las palabras.

—Sí. Sí, eso creo.

Oyeron unos pasos en el camino de grava. Se abrió la puerta delantera. Thea dijo:

—Diana, qué sorpresa más agradable. —Y luego, mirándolas a las dos—: ¿Pasa algo?

—Rachel se ha ido a pasar el fin de semana con un hombre. —Diana casi escupió las palabras—. Tu hija lo ha organizado.

Thea parpadeó.

—¿Es verdad eso, Liv?

Abatida, Liv asintió. Diana añadió:

—Y es tan tonta que cree que estar *enamorada* lo justifica.

—¿Podríamos empezar desde el principio? —Thea llenó la tetera—. Y una taza de té nos vendría bien, a lo mejor. Rachel se ha ido —repitió—, ¿con...?

—Con Hector Seton, mamá.

—Los presentó Olivia. —Fulminando a Liv, Diana echó la ceniza en el cenicero.

—¿Hector Seton? No me suena ese nombre. ¿Está en la escuela de chicos?

Ante Liv se abrió un abismo, un abismo profundo.

—No, es mayor. Vive en Londres y trabaja en un banco.

—Yo no habría dejado que se acercara a Rachel —murmuró Diana, furiosa—, pero él me dijo que era uno de los Seton de Northumberland.

Thea, mirando a Liv, dijo:

—Y ¿dónde lo conociste tú?

Tenía la boca seca. Murmuró:

—Me llevó en su coche.

Thea agarraba todavía la tetera.

—¿En su coche?

—Sí, en su coche. Perdí el autobús una noche y él pasaba en coche por allí y se ofreció a traerme.

Ahora la expresión en los ojos de Thea era un reflejo de la de Diana.

—¡Fue muy amable! —dijo Liv, con furia—. Él no...

Las palabras se fueron apagando mientras Thea dejaba con fuerza la tetera en el fogón.

Diana exclamó:

—Y cuando he llamado por teléfono a Barbara Constant por lo de las zapatillas de Rachel, y he averiguado que Rachel no estaba allí... ¡bueno, te puedes imaginar lo que he pensado!

Thea tomó aire con fuerza.

—Seguramente te habrás preocupado mucho, Diana. Pero ahora que ya sabemos que Rachel está a salvo...

—Y ¿qué crees que estarán haciendo? —susurró Diana, sarcásticamente—. ¿Un picnic? ¿Mirar los pájaros?

—Está segura, y eso es lo que importa. Y si Hector la quiere, y según dice Liv, parece que no hay duda...

—¡Que la quiere! —La voz de Diana se alzó como un chillido—. ¿Por qué tiene que excusarlo todo el amor? ¡Precisamente tú, Thea, deberías saber que depender del amor es una locura!

Hubo un silencio largo, consternado. Al cabo de un rato, Thea dijo, con una voz grave y tensa:

—Creo que deberías irte a tu habitación, Liv.

En su habitación, Liv se tiró en la cama, sintiéndose muy desgraciada y culpable. Al cabo de unos pocos momentos oyó que la puerta delantera se cerraba de golpe, y el sonido del motor de un coche que arrancaba. Al oír pasos en las escaleras, Liv se incorporó. Thea entró en la habitación.

—Dime lo que ha pasado, Liv.

Así que ella se lo contó. Que perdió el autobús, que se encontró con Hector, que Hector vio a Rachel y que seis semanas después, Rachel, con esa mirada extrañamente intensa, decía: «Tenéis que ayudarme».

—¡No me imaginé que esto causaría tantos problemas! —se quejó Liv.

—Lo que no pensabas es que alguien lo fuera a averiguar —dijo Thea, cortante.

Ella se mordió el labio.

—Y ¿qué pasará ahora?

—Ah, me imagino que Diana se pondrá furiosa y protestará un poco más, y que luego recordará que Rachel es una mujer adulta y aceptará la situación. —Los ojos de Thea se mostraban inflexibles—. Pero mientras tanto, Liv, estás castigada. Hasta las vacaciones de mitad del trimestre. No saldrás por las noches, irás al colegio y luego a trabajar los sábados. Y eso es todo. Porque no puedo confiar en ti. —Thea tenía la boca cerrada y apretada formando una línea—. Subir al coche de un desconocido... Dios mío, se me pone la carne de gallina.

Rachel y Hector regresaron el domingo. Y a las puertas de Fernhill Grange, Hector detuvo el coche.

—¿Puedo entrar? Me gustaría hablar con tus padres.

Rachel empezó a decir:

—Hector yo no... —Y luego vio a su padre que venía andando por el camino hacia ellos.

Henry Wyborne abrió la puerta de la verja. Hector había salido a sacar la maleta de ella del maletero. Rachel dijo:

—Papá...

Y Henry Wyborne, ignorándola, le dijo a Hector:

—Creo que será mejor que se vaya.

—Papá...

—Rachel, cállate.

—Señor Wyborne, me gustaría hablar con usted.

Rachel se oyó a sí misma gemir:

—¡Hector, no les dije a mis padres que me iba contigo!

Pero sus palabras quedaron ahogadas por la voz de su padre.

—Como ya he dicho, será mejor que se vaya, porque, si no, puedo hacer algo que después igual lamento.

Hector se puso blanco. Rachel susurró:

—Por favor, haz lo que él dice, por favor. —Hector, indeciso, se volvió a mirarla. Ella susurró de nuevo—: Por favor, cariño. Hazlo por mí.

Él dijo entonces:

—Si me necesitas... —Y le tocó la cara, apretando la mejilla de ella con las yemas de sus dedos. Luego se subió al coche y puso en marcha el motor.

Rachel agarró la maleta y se dirigió hacia la casa. La puerta estaba abierta; vio allí a su madre. Diana dijo:

—Pero Rachel, ¿cómo has podido? —Y se echó a llorar.

En el salón, Rachel se sentó en una butaca.

—Te habías dejado las zapatillas y no estaba segura de si Katherine tendría unas de sobra.

—Siento haberos mentido. Pero no me habríais dejado ir, de haberlo sabido, y tenía que ir. —Rachel suspiró con fuerza—. Hector y yo nos vamos a casar, mamá.

—No seas ridícula, Rachel. ¡Casada! ¡Qué estupidez! Apenas lo conoces.

Ella entrelazó las manos, mirando a uno y al otro, intentando que comprendieran.

—Mamá... papá... yo lo quiero.

—Solo tienes dieciocho años —dijo Henry Wyborne fríamente—. No eres lo bastante mayor para saber lo que te conviene.

—No soy ninguna niña, papá. —La voz de Rachel sonaba tranquila y digna—. Quiero casarme con Hector.

—¿Ah, sí? Dudo que sientas lo mismo dentro de seis meses.

—Tú lo sabías, papá —suplicó ella—. Tú sabías que querías a mamá.

Él se levantó. Ella lo vio sacar un cigarrillo de una caja en el aparador y encenderlo.

—Yo tenía veintiséis años cuando me casé... y tu madre veintisiete. Nueve años más que tú, Rachel. Esos nueve años suponen una diferencia muy importante.

En la expresión de su padre no vio simpatía alguna, solo enfado y obstinación.

—Soy lo bastante mayor para casarme, papá —susurró.

—Te lo hemos dado todo, Rachel, y te hemos protegido de todo. ¿Qué experiencia tienes del mundo? ¿Qué te hace pensar que tu juicio es mejor que el mío? —Los labios de Henry Wyborne se curvaron—. Quizá pienses que eres una adulta, pero déjame que te diga que yo sé que a los dieciocho no eres lo bastante mayor como para decidir el resto de tu vida.

Su voz era como el hielo, y lo que ella vio en sus ojos la asustó: una dureza oscura e imperturbable, una barrera al afecto y la comprensión que nunca había encontrado antes. Quería llorar; quería gritarle, por primera vez en su vida. Pero se limitó a salir de la habitación tambaleándose, correr escaleras arriba, entrar en su dormitorio y cerrar la puerta tras de sí dando un portazo.

En el pequeño baño de color rosa adjunto a su dormitorio, Rachel dejó correr el agua y se quitó la ropa que llevaba, prenda por prenda. Luego se sentó en las frías baldosas, apretando las rodillas contra las mejillas. Todavía notaba el olor de él en su piel.

Susurró: «¡Oh, Hector!», mientras las lágrimas bajaban por su rostro y luego por sus piernas.

Al cabo de un rato se levantó y entró en la bañera. Notó como si estuviera quitándoselo a él de la piel. Le dolían los ojos; frotándolos, vio entre el vapor y la gran nube de burbujas su colección de conejitos de porcelana y pájaros de cristal en el alféizar de la ventana. Todo aquello −los adornos, los tarros de sales de baño con sus motivos floreados, el salto de cama rosa y vaporoso− parecía algo que no tenía relación alguna con ella, que pertenecía a una Rachel distinta, una Rachel que ya estaba casi olvidada. No podía imaginarse siquiera volver a ser aquella Rachel.

Sonó un golpecito en la puerta. Su madre llamaba.

−¿Puedo entrar?

−Sí, mamá.

Diana se sentó en la silla Lloyd Loom. Dijo:

−¿Te tienes que casar?

Le costó unos momentos comprender lo que le estaba preguntando su madre. Luego enrojeció.

−No, no es eso, mamá.

−Sin embargo, te has ido a la cama con él.

Ella recordó la cama de cuatro postes en Bellingford, vestida de cretona desvaída, y cómo se compenetró el cuerpo de él con el suyo. Rachel dijo, desafiante:

−Sí. Y ha sido maravilloso.

Los ojos de Diana chispearon.

−¿Y ha sido el primero? ¿O ha habido otros?

Rachel se ahogaba de rabia.

−Pero ¿cómo te atreves? ¿Cómo te atreves? −Las palabras atragantadas eran punzantes, como flechas.

Hubo un silencio breve y tenso, y luego Diana murmuró:

−Lo siento mucho, cariño, no tenía que haber dicho eso.

Rachel se llevó la esponja al pecho.

−Él no sabía que yo os había mentido. No ha sido culpa suya. Y no queríamos hacer el amor, pero ocurrió, sencillamente.

−Creo que será mejor que no se lo digas a papá, de todos modos, ¿de acuerdo, cariño? Es mejor que piense que Hector fue un caballero. –Diana metió la mano en el agua–. ¡Brrr! Se te está poniendo carne de gallina. Vamos, date prisa y sécate, que si no pillarás un resfriado. –Y salió del baño.

Rachel permaneció en el agua, que se iba enfriando. Notaba los miembros pesados. Las burbujas ya se habían desvanecido y movió la mano lentamente por el agua tibia, contemplando las ondulaciones que chocaban contra los lados de la bañera. Le pareció oír puertas que se cerraban, verjas que se abrían. Salió de la bañera y, tras envolverse en la bata, se fue al dormitorio. Por primera vez, su lujo rosa y blanco le pareció opresivo y degradante, como una bonita jaula que la atrapaba. Se quedó un momento junto a la ventana, contemplando la lluvia, y su mirada se desplazó del jardín a la carretera, y a los campos que se extendían a lo lejos; luego se echó en la cama y se durmió. Soñó que subía a la torre rectangular de Bellingford. La escalera parecía subir en espiral eternamente.

Al anochecer llamaron a la puerta. Rachel abrió. Su padre le traía una bandeja.

–He pensado que deberíamos hablar, calabacita.

El viejo apodo infantil la tranquilizó. Él entró en la habitación y dejó la bandeja en la mesa.

–Un poco de cacao –dijo–. Te lo he preparado yo, me temo. Espero que no esté demasiado asqueroso.

–¿Dónde está la señora Nelson? –La señora Nelson era el ama de llaves de los Wyborne.

–Su hija está dando a luz otro vástago, así que se ha tenido que ir corriendo a casa. Y mamá tiene un dolor de cabeza de los suyos, así que me he quedado yo de guardia.

–Ay, papá... Lo siento tanto... No quería causaros tantos disgustos. –Las lágrimas le escocían en los ojos.

–Vamos, vamos. –La abrazó. Luego dijo–: He tenido unas palabras con Hector. Ha llamado. Tú estabas durmiendo. Parece un hombre decente. Y es obvio que se preocupa muchísimo por ti, tesoro.

Las esperanzas de ella renacieron.

–Me quiere.

–Sí. –Henry dejó su vaso–. Pero hay otras consideraciones, cariño.

Ella susurró:

–¿Otras consideraciones?

–Sí –él hizo una mueca–. El dinero, me temo. Hector ha heredado una propiedad considerable, pero tiene que pagar el impuesto de sucesiones y no tiene demasiados bienes que se puedan vender.

Ella seguramente parecía desconcertada, porque él se explicó:

–Cuadros, antigüedades, tierra cultivable. Esas son las cosas que suele vender la gente cuando tiene que liquidar los impuestos. O bien tiene que dejar que se lo quede todo el Patrimonio Nacional. Pero Hector me ha dicho que tú querías vivir allí, así que eso no es opción.

Ella dijo con vehemencia:

–Yo viviría en cualquier parte, papá, si así Hector y yo podemos estar juntos. En un bungaló o en una vivienda de protección oficial, en cualquier parte.

–Pero soy yo el que no quiero que vivas «en cualquier parte», cariño. –Le apretó la mano–. He guardado algo para ti, Rachel, para cuando te cases, pero quiero estar seguro de que estás haciendo lo correcto. No es poco razonable, ¿verdad? Mamá y yo querríamos que vieras algo más de mundo antes de establecerte. De modo que nos gustaría que esperases un año. Después de todo, solo hace unos meses que conoces a ese joven. Un año no es mucho pedir, ¿verdad, calabacita? Para complacernos a mamá y a mí.

–Pero ¿podré verlo?

–Pensamos que sería mejor que no lo hicieras.

–Pero papá...

–Lo único que estoy sugiriendo es una separación de un año. Pero sin cartas ni llamadas telefónicas. Mejor así, cortar limpiamente, más civilizado, ¿no te parece? Y si al final los dos sentís lo mismo, entonces os podéis casar con nuestras bendiciones.

Ella gritó:

–Pero ¿qué pensará Hector? ¿Qué pensará?

—Lo entenderá. Es la mejor solución, ¿no te parece, cariño? Así mamá y yo no nos preocuparemos, y Hector, si realmente te quiere, estará dispuesto a esperar. —Henry agarró la taza de las manos agarrotadas de Rachel y la dejó en la bandeja—. ¿Trato hecho, entonces?

Ella asintió, muda.

—¿Me lo prometes? —dijo.

—Te lo prometo. —Las palabras apenas fueron un susurro.

—Bien —dijo él, bruscamente—. Entonces, mamá y yo hemos decidido que lo mejor para ti es que vayas ahora mismo a Madame Jolienne, en lugar de esperar al otoño.

Ella lo miró, asombrada. Madame Jolienne llevaba la escuela para señoritas en París.

—Pero ¿y Lady Margaret?

—Solo te queda un curso, cariño. No te preocupes por esa bobada de exámenes. No importan, ¿no? —sonrió su padre—. Será mejor que escribas a Hector y se lo expliques. Una nota corta. Yo la enviaré en tu nombre. Eres una buena chica, Rachel. Sabes que mamá y yo solo queremos lo mejor para ti. Y ahora ¿por qué no te vas a dormir temprano? Pareces agotada, calabacita.

Una mañana, temprano, enviaron a Rachel a Heathrow y de allí a París. Con la partida de Rachel, Liv tuvo la sensación de que todo cambiaba. El mal ambiente que había entre Thea y Diana persistía, sin que se olvidara ni aclararan sus diferencias. Liv echaba de menos sus largas conversaciones con Rachel los fines de semana o después del colegio, descansando en las sillas de mimbre en el porche de los Wyborne o enroscada entre los cuadros y libros de su propio dormitorio. Echaba de menos sus paseos, sus excursiones en bicicleta, las tardes que pasaban probándose cada una la ropa de la otra, o experimentando con el maquillaje.

En una tienda de segunda mano de Cambridge se compró faldas de terciopelo con picos, blusas de encaje victorianas y largos collares. En el pueblo la gente se la quedaba mirando. Con lo que ganaba en su trabajo de los sábados se compró champús y tintes, perfiladores de ojos y lápices de labios para dibujar en el lienzo en blanco de su rostro. Nada tenía el efecto que prometía: por mucho que se arreglase el pelo, seguía enmarañado como el nido de un pájaro, y siempre se le corría el rímel, dejando lágrimas negras en sus mejillas.

La casita se había vuelto demasiado pequeña y parecía atestada, y los amigos y vecinos a los que conocía desde hacía años ahora le resultaban irritantes y aburridos. Y lo peor de todo: parecía que había crecido una invisible pared entre ella y Thea. Ya no era capaz de sentir el amor incondicional de su niñez. Ahora veía a Thea con ojos más adultos, más fríos. Una parte de sí, una parte que no le gustaba demasiado, veía la ropa excéntrica y hecha en casa de Thea, y su pelo canoso y desaliñado, que se cortaba con las tijeras de la cocina, y la estrechez de su vida, y la juzgaba con dureza. En un pequeño rincón de su mente, una vocecilla poco amable y condenatoria exclamaba: «¡Bueno! No me extraña que te dejase. ¡Al menos podías haberlo intentado!».

Tiró todas sus novelas históricas y se puso a leer a Jack Kerouac y a Vladimir Nabokov, a Iris Murdoch y a Margaret Drabble. Leyendo, se evadía. En el colegio, cada día le parecía una eternidad. Se había vuelto restrictivo e irrelevante, como un traje viejo que se le hubiese quedado pequeño. La semilla de la rebelión crecía en su interior, y pasaban ante ella lecciones enteras mientras estaba sentada en la última fila de la clase, garabateando en un cuaderno, con un aburrimiento tan tangible que casi daba miedo. Por primera vez en su vida empezó a tener problemas en Lady Margaret: por no entregar un trabajo, por falta de cooperación. Ella y Katherine formaban un círculo pequeño y desafecto, separado de las demás chicas.

Cuando la profesora de su curso escribió una carta a Thea, expresando su preocupación por el nivel cada vez más bajo del trabajo de su hija, Liv dio unas respuestas enfurruñadas y poco esclarecedoras a las preguntas de Thea. La paciencia de Thea hacía que se sintiera furiosa y culpable. Thea, luchando por comprenderla, le dijo amablemente:

—No tienes que ir a la universidad si no quieres, cariño. Puedes quedarte aquí y buscar empleo.

Liv susurró:

—¿Quedarme aquí? ¿Qué narices iba a hacer yo en este agujero? Aquí no hay nada que hacer, y todo el mundo es muy aburrido. —Y se retiró a aquel lugar del fondo del jardín, entre los sauces y el arroyo, el lugar donde años atrás pronunciaron sus inútiles e infantiles hechizos. Sentada en un tronco, se tapó la cara con las manos. Odiaba el colegio, odiaba Fernhill, pero sobre todo se odiaba a sí misma. Sus desgracias eran nimias. No se moría de hambre en la India. No era una refugiada vietnamita.

Al cabo de un rato volvió a casa. En la cocina, abrazó a Thea y murmuró una disculpa, y luego subió a su habitación, sacó los libros y estuvo horas estudiando. La universidad era su vía de escape: no podía permitirse fracasar. Y luego, a principios de mayo, los acontecimientos que se desarrollaban en París aparecieron en televisión. Las manifestaciones y arrestos en la Sorbona, las barricadas, los enfrentamientos entre estudiantes y Policía. Liv, contemplando las imágenes parpadeantes en blanco y negro, sintió una súbita punzada de optimismo. Como si pudiera ocurrir cualquier cosa. Como si, teniendo un poco de paciencia, un poco más, pudiera ocurrirle cualquier cosa.

Mientras lavaba los platos aquella noche, vio el coche deportivo de Hector Seton ante su casa. Thea estaba en el jardín; Liv se secó las manos en los vaqueros y salió corriendo.

—¡Hector!

—Liv. ¿Cómo estás? ¿Quieres ir a dar una vuelta?

—No puedo. No me dejan.

—Ah. —Se pasó los dedos por el pelo desordenado—. Quería hablar contigo.

—¿De Rachel?

—¿Tanto se me nota?

Ella sonrió.

—Pues sí, realmente, sí.

—Está en París, ¿verdad?

—En una escuela para señoritas que lleva alguien llamado Madame Jolienne. Suena horrible.

Él miró a Liv.

—Su padre me dijo que Rachel quiso irse antes a París. ¿Es verdad?

—No, claro que no.

Ella lo miró, conmocionada. Henry Wyborne había mentido a Hector. Las cartas de Rachel desde París estaban llenas de sufrimiento y empapadas en lágrimas.

—Hector —dijo Liv, con firmeza—, Rachel no se quiso ir a París. Su padre la obligó.

Él parpadeó.

—Y ¿sabes dónde está?

Rachel le había escrito: «Mi padre me ha obligado a prometerle que no contactaré con Hector».

Le dio la dirección.

Rachel odiaba París. Ya veía que, de haber sido otras las circunstancias, quizá habría sentido algo distinto, pero en aquel momento, exiliada y avergonzada, lo odiaba. Por primera vez en su vida sabía lo que era sentirse sola. Echaba de menos Fernhill, echaba de menos a Liv y a Katherine. Y sobre todo echaba de menos a Hector.

No encajaba en aquel colegio y descubrió enseguida que, aunque en el ambiente reducido de Fernhill y del Colegio Lady Margaret quizá la viesen como especial y privilegiada, allí no tenía tal estatus. Comparada con las otras chicas de Madame Jolienne, hijas de embajadores y de príncipes europeos desplazados, ella era muy poca cosa, realmente. Su árbol genealógico no se remontaba a cuatrocientos años atrás, no sabía hablar cinco idiomas con idéntica fluidez. Una semana en Madame Jolienne le enseñó que no sabía vestirse y que sus hábitos de belleza —una cinta para atarse el pelo, un toque de pintalabios— eran risibles. El curso escolar estaba ya en el tercer trimestre cuando llegó Rachel. Muchas de las otras alumnas se conocían desde hacía años, porque habían sido compañeras de clase en carísimos internados suizos. Se habían formado pequeñas camarillas, unas camarillas que excluían a Rachel.

Las clases –etiqueta, composición de menús para fiestas complicadas– parecían ser completamente fútiles. Aprendió a salir de un coche deportivo sin enseñar demasiado las piernas y a preparar *coquilles St Jacques*. Ante la simple expresión «coche deportivo» se veía sentada junto a Hector, recorriendo la campiña de Northumberland. La visión de aquellas vieiras pálidas y relucientes hacía que se le revolviera el estómago.

Empezó a saltarse las clases y a deambular por París. «*Flanear*», lo llamaba para sí. Revolviendo entre los *bouquinistes* de la Rive Gauche, paseando por las Tullerías, podía pensar en él sin interrupción. Lo echaba de menos. No pensaba que fuese posible añorar tanto a una persona. Su cuerpo anhelaba el de él. A veces no sabía cómo iba a soportar otro mes más, otra semana más, otro día más, otra hora sin él. Pensar en no verlo durante un año entero le formaba un nudo bajo las costillas. A veces, la enormidad de su deseo la asustaba. Fue una niña feliz y contenta consigo misma, pero luego se convirtió en adulta, y sus convicciones se rompieron y confundieron, arrojándola al mundo, indefensa.

Al principio no prestó demasiada atención a lo que estaba ocurriendo en París aquel mes de mayo. Pero poco a poco los titulares en las vallas publicitarias y los excitados comentarios en televisión y radio fueron penetrando en su conciencia. La palabra *révolution* parecía suspendida en el aire, susurrada con emoción, expectante o desaprobadora, según los gustos. La gente hablaba de estudiantes que se manifestaban en la calle, de luchas callejeras en el Barrio Latino. Aparecieron lemas en las paredes: EL SUEÑO ES LA REALIDAD. O EL AGRESOR NO ES AQUEL QUE SE REBELA, SINO EL QUE OSTENTA LA AUTORIDAD. A Rachel le gustaron los lemas y le dio por repetírselos mientras desobedecía las órdenes de sus profesoras de quedarse en el edificio del colegio o en sus alojamientos. Empezó a leer los periódicos, a escuchar los boletines de noticias. Secretamente, a veces, deseaba que estallase la tormenta: que los manifestantes arrasaran todo París, quemaran coches, arrancaran adoquines de las calles, corrieran por los anchos bulevares y edificios majestuosos como una marea imparable.

Una vez más, las exhortaron a no pasear por la ciudad. Caminando desde el colegio a su alojamiento, una noche, una de las compañeras de Rachel repetía, con los ojos muy abiertos, los rumores de una manifestación que estaba teniendo lugar solo a unas calles de distancia, en el Boulevard Saint-Michel. El aire de primera hora de la tarde era cálido y cercano; mientras llegaban a su alojamiento, incapaz de soportar la perspectiva de una comida de tres platos que no le apetecía nada, seguida por una velada en su diminuta y atestada habitación, Rachel dijo:

—Creo que voy a salir a dar un paseo.

—Rachel, madame ha dicho...

—No tardaré mucho.

Y salió a la calle. Se dirigió hacia el Boulevard Saint-Michel. Todo París parecía estar allí. Mezclada con la multitud, sabía que con su vestido de algodón pulcramente planchado, su jersey rosa y con zapatos de salón, desentonaba muchísimo. Habría preferido llevar unos vaqueros, una camiseta estilo marinero y una bolsa de tela colgada descuidadamente de un hombro.

En el Boulevard Saint-Michel, las barricadas, hechas de cajas de embalaje, macetas y cajas de madera, estaban rematadas por banderas tricolores. Una voz empezó a cantar «La Marsellesa» y, al cabo de poco tiempo, toda la calle cantaba. Cuando Rachel se unió al coro algo pareció removerse en su interior y revivir, algo que estaba dormido, casi muerto, desde que dejó Inglaterra.

Luego llegó la Policía. Al principio la gente empujaba hacia delante y luego, cuando la Policía puso en marcha el cañón de agua, retrocedió, y después se lanzó hacia delante de nuevo, con un rugido de ira. Los proyectiles surcaban el aire. Los manifestantes arrancaban adoquines y se los arrojaban a la Policía. Se oyó un ruido ensordecedor, no lejos de donde estaba Rachel, que se apretaba los oídos con las manos. «¡Pelotas de goma!», gritó alguien, «¡La Policía está disparando pelotas de goma!».

Empezó a asustarse. Vio que, formando parte de la multitud, no solo era insignificante, como le ocurría en Madame Jolienne, sino que era anónima. No era ni la hija de Henry Wyborne ni la novia de Hector Seton; no era nada, y no le importaba a nadie. Intentó abrirse paso para salir de la multitud y dirigirse hacia un lado de la calle. Allí estaría a salvo, razonó, y podría volver a su alojamiento. Otros cuerpos se apretaban contra el suyo, resonaban gritos y maldiciones en sus oídos, mientras ella iba abriéndose paso poco a poco entre la masa. Llevaba las medias llenas de carreras, estaba empapada por el agua y aterrorizada por las pelotas de goma. Fragmentos de adoquines caían a su alrededor como si fuera granizo. Quería irse a casa. Quería estar en lo alto de la torre rectangular de Bellingford, con el brazo de Hector rodeándola, mirando hacia las colinas enormes y solitarias.

Después de llegar a la acera, empezó a apartarse lentamente de las barricadas. La multitud la aprisionaba, como un monstruo de muchas cabezas. Alguien aullaba la letra de «La Internacional», y un policía, alcanzado por un adoquín, chillaba. Le pareció oír, casi perdida entre el clamor, una voz que gritaba su nombre. Hector, pensó, y se preguntó cómo era posible que, a tantos kilómetros de distancia, él hubiera sabido de alguna manera que ella lo necesitaba. Tenía lágrimas en los ojos y las apartó con los dedos. Un adoquín aterrizó a unos pocos metros de distancia de ella y se apretó contra la pared. Levantando la vista, le pareció verlo. Alto, rubio, inconfundiblemente inglés con sus pantalones de franela y su camisa blanca. Luego desapareció y ella se imaginó que no era más que un producto de su fantasía. Quería llorar; se sentía dolorida, de tan cansada que estaba. Tuvo que luchar contra el deseo de acurrucarse en el suelo, con los brazos rodeando las rodillas y los dedos en los oídos para escapar del ruido.

De modo que cuando el fragmento de adoquín le golpeó en la frente, casi dio la bienvenida a la súbita oscuridad que se abalanzó sobre ella. Lo último que oyó, antes de desmayarse, fue la voz de Hector diciendo su nombre.

El 15 de mayo, Liv recibió una carta de Rachel. El sobre tenía matasellos de Londres.

¡Nos vamos a casar, Liv! ¡Hector y yo! Papá nos ha dado permiso... ¿no es maravilloso?

Quedé atrapada en una manifestación en la Rive Gauche, algo me dio en la cabeza y debí desmayarme unos pocos minutos, y entonces... ¡aún no puedo creerlo! ¡Él estaba allí! ¡Igual que en uno de tus libros, Liv! Él vio lo que estaba ocurriendo en París en las noticias y estaba preocupado, así que vino a buscarme. En realidad no sufrí ningún daño, fue solo un arañazo. Y los dos estuvimos de acuerdo en que no podíamos vivir el uno sin el otro, que un año de espera era demasiado y que Hector podía ir a ver a papá y contarle lo que habíamos decidido. De modo que volvimos en avión a Londres, y Hector fue a casa y habló con papá. Y papá estaba tan preocupado por lo que me pasó en París, y tan agradecido a Hector por rescatarme, que accedió a que nos casáramos. ¿No es increíble?

En julio, para celebrar sus exámenes finales, Katherine se fue a Londres. Subió al metro en la estación de Liverpool Street y miró a las otras chicas del vagón; envidiaba su ropa, su corte de pelo, su esbeltez moderna y confiada. Mientras caminaba por Chelsea, con los ahorros de su trabajo de los sábados en el bolsillo, Katherine se sentía alegre y libre.

En la enorme y oscura tienda Biba eligió un minivestido color ciruela y un par de botas de ante hasta la rodilla. Hizo que la dependienta le envolviera su ropa vieja y se puso la nueva. Al abandonar la tienda se preguntaba qué comprarle a Rachel. ¿Qué regalo de boda, pensó Katherine, se le podía hacer a una chica que lo tenía todo? Al final entró en una tienda de antigüedades y le compró una diminuta jarrita con flores azules en el pico. La pequeña desportilladura en el asa apenas se notaba. A Rachel le encantaría.

Al pasar ante una peluquería en King's Road, Katherine se detuvo a leer el letrero del escaparate. Abrió la puerta.

—¿Sí? —le preguntó una recepcionista con aire aburrido.

—Vengo por el anuncio. El que dice que necesitan modelos.

La recepcionista se bajó lentamente de su taburete.

—Iré a buscar a Jeremy.

Jeremy llevaba un arrugado traje morado de terciopelo, el pelo negro muy largo y un bigote negro que caía por los lados. Pasó los dedos por la trenza dorada de Katherine, manoseándola, pensó Katherine, como si no estuviese unida a ella.

—Ay, cariño —dijo. Bajo el bigote, sus labios se curvaron hacia abajo—. Pero qué mal lo tienes. Con todas las puntas abiertas...

La llevaron a un rincón donde le lavaron el pelo y volvió junto a Jeremy con una toalla que le envolvía la cabeza. Él peinó desdeñosamente sus mechones largos y húmedos. Luego agarró las tijeras. Katherine dio un respingo.

—¡Me lo vas a cortar!

—Mis servicios a un precio ridículamente bajo a cambio de que me des carta blanca con tu pelo. Ese es el trato.

Jeremy cortó, secó y ahuecó; Katherine, mordiéndose los labios, apartaba la vista del espejo.

Al cabo de veinte minutos dijo:

—Mira. —Y se apartó.

Ella levantó la vista. Una suave campana de brillante pelo de un rubio rojizo rodeaba su cara. Sus ojos oscuros estaban enmarcados por un largo flequillo. Notó un pinchazo de emoción.

—¡Es maravilloso!

—Mucho mejor que esa espantosa trenza, ¿no te parece?

Katherine se sentía como una mariposa que hubiese abandonado su caduca crisálida. El vestido, las botas, el pelo... Mientras caminaba por la calle seguía mirándose en los escaparates, para cerciorarse de que el reflejo que veía era el suyo. Un capricho más, pensó, y entró en un café, donde pidió algo para almorzar.

Mientras esperaba su tortilla, miró a su alrededor. Vio mantelitos de cuadros y banquetas tapizadas con un plástico naranja y pegajoso. En las paredes, carteles del Che Guevara y de Jimi Hendrix, y anuncios de conciertos de rock y de reuniones políticas. Dos hombres jóvenes estaban sentados en la mesa de al lado.

Katherine los examinó a hurtadillas. Uno era menudo e iba afeitado, tenía el pelo oscuro y sedoso y los ojos también oscuros y soñadores. Es como un spaniel, pensó. El otro llevaba bigote y el pelo, pelirrojo y rizado, le sobresalía formando tirabuzones en torno a su cabeza. Ambos llevaban pantalones y chaquetas de terciopelo con insignias —símbolos antinucleares y de estrellas y ¡GANDALF VIVE!— en la solapa.

El pelirrojo sacó un paquete de cigarrillos.

—¿Tienes fuego, guapa?

Katherine se dio cuenta de que le hablaba a ella. Buscó unas cerillas en su bolso.

—Fúmate uno, cariño. —Katherine aceptó el cigarrillo—. ¿Te importa que nos sentemos contigo? —No esperaron su respuesta, sino que se acomodaron en el asiento de enfrente.

Se presentaron. El pelirrojo se llamaba Stuart, y el más moreno, Toby. Stuart era de Glasgow; Toby era de Londres.

—Mmm. Desayuno —dijo Toby, cuando llegaron sus platos de huevos con beicon.

—¿Desayuno? —exclamó Katherine. Eran las tres de la tarde.

—Ayer trasnochamos. Vamos a sacar una revista. Anoche tuvimos nuestra primera reunión del comité de redacción —explicó Stuart.

—¿Una revista?

—*El dedo de Frodo* será más incisiva que *Enano Negro* y más atrevida que *Oz* —dijo Toby, optimista. Sonrió a Katherine—. ¿Te gustaría trabajar para nosotros?

Ella estaba a punto de repetir: ¿trabajar para vosotros?, pero se contuvo.

—¿Qué tipo de trabajo?

—Pues cualquier cosa, en realidad —dijo Toby, vagamente—. Cuando la revista esté en marcha, habrá mucho que hacer. Yo tengo los contactos y controlo las finanzas, y Stuart hace el diseño. Ambos escribimos, claro. Y Felix hace algún que otro dibujo, pero podemos tener trabajo para otra persona, una chica preferiblemente... Bueno, para que haga algunas cosas... —Sus ojos oscuros y conmovedores se centraron suplicantes en Katherine.

—De secretaria —dijo Stuart, inspirado.

—Sí. Y recepcionista. Para nuestras oficinas.

—¿Y escribir? —preguntó Katherine.

—Ah, sí, claro. —Stuart apagó el cigarrillo—. Debo decir, Katherine, que estás terriblemente bien capacitada. —Le miró el escote—. ¿Verdad que sí, Toby?

—Terriblemente —dijo Toby, y le sonrió.

Rachel y Hector se casaron a principios de agosto, en uno de los días más calurosos del año. La iglesia parroquial de Fernhill estaba repleta de amigos y conocidos de los Wyborne. Las anchas alas de las pamelas competían por el espacio. Al igual que los colores de los vestidos de las damas: escarlata, esmeralda, turquesa, amarillo canario... De cada rendija y cada rincón surgían jazmines de Madagascar y lirios blancos, de modo que el aire estaba cargado de perfume. La postura de Henry Wyborne en la iglesia, erguido detrás de su hija, era muy marcial. Diana lloró a lo largo de toda la ceremonia. A Hector se le cayó el anillo, que tuvo que ser recuperado por el padrino de debajo de un banco. Solo Rachel, pálida y hermosa, vestida de seda blanca, permanecía serena.

La recepción se celebró en casa de los Wyborne. Observando el entoldado del jardín, Katherine murmuró agriamente a Liv que quizá hubiera elefantes, o unos acróbatas. Hicieron cola para la comida ante el bufé del comedor. Una voz por detrás del hombro de Katherine dijo:

—Huevos de codorniz en áspic. Se supone que son una exquisitez, ya lo sé, pero...

—Parecen globos oculares —dijo Katherine.

—Pues sí, ¿verdad?

Ella lo miró por encima del hombro. Era mucho mayor que ella, pero guapo, con el pelo de un castaño claro, la nariz aguileña y los ojos de un frío color gris.

—Creo que habría que probarlo todo al menos una vez —dijo ella, desafiante, poniéndose unos cuantos huevos en el plato.

—Una filosofía admirable, mientras uno excluya ciertas experiencias.

—Como ¿por ejemplo...? —Y esperó un aburrido sermón de adulto.

—Pues... jerez dulce, col hervida y la gente que siempre calcula lo que cuestan las cosas. —Sonrió—. ¿Puedo ayudarte con esto? Parece que has cargado mucho.

Le dejó que le llevara el plato, en el que había apilado una montaña de comida, y lo siguió hacia la sala adyacente. Las mesas estaban atestadas y los comensales se repartían por la terraza. Él dijo bajito:

—Ahora podemos sentarnos aquí y soportar una aburrida conversación sobre la devaluación de la libra, o si deberíamos unirnos al Mercado Común o no, o bien podemos escaparnos y encontrar un sitio un poco más íntimo.

—Hay un cenador en el césped.

Él se metió una botella de champán y dos copas en los bolsillos de la chaqueta.

—Está usted llena de buenas ideas, mi querida señorita...

—Constant —dijo ella. Pasando entre la gente, salieron al jardín—. Katherine Constant.

—Me llamo Jordan Aymes.

El nombre le resultaba familiar, pero no era capaz de situarlo. Él abrió la puerta del cenador.

—Katherine Constant... —susurró, mientras descorchaba la botella de champán—. ¿No lo acorta nadie?

—Mi hermano gemelo me llama Kitty. Pero todos los demás me llaman Katherine.

—¿Un hermano gemelo? ¿Estáis muy unidos? ¿Compartís los pensamientos del otro, como se supone que hacen los gemelos?

—Qué idea tan espantosa. Desde luego que no. Me resultaría odioso que Simon conociera mis pensamientos y, desde luego, yo no quiero saber los suyos.

—Vaya. Ese tipo de cercanía puede resultar algo sofocante. La complicidad necesita verse compensada por la distancia y la sorpresa, ¿no crees? O si no la magia se evapora.

Él no la había tocado, ni siquiera le había estrechado la mano y, sin embargo, ella notó un pequeño escalofrío que le recorría la espalda.

Miró su plato.

—Bueno, pues... huevos de codorniz. Ahora me los tengo que comer, ¿no?

—Creo que sí.

Ella mordió una de aquellas cositas pequeñas y resbaladizas. Era mucho más rico de lo que esperaba. Se comió media docena de huevos de codorniz, acompañándolos con champán. Cuando acabó, Jordan Aymes dijo:

—Eres una mujer extraordinaria, Katherine Constant. —Y le volvió a llenar la copa—. Cuéntame cosas sobre ti.

—No hay mucho que contar.

—Mal comienzo. Inténtalo de nuevo.

—Mi padre es médico. Tengo tres hermanos.

—¿Mayores o más pequeños?

—Uno mayor, otro más pequeño.

—Y otro igual. Así que estás en medio de la familia.

—Sí —dijo ella, con amargura—. El relleno del bocadillo. —Él levantó una ceja—. Es lo que has dicho de sentirse asfixiada. No veo el momento de irme.

—¿Todavía vives en el hogar familiar?

—De momento.

—Yo imaginaba... —La miró—. ¿Cuántos años tienes, Katherine?

—Diecisiete —dijo ella.

—Ah. —Los ojos se le agrandaron un poco, la comisura de sus labios se agitó levemente.

—Dieciocho la semana que viene —añadió rápidamente—. Rachel y yo fuimos juntas al colegio.

—Al colegio... —Él se incorporó—. Entonces creo que debería acabar de comer en la sala.

—¿Por qué? ¿Te he molestado?

Él sonrió.

—Sería más fácil si lo hubieses hecho.

Ella se sentía desconcertada.

–No lo entiendo.

–Yo tengo treinta y tres años –dijo–. Casi el doble de tu edad. Hay límites, sabes. Madre mía, Katherine, me gustaría ponerte en hielo durante unos pocos años... –Sus labios rozaron el dorso de su mano–. Pero como no puede ser, tendré que decirte *adieu,* por mucho que lo lamente, y desearte buena suerte en la vida que decidas llevar.

Al alejarse, ella recordó de qué le sonaba su nombre. Lo vio en los periódicos: SORPRENDENTE RESULTADO EN LA ELECCIÓN PARA CUBRIR UN ESCAÑO LIBRE, UN *TORY* ELEGIDO EN EL CORAZÓN DE LA TIERRA LABORISTA. Se volvió a sentar, mirándole la espalda mientras se alejaba, y recogió una gota de mayonesa de su plato con el dedo.

Las tres chicas caminaban por la rosaleda situada detrás de la casa. Sus sombras se mezclaban en el césped.

–¿No te has arrepentido, Rachel? –preguntó Katherine–. En el altar, mientras te encadenabas de por vida...

Rachel llevaba el segundo traje, de un color azul empolvado.

–No. Pero...

Katherine saltó de inmediato.

–¿Pero?

–Todo ha cambiado, ¿no? Esta ya no es mi casa. Ya no me llamo Wyborne. Soy la señora Seton y, sin embargo, me siento como si fuera a volver al colegio el mes que viene. –Rachel miró rápidamente a una y después a la otra–. ¿Vendréis a visitarme, verdad?

–Pues claro que iremos –dijo Katherine. Sonrió–. Y ahora, tengo algo que deciros a las dos. Algo muy emocionante. Tengo trabajo.

–¿Trabajo? ¡Katherine! ¿Dónde? ¿Y de qué?

–En Londres. Trabajaré en una revista. –Les contó lo de Toby y Stuart.

–¿Un trabajo de verano?

–No, a tiempo completo.

—Pero ¿y Oxford?

—No creo que me adaptase. Todas esas normas y reglas, tener que pedir permiso para hacer cualquier cosa... No duraría ni quince días.

—¿Y tus padres?

—Lo más gracioso es que la que está preocupada es mamá. Sin embargo, el que fue a Oxford fue papá, y no mamá... Ella simplemente se casó. Intentó que cambiara de opinión. Pero no pienso hacerlo, desde luego. Os alegráis por mí, ¿no?

—Pues claro que sí. —Rachel la abrazó—. Y ¿cuándo empiezas?

—El lunes. Me voy a Londres el lunes.

—¡El lunes! ¡Y no nos lo habías dicho, Katherine!

Liv estaba de pie, algo separada de las dos. Pensó que ya le resultaban poco familiares: Rachel, con su moño francés y su maquillaje sabiamente aplicado, y Katherine, que había cambiado su descontento por un peinado a lo paje, un vestido de Biba y una confianza y una alegría que la transformaban. Era como si las dos se hubiesen alejado de ella, dejándola de pie ante una encrucijada y sin saber hacia dónde dirigirse. Ella era la única de las tres que todavía no había tenido ningún amante. No tenía ni idea de lo que haría después de la universidad.

Una voz pronunció el nombre de Rachel. Diana se acercaba por el sendero de grava.

—¡Te he buscado por todas partes, cariño! El coche está aquí.

Los invitados estaban reunidos en el patio. Thea había pedido su cámara de fotos a Richard Thorneycroft. El obturador chasqueó y Rachel, Katherine y Liv, caminando agarradas del brazo por el césped, quedaron congeladas en el tiempo.

—Nuestras chicas de ojos oscuros —dijo Thea, sonriente, recordando.

Katherine se vio engullida por la multitud. Un pequeño círculo —Hector, su tía Clare y el señor y la señora Wyborne— se reunía en torno a Rachel. Un rastro de pétalos de rosas rojas manchaba el césped. Rachel arrojó su ramo al aire y lo atrapó una regordeta dama de honor vestida de raso amarillo. El taxi que se llevaba a los recién casados desapareció por el camino de entrada. Grupos de invitados se reunían en el jardín, pero el día tenía ya un aspecto agotado, demasiado cansado, como si las celebraciones hubiesen durado demasiado tiempo.

Liv se dirigió a pie a su casa. Necesitaba estar sola un rato. Al llegar, recogió una postal que estaba en el felpudo, se entreveía una foto de unos cielos azules, playas y palmeras. Se sentía apática y cansada, y el vestido se le pegaba a la espalda sudorosa, de modo que se preparó un vaso de naranjada, dejando que el agua helada corriese por sus manos y salpicase su cara acalorada. El verano se extendía ante ella, largo e inhóspito, un verano sin Katherine, sin Rachel.

Al volver la postal, leyó lo que estaba escrito. Empezó a temblar y tuvo que dejar el vaso en el escurridero. Salió al jardín, fue al arroyo y los sauces. Solo cuando se hubo sentado en el viejo tronco mohoso pudo leer la postal por segunda vez.

«Felicidades por tus dieciocho, querida hija Olivia. Siento haber tardado tanto. Tu padre, que te quiere, Finley Fairbrother.»

Tuvo que apretar las rodillas una contra otra para que dejasen de temblar. El sol de la tarde pasaba por entre el grueso dosel de hojas, moteando el suelo como si fueran doradas gotas de lluvia. Tuvo que volver a mirar la postal y la firma para asegurarse de que no se lo había imaginado. Sus lágrimas emborronaban la letra de su padre.

Ocho años antes, tres niñas pronunciaron un hechizo en aquel mismo claro. Hicieron una hoguera con palitos y hojas secas. Katherine trajo cerillas y una navaja; Liv se hizo un cálamo para escribir con una pluma de ganso y Rachel trajo a Miss Francia, con su cofia bretona y sus faldas con cintas en zigzag. Se pincharon en la yema del dedo con la navajita, se agarraron de las manos y dejaron que la sangre corriera junta. «Hermanas de sangre», susurró Katherine. Mojando la pluma en la sangre, Liv escribió el nombre de su padre en un trocito de papel. Lo doblaron tres veces y lo enterraron en el centro de la pira, luego colocaron a Miss Francia encima y encendieron una cerilla. Las ramitas y hojas prendieron y, luego, con una llamarada súbita, ardieron la cofia y el vestido de la muñeca. Sus miembros y su cara, de plástico rosa, se retorcieron y se fundieron. Y en algún lugar en el centro de aquel fuego, el nombre de Finley Fairbrother, escrito con sangre, ardió también.

Ella esperaba que su padre volviese aquella misma noche. Se quedó despierta, esperando los pasos que se oirían por el camino, los golpecitos en la puerta. Pero él no vino y, a medida que pasaron las semanas, los meses y los años, la esperanza se desvaneció. De modo que ella fue tejiendo historias en torno a él, lo imaginó injustamente preso, retenido sin poder volver con su familia o implicado en alguna misión secreta y heroica que le exigía vivir de incógnito. Pero al final tuvo que reconocer esas fantasías como lo que eran: simples sueños que solo servían para posponer el día en que tuviera que aceptar que, por el motivo que fuese, él había decidido vivir lejos de ella. Pero no lo había olvidado, y todavía ocupaba un lugar en su corazón.

Una vez más miró la postal. Si entrecerraba los ojos, la firma parecía iluminarse, como si estuviese escrita en escarlata, ligando con sus rasgos y curvas a los tres, a Fin, a Thea y a sí misma.

3

A Katherine le encantaba Londres. Le parecía una suma de mundos que chocaban entre sí, como las cuentas de colores en un collar. Le encantaban las calles ajetreadas, llenas de polvo bajo el sol brillante, o resplandeciendo bajo un chaparrón. Le gustaban mucho las placitas elegantes, con sus jardines de plátanos y laureles, como joyas secretas de un verde jade. Le gustaban los grandes almacenes, Harrods, Harvey Nichols y Dickins and Jones. Nunca compraba nada, pero le encantaba darse una vuelta por allí, mientras pensaba: Algún día...

Stuart y Toby desaprobaban lo de Harrods y Harvey Nichols. «Templos del consumismo burgués, Katherine», le decía Stuart, con su espeso y mordaz acento de Glasgow. Y Toby, que había ido a un colegio privado, asentía.

Katherine también disfrutaba trabajando para *El dedo de Frodo.* Al principio se decepcionó un poco al descubrir que su papel consistía más en mecanografiar y preparar tés que en escribir, pero se dijo que todo el mundo tenía que empezar por abajo y se dispuso a hacerse indispensable. Como Stuart cometía muchas faltas de ortografía y Toby sufría problemas nerviosos continuos, descubrió que no resultaba demasiado difícil ser indispensable, y pronto se encontró escribiendo artículos y preparando entrevistas. Le encantaba el jaleo que suponía todo ello: el teléfono que sonaba sin parar, la inacabable fila de gente que acudía a la oficina. Disfrutaba realizando complicados viajes en metro y autobús a zonas de Londres que no conocía, y experimentaba una rara sensación de confianza y serenidad cuando oía a Toby decir a algún posible anunciante: «Ah, hable con Katherine. Ella es la que lo lleva todo. No podríamos arreglárnoslas sin ella».

A través de Toby conoció a Felix Corcoran. Había ido al colegio con Toby. Era alto y delgado, con el pelo rizado y castaño. Sus ojos verdes con reflejos avellana, ligeramente almendrados, y el rostro de pómulos altos le daban el aspecto, pensó Katherine, de un elfo larguirucho y descuidado. Llevaba unos vaqueros deshilachados por las rodillas y los tobillos, y camisas a las que les faltaban botones en los puños. En invierno envolvía su silueta desgarbada en un abrigo gris del ejército que, sospechaba Katherine, había participado en la campaña del frente ruso. Por las tardes servía pintas en un pub cercano, el White Hart; de día, dividía su tiempo entre conducir un camión para una tienda del East End y dibujar caricaturas para *El dedo de Frodo*. Cuando Katherine le explicó a Felix que buscaba un sitio donde vivir, él le ayudó a encontrar una habitación amueblada. Estaba en una casa alta y destartalada en Earls Court, junto a un restaurante. Por la noche, los gatos robaban restos de pescado de los cubos de basura y se los comían, maullando placenteramente, en el diminuto patio de cemento oculto detrás del edificio.

La habitación de Katherine era espaciosa y simétrica, con unas ventanas de guillotina que dejaban pasar el viento. Aunque hubiese sido más pequeña, ruidosa y mucho más fría, le habría encantado igual. Dejaba los platos sin fregar hasta que se quedaba sin vajilla e iba corriendo a la lavandería cuando ya no tenía ropa limpia. Vivía de pan de molde untado con paté de levadura y manzanas, comprados en la tienda de la esquina, al otro lado de la calle. Se gastaba casi todo el dinero en ropa y maquillaje, y el resto en libros y carteles para su habitación.

Fue conociendo a los demás inquilinos de su casa. La señora Mandeville vivía en la planta baja. Invitó a Katherine a sus habitaciones oscuras y abarrotadas, y le contó recuerdos de la guerra. La señora Mandeville enriquecía la dieta de los cubos de basura de los gatos con latas de Kit-E-Kat. Dos chicas llamadas Denise y Heather compartían una habitación en el primer piso, junto a la de Katherine: eran mecanógrafas, como Katherine, pero tenían el proyecto de convertirse en modelos. Enseñaron a Katherine cómo pegar las pestañas postizas una por una a sus párpados. «Como Twiggy», le explicó Heather. Katherine no tenía paciencia: se pinchó el ojo con las pinzas y tuvo que llevar un parche durante una semana, para diversión de Stuart y Toby. Después volvió a su vieja costumbre de escupir en el rímel y ponerse muchísimo perfilador líquido Miner azul marino. El señor y la señora Mossop, una joven pareja australiana, vivían en la habitación que quedaba justo encima de la de Katherine. Felix ocupaba la habitación que estaba al lado de los Mossop.

Toby, Stuart y Felix se convirtieron en amigos de Katherine. Iba al pub con ellos, veía la tele con ellos, discutía con ellos. Era una relación fácil, nada exigente, y ella tuvo mucho cuidado de no permitir que se convirtiera en otra cosa. De vez en cuando Toby o Stuart intentaban seducirla, lo que ella rechazaba con amabilidad, pero también con firmeza. Sabía que acostarse con alguno de los dos pondría en peligro su trabajo, porque también pondría en peligro la amistad entre los dos, que, según ella sospechaba, no era capaz de soportar tanta rivalidad. En cuanto a Felix..., bueno, fue Felix quien le enseñó a abrir la cerradura de su habitación cuando, una vez más, ella perdió las llaves. Fue Felix quien le explicó cómo funcionaba el temperamental fogón de gas. Fue Felix quien le enseñó a liar un porro y a conducir su destartalado camión. Y fue Felix quien, cuando Katherine se dio cuenta de que lo que ganaba en *El dedo de Frodo* no bastaba para pagar el alquiler, le encontró un trabajo nocturno en el White Hart.

No es que no se sintiera atraída por Felix; a veces, hablando con él y fumando juntos hasta tarde, por la noche, se imaginaba que se despertaba por la mañana con la cabeza de él en la almohada, a su lado. Sin embargo, algo impedía que pusiera en práctica su fantasía. Los hombres con los que se iba a la cama parecían pertenecer, de alguna manera, a una categoría distinta de los hombres que eran sus amigos. Aunque ella había tenido muchos amantes, el sexo seguía siendo un asunto extraño y poco placentero. Katherine estaba asombrada. El resto del mundo parecía disfrutar del sexo, así que, ¿por qué ella no? Leyó libros y artículos de revistas sobre sexo, pero al parecer no era capaz de poner la teoría en práctica.

Tenía demasiado orgullo para admitir sus problemas ante Rachel, encantada con su matrimonio, o ante la ingenua y romántica Liv. Pensó en confiárselo a Denise y Heather, pero era incapaz. Katherine decidió guardarlo en secreto. Ya aprendería a disfrutar pronto, sabía que sería así. Mientras tanto, sus relaciones, una tras otra, se apagaban o acababan en desastre, y ella llegó a la conclusión de que le gustaba demasiado Felix para arriesgarse a irse a la cama con él.

Como el viento frío que soplaba a lo largo del camino de cemento que dividía en dos el campus de Lancaster, la universidad atrapó a Liv por la nuca, la sacudió y la despertó. Se enamoró a primera vista de su habitación en la residencia, con cama, silla, escritorio y armario, y una alfombra de un naranja chillón y unas cortinas a juego. Hizo propia aquella habitación colocando en el escritorio dibujos, postales y fotos: con Katherine y Rachel, agarradas del brazo en la boda de Rachel; Thea, con un sombrero casero con plumas, las gafas de leer en la punta de la nariz y, por supuesto, la postal de su padre desde Tahití.

La primera noche permaneció despierta en la cama, llena de frío y añoranza, escuchando los rugidos y los pesados pasos de los estudiantes que corrían por los pasillos después de que hubiesen cerrado los bares. Al día siguiente, Liv se compró una bolsa de agua caliente, una bufanda de rayas y un par de calcetines gruesos, y se lo llevaba todo a la cama cuando era necesario. Se apuntó a clases de Historia, Literatura Inglesa y Estudios Culturales, y se sentó en unas aulas llenas de corrientes de aire, mientras escribía en un cuaderno. Los fines de semana se iba a Lancaster o a Morecambe, feliz de estar de nuevo junto al mar, recordando la casita rosa en la cual vivió de niña.

Empezó a relacionarse con las chicas de su residencia y con la gente de su curso; se apuntó al Grupo de Teatro, a la Sociedad de Cine y al Grupo de Historia. Vio dramas situacionistas y obras de teatro del absurdo; en los clubes de folk, su alma se vio conmovida por canciones de protesta y canciones de los rebeldes irlandeses. En una ocasión, bebió Guinness y sidra, y se despertó a la mañana siguiente en el suelo de la casa de una amiga, con el abrigo puesto aún y con un dolor de cabeza de las proporciones del Vesubio. Pasó una tarde con un chico pálido y lánguido al que conoció en clase de Literatura: sobre un álbum de la Velvet Underground, él lio un porro con una atención sacramental. Ella probó unas caladas y se quedó sentada en la semioscuridad, esperando que la invadiera el deleite y ver el mundo con unos ojos distintos. Pero todo siguió igual, y tuvo que consolarse de su decepción recordándose a sí misma que al menos había cruzado una frontera.

Pero quedaban otras fronteras. Su virginidad la avergonzaba. Los hombres de los que se enamoraba no se enamoraban de ella; de los hombres que la perseguían, ella huía. Algunos parecían tan torpes, tan a medio hacer, que aunque pensaba que le podrían haber gustado como el primo o el hermano que nunca tuvo, por mucho que lo intentase no podía enamorarse de ellos. Otros eran desenvueltos y demasiado seguros de sí mismos, y encontraba molestas su estridencia y su certeza. Una a una, las demás chicas de su residencia fueron encontrando amantes. Los veía por las mañanas, antes de la clase de las nueve, haciendo ostentosamente dos tazas de café y llevándoselas a su habitación.

Al final del primer trimestre se confió a Katherine, que se mostró muy mordaz.

—Siempre has estado en las nubes, Liv. La mitad del tiempo parece que si un chico te dirige la palabra te vas a dar un buen susto, y la otra mitad del tiempo parece que estés buscando la perfección. Los hombres no quieren chicas así. Quieren chicas que sean accesibles.

Liv le preguntó a Katherine cuántos amantes había tenido.

—Cinco —dijo Katherine. Parecía muy orgullosa.

En el trimestre de primavera, Liv conoció a Carl. Era alto, delgado, tenía unos ojos de un azul grisáceo muy agradables y el pelo dorado y largo hasta los hombros. Con su vieja guitarra tocaba entrecortadamente «Gilgarry Mountain» y «Blowin' In The Wind». Liv no estaba segura de que Carl pensara en ella como su novia. Su relación era una serie de dudas y amagos, debido, pensó más tarde, a la falta de convicción de ambos. Una tarde de primavera estuvieron horas besándose, sentados en los escalones de la plaza. Al separarse de Carl, ella era consciente de una mezcla de deleite, alivio y excitación. Al fin había ocurrido. Estaba enamorada.

Sin embargo, no lo vio durante los tres días siguientes. Cuando lo llamó a su habitación, uno de sus amigos le dijo que Carl se había ido a visitar a sus padres a Barrow. Pocos días después lo vio de lejos en la discoteca Film Society, bailando con una chica que reconoció de su clase de Historia de la Ciencia. Sus cuerpos se tocaban por el hombro, el pecho y la cadera, y las delgadas y pálidas manos de él jugaban con el largo pelo castaño de la chica.

Al día siguiente llamó a Katherine, que la invitó a pasar el fin de semana con ella en Londres. Liv preparó la mochila y compró un billete de autobús. En la estación de autobuses Victoria, mirando por la ventanilla del autobús, Liv distinguió a Katherine entre la multitud. Llevaba un abrigo afgano bordado en blanco y sus botas de color ciruela. Se saludaron con la mano, como locas.

Tomaron el metro hasta Earls Court y fueron a la habitación de Katherine. Esta se movía con rapidez entre todo aquel caos, poniendo la tetera, untando margarina y paté de levadura en pan de molde para hacer unos bocadillos, sujetando una blusa o vestido ante sí y mirándose en el espejo mientras hablaban. A Liv le pareció que los meses pasados en Londres habían dado a Katherine un cierto brillo, un fino resplandor que hacía que los hombres volvieran la cabeza cuando ella pasaba.

Se celebraba una fiesta aquella noche en casa de Toby, en Chelsea. Toby cuidaba la casa mientras sus padres estaban en el extranjero. Había cubierto las valiosas lámparas con papel de seda rosa

—«para dar ambiente»—, de modo que las habitaciones eran como cavernas cálidas y rosadas. De vez en cuando, el papel de seda se quemaba y había que pisotearlo rápidamente, lo que dejaba marcas negras en las alfombras indias. Los cuadros al óleo estaban vueltos de cara a la pared, habían colocado carteles encima del empapelado, de rayas estilo regencia, y alguien había pintado un mural con retorcidos dibujos psicodélicos a lo largo de las escaleras. Estaba todo lleno de botellas vacías y paquetes de papel Rizla, ceniceros repletos y vasos sucios.

La fiesta fluía por los cuatro pisos de la casa. En el sótano había música y baile y, en el salón, un chico que llevaba un caftán y un collar de cuentas tocaba el sitar. La gente estaba sentada en las escaleras, fumando y bebiendo; Liv casi pisa a una chica, agachada ante unas cartas de tarot, que echaba la buenaventura. A primera hora de la mañana los invitados empezaron a desaparecer. Liv y Katherine durmieron una junto a la otra en sacos de dormir en el suelo, mientras Toby preparaba café en la arrasada cocina.

—El mejor número que hemos sacado, ¿no te parece? —Toby vertía agua hirviendo en el café molido—. Mi artículo sobre Castro... y el editorial.

—Tremendo. —Stuart estaba echado en un sofá, fumando.

—Pero no pensarás de verdad que la revolución es la respuesta a todo, ¿verdad, Toby?

Toby abrió un paquete de azúcar.

—Sí, claro que lo creo, Felix.

Felix llevaba una camiseta agujereada con el eslogan «Ban the Bomb», y unos tejanos de terciopelo desgastados. La ceniza salió volando de la punta de su cigarrillo al hacer un gesto hacia Toby.

—Ayudar a los pobres enviándolos a las barricadas... Acabarán con la nariz chafada o algo peor, ¿no te parece?

—Entonces ¿qué opinas tú que habría que hacer? —Toby frunció el ceño—. No tenemos cucharillas... —Volcó un poco el paquete de azúcar en la dirección aproximada de las tazas de café—. ¿O crees que las cosas deberían seguir como están? Los trabajadores suplicando el dinero suficiente para alimentar a los niños mientras el jefe vive con todo lujo.

—Explotar a los trabajadores es cosa de familia, ¿no, Felix? —Sonrió Stuart—. Tu padre tiene una fábrica, ¿no?

—¡Felix! No me lo habías contado —dijo Katherine.

—Una fábrica de nada, ¿verdad, Felix?

A Liv le pareció que Felix se violentaba.

—¿Qué fabrica?

—Papel pintado —dijo Felix, sombrío.

Stuart sonrió.

—Así que tú salvas tu mala conciencia repartiendo cosas a los pobres. Un toque a lo María Antonieta, me atrevería a decir. Un pastelito de fruta por aquí, un bracito de gitano por allá...

Felix sonrió.

—No vendemos brazos de gitano. Es demasiado decadente.

—Demasiado comestible —dijo Toby.

—¿Brazos de gitano? —Liv se incorporó mientras Toby le pasaba una taza de café.

—Yo llevo un camión, ¿sabes, Liv? —explicó Felix—, para una cooperativa de alimentos integrales en Bethnal Green. Compramos comida al por mayor, frutas, verduras, pan integral, legumbres..., y la vendemos a precios razonables.

—A las modernas amas de casa de Chelsea...

—Bueno, no podemos poner vetos a los clientes, ¿no, Stuart?

—... mientras el *lumpen proletariat* prefiere sus judías Heinz y su pan de molde.

—Intento ayudar de una manera práctica. No hay nada más práctico que alimentar a la gente.

—*El dedo de Frodo* alimenta las mentes —dijo Stuart, pomposo. Felix bufó.

A primera hora de la mañana, Katherine se quedó para ayudar a Toby a enviar ejemplares de la revista, mientras Felix acompañaba a casa a Liv. La luna llena plateaba las tejas de las casas y pintaba de gris las plantas de las hojas perennes de los jardines. El mundo dormía, de modo que las ventanas de las casas con sus cortinas eran como otros tantos ojos cerrados por el sueño. Hasta las palomas en los aleros sesteaban, con las cabezas metidas bajo las alas. Unas finas nubes velaban el rostro de la luna.

Felix le preguntó a Liv por su familia.

—Solo somos mi madre y yo —explicó ella—. Aunque supongo que Katherine y Rachel han sido como una especie de hermanas para mí.

—Ah, la encantadora Rachel —dijo Felix, soñador—. Ella y su marido nos visitaron por Navidad.

Todo el mundo se enamora de Rachel, pensó Liv.

—Rachel va a tener un niño —dijo—. En junio.

—Entonces serás una especie de tía.

—Rachel está segura de que es una niña. Aunque yo supongo que Hector preferiría un hijo, para que heredase Bellingford. Qué suerte tiene Rachel —dijo Liv, con un suspiro—, viviendo en un castillo.

—¿Eso te parece?

—¿A ti no? Es tan romántico...

—Esas cosas... casas, nombres... pueden ser una auténtica atadura.

Pensó en la casa rosa junto al mar.

—Cuando yo era pequeña, vivimos en muchos sitios distintos. Siempre pensé que sería maravilloso pertenecer a alguno.

—Una cosa es pertenecer —dijo él— y otra ser de la propiedad.

En aquel momento ella se sintió completa e inesperadamente feliz. La luna tenía un brillo especial y las calles de la ciudad una belleza turbia y polvorienta. Se preguntaba si se habría enamorado de Felix, y decidió que no era posible, tan pronto, después de Carl.

—Siempre he deseado tener una familia como debe ser —dijo, con añoranza—. Una familia grande y complicada con muchos hermanos y hermanas y primos y todo eso. ¿Es así tu familia, Felix?

—Tengo un padre, una madrastra y una hermana.

Ella se imaginó a una chica alta, delgada, con los ojos verdes y una risa cálida.

—¿Cómo es tu hermana?

—Rose está muy, muy loca. Cuida a los conejitos heridos y habla con los caracoles amaestrados que tiene.

Liv soltó una risita.

—Nadie tiene caracoles amaestrados...

—Pues Rose, sí. Y babosas. El jardinero las envenena porque se comen las hostas, pero Rose las rescata y las cuida hasta que se recuperan. —La miró—. Parece que tienes frío.

Ella tiritó: no llevaba abrigo y el aire era cortante y frío.

—Toma mi chaqueta. —Él se la puso en torno a los hombros, un canguro caqui andrajoso que era demasiado grande para ella—. Y podemos correr. —Le brillaron los ojos en la oscuridad—. Cuando era pequeño, mi madre me llevaba a Londres siempre en las vacaciones de mitad de trimestre. No sé por qué, siempre me han dado miedo los dinosaurios del Museo de Historia Natural, así que siempre pasaba a su lado corriendo. Si conseguía hacerlo antes de contar hasta veinte, todo iba bien.

—¿Y si no?

Él sonrió.

—Un desagradable encontronazo con un tiranosaurio rex, supongo. —Le dio la mano. Echaron a correr. Ella se agarraba la chaqueta por el cuello. Le oía contar, uno, dos, tres..., y se esforzaba por seguirle, con sus largas zancadas. Las calles y casas pasaban a toda velocidad; las estrellas se emborronaban en un cielo azul marino. Trece..., catorce..., quince...

—¡Vamos, Liv, el estegosaurio...! —Habían llegado ya a la esquina de la calle. El corazón le latía con fuerza, pero se sintió jubilosa y libre mientras subían los escalones de la casa.

—¡Diecinueve...! —dijo ella. Jadeando y desfallecida por la risa, dejó que su cabeza se apoyase en el hombro de él, mientras introducía la llave en la cerradura.

Al despertarse aquella mañana, temprano, Rachel pudo ver a través de las ventanas de su dormitorio las lejanas colinas Cheviot. Había presenciado sus cambios a medida que pasaban los meses: un verde estival durante las primeras semanas de su matrimonio, luego una neblina violácea a medida que iba avanzando el otoño, y blancas con las primeras nieves del invierno. Entonces, a finales de la primavera, estaban verdes de nuevo.

Como las colinas, su cuerpo también estaba cambiando. Antes de abrir los ojos incluso, por la mañana, se colocaba las manos en el vientre, esperando aquel primer movimiento tranquilizador. La huella de un diminuto y afilado codo bajo la bóveda curvada de su vientre, o un giro súbito, como un pez que se agita en el agua. Su cuerpo le resultaba desconocido, la sorprendía igual que Bellingford, con sus súbitos cambios de forma y de colorido, y sus pequeñas peculiaridades e imágenes inesperadas. Nueve meses después de su matrimonio aún seguía descubriendo cada día algo nuevo en Bellingford: iniciales talladas en un muro de piedra, solo visibles cuando la luz incidía de una manera particular, o escilas de un azul pálido que trepaban desde el suelo en un tranquilo rincón del jardín.

Después de siete meses y medio de embarazo, aún la súbita salpicadura de unas estrías plateadas o el dolor de un calambre por la noche la pillaban desprevenida.

—¡Parezco un budín de leche! —había dicho tras quitarse el camisón una mañana y verse los montículos grandes y blancos de pechos y vientre—. ¡Te has casado con un budín, Hector!

Él la besó.

—Un budín delicioso...

—Pero budín al fin y al cabo —suspiró ella—. Ojalá fuese junio ya. Ojalá ella estuviese ya aquí. ¿No crees?

Él se puso de pie ante ella, rodeándola con los brazos.

—A veces desearía...

—¿Qué, cariño?

—Haberte tenido solo para mí un poco más, supongo.

—Pero no te importa, ¿verdad?

—Claro que no. ¿Cómo me iba a importar? —Sus labios buscaron el hueco entre el cuello y el hombro.

—No lo planeamos exactamente..., ¿verdad? —Rachel sonrió para sí, mientras recordaba las primeras semanas de su matrimonio: los días que pasaron en aquella habitación, en aquella cama...

Hector le dio un beso en el hombro.

—Vístete, cariño. Tienes la piel de gallina. Llamaré a la maldita empresa de la calefacción esta misma mañana.

Estaban instalando calefacción central en Bellingford, una obra importante. El regalo de boda de Henry Wyborne les permitía empezar a restaurar la casa. Las tareas eran interminables: había que arreglar los tejados, revestir chimeneas, cambiar vigas y cercos podridos de las ventanas e instalar otros a prueba de humedad, paredes y techos debían ser rascados y enyesados de nuevo... El jardín también estaba abandonado.

Anudándose la corbata, Hector dijo a Rachel:

—Deberíamos pensar un nombre.

—Todavía no. —Rachel no podía explicar, ni siquiera a Hector, su creencia en que dar nombre al bebé traería mala suerte, de que sería tentar al destino—. No, hasta que haya nacido.

Hector le compró un coche a Rachel y le enseñó a conducir. Los visitaban algunos miembros de lo que Hector llamaba «la aristocracia provinciana», pero, aunque eran bastante agradables, Rachel no hizo amigos íntimos en Northumberland. Hector trabajaba en un banco en Newcastle; su vecino más cercano vivía a casi un kilómetro. Hector le había comprado un perro, un cocker spaniel llamado *Charlie,* y llamaba varias veces al día para que ella no se sintiera sola. En Bellingford había muchas cosas en que ocuparse. Rachel se convirtió en una experta con el pincel. Los fines de semana, ella y Hector decoraban las habitaciones menos maltrechas. En primavera, ella descubrió una inesperada pasión por la jardinería y se le pasaban las horas sin darse cuenta mientras arrancaba malas hierbas y despejaba el suelo, revelando las delicadas campanillas de invierno o los crocus dorados. Una vez a la semana iba en coche a Alnwick a comprar y a comer con Hector. A veces, cuando Hector iba a Londres por negocios, ella lo acompañaba. Cada mes, más o menos, pasaba un fin de semana con sus padres. Su madre estaba preocupada.

—No me gusta pensar que estás sola en esa casa tan enorme, cariño. ¿Y si te ocurre algo?

Rachel intentaba tranquilizarla. Se suponía que los primeros dolores del parto durarían muchísimo, así que tendría tiempo de sobra para acudir a un hospital. Y su madre, al ser interrogada con más detalle, tuvo que reconocer que Rachel tardó un día entero en venir al mundo.

Rachel quería muchos hijos. Cuatro, por lo menos. Bellingford era uno de esos sitios que necesitaban niños y que a los niños les encantaría. Se imaginaba cuadros y muebles de colores vivos en las habitaciones y piececitos corriendo por los tranquilos pasillos. Ella habría querido tener al bebé en casa, siguiendo la tradición familiar, pero el médico dudaba, por tratarse del primer hijo, y Hector tampoco se mostró demasiado entusiasmado con la idea. De modo que, para complacer a los dos, se inscribió en una clínica privada.

Durante los primeros meses de embarazo, el futuro niño le parecía irreal, algo que hacía que se marease por las mañanas y que le ponía los pechos irritados y molestos. Pero una noche, sentada junto a la chimenea, notó que el bebé se movía, una pequeña agitación, como un pajarito en una jaula. Entonces empezó a quererlo y a anhelar su llegada. Se debatía entre una felicidad eufórica y salvaje y el temor de que ocurriera algo espantoso, de que el bebé le fuese arrebatado. Cuando estaba de siete meses, Rachel dio un pequeño suspiro de alivio; a los siete meses, decían los libros, la mayoría de los bebés sobreviven a un parto prematuro. Había ido reuniendo una reserva enorme de ropita: diminutos camisones blancos de Harrods, encantadores pijamas y abrigos de tiendas francesas exclusivas, jerseys y mitones chiquititos tejidos por su madre y la tía de Hector.

Hector sacó del desván una cuna de madera tallada que llevaba generaciones en la familia Seton. Diana le recordó a Rachel que tenía todas sus cosas de bebé guardadas en una habitación en Fernhill Grange. Rachel decoró el cuarto del bebé; lo pintó de un rosa muy suave y puso también cuadros y móviles. Hector dijo:

—¿Y si es un chico, un chico grandote y bruto que juegue al rugby? —Pero Rachel se abrazaba el vientre hinchado y sonreía para sí, ansiando la llegada de su hija.

El aula del seminario estaba atestada. Mientras Liv avanzaba entre la gente y el mobiliario, su bolso, en equilibrio precario sobre los libros y cuadernos, empezó a deslizarse hacia el suelo. Al intentar agarrarlo, libros, bolso y estuche se escaparon y se desperdigaron entre un revuelo de papeles y ruido de lápices que rodaban hacia todos los rincones de la sala.

Ella se agachó y empezó a recoger sus pertenencias. Las hojas de papel, resbalando, se metieron debajo de las sillas y los escritorios.

—Espera, deja que te ayude.

Levantó la vista. Tenía el pelo moreno. Veintitantos años, supuso.

—Te estrecharía la mano —dijo el chico—, pero creo que no puedo. —Tenía en las manos su libro de texto, carpeta y cuaderno—. Me llamo Stefan Galenski —dijo—. Soy el ayudante de investigación del doctor Langley. El doctor Langley no se encuentra bien, así que yo lo sustituiré este trimestre.

Ella le dijo su nombre. Él sonrió y sus ojos azul oscuro se arrugaron por los lados. Citó, en voz baja:

—¡Ay! «Cuando a Olivia vi por vez primera, el aire con su aliento embalsamaba...»

Transcurrió casi la mitad del seminario hasta que ella logró recuperar al fin la compostura y pudo concentrarse. La voz de Stefan Galenski era aterciopelada y meliflua, con un ligero acento extranjero. Ella le lanzaba alguna mirada, y esbozó en el margen de su libreta el gesto de una mano, el súbito relampagueo de una sonrisa. Cuando una vez los ojos de él se encontraron con los de ella, Liv bajó la vista rápidamente y notó que la sangre se le subía a la cara.

A la semana siguiente llegó temprano y entró en la sala junto con un grupo de alumnos. Los seminarios de Stefan Galenski no eran como las sobrias exposiciones del tema que hacía el doctor Langley. Eran un torrente de ideas salvajes y temerarias, una exploración tan original de esas ideas que dejaba a Liv sin aliento y jubilosa. Stefan recorría el aula poniendo énfasis en sus palabras con unos gestos expansivos y dramáticos. De vez en cuando, un mechón de pelo le caía sobre los ojos y él se lo echaba hacia atrás, impaciente. Liv notó que los codos de su chaqueta de pana estaban desgastados, y vio que su súbita sonrisa le curvaba los labios hacia arriba, iluminando sus rasgos.

Al final del seminario se quedaron un puñado de estudiantes, apelotonados en torno a él. Al salir con rapidez de la sala, Liv se sintió excluida y decepcionada consigo misma. Solo había dicho una palabra o dos durante la discusión. Participaba mucho en otros seminarios, ¿por qué no en el de Stefan Galenski? Dos trimestres en la universidad, pensó con vehemencia, y todavía no había conseguido quitarse de encima su falta de sofisticación, sus episodios intermitentes y mortificantes de timidez.

Unas cuantas tardes después, mientras esperaba en el bar a una amiga, vio a Stefan en el rincón más alejado de la sala, casi perdido entre una multitud de gente. Eran de su curso: la chica del abrigo afgano, el chico pelirrojo y con gafas de montura dorada. No se unió a ellos, convencida de que él no recordaría a la anodina y muda Olivia. Sin embargo, su mirada regresaba a él con frecuencia, y cuando sus ojos se encontraron él la saludó. En torno a su vaso, las manos de Liv temblaban, y derramaron un poco de cerveza en el suelo mientras él cruzaba la sala en dirección a ella.

—Liv —dijo—, intenté hablar contigo después del seminario el otro día, pero te habías ido. —Sonrió—. He invitado a unos cuantos estudiantes a mi casa el sábado por la tarde. ¿Te gustaría venir? Vivo a unos kilómetros de Caton. Un paseíto, ya lo sé, pero hay un autobús que te ahorra gran parte del camino.

Ella no tuvo que pensarlo.

—Me encantaría.

—Será mejor que te explique cómo llegar hasta allí. —Él buscó en sus bolsillos y encontró un rotulador—. ¿Tienes un papel? —Ella negó con la cabeza—. Pues dame la mano.

En el dorso le dibujó un mapa. Caton, Quernmore y la carretera que va entre ellos. Y un pequeño cuadrado con un árbol a su lado.

—Esta es mi casa —dijo—. Holm Edge Farm.

Las líneas de rotulador azul eran el reflejo de las líneas de un azul más pálido de sus venas. La calidez de la mano de él sujetando la suya y las colinas en miniatura en su piel marcaron el perfil futuro de su vida.

El autobús serpenteaba renqueante por estrechas carreteras que subían hacia los páramos lejanos. La parte superior de esos páramos estaba salpicada de brezos o iluminada por un musgo de un color verde ácido y por las piedras y rocas de color gris. Los espinos, retorcidos por el viento, se agazapaban y se enroscaban en las laderas.

Liv bajó del autobús junto a Crossgill. La carretera estrecha y serpenteante de Littledale subía por las colinas. El aire de principios de mayo era frío, y el cielo era de un azul puro y sin nubes. La brisa le revolvía el pelo. Posados en unos muros de piedra seca, los mirlos cantaban y las violetas temblaban en los ribazos. Siguiendo un kilómetro y medio por la carretera, empezó a buscar el camino que conducía hasta la casa de Stefan. Abrió una cancela de cinco barrotes y se dirigió hacia una granja. Un perro ovejero le ladró y ella se replegó rápidamente, entrando en un caminito rodeado de serbales. En el ribazo de un campo, se detuvo para contemplar a los corderos, sin pensar en la hora. Al intentar regresar a la carretera, se hundió hasta los tobillos en un musgo esponjoso y empapado por la lluvia. Riachuelos de agua corrían colina abajo, legados de la tormenta y la lluvia de la noche anterior. Levantó la vista y, haciéndose sombra ante los ojos, vio la casa en el páramo y el árbol de un verde oscuro junto a ella.

La luz del sol brillaba en el tejado gris, que se reflejaba y magnificaba por los cristales de las ventanas. La granja estaba ubicada en la curva de la colina, que se alzaba detrás como una ola verde y amoratada. Pensó en lo maravilloso que sería vivir en un lugar semejante, ver toda esa belleza al despertar, pasar todo el día rodeada de un silencio y un esplendor así.

Al mirar su reloj se dio cuenta de que llegaba casi una hora tarde. Se apresuró a subir por el empinado sendero, hacia la cancela. Oyó voces y risas. Media docena de estudiantes estaban sentados en torno a una mesa colocada en la hierba llena de matojos. Stefan estaba en la cabecera. Hablaba y ellos se reían, y los rayos del sol pasaban entre las hojas dentadas del acebo, iluminando unos brillantes recortes, como de papel, en el césped.

Liv se sentó en el borde de un banco, escuchando solo a medias la conversación.

—El sesenta y ocho representó la agonía de la sociedad burguesa.

—El principio de la revolución.

—Vamos, Andy. —Esto lo decía una chica que llevaba una boina hecha de ganchillo—. Yo no veo precisamente señales de colapso, ¿y tú? La Policía todavía emplea toda su fuerza en las manifestaciones, y el *establishment* de la universidad aún nos dice lo que debemos aprender, y cuándo aprenderlo.

—Pero Gillian...

A medida que sus voces se desvanecían, la mirada de Liv vagaba desde los altos páramos hasta los campos salpicados de ovejitas de algodón, y luego volvía a la casa. Era de piedra y con tejado de pizarra. Un destartalado Citroën estaba aparcado a un lado, mientras que al otro se alzaba un granero en ruinas. Incrustadas en la ladera de la colina, las líneas largas y bajas de la casa armonizaban con la tracería de muros de piedra seca que iban zigzagueando por los prados.

—¿Olivia?

Se sobresaltó al oír su nombre. Stefan Galenski dijo:

—Me preguntaba qué pensarás tú.

—¿De qué? —Se oyeron unas risas que venían de los otros estudiantes. Dijo rápidamente—: Lo siento, estaba admirando el paisaje.

—Estábamos hablando de la muerte del autor. Pero tienes razón, claro, es un tema demasiado árido como para discutirlo un día como hoy. —Stefan se levantó—. ¿Quieres que te enseñe mi casa?

Lo siguió por el prado hacia la puerta delantera. En el interior, Liv parpadeó, intentando acostumbrarse a la escasa luz. Las ventanas eran pequeños rectángulos recortados en los gruesos muros de piedra, con los alféizares llenos de libros y papeles. Las irregularidades de las paredes asomaban entre el yeso, y en algunos lugares el encalado estaba descascarillado y amarilleaba. Un enorme hogar ocupaba gran parte de un extremo de la habitación, con una estufa de hierro incrustada en él. Sobre las losas había unas alfombras desvaídas, y nuevas pilas de libros ocupaban la superficie de la mesa, sillas y aparadores. Una escalera de piedra estrecha conducía al piso superior.

A solas con Stefan, encontró que su timidez se desvanecía. Le oyó preguntar:

—¿Te gusta mi casa, Liv?

—Es maravillosa. Está muy... —se esforzó por encontrar la palabra adecuada—, muy apartada y es encantadora. ¿Cuánto tiempo llevas viviendo aquí?

—La alquilo desde hace unas pocas semanas, desde principios de mes. Estaba en el campus, pero era inaguantable. El ruido, las distracciones... No podía trabajar. —Sus ojos se estrecharon—. Es esencial ser capaz de darlo todo, tu corazón, tu alma entera, a la tarea que has elegido, ¿no estás de acuerdo?

—Sí —dijo ella, y su corazón dio un vuelco pequeño y doloroso, como si alguien lo hubiese tenido en la palma de su mano y lo hubiese retorcido. Explotó—: Lo que pasa es que parece que yo no soy capaz de elegir qué hacer...

—Tienes mucho tiempo.

—Todo el mundo me lo dice.

—Lo siento. No quería sonar paternalista.

—Una de mis mejores amigas se ha casado —explicó ella—, y espera un niño. La otra ha sabido siempre exactamente lo que quiere, y no ceja hasta que lo consigue. Pero si ellas han sido capaces de decidirse, ¿por qué yo no puedo?

Él frunció el ceño. Luego, de repente, se acercó y le dio la mano.

—Mi mapa...

Ella sentía la intensidad de su mirada. No había borrado las líneas de rotulador y aún eran visibles, aunque el azul estaba algo emborronado y despintado.

La llevó hacia la ventana.

—Mira —dijo. Los páramos se alzaban frente a ella, grises y malva, con fragmentos de marismas de un verde intenso. Y como si tuviera voluntad propia, su mirada se apartó de la ventana y se concentró en el perfil de él: su frente alta, los pómulos inclinados, la nariz larga, estrecha, como de halcón, y los ojos azul oscuro, con pesados párpados.

»Cuando me siento desgraciado —continuó, bajando la voz—, miro por aquí. Los glaciares cubrían esas colinas, ¿lo sabías, Liv? Mares altos, hechos de hielo. Se pueden encontrar fósiles de diminutas criaturas marinas en la piedra. Y si los océanos se pueden convertir en montañas, entonces ¿qué otras cosas no podrán ocurrir?

Dos días más tarde ella estaba en el pasillo del diminuto supermercado del campus cuando oyó que alguien la llamaba por su nombre. Se dio la vuelta.

—Stefan.

—No has avanzado demasiado con tus compras, Liv. —Y miró el cesto de ella, vacío.

—Intento decidirme entre palitos de pescado y sopa de tomate.

—Ninguna de las dos cosas. Las dos son malísimas. Tengo una idea mejor. Voy a prepararte un *goulash*. —Como ella dudaba, él insistió—. Vendrás, ¿no, Liv? Tengo que animarte. —Empezó a escoger cosas de las estanterías, arrojándolas al cesto mientras iban andando.

—¿Un mal día?

—Horrible. —Hizo una mueca—. Te lo contaré cuando estemos en el coche.

Él condujo deprisa por la calle Quernmore. Altos árboles se alzaban en la oscuridad mientras el Citroën giraba en los cruces y subía y bajaba colinas.

—Hubo un vendaval anoche —explicó— y tenía abierta la ventana de la habitación donde trabajo. No me he dado cuenta hasta esta mañana, y he encontrado todos mis papeles desperdigados.

—¿Tu investigación?

—Algunas cosas se han perdido..., estarán a mitad de camino de Quernmore, sospecho, y el resto ha quedado empapado por la lluvia, y casi no vale más que para la papelera.

—¿Y no tenías copia?

—De algunas cosas. No de todo.

—¡Qué horror!

Él se encogió de hombros.

—Tendré que salvar lo que pueda.

—Te ayudaré, si quieres.

Él la miró.

—Qué amable eres, Liv.

Ella giró la cara hacia la ventanilla, alegrándose de que hubiese poca luz. Sentía un extraño nudo en su interior, como si luchara por respirar. La altitud, supuso. Estaba acostumbrada al nivel del mar, a la llanura. No a un aire tan helado y punzante. No a las colinas que antes eran mares.

—Si uno vive donde ha elegido —dijo Stefan, mientras giraba en una esquina—, tiene que esperar alguna dificultad. No me parece un precio demasiado alto. Holm Edge es muy *elemental*. Si quisiera calefacción central y moqueta y toda esa parafernalia asfixiante, entonces no habría decidido vivir allí. —Miró a Liv—. La casa llevaba un par de años vacía. Está demasiado lejos para la mayoría de la gente, supongo. Pero me encantó en cuanto la vi. A veces las cosas están muy claras, ¿verdad?

Ella entrelazó las manos, apretándolas con fuerza, mientras observaba el paisaje, borroso por la velocidad del coche.

—¿Por qué se llama Holm Edge?

—*Holm* significa «acebo». Antes había acebos a lo largo del ribazo del campo. Mis predecesores los cortaron todos menos uno... y como consecuencia, claro, murieron, y tuvieron una muerte horrible.

El coche iba dando tumbos y traqueteando por el estrecho camino hacia la granja.

—¿Cómo que «claro»?

—Da mala suerte cortar un acebo. Aparecen brujas. —Stefan condujo el coche hacia la entrada de la casa y aparcó justo enfrente.

En la cocina, encendió el fuego para calentar la habitación, cortó unas cebollas y un trozo de carne de ternera. Mientras el *goulash* se iba haciendo a fuego lento, sirvió dos vasos de vino y fue a buscar sus documentos al estudio.

—Ahora veremos lo que se puede rescatar.

Empezó a seleccionar los papeles. Algunos estaban veteados por el agua de lluvia. Algunas palabras, incluso frases enteras, resultaban ilegibles. La habitación estaba muy tranquila, los únicos sonidos que se oían eran el crujido del fuego y el rasgueo del bolígrafo de Liv mientras iba copiando el texto estropeado.

Mientras cenaban, Stefan le habló de sí mismo. Su madre era medio francesa, medio inglesa. Después de la guerra se casó con un soldado canadiense de origen polaco.

—Así que yo soy una mezcla de cuatro nacionalidades —señaló—. Un batiburrillo, una *olla podrida* —sonrió—. Un *goulash*. —Y Liv soltó una risita.

Cuando desmovilizaron a su padre, los Galenski se fueron a vivir a Canadá. Stefan nació en 1946. Un año más tarde su padre murió de tuberculosis, que contrajo durante la guerra. Tras la muerte de su marido, su madre no quiso quedarse allí. Volvieron a Europa, primero a Francia y luego a Gran Bretaña. Stefan recordaba una sucesión de distintas ciudades, distintos hogares. También una sucesión de padrastros. Cuando tenía veintiún años murió su madre y él se quedó en Inglaterra.

—Tenía que vaciar su piso —dijo—. Quedaban pocas cosas..., media docena de libros de bolsillo, unas pocas joyas. Un puñado de fotos. Me preguntaba si en realidad ella habría tenido algo en alguna ocasión o si habría ido perdiendo sus pertenencias mientras viajábamos de un sitio a otro.

Liv pensó en la casa rosa junto al mar. Stefan sonrió.

—Y ahora, si has comido bastante, Liv, debemos asegurarnos de que las brujas no vienen a la casa esta noche y vuelven a revolver mis papeles.

—¿Cómo?

—Clavaremos una rama de acebo encima de la chimenea. Con eso bastará. Y no nos volverá a ocurrir nada malo jamás.

Katherine se reunió con Simon en la estación de Paddington. Al verlo caminar por el andén hacia ella, el corazón le dio un pequeño vuelco de alegría. Fueran cuales fuesen sus diferencias, era su gemelo, su otra mitad.

Él la abrazó y luego la contempló.

—Pareces una vampiresa de cine mudo, Kitty.

Llevaba un maquillaje claro, pintalabios de color marrón y los ojos pintados con *kohl*.

—Tú estás igual que siempre, Simon.

—Con chaqueta de *tweed,* camisa y corbata —dijo, burlándose de sí mismo—. Ya me conoces. Me gusta mantener la tradición.

Ella lo agarró del brazo y caminaron hacia el metro. Mientras esperaban para comprar los billetes, ella le preguntó:

—¿Qué tal por Oxford?

—Uf... Capiteles dorados, bateas en el río... No sabes lo que te estás perdiendo.

Accedieron a la escalera mecánica.

—Me encanta esto —dijo ella con firmeza—. Me encanta Londres.

Montones de basura se acumulaban en los bordes del andén, y el tren, cuando llegó, iba atestado, lleno de gente apretujada. Katherine vio el disgusto en la cara de Simon.

—Es hora punta —dijo, entre los cuerpos que los rodeaban.

Él tenía la misma expresión cuando ella le enseñó su alojamiento. Por primera vez se encontró viéndolo todo como lo debían de ver otros: montones de ropa en sillas y cama, los platos sin lavar, el pan enmohecido y la leche agria... y se sintió un poco avergonzada.

—Está un poco desordenado. Quería limpiarlo.

Ella tenía pensado hacer unas tortillas para cenar, pero había algo negro y duro pegado en el fondo de la sartén, y cuando miró en el aparador descubrió que no quedaban huevos. Así que comieron pescado con patatas fritas en un bar de Brompton Cemetery, y luego fueron al White Hart a reunirse con Toby y Stuart.

Toby extendió en la mesa varias hojas de papel.

—Felix ha hecho unos dibujos fabulosos —dijo. Las figuras se retorcían y se enroscaban en torno a las bulbosas letras del titular de la página, que decía: «Lucha por una Escocia libre».

»Es una idea de Stuart para nuestro artículo de portada —explicó Toby a Simon.

Simon resopló. Stuart se inclinó por encima de la mesa, hacia él.

—¿Tienes algo en contra de liberar Escocia del yugo inglés?

Los pálidos ojos de Simon relampaguearon.

—Lo dices como si esto fuese la Rusia estalinista... o Checoslovaquia después de entrar los tanques...

—Hay algunas similitudes.

—Vale. —Una sonrisa asomó en las comisuras de los labios de Simon—. Dime una.

—La tierra no pertenece a la gente, sino a plutócratas abotargados por el *establishment*. Los habitantes de mi ciudad, Glasgow, viven en los peores barrios de Europa...

—Así que tú has huido a Inglaterra..., has decidido vivir entre el enemigo.

Katherine, al notar que los nudillos de Stuart se ponían blancos, le dijo a Simon que se callase e hizo una seña a Felix, que estaba secando vasos tras el mostrador.

—¡Me encantan las ilustraciones!

Felix pasó por debajo de la barra y se unió a ellos.

—¿Las vais a usar?

—El precio de costumbre —dijo Toby.

—Pensaba —dijo Simon, arrastrando las palabras— que esta era una revista «roja». No capitalista. Que no se realizaban sórdidas transacciones de dinero. «A cada uno según sus necesidades», etcétera.

—«El precio de costumbre» —dijo Felix, amablemente— son un par de pintas y veinte cigarrillos Player's del 6.

Simon miró despectivamente las hojas que estaban encima de la mesa.

—Y ¿cómo financiáis este periodicucho?

—Con suscripciones —dijo Stuart—. Anuncios. Contribuciones de simpatizantes.

—La mayor parte de mi paga va a parar a esto —explicó Toby.

—Ah. —Los ojos de Simon se abrieron mucho—. ¿Quieres decir que mamá y papá financian esta publicación radical?

—Tú, capullo... —Stuart se levantó con los puños apretados. Felix se interpuso entre los dos.

—Aquí no, ni hablar. Si quieres pelea, Simon, espera a mañana, cuando tenga mi día libre. Stuart, siéntate o vete.

Stuart se puso la chaqueta y salió del pub. Toby, para cambiar de tema, dijo:

—¿Vas a salir estas vacaciones, Felix?

—Me voy a casa un par de días. Es el cumpleaños de mi padre.

—Traeré más bebidas. —Toby rebuscó en sus bolsillos algo de calderilla.

Cuando estuvieron solos, Katherine dijo:

—¡Simon!

—Lo siento.

—Pero ¿qué te pasa?

—Nada. No me pasa nada. ¿Por qué iba a pasarme algo?

—Te pasa algo. Te conozco bien. Chapoteamos juntos en el líquido amniótico.

Él hizo una mueca. Luego dijo:

—Creo que me van a expulsar de Oxford.

Ella lo miró muy seria.

—No voy a aprobar los exámenes —dijo él—. A la fuerza. No he trabajado nada...

—Podrías estudiar algo. Si ven que te estás esforzando...

—No tendría sentido. Odio la medicina. La odio de verdad. Tanta carne y sangre... Si no puedo ni acercarme a los cadáveres, ¿cómo me voy a ocupar de los vivos?

—Podrías hacer otra carrera. Algo de letras, quizá.

—¿Y tener que leer un montón de libros viejos y aburridos? No, gracias. —Sonrió, pero sus ojos estaban ensombrecidos—. Y lo peor es que me encanta la vida universitaria. La vida social, claro —encendió un cigarrillo y dijo, despreocupadamente—: Papá estará muy decepcionado. Otro hijo que no llega al nivel requerido. Le quedará solo Michael para que cumpla con las expectativas paternas.

Katherine dijo:

—Y yo ¿qué? Te olvidas de mí, Simon.

Pero mientras hablaba se daba cuenta de que, en realidad, las hijas no cuentan, que nunca había contado para su padre. Hiciera lo que hiciera, a ojos de su padre nunca compensaría al hijo haragán o al hijo tullido.

4

Los Corcoran vivían en Norfolk, en una casa enorme y laberíntica de madera llamada Wyatts, situada entre caminos serpenteantes y suaves colinas. El abuelo de Felix, Silas Corcoran, construyó aquella casa a finales del siglo XIX, gracias a los beneficios obtenidos por la fábrica de papel pintado que había fundado. Edward Lutyens diseñó Wyatts y Gertrude Jekyll creó el jardín. Felix nació en el amplio y luminoso dormitorio que daba al jardín. Estaba familiarizado con todos los pasillos curvados y las numerosas habitaciones excéntricas, de formas irregulares. Conocía los campos y las praderas que rodeaban la casa; había pescado pequeños peces en los ríos, había visitado la fábrica en Norwich y había contemplado los estantes llenos de tacos hechos a mano; había visto el papel mientras era enrollado por unas cintas transportadoras y había contemplado, con los ojos desorbitados, las enormes tinas de tinte.

Su madre murió en un accidente de coche cuando Felix tenía diecinueve años. Siete meses después, su padre, Bernard Corcoran, se casó por segunda vez con una mujer veinte años más joven que él. Mia Heathcote tenía entonces treinta y cinco años, el pelo leonado y era irresponsable y feliz. En su compañía, Bernard pudo olvidar su dolor. Si con el paso del tiempo, como descubrió Bernard al despertarse una noche, ese dolor persistía, aún en la sombra, la lealtad y la integridad le hicieron mantener ese sentimiento bien oculto.

Mia era una chica de campo. Debía tener caballos, dijo, y también perros. Así que ahora dos caballos y un burrito mordisqueaban la hierba en un prado cercano, y media docena de perros, enormes y desaliñados, correteaban en torno a la casa. Bajo los auspicios de Mia, Wyatts era mucho más desordenado, rozando lo caótico. La hermana menor de Felix, Rose, adoraba los caballos y los perros. Ellos casi le permitían tolerar a Mia. Pronto se añadieron al zoo doméstico una docena de gallinas, algunos patos mandarines y un gordo gato persa. Pero la realidad de la vida en el campo, con su carnicería informal y rutinaria –las cazas del zorro, los tiros a los faisanes, las trampas para bichos–, empezó a horrorizar a Rose mientras iba entrando en la adolescencia. A Felix le parecía, al volver de la universidad al final de cada trimestre, que Rose seguía llorando igual que en los horribles días que siguieron a la muerte de su madre. Pero ahora sus lágrimas iban dedicadas a los cachorros de zorro o a las terneritas que se enviaban al matadero. Las lágrimas de Rose y su inacabable y devoradora necesidad de él llenaban a Felix de una mezcla de ternura, resentimiento y culpa tales que, poco después de la graduación, se fue de Wyatts y se trasladó a Londres, donde llevaba viviendo ya más de un año.

Rose estaba sentada en la cancela, esperándole, mientras él doblaba el recodo de la carretera. Corrió a su encuentro.

–¿Dónde has estado? Llevo siglos esperándote.

–El alternador del camión se ha estropeado, así que he tenido que tomar el tren. –La abrazó–. Pero ¿qué demonios llevas puesto?

El frágil cuerpo quinceañero de Rose estaba envuelto en un saco al que iban pegadas unas plumas.

–Intento parecer un cuervo o una grajilla. Les siguen disparando, Felix. Encontré una la semana pasada y la pobre tenía las alitas llenas de plomo. Esto –toqueteó el saco– es mi protesta. Voy a ponerme de pie en el campo cuando empiecen a disparar. Y saldré en el periódico. ¿O te parece una tontería? –preguntó de repente, indecisa.

–Creo que tienes un aspecto impresionante, pero me temo que acabarás llena de perdigones.

Rose se colgó de su brazo y ambos avanzaron hacia la entrada. A mitad de camino, Felix hizo una pausa al oír una extraña llamada con un tono muy agudo.

—¿Qué narices es eso?

—Son pavos reales. Mia se los ha comprado a papá para su cumpleaños. ¿Verdad que son preciosos? —Él vio un atisbo de plumas iridiscentes de un azul verdoso detrás de un arbusto de rododendro—. *Bryn* y *Maeve* los odian, y les gruñen todo el rato.

Bryn y *Maeve* eran los perros lobos irlandeses de Mia.

—¿Dónde está papá?

—En el prado, creo. —Rose tembló, agarrándose más a Felix. El día era muy fresco y sus delgaduchos brazos y piernas estaban desnudos y moteados de rojo por el frío.

—Estás congelada, Rosy.

—No me importa. —Levantó la vista hacia él—. Cuánto me alegro de verte, Felix. Hacía siglos que no venías a casa...

—He estado muy ocupado —dijo él, vagamente culpable.

—Te he echado mucho de menos. Mia es horrible... La odio.

Felix suspiró y añadió en voz alta:

—¿Por qué no vas a cambiarte mientras saludo a papá? Y quizá le pida el coche y luego te lleve a dar una vuelta.

—¿Hasta la costa?

—Si quieres.

Los ojos quejumbrosos de Rose se iluminaron y entró corriendo en casa. Felix encontró a su padre en el jardín, arreglando una valla.

—Esos malditos pájaros estaban a mitad de camino de Burnham Market anoche —explicó Bernard, mientras clavaba una estaca con una maza en el suelo—. ¿Has intentado meter a dos pavos reales en un Austin Cambridge? No es fácil, te lo aseguro. Será mejor que les haga un corral. —Miró bien a Felix—. Me alegro de verte, hombre. Tienes muy buen aspecto.

Felix pensó que su padre parecía cansado. Una semana de trabajo y una noche persiguiendo pavos reales por el campo le habían afectado. Pero dijo:

—Estoy bien. Feliz cumpleaños, papá. —Y le tendió un paquete.

Bernard desenvolvió la botella de whisky escocés.

—¡Como anillo al dedo! Gracias. Nos beberemos un vasito o dos esta noche. —Parecía encantado—. ¿Has visto ya a Mia?

—Solo a Rose.

La sonrisa de Bernard desapareció.

—Otra vez tiene problemas en el colegio, ¿no te lo ha dicho? —Felix se descorazonó—. Quizá tú puedas decirle unas palabras. Yo lo he intentado, pero... —Desde la muerte de su madre, Rose había asistido a tres colegios distintos.

—¿Qué pasa esta vez, papá?

Bernard se agachó para elegir unos clavos en forma de U de una lata.

—La directora cree que es una mala influencia.

—Vaya por Dios. —Felix estaba furioso. Rose podía ponerse muy pesada, ya lo sabía, pero cualquier persona con algo de sensatez percibiría la infelicidad que se escondía bajo sus torpes actos de rebelión.

—Quiere dejar el colegio —dijo Bernard.

—¿Para siempre?

—He intentado disuadirla, claro, pero ya sabes cómo se pone cuando se le mete algo entre ceja y ceja.

—Sí —dijo Felix, encogiéndose de hombros—. Lo intentaré yo si quieres, papá.

Él le pedía que lo esperase después de que hubiese acabado el seminario, y ella se apoyaba en la pared del pasillo, fingiendo leer hasta que los demás estudiantes se dispersaban.

—Bueno, Liv —decía—, ¿adónde vamos hoy? —Y la llevaba en coche al bosque de Bowland, donde contemplaban el estruendoso río que pasaba entre las orillas musgosas; o bien iban a High Cross Moor y subían a la Torre del Jubileo, desde donde admiraban todo el páramo, hasta la costa y el mar brillante y lejano. A veces, atravesando el claustro, o bien caminando por el largo pasadizo cubierto que dividía en dos la universidad, ella levantaba la vista y lo veía. Él estaba lejos, era como un hombrecito hecho con palotes, pero lo reconocía al instante, y sabía también que él la había visto. Entre la multitud, en el bullicio de las tiendas y de las salas de conferencias, se reconocían el uno al otro con una mirada rápida. Ella pensaba a veces que era como si una cuerda invisible los uniera: un simple tirón y allí estaba él, y el día se libraba de su monotonía. Él siempre estaba en la mente de ella, su imagen llenaba las líneas en blanco de las notas de sus conferencias y las páginas sin pasar de sus libros. Liv se preguntaba a veces si no sería eso lo que los había unido: la concentración de ella, su fascinación. Si no serían sus propios pensamientos los que sintonizaban a Stefan.

Le habló de él a Rachel.

—Creo que tengo una enfermedad espantosa. No puedo comer como es debido, me despierto muy temprano y me quedo ahí echada, y casi veo latir mi corazón...

—¿Tienes fiebre?

—No.

—A lo mejor estás trabajando demasiado, Liv.

—Pero si apenas trabajo. Voy a la biblioteca y se supone que estoy repasando, porque tengo exámenes el mes que viene, pero no escribo ni una palabra. Solo pienso en Stefan.

—Háblame de él.

—Habla tres idiomas y ha vivido en muchísimos sitios. Es muy listo, está escribiendo un trabajo sobre cómo influye el paisaje en los mitos. Nunca hace planes; simplemente, se levanta por la mañana y piensa que hace un día muy bonito y que sería estupendo ir al Distrito de los Lagos, y se va. Vive en una casa maravillosa en una colina y no tiene ninguna de las cosas por las que la gente corriente organiza tanto alboroto, como nevera y televisor, pero piensa crear un huerto enorme... Lo llama *potager,* creo, y va a criar gallinas también y... —Se calló—. ¿Rachel? Rachel, ¿sigues ahí?

—No estás enferma, Liv —dijo Rachel, con tranquilidad—. Te has enamorado, eso es todo.

Después de colgar el teléfono, Liv pensó que Rachel tenía que estar equivocada. No podía estar enamorada de Stefan, porque ni siquiera se habían tocado. Bueno, sí que se habían tocado, claro... La mano de él había rozado la de ella, al abrir la puerta del coche, o bien habían chocado el uno contra el otro, caminando por un pasillo estrecho, pequeños roces accidentales que parecían cargados de electricidad..., pero él nunca la había agarrado de la mano, nunca le había pasado el brazo en torno a la cintura. Nunca se habían besado.

De repente se le ocurrió una idea que la sumió en la desesperación. Quizá ella lo amase pero él a ella no. Quizá, una vez más, se veía atraída por un hombre que no le devolvía su afecto. Se sintió desolada y mortificada. Le dio por andar resueltamente con las manos metidas en los bolsillos de la chaqueta, con la mirada fija en el suelo, para no verlo, para que no apareciera de la nada una cabeza con el pelo oscuro, la manga de una chaqueta de pana verde. Empezó a temer el siguiente seminario, preguntándose si la miraría a los ojos y vería en ellos compasión o diversión. Stefan era amable con ella, pensaba, porque le daba pena, tan tímida, en sus seminarios. O bien se divertía con ella, la chica patosa a la que se le caían los libros. La intimidad, la chispa que notó entre ellos, quizá estuviese solo en su imaginación.

Pero en el Departamento de Estudios Culturales ella descubrió una nota en la puerta de Stefan: «Stefan Galenski ahora mismo no está. Por favor, contacte con la secretaria para temas de trabajo y mensajes urgentes». Ella sabía que no iba a contactar con la secretaria del departamento, porque si lo hiciera, ¿qué podría decirle? «Te echo de menos. Quiero estar junto a ti.»

Escribió cartas a Katherine y a Rachel, pero le habló de Stefan solo a Rachel. Se imaginaba perfectamente la voz seca y burlona de Katherine: «¿Otra vez enamorada, Liv? ¿Cuántas veces van este año?». Ella misma veía claramente que todo aquello era una locura. Estaba enamorada de un hombre que era seis años mayor que ella, que había viajado infinitamente más, tenía muchísima más experiencia que ella y que era, para rematarlo todo, uno de sus tutores, aunque fuese temporalmente. En las cartas a su madre mencionaba solo su trabajo, el tiempo y la búsqueda desganada de algún lugar donde vivir el año siguiente. Rachel estaba equivocada, se decía Liv a sí misma, no estaba enamorada de verdad de Stefan Galenski, solo sufría de otro enamoramiento de colegiala humillante y tardío. Aunque se había ido de casa, al parecer todavía no había madurado.

Pasaron dos semanas. Se esforzó por concentrarse en su trabajo y encontrar alojamiento para el trimestre siguiente. Visitó húmedos pisos y lúgubres sótanos en Morecambe, mientras intentaba no pensar en la casita de piedra situada en la curva de la colina. Parecía que un vacío rodeaba su corazón, ¿o acaso se encontraba este incrustado en hielo, cubierto de una capa fina, dura, incolora, que sofocaba su ritmo natural? Todo parecía conectado con él y con su ausencia: una canción en la radio, un fragmento de un poema. El susurro de las alas de un faisán al andar por los bosques le recordaba aquella vez que él paró el coche para dejar que una familia entera de patos cruzase la carretera. El vivo color esmeralda de la falda de bambula de una amiga le recordaba la larga bufanda con flecos que él llevaba al cuello.

El sol resplandeciente que entraba en su habitación la despertó temprano, un sábado por la mañana. Fue a la lavandería e hizo la compra en el supermercado; de vuelta en la residencia, mientras se preparaba unos huevos revueltos para un desayuno tardío, sonó el teléfono.

—¡Liv, es para ti! —chilló alguien. Le molestaba que su corazón corriera desbocado y se le encogiera el estómago.

Fue al teléfono.

—¿Sí?

—¿Liv? Soy yo, Rachel.

Una pequeña oleada de decepción. Pero dijo:

—¿Rachel? ¿Te encuentras bien?

—Sí —silencio—. Quiero decir... que no, en realidad, no. —La voz de Rachel sonaba extrañamente átona, como si hubiese estado llorando.

—Rachel, ¿qué pasa?

—Tengo que hablar contigo, Liv.

De pie en el teléfono público, mirando por la ventana, Liv veía el patio cubierto de hierba entre los edificios de la residencia.

—Pues dime.

—No, hablar bien. No te lo puedo contar por teléfono. No puedo. Ha ocurrido algo horrible. —Las palabras eran como pequeños jadeos, como sacudidas.

—¿Estás mal? El bebé...

—No, el niño está bien. No es eso.

Y entonces, mirando por la ventana, lo vio. Stefan estaba atravesando el patio. Su corazón pareció detenerse y la mano se agarrotó en torno al receptor.

—¿Liv? —La voz de Rachel, cansada y débil, parecía venir desde muy lejos.

—Lo siento, no te he entendido, Rachel. —Stefan se dirigía hacia la puerta del edificio de la residencia. Levantó la vista y la vio, y ella apretó la palma y la frente contra la ventana como si, a través del cristal, pudiera tocarlo.

—He dicho que tengo que hablar contigo. Hay algo... ¿podrías venir a Bellingford? ¿Hoy? —La voz de Rachel de nuevo, insistente y preocupada—. Ya sé que es mucho pedir, pero es que realmente no sé qué hacer. No puedo decidirlo yo sola. Te necesito, Liv.

—¿Es por Hector? ¿Os habéis peleado? —Dos pisos más abajo, Stefan le hizo señas.

—No, no es eso. No tiene nada que ver con Hector. No se lo he contado a Hector.

—Rachel, tengo que dejarte...

—Pero ¿vendrás? ¿Vendrás hoy?

Se oyó a sí misma prometérselo y oyó también el suspiro de alivio de Rachel.

—Gracias, Liv. Gracias. Siento ser tan tonta.

Colgó el teléfono y corrió escaleras abajo. En el patio, levantó la mano para protegerse los ojos. Del sol, pensó. De Stefan.

Había estado enfermo, le explicó, y luego se vio obligado a asistir a un congreso muy aburrido. Cuando él la miró, cuando dijo su nombre, ella pensó que no importaba por qué le gustaba, y que no importaba si él sentía compasión por ella o le divertía. Él estaba allí, de modo que el hielo que rodeaba su corazón se derritió y estuvo completa de nuevo.

—He pensado que podríamos ir a Glasson Dock —dijo—. Estaría bien ir a por cangrejos y prepararlos para comer.

Ya estaban por la mitad del estuario del río Lune cuando ella se acordó de Rachel. «Tengo que hablar contigo. Te necesito.» Iré a Bellingford mañana, pensó. Un día más o menos no importará. No importará en absoluto.

Glasson se asomaba al borde del estuario, frente a un mar pálido y parpadeante. Un agua de un gris parduzco se deslizaba lentamente entre los bancos de lodo, resbaladizos por el sol, en los bajíos del estuario. Los cangrejos asediaban los muelles como arañas. Al moverse, los juncos de las orillas parecía que susurraran, rompiendo el silencio.

Siempre, al recordarlo, aquel día parecía brillar y resplandecer empapado en luz. Caminaron por el puente levadizo y miraron hacia el faro y hacia el mar; se quitaron las zapatillas y fueron vadeando el barro, buscando cangrejos. El barro succionaba y agarraba los dedos de sus pies. Ella casi perdió el equilibrio y él la sujetó de la mano para estabilizarla. Los dedos de ella quedaron entrelazados con los de él, y su corazón salió volando.

No atraparon ni un solo cangrejo, de modo que compraron unos bocadillos y se echaron en la hierba a comérselos. El sol los secó; el barro formó una costra que se agrietó sobre su piel.

—Como el golem —dijo Stefan, somnoliento—. Si escribimos el verdadero nombre de Dios en un trocito de papel y nos lo colocamos debajo de la lengua, ¿crees que renaceremos?

Ella le habló de su padre. La nota en la mesa de la cocina y, ocho años después, la postal. Una foto de una playa de Tahití. Ella escribió a Finley Fairbrother, *poste restante,* a todas las ciudades tahitianas que pudo encontrar en un mapa. Y al cónsul británico. Pero no obtuvo respuesta. Fin se había trasladado.

Los ojos de Stefan se cerraron, un brazo doblado le hacía de almohada para la cabeza.

—¿No estás enfadada con él? ¿No lo odias?

—¿Odiarlo? ¿Por qué iba a odiarlo?

—Por abandonarte.

—Mamá decía que siempre fue un viajero. No se puede cambiar lo que eres, ¿no?

Él se giró, incorporándose sobre el codo, y la miró.

—Si tú hubieras sido mía —dijo—, nunca te habría dejado.

Caminaron hacia el cabo. Él le habló de sus padrastros. El que lo ignoraba, el que lo encerraba en una habitación oscura, el que le pegaba. Se bajó el cuello de la camiseta y le enseñó la ligera marca pálida donde le hirió la hebilla del cinturón. Ella quiso besarle la cicatriz. Se lo imaginaba como un niño moreno y vehemente, sacudiendo la puerta cerrada de su prisión.

Al final del día, al dejarlo, al volver andando a su habitación a última hora, el paisaje familiar parecía haberse alterado, el laberinto de caminos y patios se le hacía extraño por el recuerdo de la luminosidad de aquel día. Un par de veces dio un giro equivocado; tuvo que detenerse un momento y recapacitar para encontrar la dirección correcta. Oyó pasos y miró hacia atrás, casi esperando verlo. Pero un desconocido pasó rápidamente a su lado con los hombros encorvados; sus pasos resonaban en el techo de cemento del pasaje cubierto. Era consciente de una extraña sensación de alivio, de haber recuperado un poco la seguridad. Se daba cuenta de que con Stefan a veces sentía como si estuviera al borde del elevado páramo, mirando hacia abajo, a punto de caer y desaparecer. Necesitaba recordar quién era, qué era.

Aquella noche la privacidad de su habitación individual le pareció un santuario. Alguien pasó una nota por debajo de su puerta. Liv la abrió. Era un mensaje garabateado. «Ha llamado tu madre. Dice que te diga que Rachel ha tenido una niña y que las dos están bien.»

Liv se sentó en el borde de la cama. Estaba temblando. Pensó: Rachel, y luego: Pero si se suponía que no iba a nacer hasta dentro de tres semanas... Pensó en llamar por teléfono a Bellingford, o a los Wyborne en Fernhill. Consultó su reloj y vio que casi era medianoche. Ya llamaría a Hector al día siguiente. O bien tomaría el primer tren de la mañana y se presentaría en el hospital, para ver a Rachel y al bebé, y le explicaría por qué no fue a visitarla aquel mismo día. Fragmentos de aquella extraña y perturbadora conversación telefónica se repetían una y otra vez en su mente, intercalados con escenas del día. «Ha ocurrido algo horrible.» Los juncos meciéndose lentamente en la orilla. «No es el bebé, Liv.» Echada en la hierba junto a Stefan, él se apretaba las manos sobre los ojos para evitar el sol claro y ardiente...

Se enroscó en la cama, se tapó con las mantas y se fue quedando dormida. Soñó que subía a un monte con Stefan, pero cuando miraba hacia abajo, veía que la hierba estaba hecha de hielo: translúcida, verde y cristalina. Ella estaba en una casita pequeña, sin ventanas. Sabía que dentro se encontraba un niño escondido en alguna parte, pero aunque lo buscaba no conseguía encontrarlo. Oía los llantos del bebé a través de la piedra.

El sonido distante del teléfono la despertó a las nueve en punto. Se quedó un ratito más echada en la cama, esperando que contestase alguna otra persona, o que el que llamaba se rindiese, pero como el timbre persistía salió de la cama, se puso la bata y corrió escaleras abajo. Al cielo azul del día anterior lo reemplazaban unas nubes de un gris plomizo suspendidas muy bajas sobre el horizonte.

Descolgó el receptor. Al principio no entendía lo que estaba diciendo Thea, porque lloraba. Las palabras brotaban unas sobre otras, enmarañadas, húmedas de lágrimas.

Luego Thea dijo:

—Liv, qué cosa más terrible. No puedo creerlo. Siento muchísimo tener que contarte esto. Pero Rachel ha muerto, cariño. La pobre Rachel ha muerto.

La autopsia determinó que murió de una embolia. Liv buscó la palabra en la biblioteca. «Un coágulo de sangre en un vaso sanguíneo. Una rara complicación del parto.»

Después de un parto rápido, de solo cuatro horas, Rachel dio a luz a una hija sana. Luego, durante la noche, mientras descansaba, un grumo de células se fue acumulando en su corriente sanguínea y viajó por sus venas hasta el pulmón. A Liv le parecía fácil, posible. De vez en cuando se contemplaba a sí misma y se maravillaba de que su corazón siguiera latiendo todavía, de que sus pulmones mantuviesen su inconsciente subir y bajar.

El funeral se celebró en Fernhill. Diana, dijo Thea, insistió en que Rachel fuese enterrada en St. Stephen en lugar de en Northumberland. Liv tomó el tren a Cambridge y Thea la fue a recibir a la estación. Abrazó a su hija, apretándola durante mucho rato, como si Liv también pudiera desvanecerse en un parpadeo. En casa se trataron con mucho cuidado la una a la otra, como si fueran conscientes, por primera vez, de su fragilidad, de su mortalidad.

El funeral –la ropa fúnebre de los asistentes, las voces apagadas, los rostros solemnes– a Liv le pareció incongruente, algo que no tenía nada que ver con la radiante y feliz Rachel. De pie en la iglesia donde Rachel se había casado solo diez meses antes, se clavó las uñas en las palmas de las manos e intentó pensar en algo corriente, en algo aburrido, en algo que la distrajese. Si pensaba en Rachel se echaría a llorar, y nadie lloraba allí. Es decir, ninguna de las tres personas más cercanas a Rachel, y toda la congregación parecía obligada a seguir el ejemplo que ellos daban. Henry Wyborne se balanceaba ligeramente, sin seguir el ritmo del himno, como si la pérdida de su hija lo hubiese dejado a la deriva y sin timón en un mar tormentoso. Diana, con la cara blanca y los ojos rojos, cantaba los versos con terrible claridad. Y Hector... Liv apenas podía soportar mirar a Hector. La expresión de sus ojos la aterrorizaba.

Sin embargo, sus propios pensamientos no le ofrecían ningún refugio. Oía el eco de la voz de Rachel: «Tengo que verte, Liv. Ha ocurrido algo horrible». Su respuesta resonaba con demasiada claridad en sus oídos, haciendo promesas que luego rompería.

Más tarde, al salir de la iglesia, se llevó a un lado a Katherine.

–Rachel me llamó el día antes de morir. –Tuvo que esforzarse por pronunciar aquellas palabras, una confesión vergonzosa.

–Sí –Katherine encendió un cigarrillo–. A mí también.

Liv dio un respingo.

—Y ¿qué te dijo?

A Katherine le temblaban las manos al presionar el encendedor.

—No respondí yo a la llamada, fue Felix. Yo había salido. Pero quería que la fuera a visitar. Dijo que necesitaba hablar conmigo. —Miró al cortejo fúnebre, que se dirigía lentamente hacia la tumba—. No puedo soportar esto. Me voy.

Se alejó de la iglesia. Liv se fue tras ella por el caminito que conducía lejos del pueblo, hacia los campos. El aire estaba cargado del aroma del espino y los setos engalanados con las flores de la zanahoria silvestre.

Liv hizo la pregunta que llevaba una semana entera atormentándola:

—¿Te dijo Rachel de qué quería hablar contigo?

Los ojos de Katherine estaban ausentes.

—Felix me dijo que a él no le dijo nada. ¿Qué te contó a ti?

—Más o menos lo mismo. Que tenía que hablar conmigo.

—¿Y no le preguntaste?

—Claro. Y me dijo que había ocurrido algo horrible.

—¿El qué?

—Esa es la cuestión. No lo sé. Ella no quiso decírmelo por teléfono. Quería que fuese a Bellingford. —Llegaron a la puerta de la verja que cerraba el paso al campo—. Y yo le dije que iría. Le dije que iría aquel mismo día. —La culpa de Liv estaba en carne viva, dolía—. Pero no fui. Le prometí que iría a Bellingford y no fui. Pensé que daría lo mismo si iba al día siguiente. Pero no fue así, ¿no?

Muy por debajo de ellas, la balsa, recogida en la palma del valle, reflejaba como un espejo el cielo sin nubes.

—Rachel estaba preocupada por algo, Katherine —dijo, sin expresión—. No... Estaba *horrorizada*.

—El bebé... Iba a dar a luz.

—Dijo que no se trataba del bebé. Le pregunté por el bebé. El bebé no iba a nacer entonces.

—Pues Hector.. Quizá se pelearon...

—Dijo que no tenía nada que ver ni con el niño ni con Hector. ¿Qué otra cosa pudo ocurrir? ¿Por qué estaría tan alterada?

Katherine se quedó callada un momento y luego dijo:

—No recibí el mensaje de Rachel hasta después de saber que había muerto. Eso fue lo más horrible. —Su esquiva sonrisa no llegó a los ojos—. O bien una de las muchas cosas horribles..., es difícil escoger, ¿no te parece? Estuve fuera toda la noche... No volví a casa hasta el domingo al mediodía, y entonces me encontré un mensaje que me pasó la señora Mandeville por debajo de la puerta, me decía que llamase a casa. Mamá me contó lo de Rachel. Luego volvió Felix del pub. Cuando me contó lo de la llamada de Rachel, me sentí muy aliviada. Pensé que mamá se había equivocado. ¿Cómo podía estar muerta Rachel si quería que la fuera a ver? Le pregunté a Felix qué dijo, una y otra vez. Pensaba de verdad que mamá estaba confundida. —Katherine tiró la colilla a la hierba y la pisó con el tacón—. Y luego él me hizo beber un vaso de brandy, llamó a mamá él mismo, y entonces sí que me lo creí. —Cerró los ojos. Su voz era casi inaudible—. Pero es que no me lo creo, ¿y tú, Liv? No puedo creérmelo.

El estanque se veía borroso y temblaba entre sus lágrimas. Liv susurró:

—¿Has hablado con Hector?

—Todavía no. Hablaré, claro, pero, por el amor de Dios, ¿qué le voy a decir?

—¿Y la niña..., ella vio a la niña?

—Sí. Mamá me lo dijo. Solo una vez. La tuvo en sus brazos unos momentos. Estaba muy cansada. —Las manos de Katherine se cerraron—. Es el desperdicio lo que no puedo soportar. Lo absurdo que es esto. ¡Tenía diecinueve años! —Le temblaba la voz de ira—. Ha dado la vida por ellos..., por su marido y su hija. Pero eso es lo que se supone que hacen las mujeres, ¿no? Sacrificar su vida por su familia. —Empezó a caminar muy rápido colina arriba, de vuelta al pueblo.

Después de una comida que nadie probó, cuando el primero de los asistentes ya se despedía, Liv encontró a Hector en el jardín delantero de la casa de los Wyborne. Se preguntó si estaría recordando la primera vez que vio a Rachel, vestida de plata, a través de los arabescos de hierro fundido de la verja.

Le vio encender un cigarrillo con la colilla del anterior y luego mirarse las manos, como si se sorprendiera por lo que estaba haciendo.

—Lo había dejado —dijo de pronto—. Por la niña...

Ella se mordió el labio.

—Si puedo hacer algo... —murmuró, pero las palabras parecieron caer al suelo sin ser notadas, como los pétalos que caen de las rosas tempranas.

Brevemente le contó lo de la llamada telefónica de Rachel. No estaba segura de que él la escuchase. Parecía encerrado dentro de su propio dolor.

—¿Sabes por qué me llamó, Hector? —Él se limitó a sacudir la cabeza, con los ojos vacíos de todo excepto de desolación.

Luego dijo:

—Si yo hubiese estado en casa... No tendría que haberla dejado sola.

—¿Te habías ido?

—Fui a Londres por cuestiones de negocios. No esperábamos al bebé hasta dentro de tres semanas, así que pensamos que todo iría bien. Pero no me tendría que haber ido, ¿verdad? —Tomó aliento profundamente, con una inhalación temblorosa—. Cuando volví a Bellingford el sábado, Rachel estaba de parto. La llevé al hospital. Dijeron que todo había ido bien. En realidad, estuvieron un poco groseros, dijeron que podíamos haber esperado. Yo pensé que nos querían mandar a casa. Pero la niña llegó más rápido de lo previsto. —Cerró los ojos, se frotó la frente con las yemas de los dedos y susurró una vez más—: No tendría que haberla dejado sola.

Ella le acarició el hombro. Él mantenía los ojos cerrados.

—Sigo pensando —dijo él— que quizá la casa... Hacía siempre mucho frío, ¿sabes? Ella llevaba el abrigo puesto dentro de casa, a veces. Quizá el frío la debilitara. Y todas las obras en el edificio, el ruido, el polvo, no pudo ser bueno para ella, ¿no? O quizá se cayese... Toda la casa estaba llena de latas de pintura y cosas. Quizá tropezó y no me lo dijo, porque no quería preocuparme... Dios mío. −Apretó los puños−. Ojalá no la hubiese llevado nunca allí, Liv. Ojalá no la hubiese llevado nunca.

−Hector...

Él no parecía oírla.

−No puedo soportar esa casa ahora −dijo él−. Me gustaba mucho, pero ahora la odio. La semana pasada..., estos últimos días, yo solo... −Se quitó las gafas y frotó los cristales con el pañuelo, ausente. Liberados de su cobertura, sus ojos angustiados parecían desnudos e indefensos.

»Me parece que la oigo. Sigo pensando que voy a doblar la esquina y la voy a ver. Me despierto por la noche y noto que está a mi lado. A veces pienso que ojalá no la hubiese conocido nunca. ¿Puedes entender eso, Liv? Si no la hubiese conocido, ella seguiría viva.

Ella lo rodeó con sus brazos.

−Hector −dijo con cariño−, Rachel te amaba. Ella quería estar contigo. Nunca la había visto tan feliz como cuando se casó contigo. Y la niña..., estaba feliz con el embarazo. Sé que lo que ha ocurrido es espantoso, horrible, pero está la niña. Tienes a tu hija, Hector.

Él se apartó de ella y echó a andar hacia la casa. Mirándola fugazmente por encima del hombro, dijo:

−Los Wyborne van a criar a la niña. ¿No lo sabías, Liv?

Thea volvió a Fernhill Grange al día siguiente por la tarde. El ama de llaves la hizo pasar al salón. Henry Wyborne estaba de pie ante las ventanas, con las manos unidas en la espalda.

−Espero que me perdones por esta intrusión, Henry.

−Diana está durmiendo, Thea. Se ha tomado una pastilla.

−Entonces hablaré contigo, si no te importa. −Thea tomó aliento con fuerza−. Liv me ha contado que Diana y tú queréis criar a la hija de Rachel. No será cierto, ¿verdad, Henry? Liv está equivocada, ¿no?

−No está equivocada. Alice vivirá aquí.

−¿Alice?

—Era el libro favorito de Rachel cuando era pequeña, *Alicia en el país de las maravillas*. —Henry apartó la vista—. Diana la quería llamar Rachel, pero yo dije que debía tener un nombre distinto, un nombre para ella sola. Así que será Alice Rachel.

—Henry, no puedes dejar que Diana haga esto. No está bien. Hector...

—Ha dado su consentimiento. —Henry se volvió hacia ella—. Ha vuelto a Northumberland.

Thea sintió que se quedaba sin aliento. Se sentó en uno de los sillones tapizados de terciopelo rosa y procuró ordenar sus pensamientos. Nunca le había gustado especialmente Henry Wyborne, percibía tras su encanto y su estatura imponente y atractiva la ambición despiadada de un hombre que pretendía salirse con la suya costase lo que costase. Lo toleraba por cariño hacia Diana, pero nunca le había gustado. Y entonces dijo, con voz neutra:

—¿Sin su hija?

Henry no contestó, pero su expresión se lo dijo todo. Thea entrelazó los dedos.

—Hector no se encuentra en situación de tomar una decisión tan importante —dijo—. Tienes que comprenderlo, Henry. Si Hector ha consentido esto es porque está loco de dolor.

—¿Y Diana? ¿Y yo? —su voz sonaba dura—. ¿Acaso no estamos heridos también?

Ella dijo, con amabilidad:

—Pues claro que sí, Henry. No quería decir que vuestra pérdida no sea también terrible. Pero comprenderás que Hector necesita a esa niña. Que sin ella no tiene nada.

Y él volvió a decir:

—¿Y Diana?

—Diana te tiene a ti, Henry. Al menos os tenéis el uno al otro. Siempre habéis formado un buen matrimonio.

Henry se dio la vuelta y se dirigió al mueble bar. El whisky salpicó el vaso y la superficie de caoba del mueble bar, y también la alfombra. Ella supuso, por el temblor de sus manos y su rostro rubicundo, que estaba borracho, y que llevaba borracho varios días, con toda probabilidad.

—¿Thea...? —dijo, indicando la botella, pero ella negó con la cabeza. Fue a sentarse junto a ella. Susurró—: Ella le echa la culpa, Thea.

—¿Diana culpa a Hector por la muerte de Rachel? —Thea estaba horrorizada—. No me digas eso...

—Ella lo odia. No puede soportar estar en la misma habitación. Dice que si no hubiera insistido en casarse con ella... Nosotros intentamos evitarlo, ya sabes... —Henry bebió un largo trago de whisky—. Intenté razonar con ella, pero... —Cuando miró a Thea de nuevo, ella vio que tenía lágrimas en los ojos—. ¿Qué derecho tengo yo de impedir que se consuele con lo que pueda?

Ella pensó: esto destruirá a Hector, pero no dijo nada, porque Henry Wyborne estaba llorando con las lágrimas extrañas y atragantadas de un hombre poco acostumbrado a mostrar sus emociones. Ella le quitó el vaso de las manos y lo rodeó con sus brazos y, al disculparse él, dijo:

—No seas ridículo, Henry. Rachel era una criatura hermosa y encantadora. Todos la queríamos. Ninguno de nosotros puede aceptar lo que ha ocurrido.

Él se secó los ojos y se sonó la nariz.

—Yo pensaba que era un hombre afortunado —parpadeó—. Y empiezas a creer que tienes derecho a la buena suerte. Que te la has ganado. Cuando llegaste aquí, Thea, cuando Fin te dejó, supongo que tenía una mala opinión de ti. Elegiste mal, pensaba yo, te ganaste tu mala suerte. Lo que yo tenía, Diana y Rachel, mi trabajo, esta casa, sentía que de alguna manera me lo merecía. —Cerró los ojos con fuerza un momento—. Pero no es así. Simplemente tuve suerte durante un tiempo. No me lo merecía en absoluto.

Ella dijo:

—Pero Hector...

Henry se levantó del sofá. Se dirigió a la ventana.

—Hector ahora es un hombre soltero. No tiene ni idea de cómo criar a un bebé. Diana tratará muy bien a la pobre niña, ya lo sabes, Thea. La querrá mucho. Todo será por su bien, ¿no?

Ella susurró:

—Henry, esto está mal.

Pero él no respondió y, al cabo de un rato, ella se levantó y salió de la habitación. Recorrió casi corriendo el camino, como para escapar del manto de dolor y amargura que se cernía sobre la casa.

Iba colina abajo cuando un coche aparcó a su lado. Richard Thorneycroft bajó el cristal de la ventanilla.

—¿Quiere que la lleve? Está empapada.

Ella ni siquiera había notado que llovía. Se acomodó en el asiento del pasajero. Él dijo, con torpeza:

—Qué cosa más terrible... Lo de la chica de los Wyborne, quiero decir.

—Sí —dijo Thea—. Espantoso.

Él metió el embrague. La lluvia golpeaba el limpiaparabrisas.

—Y los funerales —dijo—. Son muy agobiantes.

—Y acumulativos —dijo Thea, airada—. Siempre te recuerdan otros malditos funerales.

—Ah, claro. Su marido.

Ella sabía que él estaba haciendo un esfuerzo, pero la ira y la impotencia que había sentido al hablar con Henry Wyborne persistían aún, y dijo fríamente:

—Mi marido no está muerto.

—Yo suponía...

—Ya lo sé. Todo el mundo lo supone.

Él redujo la velocidad cuando se acercaban a la casita.

—¿Querría tomar una copa?

Su sorpresa ante aquella invitación sin precedentes quedó enmudecida por el agotamiento engendrado por los acontecimientos de aquella semana. Se dio cuenta de que ansiaba una copa desesperadamente y de que no podía enfrentarse a la incredulidad y la desolación en los ojos de su hija.

—Sí. Sí, Richard, me gustaría mucho tomar una copa. Me gustaría muchísimo.

Liv volvió a Lancaster. Los trabajos que todavía no había redactado, el repaso que no había hecho aún, atestiguaban su ausencia de una semana. Se sentó en su escritorio, con un libro de poesía abierto ante ella; miraba la página, pero veía solamente a la niña de Rachel, dormida en su cunita en Fernhill Grange. Al tocarle la mejilla diminuta y arrugada, su tacto parecía el del terciopelo.

Cerró el libro y salió de la habitación. Caminó por el campus hacia el Departamento de Estudios Culturales. Ante la oficina de Stefan pensó que él no estaría allí, sino que se encontraría en Holm Edge. Cuando llamó a la puerta con los nudillos, sonó a hueco. Al volver por el pasillo sus pasos resonaban y hacían eco.

En el seminario del miércoles, Stefan no levantó la vista cuando ella entró en el aula, sino que siguió corrigiendo ejercicios. Ella pensó que no la había visto. No contribuyó a la discusión; no tenía nada preparado, no recordaba siquiera lo que había que preparar. Al final de la clase, metiendo sus cosas en la bolsa de tela, sus dedos estaban agarrotados, torpes por los nervios y el cansancio. Vio que sus acólitos ya lo rodeaban: Andy, con las gafas de montura dorada, Gillian, con su boina de ganchillo. Vio que el rostro de él se iluminaba cuando ellos le hablaban, y que sus gestos y movimientos adquirían esa expansividad que ahora le resultaba tan familiar. Ella hizo una pausa, esperando, con la bolsa entre las manos.

—Olivia. Un momento, por favor.

La frialdad de su voz la sorprendió. La gran bola instalada entre sus costillas desde la llamada de Thea se tensó un poco más, formando un nudo duro.

Cuando los demás se hubieron ido, él cerró la puerta.

—No viniste al seminario la semana pasada.

Seguía sin haber sentimiento alguno en su voz; ella se preguntó si no se habría imaginado aquel día en Glasson Dock, o si lo habría malinterpretado, viendo amor donde solo existía afecto.

—Estuve ocupada —susurró.

—Se supone que los alumnos tienen que avisar a sus tutores cuando no pueden asistir a un seminario. —Stefan estaba apoyado en el borde del escritorio. Tamborileaba con las yemas de los dedos en la superficie de madera—. Los exámenes empezarán dentro de dos semanas. ¿Tanto confías en tu éxito que piensas que puedes elegir a qué clases asistir?

Sus palabras se clavaron en ella, socavando los recuerdos que ella atesoraba; el hombre que yacía a su lado en el césped y decía: «Si hubieses sido mía, nunca te habría dejado ir».

—No he podido..., he tenido que volver a casa... —oyó su propio gemido de desesperación.

Las cejas de él se contrajeron.

—¿Problemas familiares? —Ella asintió—. Cuéntame.

Fue muy difícil pronunciar las palabras. Las palabras hacían que fuese real.

—Una de mis amigas... Rachel, mi mejor amiga... ha muerto.

El cuerpo tenso y tirante de él pareció relajarse.

—Lo siento —dijo.

—Ya ves —dijo ella, amargamente— que no es que no quisiera venir.

—Mi deplorable vanidad. —Las comisuras de sus labios se curvaron—. Yo pensaba que éramos amigos, sabes. Y luego..., como no apareciste...

Ella sintió como si estuviera hecha de cristal. Otra ráfaga de viento, un pequeño empujón y se haría trizas. Cerró los ojos y notó que se tambaleaba ligeramente.

—Ven, siéntate —dijo él. La ayudó a acomodarse en una silla—. Quédate aquí. Te traeré un poco de agua. —Su voz parecía proceder de un lugar muy lejano.

Liv se apretó los nudillos contra la cara y poco a poco el mareo fue desapareciendo. Él le dio el vaso y ella abrió los ojos. Él estaba agachado ante ella, observándola. Le acarició la cara con la yema de los dedos. Ella era consciente de que la invadía una enorme sensación de alivio. No estaba equivocada: él la amaba. Le oyó decir amablemente:

—¿Quieres que te lleve a tu habitación del campus? ¿O preferirías ir a Holm Edge?

Ella pensó en su habitación. En los libros que no había leído, en las notas que no había revisado. En las fotos en el tablero: ella misma, Katherine y Rachel, el día de la boda de Rachel.

La postal de su padre desde Tahití. La amiga muerta, el padre ausente.

–Llévame a Holm Edge, Stefan –susurró–. Por favor, llévame a Holm Edge.

Él preparó tostadas y té, y después salieron a dar un paseo. El viento soplaba con fuerza y ella se tambaleaba por el camino irregular. Stefan le ofreció el brazo y ella lo agarró con la mano. Después, de vuelta a casa, él encendió un fuego en la chimenea. Se sentó en el sillón y Liv se quedó a sus pies, con la espalda apoyada en sus espinillas. Los dedos de Stefan jugueteaban con su pelo.

–Háblame de ella –dijo–. Háblame de Rachel.

De modo que Liv le contó que, muchos años antes, Rachel convirtió un lugar extraño en un hogar. Y que las tres se unieron y formaron algo más que su suma. *Hermanas de sangre.* El fuego y la luz del sol entre los sauces. Y que hacía menos de un año se separaron, Katherine se fue a Londres y Rachel con Hector a Northumberland. Y lo del bebé, y la tragedia de la muerte súbita de Rachel.

–Rachel me llamó la semana pasada –dijo–. ¿Recuerdas cuando viniste a mi residencia? Yo estaba al teléfono, hablando con Rachel. Ella estaba preocupada... Algo la había asustado. Me pidió que la fuera a ver aquel mismo día, y yo dije que sí. Pero no lo hice.

–¿Por qué?

–Por ti –su voz sonaba ronca–. Porque quería estar contigo.

La mano de Stefan, que acariciaba su pelo enmarañado por el viento, se detuvo. Ahora Liv no sentía ninguna vergüenza, solo algo en la boca del estómago, una mezcla de añoranza y alivio.

–Ven aquí –dijo él–. Quiero abrazarte.

Ella se sentó en su regazo. Cuando los brazos de Stefan la rodearon, se sintió segura y protegida.

–¿Por qué querías estar conmigo?

–Porque te quiero. –Una vez más, una confesión inesperadamente sencilla.

—Pues mira —dijo él—, yo no estaba seguro.

Liv se volvió a mirarlo.

—¿Cómo es posible que no lo supieras? ¿Cómo podías no estar seguro? Debe de estar escrito en mi cara..., en todo lo que hago...

—Calla —dijo, bajito, atrayéndola hacia sí, de modo que la cabeza de ella se apoyó en su hombro. Liv notaba el ritmo regular de su respiración.

»Cuando no apareciste en clase —siguió—, pensé que debía de estar equivocado. Pensaba que eras como las demás... Muchas alumnas creen que el hecho de que se las vea con un tutor es como ponerse una medalla. Algo de lo que alardear ante sus amigas. Una especie de símbolo de estatus.

—No era así, en absoluto.

—Ya lo sé, Liv. —Ella notó que él apretaba los labios contra su coronilla—. Ahora lo sé.

Hubo un silencio. Acurrucada en sus brazos, ella casi se habría podido dormir. Pero por el contrario dijo:

—Cuando te vi se me olvidó lo de Rachel. Pensaba que daría igual, que podía ir al día siguiente. Pero no dio igual... No hubo día siguiente para Rachel.

—Nada de lo que tú pudieras haber hecho habría significado diferencia alguna. No fue culpa tuya, Liv.

—¡Pero parece que sí lo fue! Yo le fallé, ¿sabes? Y sigo preguntándome...

—¿Qué?

—Por qué me llamó. Qué pasó. Si a lo mejor yo hubiera podido cambiar algo. Eso es lo que pasa, Stefan. —Su voz temblaba—. Me he quedado con esa enorme, terrible pregunta para la que probablemente nunca tenga respuesta. Sigo dándole vueltas una y otra vez. Ella no estaba preocupada por el bebé ni tampoco por Hector. Me preguntaba si sería por la casa, es una casa grande y antigua, si a lo mejor creía haber visto algo, oído algo. Pero no tiene sentido, ¿verdad? Me lo habría dicho por teléfono, ¿no? Y luego pensé que a lo mejor era algo de dinero..., no tenían demasiado dinero y estaban haciendo muchas obras en la casa, así que quizá no les iba bien y a ella le daba vergüenza admitirlo. Pero eso no cuadra tampoco. Los Wyborne son ricos... El padre de Rachel les habría ayudado si hubiesen tenido dificultades.

Stefan la besó para tranquilizarla. En la frente, en la mejilla, en la boca. Ella se apartó y lo miró detenidamente.

—¿Las demás..., Gillian..., y esa chica del abrigo afgano?

—Son mis alumnas, nada más. —Le tomó la cara entre las manos, volviéndola hacia él—. Nunca han sido nada más. Yo te amo a ti, Olivia. Y a nadie más.

—Pero... ¿por qué yo?

Él sonrió.

—Qué típico, ¿verdad? Saberlo por primera vez... Saber que será una persona solamente, y no otra.

De nuevo Liv cerró los ojos. Los labios de él le rozaron los párpados y le pasó el dorso de su mano por la mejilla, hasta el hueco del cuello. El cuerpo de ella pareció despertar, revivir a su contacto. Le oyó susurrar:

> ¡Ay! Cuando a Olivia vi por vez primera,
> el aire con su aliento embalsamaba,
> en el instante aquel troqueme en ciervo;
> y desde entonces como alanos crudos
> me acosan mis deseos...

El momento quedó suspendido, en equilibrio. Liv oyó, en medio del silencio, el susurro del viento.

Luego Stefan dijo:

—Cásate conmigo, Olivia.

SEGUNDA PARTE

El acebo

1969-1974

5

La cooperativa de alimentos integrales para la que trabajaba Felix cerró a principios de septiembre.

—Era una idea estúpida, si quieres mi opinión —dijo Stuart—. Esperar que la gente comiera comida de conejo...

Estaban en el bar del White Hart, con unas cervezas delante. La tarde era gris y sombría, como si aquel año el verano se hubiese dado ya por vencido.

Felix preguntó:

—¿Qué tal va la revista?

—Ah, bien —dijo Toby, vagamente—. Ya hemos tocado fondo. Siempre dicen que cuesta un año remontar un negocio, ¿no? Estoy seguro de que hemos pasado lo peor. —Las uñas mordidas de Toby y su forma de fumar un cigarrillo tras otro desmentían aquel optimismo. Miró a su alrededor—. ¿Alguien ha visto a Katherine? Esperaba que viniese esta noche. Iba a pedirle que escribiera el artículo sobre la comuna de Nancy.

—¿Una comuna? —preguntó Felix.

—Por ahí, en el quinto pino —explicó Toby—. Es una amiga mía, una mujer muy maja, que ha puesto en marcha una cosa. Le dije que haríamos un artículo. Fue idea de Katherine, en realidad. Ella piensa que tenemos que ampliar el ámbito de la revista, poner historias con interés humano. Nancy busca a gente para que viva allí. Gente que piense como ella. —Miró su vaso, que estaba vacío—. Es mi ronda, ¿no? —Fue a la barra.

—Las comunas te van bastante, ¿no, Felix? —Stuart apagó su cigarrillo.

—Admiro a cualquiera que piense que el dinero no es lo único que importa en la vida. —Estaba bastante borracho, pensó Felix, o, si no, no habría sonado tan pedante.

—Pero tú no vivirías en un sitio como ese, ¿no?

El cinismo de Stuart lo irritaba.

—Lo intentaría.

—Mucho sexo —le recordó Toby a Stuart, al volver—. En esos sitios las relaciones son abiertas, ¿verdad? Puedes acostarte con quien quieras. —Puso las bebidas en la mesa—. Te diré una cosa: ¿querrías escribirme tú el artículo, Felix?

—No podrías soportarlo —se burló Stuart—. Suplicarías que se te permitiera volver a la civilización al cabo de un día.

—Tonterías.

—Entonces apostemos —dijo Stuart—. Apuesto cinco. Cinco libras a que no duras ni una semana.

—Hecho —dijo Felix.

Al despertarse a la mañana siguiente, con la cabeza dolorida y la boca seca, Felix no recordaba la conversación de la velada anterior. Luego vio el trocito de papel metido por debajo de su puerta. Lo recogió y leyó:

«Felix, mi amiga se llama Nancy Barnes. La dirección de la comuna es: Antigua Rectoría, Great Dransfield, Berkshire. Saludos, Toby.»

La furgoneta había pasado a mejor vida, así que Felix fue en autoestop. Un camión lo llevó hasta Newbury, y luego fue haciendo el trayecto en diversos coches y furgonetas.

Llegó a Great Dransfield a media tarde.

La Antigua Rectoría se encontraba a las afueras del pequeño pueblo, que había crecido desordenadamente. El edificio era grande e imponente..., victoriano, supuso. En la piedra grisácea se encontraban encajadas unas ventanas de un diseño gótico bastante extravagante. Una parra virgen subía por la pared, y sus hojas de color vivo compensaban el aspecto general de la casa, bastante mortecino. Felix llamó a la puerta principal.

No respondieron, así que siguió el camino que rodeaba la casa. Las clemátides crecían por encima de su cabeza, formando un dosel arqueado, y también rosas y buddleias, polvorientas y de aspecto mustio por lo tardío de la estación, que lo habían invadido todo. Abrió una cancela desvencijada, apartó las últimas ramas invasoras y se quedó un rato mirando.

El jardín era enorme, ocupaba kilómetros y kilómetros. Hectáreas de césped, luego huertos con verduras, árboles frutales, un río, un lago, un bosque. La luz del sol se reflejaba en el agua distante, y unas manzanas rojas salpicaban las ramas de los árboles como rubíes. Dos niños jugaban junto a la orilla del lago, con los pies descalzos cubiertos de un barro color chocolate. Una mujer que vestía una falda larga y un sombrero de paja trabajaba en el huerto. Al ver a Felix se incorporó, dejó la azada y se dirigió hacia él.

—¿Puedo ayudarte en algo?

—Busco a Nancy Barnes.

—Soy yo.

Tenía treinta y tantos años, supuso. Alta y bien formada, su rostro rojo y curtido por la intemperie carecía totalmente de maquillaje. Llevaba el pelo castaño sujeto en una trenza, y su sonrisa era agradable y amistosa.

—Me llamo Felix Corcoran —explicó—. Soy amigo de Toby Walsh.

—Sí, Toby me dijo que mandaría a alguien —Nancy le sonrió—. Qué bien que hayas venido. Qué bien que te haya interesado esto.

Él se sintió ligeramente avergonzado, recordando la apuesta en el pub, borracho.

—Toby ha pensado que no os importaría si me quedo unos días.

—Por supuesto. Quédate todo el tiempo que quieras. ¿Cómo has llegado hasta aquí?

—Haciendo autoestop y caminando.

—Debes de tener mucha sed. Te traeré algo de beber y luego, si quieres, te enseño todo esto.

Felix siguió a Nancy hasta la cocina. El té de hierbas era oscuro y estaba amargo, pero el pan casero y el queso de cabra eran deliciosos. Él le preguntó por la casa.

—Mi padre me la dejó en herencia. Se la compró a la Iglesia... Los vicarios modernos no quieren vivir en estas casas antiguas llenas de corrientes de aire. Es demasiado grande para una sola persona, así que pensé que sería buena idea compartirla con otros.

—¿No estás casada? —Recordó a los pilluelos que jugaban junto al río—. Pensaba que... ¿los niños?

—India y Justin son hijos de Claire. Claire es una antigua amiga, del colegio. Su matrimonio se rompió hace seis meses y no tenía adónde ir. Entonces fue cuando se me ocurrió la idea, en realidad.

—¿De montar una comuna?

—Prefiero llamarla «comunidad». —Los amables ojos castaños de Nancy se fijaron en Felix—. «Comuna» suena un poco mal, ¿no crees? Ese tipo de cosas de las que se ríen los listillos de la ciudad.

Él tuvo que apartar la vista, violento, y tomar otro sorbito de té.

—¿Cuánta gente vive aquí?

—Bueno, están Claire y los niños, tres. Luego Martin, que era profesor en un colegio de secundaria, pero creo que los chicos se lo hicieron pasar muy mal, así que ahora vive aquí. Y luego están Bryony y Lawrence, con su bebé. Y Saffron y sus amigos —se echó a reír—. Suena bastante vago, ya lo sé, pero es que Saffron tiene muchísimos amigos. O sea que —contó con los dedos—, somos nueve o diez la mayor parte del tiempo.

—¿Y buscas más personas todavía?

—Hay doce dormitorios, de modo que fácilmente podemos aceptar a otras tres o cuatro. Creo que la comunidad tendrá que crecer un poco más antes de ser realmente autosuficiente.

—¿Eso es lo que te propones? ¿La autosuficiencia?

—En lo posible —ella dejó su taza—. Ven, Felix, te enseñaré todo esto.

Salieron de la cocina y subieron por las estrechas escaleras del sótano.

—Necesitamos tener diversas habilidades —explicó Nancy—, así que todo el mundo debe tener algo que ofrecer, que sea bueno para la comunidad y para el individuo. Es muy importante que todo el mundo represente un papel. Lo compartimos todo, el trabajo y nuestras posesiones. Gran parte de lo que está mal en la sociedad lo causa el temor y la inseguridad, ¿no crees, Felix? A la gente le da miedo perder lo que tiene, y eso los hace codiciosos y egoístas. —Sonrió—. Bueno, ya basta de sermones. Empezaremos por arriba e iremos bajando, ¿te parece?

Más escaleras. Nancy siguió:

—Martin es un carpintero extraordinario. Y Claire hace maravillas en el jardín, y me ayuda con las cabras y las gallinas. Bryony está muy ocupada con Zak, claro, pero cuando tiene tiempo hace unos tejidos batik preciosos. Y Lawrence consigue que mi viejo camión siga funcionando. Y todos cocinamos y limpiamos, claro. Incluso los niños ayudan, yendo al corral a por huevos, recogiendo guisantes, tareas muy útiles.

Recordó el otro nombre.

—¿Y Saffron?

Estaban de pie ante un enorme ventanal que daba al jardín. Nancy bajó la vista.

—Ah, Saffron —dijo—. Saffron no hace nada en particular.

Él siguió su mirada. Vio a una chica que vagaba por entre los árboles frutales. Llevaba un vestido largo color índigo, e iba con los pies desnudos. Su pelo rubio, sin cubrir, resplandecía al sol.

—Saffron simplemente está —dijo Nancy, bajito.

La hora de cenar era una locura. Felix estaba acostumbrado a los Wyatts, al perro ladrando, Rose enfurruñada y Mia trasteando entre sartenes y ollas, pero aquello no tenía ni punto de comparación. Los niños chillaban, el bebé aullaba y todos los adultos, excepto Martin, que no decía una sola palabra, hablaban en medio de aquel escándalo. Si el bebé lloraba con fuerza, ellos hablaban más fuerte aún. Se mantenían varias discusiones animadas y simultáneas.

Los examinó a todos mientras comía. Martin tendría unos cuarenta y pocos años, supuso Felix. Su pelo algo canoso enmarcaba un rostro descarnado e inteligente. Lawrence era mucho más joven, de unos veinticinco o así, con una belleza que estropeaba un gesto enfurruñado de la boca. Bryony, su mujer, estaba sentada junto a él, dando el pecho al bebé. Unas oscuras ojeras rodeaban sus ojos, comía furtiva y rápidamente, como respondiendo a los espasmos de cólico del bebé que amamantaba. Justin e India, los niños de Claire, tenían ocho y nueve años respectivamente. Ambos tenían el pelo largo y rubio. India llevaba una blusa bordada demasiado grande para ella y unos pantalones de algodón desvaídos. Justin iba desnudo excepto por unos manchurrones de barro.

—Es muy importante —dijo Claire, cuando Nancy le preguntó con tacto si Justin no se constiparía así— no atrofiar la imaginación de los niños. Hoy Justin es un antiguo britano, ¿verdad, cariño?

Quedaba un asiento vacío en la mesa. La chica del pelo rubio, Saffron, a la que Felix entrevió desde la ventana, se hallaba ausente. Pero cuando la comida casi había terminado, él levantó la vista y allí estaba ella, de pie junto a las escaleras.

—Te he apartado un poco de cena, Saffron —dijo Nancy.

—No tengo hambre. —Aún llevaba el vestido índigo. Su dobladillo, observó Felix, estaba enfangado y deshilachado.

—Debes comer algo..., estás demasiado delgada, volverás a caer enferma.

—Bueno, pues un poquito solo.

Nancy le puso comida en un plato. Saffron lo recogió y fue lentamente hacia la mesa. Vio a Felix:

—¿Un nuevo recluta?

—Solo temporalmente —dijo él. De cerca, observó que los ojos de ella no eran azules, como le había parecido, sino grises y rodeados de unas pestañas espesas y negras. Unas cejas pálidas y desdibujadas se arqueaban por encima de los ojos, y la boca, estrecha y curvada, tenía un dibujo delicado.

—Es Felix Corcoran. Felix, te presento a Saffron Williams. Felix está escribiendo un artículo sobre la comunidad para la revista de Toby Walsh —explicó Nancy.

—Así que seremos famosos —dijo Saffron, con calma.

—*El dedo de Frodo* —dijo Felix— no tiene una difusión estatal, precisamente.

—¿Te lo ha enseñado todo Nancy?

—Solo la casa —dijo Nancy.

—¿Te gustaría ver el jardín?

—La cena... —dijo Nancy, pero Saffron ya estaba subiendo las escaleras.

Felix la siguió. Habían llegado a la puerta de atrás cuando Saffron le dijo, confidencialmente:

—Procuro llegar siempre tarde a cenar. Me revuelve el estómago oír a Bryony hablar de sus pezones irritados y ver a esos espantosos niños comiendo como cerdos. —Abrió las puertas acristaladas y salieron a la terraza. Había un telar, un cuenco lleno de tinte azul en el cual se estaban empapando unas madejas de lana y muchos juguetes.

»Ven —dijo ella.

Caminaron entre los frutales. El aire de la tarde era tranquilo y cálido, y estaba perfumado con el aroma de las manzanas maduras y la hierba granada. Felix se agachó para pasar bajo unas ramas goteantes; ortigas urticantes y semillas de dientes de león se le pegaron a los tobillos.

—Este es mi lugar favorito —dijo Saffron, en voz baja.

Felix miró el lago. Los juncos se acumulaban en la orilla como gallardetes delgados y pálidos, y unas libélulas resplandecientes sobrevolaban muy deprisa el agua quieta. Por encima de su cabeza, unas golondrinas realizaban acrobacias increíbles. El sol descendía, un disco de un dorado claro, y el lago llameaba, como incendiado repentinamente.

Él la oyó decir:

—¿Qué te parece?

A él le parecía que su largo pelo era del color de la luz de la luna, y que sus ojos tenían la profundidad insondable del lago. Pero solo dijo:

—Es hermoso. Muy hermoso.

Luego se quedó callado.

Por la mañana, el sol acuoso que entraba por las ventanas pequeñas y cuadradas de la casita despertaba a Liv. Bajaba al baño de puntillas, haciendo una mueca cuando sus pies descalzos tocaban las frías losas. Luego volvía a subir a la cama y se acurrucaba junto a Stefan, calentándose con el cuerpo de él. Y su contacto entonces lo excitaba, y hacían el amor.

A finales de junio, Liv supo que había suspendido sus exámenes. Todavía le espantaba recordar cómo miraba las preguntas, con la mente en blanco, las palabras fragmentadas, negándose a formar frases.

—Al menos soy coherente —dijo con amargura, cuando vio los resultados uniformemente desastrosos en el tablón de anuncios.

También entonces supo que estaba embarazada. No tuvieron mucho cuidado, no hicieron ni el menor intento de tener cuidado. Una vez más, Stefan le pidió que se casara con él. Aquella vez ella no sugirió que esperasen, y no sintió el repentino reflejo de precaución que la invadió cuando se lo propuso por primera vez. Le echó los brazos al cuello, adorando el calor y la fuerza de su cuerpo, y susurró:

—Sí, Stefan, sí.

El matrimonio le permitiría salvar algo del naufragio del año anterior. La maternidad la señalaría como una adulta, como una mujer. Se casaron con una licencia especial y con un par de transeúntes como únicos testigos. Liv escribió a Thea, que tomó el primer tren a Lancaster.

Liv llevó a Thea a Holm Edge y le presentó a Stefan. El fin de semana fue civilizado y difícil. Ella pensaba que en cuanto Thea y Stefan se conocieran, todo iría bien. ¿Cómo es posible que no se llevaran bien las personas a las que quería más que a nada en el mundo? Así se lo dijo a Thea, el día que tomó el tren de nuevo hacia el sur.

—No es que no me guste, Liv. —Thea parecía algo alterada.

—Entonces ¿qué pasa?

Thea suspiró.

—Stefan es guapo, inteligente y encantador. Y está claro que te ama. Es que...

—¿Qué, mamá? —Liv notaba que su labio inferior empezaba a sobresalir con tozudez, como si tuviera catorce años.

—Es que has dejado tantas cosas... —Thea parecía triste, más que enfadada—. Tu licenciatura, tu independencia, los años de disfrutar de ti misma...

—Ya disfruto con Stefan. Nunca he disfrutado más. Y disfrutaré también con el bebé.

—Sí. —Thea intentó sonreír—. Ya lo sé, cariño. —Se quedó callada un momento y luego dijo—: Es por Rachel, ¿verdad?

Ella no tuvo tiempo de negarlo, porque el tren entró chirriando en la estación. Pero más tarde, caminando hacia la parada del autobús, Liv pensó que Thea estaba equivocada, que ella no se había casado con Stefan por Rachel, que se las arreglaba bastante bien por aquel entonces para no pensar siquiera en Rachel. Rachel formaba parte de una serie de intentos fallidos, de fracasos y sufrimientos que ella ya había dejado atrás. Su matrimonio le permitía empezar de nuevo. Al trasladarse de la universidad a Holm Edge, Liv sintió que se quitaba un peso de encima.

Las dificultades prácticas de vivir en Holm Edge absorbían ahora toda su energía. Le costó semanas pillar el tranquillo al fogón de carbón. La comida le quedaba quemada o cruda; al atizar el carbón, se veía envuelta por nubes de ceniza. Hacer la colada significaba lavar la ropa a mano en el fregadero o que Stefan se llevase bolsas llenas de ropa sucia a la lavandería del campus, en Lancaster. Liv le pidió a Thea que le enviase por tren su vieja bici para poder recorrer en bicicleta los tres kilómetros que había hasta las tiendas de Caton. Tenían muy poco dinero, porque, al abandonar la universidad, ella dejó de percibir su beca, y solo les quedaba la beca de investigación de Stefan para vivir. Stefan le daba diez libras a la semana para el mantenimiento de la casa, pero al haber sido educada por Thea ella ya estaba acostumbrada a vivir con sencillez.

Se compraban los libros en tiendas de segunda mano y la ropa en mercadillos callejeros. No tenían ni televisor ni teléfono. Liv aprendió a hacer estofados y sopas, y comían muchas lentejas, espaguetis y patatas. A medida que desaparecía su cintura, ella iba cubriendo el hueco con jerseys anchos que le tomaba prestados a Stefan o con vestidos premamá hechos con una antigua máquina de coser Singer comprada a una anciana del pueblo.

Uno de los compañeros de Stefan cortó un árbol que tenía en el jardín, de modo que fueron en coche a Silverdale y llenaron el portaequipajes del Citroën de leña. Un granjero local les prometió un par de gansos cuando el año estuviera más avanzado. La gente se dejaba seducir por Stefan, por su entusiasmo y energía. Tras un comentario pasajero en una conversación de media hora, le ofrecían regalos y ayuda gratuitamente. No había dos días iguales. A veces él la despertaba con un beso y la metía en el coche, y salían hacia el lugar por donde había roto la aurora. Se iban en el coche a Kendal o a Windermere, allí hacían un picnic y vadeaban el agua por la orilla o subían a los páramos. Una vez, cuando ella estaba cansada, él bajó toda la colina llevándola a caballo. Stefan parecía no cansarse nunca. Se levantaba siempre muy temprano y, a menudo, Liv se dormía al oír sus pasos en el piso de abajo, donde paseaba buscando inspiración para su investigación.

Él dibujó los planos del huerto. Sería muy bonito, así como práctico, con la forma y la perfección de los intrincados jardines renacentistas. Cavaron la primera parte en otoño. La capa de tierra era fina y pedregosa, y las piedras quedaban enganchadas entre los pinchos de la horca. Stefan leyó en algún sitio que las algas servían para abonar el suelo de poca calidad, de modo que fueron a la costa, recorrieron la orilla y llenaron bolsas y más bolsas de fuco marrón y brillante. Al volver a Holm Edge, las algas se endurecieron, se secaron y se llenaron de moscas. Stefan las quemó y pidió estiércol al granjero del valle, que le llenó el portaequipajes del coche. Plantaron su primera cosecha aquel septiembre.

Por las noches, Liv ayudaba a Stefan con su trabajo, organizando sus notas y copiando párrafos de altas pilas de libros que se amontonaban en el salón. Aquellas noches acababan siempre de la misma manera. Ella estaba sentada a la mesa escribiendo y él se inclinaba y le besaba la nuca. O él ponía la mano encima de la de Liv y acariciaba con la base del pulgar el hueco de su palma, y Liv se volvía hacia él, su cuerpo necesitando el de él, y él le desabrochaba la blusa, agarraba sus pechos plenos, pasaba las manos por la suave curva de su estómago. A Liv le dolían los muslos y el corazón le latía con fuerza. A veces hacían el amor allí mismo, de pie, ella de espaldas al escritorio, con la ropa tirada por el suelo a su alrededor. Y a veces él la levantaba en brazos y la llevaba a la cama, y la besaba y la acariciaba hasta que ella chillaba, hambrienta de él.

En otoño, Katherine le hizo una visita. Stefan fue a recogerla a la estación. Desde la ventana de la cocina, Liv vio a Katherine bajar del asiento del pasajero del coche y pasar por el jardín enfangado.

—Ay, mis zapatos. —Llevaba unos zapatos de plataforma de ante gris.

—Ya te prestaré unas botas. —Liv la abrazó.

Katherine se soltó de su abrazo.

—Pensaba que estarías más gorda.

—Estoy asquerosamente gorda. Tengo que usar un imperdible para sujetarme los vaqueros.

Le enseñó a Katherine la casa: la cocina, el estudio de Stefan, su dormitorio y la pequeña habitación llena de libros donde habían puesto una cama plegable para Katherine, la habitación que un día sería para el bebé. El pequeño baño estaba en un lado de la casa. Contaba con una bañera de hierro colado y un lavabo alto y resonante.

Katherine abrió el grifo.

—Al menos hay agua corriente.

—Claro que sí. —Liv se sintió irritada—. El inquilino anterior la puso justo antes de morir.

—¿Y de qué murió? ¿De neumonía? —Katherine todavía llevaba el abrigo afgano. Llevaba el cuello subido en torno a la cara.

—Se pegó un tiro.

Katherine la miró con los ojos muy abiertos.

—¿Aquí?

—En el jardín. —Liv decidió no hablarle a Katherine de los acebos: ya se imaginaba demasiado bien la mirada de burla urbana que provocaría tal superstición rural.

Por el contrario, dijo:

—¿Qué opinas de nuestra casa?

—Es muy... —Katherine, mirando a su alrededor, pareció quedarse en blanco momentáneamente—. Bueno, es un poco *Cumbres borrascosas*, ¿no? —Temblando, buscó los cigarrillos en el bolsillo y encendió uno mientras volvían a la casa.

En la cena, Stefan le habló a Katherine del huerto, las gallinas y los gansos.

Katherine frunció el ceño.

—Autosuficiencia... Estás fatal, igual que Felix. —Liv recordó aquella vez que fue caminando con Felix Corcoran por un Londres tranquilo y silencioso. Le parecía que hacía muchísimo tiempo—. Vive en una comuna —explicó Katherine—. Un lugar horrible en medio de la nada.

Stefan le llenó el vaso de nuevo.

—¿Prefieres la ciudad, Katherine?

—Por Dios, claro que sí. —Miró a su alrededor—. Quiero decir, ¿qué haces todo el día?

—Yo tengo mi trabajo. Enseño en la universidad la mayor parte de los días. Y escribo un trabajo de investigación.

—Me refería a Liv.

—Liv me ayuda, ¿verdad, cariño?

—Yo transcribo las notas de Stefan —explicó Liv.

—Una empresa difícil... con mi letra espantosa.

—Sí, pero... —de nuevo, Katherine frunció el ceño—, ¿y la gente? No hay gente. ¿Con quién hablas?

—Nos tenemos el uno al otro. —Stefan apretó la mano de Liv.

Los labios de Katherine se curvaron. Liv dijo rápidamente:

—¿Qué tal está Stuart? ¿Y Toby?

—Stuart igual que siempre. Un pesado, pero hace muy bien su trabajo. Y en cuanto a Toby, se agobia demasiado por todo. Pero, aparte de eso, está bien.

—¿Y la revista?

—Pues sobreviviendo, ya sabes...

—¿Y tu familia? ¿Tus padres, tus hermanos?

—Michael sigue en Edimburgo, saca muy buenas notas en todos los exámenes. Philip va todas las semanas a una escuela especial, y así mamá no está tan cansada. Simon ha dejado Oxford. Está en Francia, qué suerte tiene. Papá le encontró trabajo con un exportador de vinos.

Los largos dedos de Stefan tamborileaban en la mesa. Liv, al levantarse, le besó en lo alto de la cabeza.

—Voy a hacer café y a lavar los platos. Tú quédate sentado, cariño.

Stefan se fue a su estudio. Katherine se quedó en la puerta de la cocina, fumando. Liv llenó la tetera y molió café. Katherine dijo de repente:

—Transcribir las notas de Stefan..., cultivar su huerto... ¿Qué haces tú que sea para ti, Liv?

—No es eso. Stefan y yo, nosotros...

—Ya lo sé. Lo tuyo es mío, bla, blablá. Pero aun así, no podéis vivir toda la vida metidos el uno en el bolsillo del otro. Quiero decir que él enseña en la universidad, ¿no? ¿Y qué haces tú mientras tanto?

—Yo cocino, leo y coso. Me encanta ir a los mercadillos de segunda mano. Si no están demasiado lejos, voy en bici.

—¿No te ha enseñado a conducir Stefan? —Liv negó con la cabeza—. ¿Por qué no?

Ella buscó unas tazas.

—No lo hemos pensado, supongo.

—Te daría más libertad.

—No necesito libertad —dijo Liv, enfurruñada—. Soy libre. Nunca me he sentido más libre.

—No debes dejar que tu vida gire completamente en torno a Stefan —dijo Katherine, apagando su cigarrillo.

Liv se enfureció.

—¡Por el amor de Dios! ¡Hablas igual que mi madre!

Hubo un silencio. Luego Katherine se rio.

—Pronto diré: «Si no puedes ser buena, al menos sé cuidadosa».

—Aunque en mi caso —Liv se dio unas palmaditas en el vientre—, es un poco tarde. —Ella también se echó a reír. Se acercó a Katherine, notando por primera vez la afinidad familiar y la caída de las barreras entre ellas.

Luego Katherine dijo:

—¿Piensas en ella?

—¿En Rachel? —No tenía que preguntar—. Intento no hacerlo, pero sí, pienso.

—Yo tengo un sueño —dijo Katherine—. Sueño que me despierto y ella está ahí a los pies de la cama, e intenta decirme algo. Pero yo no oigo lo que me dice, y cuando intento llegar hasta donde se encuentra, noto un peso que me empuja hacia abajo. Intento gritar, pero no sale de mí ningún sonido. Siento como si me estuviera asfixiando.

Se quedaron un momento en silencio, una junto a la otra, en la puerta, mirando hacia el campo oscuro. Luego Katherine frunció el ceño.

—¿Y Hector? ¿Sabes algo de Hector?

—Le he escrito a su casa, a Bellingford, pero no he tenido respuesta.

—¿Y la niña?

—Todavía vive con los Wyborne. Mamá dice que es un encanto.

—No he vuelto a casa —dijo Katherine—. No, desde... Tengo que ir, por supuesto, pero he estado ocupada.

Liv sonrió.

—¿Con alguien en especial?

—No quiero a nadie especial. Rachel tenía a alguien especial y mira cómo terminó. Muerta de parto y... —Katherine vio la cara que ponía Liv—. Ay, Liv, Livy... Lo siento muchísimo. Soy una idiota. Una bocazas.

—No importa. —Se volvió de espaldas a Katherine y sirvió el café.

—Todo irá bien. —Katherine abrazó a Liv, incómoda—. Sé que todo irá bien.

Felix encajó a la perfección en el ritmo de la comunidad. Se levantaba temprano, trabajaba en la casa o en el jardín hasta mediodía, luego se echaba la siesta después de comer y trabajaba de nuevo hasta la cena, temprano. Estaba ocupado todos los minutos del día. A las once de la noche se iba a su habitación, leía una página o dos de *El juego de los abalorios* o *El mago* y se quedaba dormido al instante.

Al cabo de quince días tomó una decisión. Una noche, a última hora, encontró a Nancy en la cocina, con la cabeza inclinada, ocupada con su papeleo.

—¿Tienes un momento?

—Claro que sí, Felix. —Suspiró—. A decir verdad, me vendrá bien una distracción de todo esto.

Él echó un vistazo a las pilas de documentos.

—¿Qué es?

—Son formularios de impuestos. El impuesto de sucesiones. Los asuntos de mi padre son muy complicados. Y siempre se me han dado fatal los números.

—¿Quieres que te ayude?

—No me atrevía a pedírtelo.

—Claro que puedes pedírmelo. —Se sentó junto a ella—. Desde que era pequeño entiendo de pérdidas y ganancias. Me criaron con todo esto, junto con galletitas Farley y jarabe de escaramujo.

La arruga en el ceño de Nancy desapareció momentáneamente. Empujó los documentos hacia él.

—Te adoraré siempre, mi querido Felix, si puedes ayudarme a sacar algo en limpio de todo esto. Tendría que pagar a un contable, claro, pero los contables cuestan dinero, y es algo que no tengo en abundancia.

Hizo té mientras él trabajaba. Al cabo de un rato, él dijo:

—No tienes gran cosa, además de la casa. Los otros bienes de tu padre, acciones y participaciones, habrá que venderlos para pagar los impuestos. Si quieres mantener esto, claro.

—Ah, sí, intento mantenerlo. Es lo que siempre he querido. Y no necesitamos dinero, ¿verdad?

Él miró las deprimentes columnas de números, pero solo dijo:

—He venido a pedirte algo, Nancy.

—¿Si puedes quedarte?

—¿Cómo lo has sabido?

—He tenido un presentimiento. Y sí, me encantaría que te quedases, Felix. Tengo que preguntárselo a los demás, claro. Es decisión de la comunidad, ya lo sabes. Solo que...

—¿Qué?

Nancy hizo una pausa y luego dijo:

—¿Por qué quieres quedarte en Great Dransfield?

—Porque me gusta mucho estar aquí. Porque siento que he llegado a algún sitio, al fin. Que he encontrado un lugar.

—¿O una persona?

Él no apartó la mirada.

—¿Te refieres a Saffron?

—Pareces... muy encariñado con ella.

—No hay nada malo en ello, ¿no? —dijo él, a la defensiva.

—Claro que no. No quiero interferir. —Nancy parecía buscar las palabras. Le dio unas palmaditas en la mano—. Pero ten cuidado, Felix, querido. Enamorarse requiere un gran esfuerzo, y en todo el tiempo que hace que conozco a Saffron, no puedo recordar que jamás hiciera ningún esfuerzo para nada. Las chicas guapas no tienen que hacerlo, ya sabes...

Se añadió el nombre de Felix a la lista de turnos que Nancy elaboraba minuciosamente cada semana. Él descubrió que la jardinería no se le daba demasiado bien —marchitaba las plantas con solo tocarlas—, pero sí podía serrar troncos y construir estantes, y era capaz de trepar sin vértigo al tejado de la casa para reponer las tejas desplazadas por una tormenta. Cocinaba, limpiaba y lavaba cuando era su turno, y cuidaba también de los niños. Hacía callar a Zak llevándolo a dar rápidos y bamboleantes paseos con el cochecito, y se ofreció a enseñar aritmética a India y Justin. Se dio cuenta de que los niños eran casi analfabetos. Las clases no funcionaron bien: India se masticaba el pelo largo y descuidado y se quejaba de que le dolía el estómago; Justin aprovechaba aquella media hora para practicar las palabrotas que le enseñaban los hostiles niños del pueblo. Cuando Felix se lo dijo a Claire, ella replicó, arrastrando las palabras:

—Ah, ya aprenderán cuando estén preparados, ¿no? No hay que obligarlos a los pobrecillos. —Felix se sintió muy aliviado cuando el asunto de las clases quedó en nada.

Nancy aceptó muy agradecida su oferta de llevar las cuentas. Le costó un poco desentrañar la estrafalaria contabilidad de Nancy, y mucho menos tiempo ver que Nancy estaba equivocada: sí que necesitaban dinero. Felix sacó el tema en la siguiente reunión comunitaria.

—Nos estamos quedando sin dinero en efectivo —explicó—. Hay que pagar facturas, especialmente ahora que se acerca el invierno. El carbón y la electricidad, por ejemplo. Me preguntaba si podríamos discutir alguna manera de conseguir dinero.

—Pero bueno —replicó Claire, burlona—, deberíamos buscar la manera de arreglárnoslas *sin* dinero. Yo pensaba que en este sitio se trataba de eso..., de apartarnos del yugo capitalista.

—¿Y qué quieres que hagamos, Claire? —preguntó Lawrence, bostezando—. ¿Sacar carbón de nuestra propia mina?

—¿No podríamos quemar leña? —dijo Nancy, tímidamente—. Hay algunos árboles viejos en el bosquecillo, ¿no, Martin?

—Demasiado frescos —dijo—. Ahogaría la caldera.

—No necesitamos radiadores. Encenderemos las chimeneas.

—Es muy peligroso. —Bryony parecía preocupada—. No me gustaría dejar a Zak en una habitación con una chimenea encendida.

—Podrías metértelo en tu propia cama. Justin e India duermen conmigo. Nos mantenemos calientes unos a otros.

—Pero ya sabes lo mal que duerme Zak —Bryony parecía a punto de llorar—, y yo me canso muchísimo...

La clara voz de Saffron las interrumpió.

—¿Se te ha ocurrido algo, Felix?

—He pensado que quizá podríamos poner un puesto en el mercado.

Se hizo el silencio. Seis caras lo miraron. Felix dijo rápidamente:

—Podríamos vender cosas que hayamos hecho nosotros mismos. Mermelada casera, encurtidos..., huevos y verduras. Será una forma de dar salida al sobrante. Y podemos vender también los batiks que hace Bryony, y tus tapices, Claire. Estoy seguro de que existe un mercado para todo eso. —Rodeada de silencio, su voz se fue apagando—. Si a alguien se le ocurre algo mejor..., era solo una idea.

—No habría venido a vivir aquí si quisiera trabajar en una puñetera tienda.

—Convertirnos otra vez en parte del mercado competitivo...

—Creo —dijo Nancy, con firmeza— que es una idea excelente, Felix.

Él se relajó un poco.

—Entonces lo investigaré. Las licencias y todo lo que hace falta. Los días de mercado son los sábados y los martes. Si queréis, yo seré el primero que lo intente. Y si nadie compra nada, solo habré perdido yo mi tiempo.

—Yo te ayudaré —dijo Saffron, con brusquedad.

Claire levantó la vista.

—Vaya por Dios. Saffron ofreciéndose voluntaria para trabajar. Eso no es propio de ti.

Saffron sonrió con suavidad.

—Todos tenemos que poner nuestro granito de arena, Claire.

El puesto del mercado fue un éxito. A mediodía del sábado todas las existencias estaban vendidas.

–Nos merecemos una recompensa –dijo Saffron. En una furgoneta vendían bebidas y aperitivos–. Una taza de té –dijo–. Té de bolsita, no esa cosa horrible de hierbas. Y un Kit-Kat.

Felix fue a por el té. Saffron mojó la chocolatina en su taza y lo miró con aprecio.

–No esperaba que te quedases, francamente.

Él se sorprendió.

–¿Por qué no?

–Alguien como tú... No necesitas un sitio como este.

Él dejó pasar de momento ese «alguien como tú», y dijo:

–Me gusta estar aquí. Todo se reduce a lo esencial. Y me gusta la gente.

–¿Todos? –Ella adoptó un aire travieso.

–Bueno... Nancy es estupenda.

–Claro que sí. Nancy es una santa.

–¿Cómo os conocisteis?

–Trabajábamos en la misma oficina.

–Ah... –Felix estaba sorprendido–. Yo pensaba...

–¿... que habíamos nacido como hijas de las flores? Claro que no. Hace años, Nancy y yo trabajábamos para un bufete de abogados en Andover. Nancy era la secretaria del jefe y yo una simple mecanógrafa.

La brisa revolvió su pelo largo y claro en torno a su rostro. Ella llevaba una chaqueta de terciopelo de un marrón claro sobre un vestido bordado color ocre. Felix se esforzó por imaginársela sentada ante un escritorio, mecanografiando.

–Cuando ella se fue, seguimos en contacto –explicó Saffron–, y luego, este verano, yo estaba un poco confusa. No me encontraba bien y no podía trabajar. Nancy me sugirió que viviese en Great Dransfield. –Saffron levantó la vista y lo miró–. No te gustarán todos los demás, ¿verdad, Felix? Es imposible. Claire vino aquí huyendo de su marido, claro... O fue él quien huyó de ella, el pobre diablo. –Levantó sus estrechos hombros–. Nunca entenderé por qué mujeres feas como Claire parecen desvivirse por afearse aún más. Dejan de depilarse las piernas o el entrecejo..., no llevan nunca maquillaje...

—Claire no es fea.

—¡Felix!

—Tiene los ojos bonitos. Y el pelo también.

Las comisuras de los labios de ella se curvaron hacia abajo.

—¿Te gusta, Felix? Espero que no, por tu bien. Imagínate tener que enfrentarte al pequeño Justin y la pequeña India a la hora del desayuno los doce próximos años... No me extraña que el tipo saliera por piernas.

—No quería decir...

Saffron se levantó y se sacudió las manos.

—O quizá te guste más Bryony. —Retorció la cara, imitando la mueca descolorida de esta—. Hace mucho frío en mi habitación, estoy muy cansada... y Zak ha vomitado otra vez en su pelele...

Felix no pudo evitar reírse.

—Te prometo que no estoy enamorado de Bryony. Ni de Claire. Y de todos modos Bryony tiene a Lawrence.

—De momento —dijo Saffron.

Él empezó a cargar cestas y cajas en la parte trasera de la camioneta de Nancy.

—¿Qué quieres decir?

—Pues que él no se quedará con ella, ¿no?

—Es su marido. La ama.

—Qué romántico eres, Felix. Lawrence está completamente harto de Bryony. Si Lawrence poseyera un solo gramo de iniciativa, ya habría encontrado a otra persona hace mucho tiempo.

Él abrió la boca para discutir, pero ella siguió:

—Las únicas personas que creen en la monogamia son las mujeres como Bryony, que quieren un hombre para procrear. Nadie sería monógamo por propia elección, ¿no?

—¿Y si quieres a alguien?

—Eso no significa que tengas que *poseer* a esa persona.

Felix echó las cajas de naranjas y las cestas encima de la mesa con caballetes.

—Claro que no.

—Si pensáramos así, acabaríamos como nuestros padres, discutiendo como el perro y el gato y odiándonos unos a otros, atados por un anillo de boda. —Los ojos grises de Saffron relampagueaban—. Qué hipocresía.

—Yo tuve suerte, supongo. Mis padres nunca discutían —dijo Felix con dulzura.

—¿Todavía siguen juntos?

Él negó con la cabeza y ella dijo:

—Ahí lo tienes.

—Mi madre murió hace casi tres años.

Ella dejó la taza vacía.

—Lo siento, Felix. Qué horror. ¿Qué pasó?

—Conducía por una carretera rural, iba a recoger a mi hermana a una fiesta. Solo tres kilómetros. Alguien salió a la carretera justo delante de ella. —Momentáneamente, el mercado y Saffron retrocedieron y él volvió a aquella noche tormentosa de invierno y a Rose chillando: «¡Es culpa mía! ¡Venía a buscarme a mí! ¡Es culpa mía!». Se estremeció. Luego miró a Saffron—. ¿Por eso estás aquí? ¿Para escapar de la batalla campal de tu familia?

—En parte. Y porque Great Dransfield es muy bonito. No tienes que levantarte a no sé qué hora espantosa de la mañana para ir a una horrible oficina en un autobús atestado de gente. Y mecanografiar. Lo odiaba. No veía el momento de largarme.

—¿Por qué no hiciste otra cosa, entonces?

—Dejé la escuela a los quince años. Bachillerato elemental con taquigrafía y mecanografía. No soy lista como tú, Felix. Mis profesores me decían que podía ser mecanógrafa, o peluquera, o dependienta en una tienda, así que hice un curso de secretariado. El primer día de trabajo ya supe que lo odiaba. Hombres odiosos pellizcándome el culo y vacas mandonas dirigiendo a las mecanógrafas. No, gracias.

—Podrías haber sido actriz... o modelo.

—Muy amable por tu parte, pero, a decir verdad, no quería ser «nada». Simplemente quería ser yo. ¿Es eso tan terrible?

—No es terrible en absoluto —respondió él—. En realidad, es perfecto.

143

Ella le dirigió una mirada de reojo.

—¿Lo dices en serio?

Él asintió.

—Genial —dijo Saffron, y sonrió para sí—. Yo no estaba tan segura.

Felix dormía en una de las habitaciones del desván de la antigua vicaría. Desde su estrecha ventana con un arco gótico veía el prado y el huerto de frutales, más allá el lago. Por las tardes, una lechuza volaba desde el tejado a las ramas, como un fantasma gris, perforando el aire con su chillido sobrenatural. Se había quitado la camisa y los zapatos y estaba apartando un montón de libros de la cama para ponerlos en el suelo cuando oyó unos leves golpecitos en la puerta de su dormitorio. Al abrir vio a Saffron.

Él empezó a hablar pero ella le hizo callar, colocándole el dedo índice en los labios. Él levantó la mano y le tocó el pelo plateado, dejando que se deslizara entre sus dedos como si fuese de seda. Cuando la besó, la lengua puntiaguda de ella penetró entre sus dientes y él la atrajo hacia sí, apretando su boca contra la piel fría y limpia de ella.

Las manos de él trazaron las curvas de su cuerpo y se dio cuenta de que no llevaba ropa interior. Ella buscó en su espalda, desenganchó un corchete y el vestido se deslizó hasta el suelo. Felix gruñó al verla y Saffron llevó la palma de su mano hasta la mejilla de él, y le sonrió. Él sabía que se estaba perdiendo en ella. Se notaba sin aliento, como si se estuviera asfixiando.

Mucho más tarde, cuando ya permanecían echados y tranquilos en la oscuridad, ella dijo:

—No me quedaré a pasar la noche, ¿sabes? Nunca lo hago. Prefiero dormir sola.

Felix no dijo nada, simplemente apretó su brazo en torno a ella, metiendo la cabeza en la curva de su cuello, mientras notaba que sus párpados pesaban cada vez más.

—Muchos hombres roncan —dijo ella—. No puedo dormir si alguien ronca. ¿Tú roncas, Felix?

—No lo sé. Nunca me he oído a mí mismo.

Ella rio y luego dijo:

—Mi marido roncaba.

Felix se espabiló de repente, mirando hacia la oscuridad.

—¿Tu marido? ¿Estuviste casada?

—Estoy casada, a menos que a mi marido le haya atropellado un autobús. Siempre se puede soñar, ¿no te parece?

—No lo sabía.

—¿Por qué ibas a saberlo? No voy por ahí con su nombre marcado a fuego en la frente..., aunque a él quizá le hubiese gustado. No lo he visto desde hace casi un año. Él no sabe dónde estoy y a mí no podría importarme menos dónde está él.

Felix continuó preguntando, casi sin darse cuenta:

—¿Cuánto tiempo estuvisteis casados? ¿Dónde lo conociste? ¿Cómo se llamaba?

Pero ella bostezó y no respondió; se soltó de su presa. Como él protestó, Saffron se inclinó y rozó los labios de Felix con los suyos, y dijo:

—Ya te lo he dicho, nunca me quedo a pasar la noche. —Se puso el vestido por la cabeza y salió de la habitación.

Katherine procuraba estar siempre activa. Si estaba ocupada, si no se quedaba nunca sola, no tenía tiempo para pensar. Trabajaba muchísimo todo el día y salía cada noche, y no volvía a Capricorn Street hasta que, cansada de bailar y medio amodorrada por el Bacardí con coca-cola, se dormía en cuanto su cabeza tocaba la almohada. Durante las primeras semanas después del funeral de Rachel permanecía despierta horas y horas cada noche, oyendo los ruidos de las tuberías y los crujidos de la tarima del suelo. Sus pensamientos la agotaban y espantaban.

Echaba de menos a Felix. Al abrir su carta —«es un sitio maravilloso, Katherine, un paraíso de verdad, y Nancy es la persona más agradable que te puedas imaginar»—, sintió unas ridículas ganas de llorar. Echaba de menos las discusiones con él, el eco de sus pasos largos. Sabía que Toby también necesitaba a Felix.

145

Katherine estaba preocupada por Toby. Toby se fumaba el primer porro del día con el café, al levantarse, y el último cuando se iba a dormir, a primeras horas de la mañana. Apenas salía de su casa de Chelsea, arrastrándose entre el dormitorio del segundo piso y las oficinas de *El dedo de Frodo* en el sótano, y salía solo ocasionalmente, guiñando los ojos ante la luz diurna, a comprar aspirinas, cerveza o papel de fumar. A veces ni siquiera bajaba a la oficina, sino que se quedaba en una de las habitaciones del piso de arriba, mirando la televisión. Le dio por llevar unos vaqueros muy maltratados y una bata de seda bordada que pertenecía a su padre. La bata era demasiado grande para su cuerpo menudo y frágil. Katherine, conmocionada un día al ver los huecos que tenía entre las costillas, le preparó un plato de beicon y huevos y una tostada, que él picoteó.

—Debo dinero a alguna gente —explicó Toby, sentado al borde de la silla, arrancando trocitos de corteza de pan y mirando furtivamente por la ventana—. Sé que me vigilan.

La mayoría de las antigüedades y cuadros de la casa de Toby habían desaparecido, vendidos para pagarse la comida y los cigarrillos y para *El dedo de Frodo*, o robados por sus conocidos menos escrupulosos. Las alfombras persas tenían quemaduras de cigarrillo y se veían marcas en el papel de la pared donde la gente había tirado alguna vela. Durante el período más frío del invierno le cortaron la electricidad, de modo que Toby quemó sillas y balaustres para mantener el calor. Siempre había personas viviendo en aquella casa que inquietaban a Katherine, unas sombras somnolientas echadas en las escaleras, o envueltas en antiguos abrigos militares y tumbadas en el sofá. La casa había adquirido un olor particular, especial, una mezcla acre de cuerpos sin lavar, comida rancia, humo e incienso. Toby quemaba barritas de incienso para ocultar los olores más comprometedores. Confió a Katherine que sospechaba que algunas de las personas que acudían a su casa eran policías de incógnito. Katherine estaba segura de que ningún policía de incógnito podría tener nunca el aspecto miserable de los amigos de Toby. A su lado, ella hasta parecía ordenada.

Katherine mencionó a Stuart el problema de Toby. A Stuart no le preocupó.

—Bah, siempre se ha agobiado mucho por todo. Algunas personas son así. Nunca están felices a menos que tengan algo que los reconcoma.

—Stuart —dijo Katherine, severamente—: Toby pega pelos en la puerta de la oficina. Como en las películas de espías. Cree que hay gente que intenta entrar.

Stuart bufó.

—¿Y a quién narices le importa?

—No come. El otro día tuve que cocinar para él. ¡Yo cocinando para un hombre!

Stuart la miró de soslayo entre sus pestañas pálidas y desdibujadas.

—Hazme un bocadillo, ¿quieres, cariño? Me muero de hambre.
—Katherine le tiró un cojín y volvió a la máquina de escribir.

Ella decidió irse a casa por Navidad. Se proponía pasar la semana entera con su familia, pero al cabo de dos días ya estaba desesperada de aburrimiento. Simon se encontraba en Francia, Liv en aquella casita congelada con su guapo y huraño marido y Rachel... Bueno, era mejor no pensar en Rachel. Quedaban solo mamá, papá y Michael, el más soso de sus hermanos. Y Philip, claro, que tenía entonces doce años, pero que la mañana de Navidad todavía recibía juegos de construcción y muñecos de peluche. La madre de Katherine fue corriendo de aquí para allá, cocinando y limpiando desde el amanecer, pero el pavo estaba crudo por dentro y las natillas, llenas de grumos.

La tarde del día 26 Katherine fue en bicicleta a Fernhill Grange. Se detuvo en la verja, quería salir corriendo. Pero llevaba el paquete en la mano y el recuerdo de Rachel diciendo: «No me olvidarás, ¿verdad?», resonaba con demasiada fuerza en sus oídos. Recorrió el camino hasta la puerta de entrada y llamó al timbre.

El ama de llaves abrió la puerta.

—He venido a ver a Alice. Tengo un regalo para ella.

La hicieron pasar.

Le conmocionó ver lo cambiados que estaban los Wyborne. El sufrimiento había esculpido los huesos del rostro de Diana Wyborne, antes regordete, y sombreado de morado e hinchado los rasgos del antes atractivo Henry Wyborne. Katherine explicó su deseo, entre balbuceos, y la llevaron a la sala de juegos. Viendo al bebé, exclamó:

—¡Pero qué grande está! —En su imaginación, Alice Seton seguía siendo una niña recién nacida y diminuta.

—Tiene siete meses —le recordó Diana.

Katherine se acercó a su cuna. Alice se puso a gatas y levantó la vista hacia ella. Tenía el pelo fino, pálido y sedoso, pero los ojos eran de un castaño oscuro, como los de Rachel.

—¿Está...? —Katherine calló; no sabía qué era lo que se preguntaba sobre los bebés.

—Está muy sana. La he llevado al pediatra en Harley Street para asegurarme. —Cuando Diana se acercó a la cuna, la sonrisa de Alice se amplió, mostrando dos diminutos dientes perlados—. Es una niña muy buena..., ya dormía toda la noche seguida cuando tenía solo un mes. Igual que Rachel. —Diana sacó a Alice de la cunita—. Eres una chica muy buena, ¿verdad, tesoro? —Y besó la cabecita de la niña. Katherine observó que Diana parecía muy cansada y que le temblaban los brazos con el peso de la criatura.

—¿Quieres tenerla tú, Katherine?

—No puedo quedarme —dijo Katherine, rápidamente—. Tengo que irme. Solo quería darle a Alice su regalo de Navidad.

Fuera de nuevo, pedaleó con rapidez bajando la colina, de vuelta al pueblo. Hizo una pausa en la casita de las Fairbrother. De repente le apetecía ver a Thea. La tranquila, serena y fiable Thea. Peo al bajar de la bicicleta y pasar ante la ventana vio que Thea no estaba sola, que aquel hombre tan curioso al que le cuidaba la casa estaba de pie en la cocina, con una copa de jerez en la mano. Katherine estuvo a punto de llamar a la ventana, pero algo la detuvo, quizá la intimidad de aquella escena, y se alejó silenciosamente hacia el camino y volvió en la bici a su casa. Al día siguiente hizo el equipaje y regresó a Londres.

Fue idea de Stefan hacer una visita sorpresa de Año Nuevo a Thea, en Fernhill. Al despertarse el último día de diciembre, puso algo de ropa en una bolsa, metió a Liv en el coche y bajaron por la M6 a las diez en punto. Una lluvia pesada y mezclada con aguanieve golpeaba el techo de chapa del Citroën. Liv estaba sentada, muy apretada, rodeada de regalos para Thea: una cesta de huevos, una bolsa de papel llena de coles de Bruselas y una primera edición deteriorada de *El libro de hadas de Arthur Rackham*, descubierta en una librería de viejo en Keswick.

Llegaron a Fernhill a primera hora de la tarde. Al abrirles la puerta, Thea vio a Liv y una sonrisa inundó toda su cara, curvando sus labios y sus ojos. La abrazó, sin tener en cuenta el bulto.

–Un camino tan largo... Entrad y calentaos... Stefan, qué sorpresa más maravillosa... Liv, debes de estar exhausta...

Estaba en pleno apogeo una de esas fiestas que organizaba Thea, descontroladas, hechas en cualquier momento del día. Se encontraban gran parte de los asistentes a su clase de cerámica y también la señora Jessop, de la papelería, y los vecinos que vivían a ambos lados, y el señor Thorneycroft. Liv se sorprendió mucho al ver al señor Thorneycroft, que nunca le había parecido una persona que asistiera a fiestas; iba vestido de *tweed* y llevaba su bastón de paseo, pero hizo una concesión a la festividad poniéndose una ramita de acebo en la solapa.

La fiesta era muy tranquila al principio, los ceramistas hablaban de raku y de engobe y los vecinos comentaban escándalos y cotilleos. Luego Stefan sugirió que jugaran a las charadas, y la cosa ya no fue tan tranquila y serena, sino que, alimentados por el ponche caliente y la inventiva de Stefan, empezaron a salpicarla estallidos de risas y chillidos de triunfo. La fiesta acabó después de medianoche con *La hora del adiós* resonando en sus oídos, los ceramistas apiñados en un taxi y los vecinos que se iban tambaleándose e hipando.

Stefan y Liv durmieron acurrucados en la camita individual de Liv. Cuando ella se despertó, estaba sola. Se puso la mano plana en el vientre, tranquila por los pequeños y súbitos movimientos del bebé, y miró a su alrededor. Su habitación estaba tal y como la había dejado, con carteles y cuadros en las paredes y toda la superficie atestada de tapices, bordados, *patchwork,* flores de papel y animales hechos con conchas.

Thea le llevó un té a la cama.

—Stefan está en el jardín —explicó—. Uno de los sauces se partió en una tormenta y lo está cortando para hacer leña.

Después del desayuno, Liv salió al jardín. Stefan le sonrió brevemente y luego volvió a su tarea. Ella veía el brillo del hacha al formar un arco en el aire y las astillas de madera que alfombraban el suelo. Estuvo un rato mirando, pero la expulsó la intensidad de la concentración de él en la tarea. Dentro se sintió algo inquieta: todas las pruebas de sus antiguas aficiones y ocupaciones la rodeaban, recordándole cómo era antes, sin objetivo, insegura siempre de lo que quería.

Caminó hasta la iglesia y puso los tesoros que llevaba —un fósil de amonites perfecto, una pluma de arrendajo de un color azul zafiro, una ramita de muérdago— en la tumba de Rachel, pero aquello también le pareció vacío y carente de resonancia. Ningún fantasma consolador apareció bajo los oscuros y goteantes tejos, ninguna antigua confidencia ni risa medio ahogada resonó contra los antiguos muros de pedernal. Allí no había más que tierra, piedra y árboles, y un paisaje al que ya no estaba acostumbrada, un paisaje que carecía tanto de mar como de montaña. Solo quedaban los recuerdos a los que ella se viera capaz de enfrentarse. Recordó la primera vez que la vio: Rachel dando vueltas y más vueltas, con los brazos extendidos. «Si haces esto, podrás ver el mar.» Liv tendió los brazos y empezó a dar vueltas, pero se mareó enseguida e hizo una pausa, poniendo las manos en su vientre hinchado, notando el latir de su corazón y los movimientos de protesta del bebé.

Mientras iban en coche hacia el norte, al día siguiente, el aguanieve intermitente se convirtió en nieve. Los copos caían en el parabrisas y los faros amarillos de los camiones en la autopista resplandecían torvamente a la luz desfalleciente del atardecer. Estaban atrapados en una larga caravana de tráfico que se movía con cautela por la nevada. Una arruga de preocupación se formó entre las cejas de Stefan. Estaban invitados a una fiesta aquella noche en casa de su profesor, en Lancaster.

Liv intentó tranquilizarlo.

—Estoy segura de que el profesor Samuels lo comprenderá. No importará si llegamos tarde.

—¡Claro que importa! Necesito ese trabajo. —Stefan había solicitado un puesto permanente en el departamento.

—Podemos llamar por teléfono.

Él estaba agachado sobre el volante, mirando por el pequeño triángulo despejado que dejaban los ineficaces limpiaparabrisas del Citroën. Parecía cansado. El largo trayecto hasta Fernhill, trasnochar en la fiesta, el duro ejercicio físico de cortar el sauce caído, se hacían notar. Un pequeño músculo junto a su boca empezó a retorcerse, incontrolable.

Pasaron por Galgate a las nueve en punto. Tenían que ir directamente a casa del profesor Samuels, dijo Stefan. No quedaba tiempo de pasar por casa. Pero mi pelo, la ropa, pensó Liv. Mirándose en el espejo retrovisor intentó peinarse y ponerse un poco de pintalabios.

En la casa eduardiana de tres pisos en Lancaster, ella pasó por unas habitaciones repletas de gente tocando un radiador muy caliente por aquí, una gruesa cortina de brocado por allá. Llevaba el vestido premamá de terciopelo verde que le regaló Thea para Navidad y, debajo, sus vaqueros iban sujetos con una cinta. Mirando a su alrededor vio que todas las demás mujeres llevaban vestidos de noche o trajes de chaqueta, que llevaban permanentes o el pelo cortado a lo paje, e iban cuidadosamente maquilladas. A Liv le dolían las piernas y ansiaba sentarse, pero el sofá y las sillas estaban ocupados por una adusta colección de esposas de profesores. La voz de Stefan y su risa, no lejos de allí, se elevaban por encima del educado susurro de las conversaciones mientras él iba desplazándose rápidamente de invitado en invitado.

Una joven muy elegante se presentó:

—Me llamo Camilla Green. No he oído su nombre.

—Olivia Galenski.

—Ah, entonces usted es la esposa de nuestro guapísimo Stefan... —Unos agudos ojos azules miraron con curiosidad el vientre de Liv—. Era su alumna, ¿verdad? Qué romántico, usted y Stefan, aunque he oído decir que Samuels no lo aprobaba... —Camilla Green sonrió—. Muchas de nosotras soltamos unas lagrimitas cuando nos enteramos de que habían cazado a Stefan. Resulta un poco violento, ¿verdad?, la cantidad de mujeres que se dejan seducir por los tipos oscuros y tempestuosos...

Estallaron las risas en el extremo más alejado de la habitación. Liv miró a su alrededor. Stefan se encontraba en medio de un círculo de personas; oía cómo se elevaba y bajaba su voz, con rapidez. Vio que empezaba a hacer un castillo de naipes. Las cartas revoloteaban entre sus dedos, formando un triángulo encima de otro. Hubo unos cuantos aplausos, rugidos de ánimo. Corazones, diamantes, tréboles, picas, todo iba saliendo de la baraja y colocándose en equilibro, unas cartas encima de otras, hasta que Stefan se subió a una silla para colocar las cartas de la cúspide. Mientras colocaba la última carta en su sitio, todo el edificio tembló y cayó al suelo. La expresión del rostro de él se alteró y se tambaleó ligeramente, casi perdió el equilibrio al bajar de la silla. Un vaso cayó de la mesa y se hizo mil pedazos en el suelo de parqué. Alguien murmuró: «Demasiado espíritu navideño, quizá», mientras Liv pasaba entre la multitud, dirigiéndose hacia su marido.

—Stefan —susurró—. Creo que deberíamos irnos.

—Es demasiado temprano —él miraba su reloj, parpadeando.

—Estoy cansada, cariño. —La señora Samuels, con la boca cerrada formando una línea reprobatoria, barría los cristales rotos con una escoba y un recogedor.

Fuera, en la calle, el frío la asaltó. El viento se había llevado la nieve y se veía un cielo claro, salpicado de estrellas. Salían de la ciudad cuando el coche se deslizó al lado contrario de la carretera. Liv chilló y los párpados de Stefan se abrieron de golpe. Él lanzó un taco y sujetó el volante, pisó el freno y detuvo la deriva diagonal a través de la carretera. El morro del Citroën se detuvo a unos pocos centímetros de un coche aparcado.

Liv temblaba de espanto. Durante un momento, las manos de Stefan se quedaron suspendidas encima de los controles, como si hubiese olvidado para qué servían.

—Eres idiota, Galenski —murmuró para sí, mientras metía la marcha atrás y hacía dar la vuelta al coche—. Eres... un completo... idiota.

El corazón de Liv latía como loco.

—Estás cansado, cariño, eso es todo. Debería aprender a conducir yo, y así podríamos turnarnos en estos viajes largos. Tengo que aprender.

—¿Qué estás diciendo, Liv? —Él la miró, furioso—. ¿Que no sé conducir?

—¡Claro que no! Solo que podría ser útil..., para ir a comprar...

—¿Crees que voy a dejar que vayas sola por el campo? —Su voz era violenta y tenía los puños apretados—. No digas estupideces.

Mientras regresaban en silencio a casa, Liv miraba por la ventanilla del coche, conteniendo las lágrimas. Dentro de casa, se quitó los guantes y la bufanda, y Stefan fue hacia ella.

—Lo siento. Lo siento mucho, cariño.

Ella se volvió y vio las marcas de cansancio en su rostro: los huecos oscuros en torno a los ojos, la piel blanca.

—He perdido los nervios. No debería tomarla contigo. Son cosas que tengo en la cabeza.

—¿Qué cosas? —susurró ella.

Los ojos de él se ensombrecieron.

—Mi trabajo de investigación. Sigo pensando que no es bueno. Quizá sea todo una tontería.

—Stefan, ¿cómo puedes creer semejante cosa?

—Porque parece que no puedo terminarlo. —Cerró los ojos con fuerza y se frotó la frente con los dedos—. Quizá no vaya a ninguna parte porque no vale la pena escribirlo. Pero tengo que publicar. No tendré un puesto fijo si no he publicado. —La miró con desesperación—. Hay tantos por ahí... Todos quieren lo mismo que yo.

Ella lo abrazó. De repente, el humor de él pareció cambiar.
–Lo del coche –dijo–. Sabes que yo necesito el coche para ir a la universidad, Liv. Y cuando estoy en casa siempre te llevo a las tiendas, ya lo sabes, cariño. –Como ella empezaba a hablar, él la interrumpió–. Me preocuparía mucho si aprendieras a conducir. ¿Y si tuvieras un accidente? No podría soportarlo. Quizá después del niño. Sí, ya lo pensaremos después de que nazca el niño.

6

«Después de que nazca el niño», había dicho Stefan. «Ya lo pensaremos después de que nazca el niño.» A Liv le parecía que todo esperaba, pendiente y en suspenso, al nacimiento de su bebé. Embarazada de ocho meses, no parecía haber parte alguna de su vida a la que no afectase el niño aún no nacido. No podía meterse en la antigua bañera, con las paredes inclinadas, sin la ayuda de Stefan, y el peso del bebé en su vejiga la obligaba a salir de la cama varias veces por la noche, temblorosa, mientras bajaba pesadamente y recorría las heladas losas hasta el baño. Cuando caminaba hacia la parada del autobús, tenía que concentrarse para no perder el equilibrio en el camino helado y lleno de surcos. Deseaba estar ya a mediados de marzo, cuando se esperaba que naciese el bebé, ansiaba que todo volviese a ser normal de nuevo.

Enero se caracterizó por un tiempo glacial y por una serie de desastres domésticos. El semillero del huerto sufrió daños por una fuerte helada. El coche se estropeó y Stefan tuvo que tomar el autobús para ir a trabajar; al llegar tarde a la facultad, descubrió que el profesor Samuels había empezado a dar la clase en su lugar. Luego, una mañana, Stefan fue a rellenar el cubo del carbón y se encontró con que la carbonera estaba vacía.

—¿No han venido de Chapman? —Chapman eran los carboneros. Su camión subía traqueteando a Holm Edge una vez al mes.

Liv miró la carbonera. Solo quedaban unos pedacitos de carbón en los rincones.

—Pues no me acuerdo... Creo que no.

—¿Crees que no? ¿No lo sabes?

No podían permitirse comprar el periódico, no tenían televisión y la radio tenía las pilas agotadas. Liv había empezado a confundir unos días con otros, imposibles de distinguir.

–Dios mío..., no me extraña que no haya podido acabar el maldito trabajo –murmuró Stefan–. Es imposible trabajar... Me quedaré congelado con el maldito bolígrafo... –Miró su reloj de pulsera–. Mierda, llego tarde otra vez. –Y se fue de casa.

Liv caminó un kilómetro y medio hasta la cabina telefónica y llamó a los carboneros. Su última entrega estaba pendiente de pago; al volver a casa, encontró la factura sin pagar entre el montón de notas y libros del escritorio de Stefan. Buscó en su monedero y en el fondo de su bolso y añadió el dinero de Navidad que le dio Thea; así logró el efectivo suficiente y tomó el autobús hasta Lancaster. La señora del mostrador del departamento contable de Chapman, muy maternal, le prometió que le entregarían el carbón aquella misma tarde.

Faltaban cuatro semanas para que naciera el bebé. Liv se apresuraba para tenerlo todo listo, tejió diminutos jerseys y botitas, hizo camisones y una manta de *patchwork* para cuando lo sacara de paseo. Vio un anuncio de un cochecito de segunda mano en la oficina de correos, lo compró una tarde y lo llevó a empujones todo el empinado camino hasta la casita. El folleto que le entregó la comadrona indicaba que debía tener pañales, peleles, braguitas de plástico, biberones y esterilizadores. La propia Liv tenía que llevar al hospital tres camisones, tres sujetadores de lactancia y una bata. Como camisón, usaba camisetas viejas de Stefan y la única bata que tenía se la regaló Thea cuando cumplió los catorce años, y no le abrochaba sobre su enorme cintura. Como había gastado el dinero de Navidad para pagar el carbón, no le quedaba ni un céntimo de dinero propio. Liv le enseñó la lista a Stefan y él frunció el ceño, pero le prometió ir al banco al día siguiente. Con las veinte libras que le dio Stefan compró los pañales, los biberones y las mantas de la cuna. Liv se compró dos sujetadores de lactancia y un poco de tela en el mercadillo de Lancaster para hacerse ella misma unos camisones. La bata tendría que valer.

Faltaban dos semanas. Liv pensaba que si se ponía más gorda, estallaría. Su ombligo sobresalía de la enorme cúpula de su vientre hinchado como una cereza en un pastel. Ya no andaba, sino que iba anadeando. Pelando patatas, tendiendo la ropa en la cuerda, le dolía la espalda y tenía que moverse muy despacio.

Una mañana se despertó muy temprano y vio flores de escarcha en torno a los cristales de las ventanas. El aire estaba especialmente quieto, como si el tiempo helado hubiese penetrado en la casa, agarrándola con sus dedos de hielo. Bajó las escaleras. Un poco antes de llegar a la parte más baja, se detuvo, rígida por la conmoción, agarrándose a la barandilla. El suelo de la cocina estaba inundado con un par de centímetros de agua. Todas las alfombras, muebles y libros estaban empapados. En los bordes de aquel charco se había empezado a formar hielo.

Sacudió a Stefan para despertarlo. Él se puso la ropa y corrió escaleras abajo. Vadeando el agua, de repente se detuvo y alcanzó un libro de la estantería. Al volver las páginas, el papel se deshizo formando una especie de pulpa gris. Se quedó blanco.

–Mis libros... Mis libros... –murmuró y luego, con un violento movimiento del brazo, arrojó el libro a la pared más lejana, donde golpeó contra un estante. Un tarro de bayas de acebo, un montón de lápices, bolígrafos y un ovillo de lana, similar a un sputnik por las agujas que sobresalían, cayeron al suelo.

–Stefan... –dijo Liv, pero él se liberó violentamente y salió de la casa, dando un portazo.

Cuando oyó el ruido del motor del coche, corrió hacia la ventana y miró hacia fuera. El Citroën bajaba por el camino. No podía creer que se hubiese ido. Pensó: ¿y si viene el bebé? No tenía teléfono ni tampoco transporte. Se imaginó que empezaba el parto: tendría que bajar tambaleándose por el inseguro camino hasta la carretera de Littledale e ir a la parada de autobús más próxima, con la maleta en la mano. Pensó en Rachel, que le pidió ayuda, pero ella se la negó. El silencio y la soledad de Holm Edge la aterrorizaban. Tomó aliento con fuerza y se pasó las manos temblorosas por el pelo, intentando calmarse. Stefan seguramente habría ido a buscar un fontanero, se dijo. Volvería pronto.

Empezó a temblar, de modo que cerró la puerta y volvió a la cocina. Encontró la tubería reventada bajo el fregadero; poniéndose a cuatro patas, el camisón y la bata se le mojaron y quedaron fríos, pero consiguió cerrar la llave de paso. El agua siguió goteando un poco y luego se detuvo. Ella se vistió y empezó a limpiar el desastre. Solo el salón estaba afectado; el agua no había llegado a los libros y papeles en el estudio de Stefan. Pasó la bayeta por el suelo, esperando constantemente oír el sonido del coche por el camino. No podía creer que Stefan no volviera. No podía creer que la hubiese abandonado cuando más lo necesitaba. Recordó, recogiendo las pequeñas y duras bayas de acebo de la alfombra, que traía mala suerte dejar los adornos de Navidad después de la Noche de Reyes. Pensó en aquella otra deserción: la casa rosa junto al mar, las piedrecillas en la costa.

Cuando terminó de arreglar la habitación, miró el reloj y vio que Stefan llevaba fuera cuatro horas. Pensó en comer algo, pero el nudo de tensión que tenía en el diafragma le provocaba náuseas. Recordó la furia que ardía en los ojos de Stefan y la fuerza de su brazo al arrojar el libro contra la pared. En el baño, se miró en el espejo, una criatura torpe, desgarbada, no la chica esbelta con la que se casó Stefan. Subió al piso de arriba, a la habitación infantil inacabada, agarró el pincel y empezó a pintar.

Al final oyó subir el coche por el camino. Se mordió los labios y siguió pintando: la tarea ahora resultaba urgente y se sentía obligada a terminarla. Oyó que Stefan la llamaba, oyó sus pasos en las escaleras.

Él entró en la habitación.

—¿Dónde has estado? —Le temblaba la voz.

—Conduciendo por ahí. Solo... por ahí, en coche. Te he traído esto. —Llevaba en la mano un enorme ramo de flores—. Lo siento, Liv —susurró—. Lo siento mucho. Perdóname. He sido un idiota por perder los nervios.

–Dejarme sola... ¿Cómo has podido? –Lo empujó, pasó a su lado y se sentó pesadamente en una silla. Temblaba por la reacción y le dolían las piernas por la tensión.

Él se arrodilló ante ella. Sus ojos reflejaban angustia.

–No volveré a perder los estribos nunca más, Liv –dijo, bajito–. Y nunca te volveré a dejar sola. Siempre estaré a tu lado. Siempre, te lo prometo.

Le puso el ramo de flores en el regazo. Ella cerró los ojos y apretó la cara contra las azucenas de invernadero, los apretados capullos de rosa y los claveles fuera de temporada, pero no tenían perfume alguno.

Exhausta, se fue a la cama. Stefan hizo la cena. Liv se tomó el té, pero solo picoteó un poco la comida, y luego se quedó dormida y soñó con unas olas que invadían toda la casa, dejando en su estela un rastro de piedrecillas coloreadas, como joyas. Entonces Rachel le golpeaba la espalda tan duro que dolía, y le decía en voz alta: «¡Despierta, Liv!», y eso hizo.

Todavía estaba bastante oscuro y solo la luz tenue del pasillo iluminaba la habitación. En la distancia oía el tecleo de la máquina de escribir de Stefan. Sentía que algo había cambiado, pero no sabía qué era. Ahí estaba otra vez, el agudo dolor en la espalda. Debía de haberse pinzado algo, acarreando todos aquellos libros arriba y abajo. Intentó colocarse en una postura más cómoda, pero al incorporarse notó que un chorro de líquido tibio bajaba por sus piernas. Pensó durante un momento horrible que se había orinado encima, pero luego se dio cuenta de que había roto aguas, y de que el dolor de espalda no era un músculo agarrotado, sino una contracción. Pensó: pero si faltan todavía dos semanas y no he terminado de tejer el chal. Luego consiguió reunir fuerzas y llamó a Stefan.

Aunque él intentó conducir con cuidado el camino que descendía a la carretera, el movimiento del coche la sacudía y tuvo que morderse los labios para no gritar. Temía que naciera el bebé antes de que llegasen a Lancaster, pero cuando llegaron al hospital y la comadrona la examinó, dijo:

—Tres centímetros de dilatación, señora Galenski. El bebé no llegará hasta mañana por la mañana, como muy pronto.

Liv empezó a sentir terror. El dolor ya era casi espantoso, ¿cómo podría soportarlo doce horas más?

Después, lo que más recordaba era su sensación de conmoción. Que algo doliese tanto y durase tanto tiempo. La comadrona de las clases de preparación al parto hablaba de incomodidad, pero aquello era agonía. Durante un rato, Liv pensó que debía de ser culpa suya por no haber practicado los ejercicios de respiración adecuadamente, y luego le administraron la petidina y ya no pensó en nada.

Freya nació a la una de la tarde del día siguiente.

—Ya sale la cabeza —dijo la comadrona—. Un empujoncito más, querida. —Liv sabía que si empujaba otra vez, todo su cuerpo se partiría por la mitad como un plátano sin pelar, pero, por otra parte, si no empujaba, se quedaría así para siempre. De modo que empujó y gritó, y Stefan le agarró la mano, y luego ocurrió el milagro, y allí estaba, con un último giro y un retorcimiento, su bebé, que salía de su cuerpo. Un grito leve y aflautado y la comadrona dijo:

»Tiene una hija encantadora. —Y ella se echó hacia atrás en las almohadas, borracha por la petidina y sintiendo el maravilloso alivio de que todo hubiese terminado por fin, demasiado exhausta incluso para abrir los ojos.

Al cabo de unos pocos minutos, notó que la enfermera le ponía a la niña en los brazos. La miró. Los ojos de color azul marino, abiertos de par en par, se clavaron en los suyos un momento y luego se desviaron de nuevo. Una boquita muy roja y arrugada se abrió y gritó. Una mano diminuta en forma de estrella se alzó, como si se propusiera algún objetivo personal, y luego se retiró. Mirando a su hija por primera vez, Liv pensó que estaba asombrada, como si fuera de otro mundo, como si hubiese venido desde muy lejos y ahora intentase entender el nuevo lugar en el que se encontraba.

A veces, Katherine pensaba en largarse, sin más, y cumplir su sueño infantil de viajar alrededor del mundo. Pero se preguntaba qué le ocurriría a Toby si ella no estaba allí para vigilarlo un poco. De todos modos, estaba también la revista, agonizando ya, cierto, pero aun así era responsabilidad suya. Algunos de sus amigos, como Liv y Felix, estaban muy lejos, y otros, como Rachel y Toby, resultaban imposibles de alcanzar. La gente que los reemplazaba, con los que iba a las fiestas y con los que pasaba las noches, parecían estar todos de paso. Se reunía con ellos un día, pero no estaba segura de que siguieran allí al siguiente.

En mayo, Katherine tomó prestado el coche de Toby y fue a visitar a Liv. Había comprado un regalo para su hijita Freya, una pulsera de cuentas de lapislázuli que encontró en una tiendecita de King's Road.

—Es preciosa —dijo Liv, pasando las cuentas de un azul límpido entre sus dedos—. Ahora mismo no haría otra cosa que chuparla, pero seguro que le encantará cuando sea algo mayor. —Pasaron juntas una tarde idílica en Holm Edge, echadas en la hierba bajo el cálido sol primaveral, y con la niña dormida en su cochecito. Unas nubecillas algodonosas y blancas arrojaban algunas sombras en el páramo, y Katherine fantaseó viéndose a sí misma empujando un cochecito, con uno de los chicos de pelo largo y dudosa conducta con los que pasaba el tiempo caminando paternalmente a su lado.

Luego Stefan volvió a casa, y de repente la tensión se instaló en el aire, todo el humor de la casa se alteró con sus pisadas en el césped, el chasquido de la puerta de su estudio al cerrarse. Liv se puso a hacer la cena y el bebé comenzó a llorar, y toda aquella dicha maternal se esfumó. Ella intentó ayudar a Liv con la comida y el bebé, pero nunca fue demasiado buena cocinera, y cuando Freya estaba en sus brazos, aún aullaba más fuerte. Todo aquello le recordaba demasiado a Katherine su propia niñez y se volvió a Londres al día siguiente.

Una semana después, estaba secándose el pelo cuando llamaron a la puerta. Al abrir, Katherine chilló al ver a Felix.

—¿Por qué no me has dicho que venías?

—No tengo teléfono, y lo decidí ayer. —La abrazó—. ¿Puedo entrar?

—Está un poco desordenado. —Solo con ver su figura alta y larguirucha se sintió animada. Katherine apartó con el pie unos montones de ropa y abrió paso en la habitación. Se sentó en la cama, cepillándose el pelo, mientras Felix doblaba su largo cuerpo y se sentaba en una pequeña silla de mimbre.

—¿Qué es eso? —Felix llevaba dos paquetes.

—Intento vender algunos libros de segunda mano. Necesitamos recaudar dinero para la comunidad. Estos libros pertenecían al padre de Nancy y ya nadie los lee. He pensado que quizá pudieran interesar a algún coleccionista. Son historias militares, sobre todo. —Le tendió el paquete más pequeño a Katherine—. Y esto es un regalo.

—No será alguna cosa espantosa tejida a mano, ¿verdad? —Katherine rasgó el papel de envolver y sacó una caja de galletas hechas en casa. Olían maravillosamente.

—Las ha hecho Nancy —dijo—. Quería darle la mitad a Toby, pero no estaba. ¿Ha salido?

—No siempre abre la puerta. Yo tengo que hacer su llamada secreta.

—Ah. —Felix parecía extrañado—. ¿Por qué?

—Cree que lo siguen. Y que tiene el teléfono pinchado.

—¿Por qué demonios piensa que le iban a pinchar el teléfono?

—Por la revista. Por nuestras tendencias políticas de izquierdas. El MI5.

Felix levantó las cejas y Katherine suspiró.

—Ya lo sé. Y Stuart se ha vuelto a Escocia. Se va a casar.

—¿Casarse?

Katherine sonrió.

—El gran revolucionario. Pero al parecer siempre hubo una chica allí, y como Toby está así, y la revista está dando sus últimas boqueadas, decidió volverse a casa. —Lo miró—. Estás estupendo, Felix. —Parecía mayor, pensó, más ancho de hombros—. El arroz integral y las sandalias te sientan bien, por lo que parece.

—¿Y tú, Katherine? ¿Qué tal estás?

—Ah, bien —dijo ella, despreocupada—. Fantástica.

Mientras se comían unas salchichas con huevos y patatas fritas en una freiduría barata de Brompton Road, Katherine le preguntó a Felix por la comuna.

—¿Sigue siendo un paraíso? ¿Todos los que viven allí son ángeles?

Él pinchó la yema del huevo con el cuchillo.

—Bueno, hay una chica... —dijo.

—Ya me imaginaba que sería así. —La voz de Katherine sonaba displicente, pero era consciente de una sensación amortiguada en la boca del estómago, una mezcla de decepción y soledad. Todo el mundo se emparejaba, pensó: Stuart y su novia escocesa, Liv y su oscuro y huraño Stefan, incluso Thea y Richard Thorneycroft. No sabía por qué le importaba tanto. Felix nunca fue más que un amigo. Habría sido absurdo suponer que él, como ella misma, siguiera sin unirse a nadie. Pero solo dijo—: Háblame de ella.

Él le habló, y muy detalladamente. Se llamaba Saffron. ¡Saffron, nada menos!, pensó Katherine. Por supuesto, era la criatura más bella sobre la tierra. Al final se apagó el torrente de palabras. Ella pensó que él parecía muy desgraciado.

Le tocó la mano.

—¿Qué pasa?

—Saffron cree que las personas no deben pertenecerse unas a otras. Y yo también, claro. Solo porque te hayas ido a la cama con alguien no significa que tengas el derecho exclusivo de su compañía.

—A menos que sea lo que los dos quieren.

—Pero verla con otras personas..., con otros hombres..., lo odio. No creía ser así. —Sus ojos estaban nublados.

—¿Cómo?

—Celoso. No creía que fuera del tipo celoso.

—¿Hay un tipo celoso?

Él levantó la vista.

—¿Qué quieres decir?

—Si amas a alguien, ¿no forma parte de ello querer estar con esa persona? —Hizo una mueca—. Aunque no soy la persona

163

adecuada para hablar de esto, ¿no? Llevo más de tres meses sin salir con nadie. –Nunca he estado *enamorada* de nadie, pensó, pero no lo dijo.

–Claro que es posible –dijo él, cansadamente–, amar a alguien sin todas esas cosas. La posesividad, la desconfianza, la ira, todo eso. Para eso se supone que sirve la comunidad... Para encontrar una forma distinta de vivir. Compartir cosas, tener un objetivo común, no estar esclavizados por el dinero.

Ella dijo, con suavidad:

–Siempre has sido un idealista, Felix.

–Cuando la gente dice «idealista», a menudo quiere decir «tonto».

Ella le apretó la mano.

–Yo no. Yo te envidio, en realidad.

–Tonterías.

–Sí, es verdad. Sería bonito creer en algo. Sería más alentador. –Katherine se sintió triste repentinamente, pensando en su propia familia–. Mis padres confían el uno en el otro, pero no estoy segura de que se *amen* el uno al otro. Mi madre siempre está exhausta y enfadada, y mi padre apenas está en casa. Nunca le da las gracias a mi madre por hacerle la comida, o por plancharle las camisas. Supongo que ella sigue con él porque no sabe hacer otra cosa. Es solo un ama de casa. Y eso no es un trabajo, ¿no?

Felix estaba serio.

–Mis padres se querían mucho. Se notaba que era así. En cuanto entrabas por la puerta. No sé cómo, hacían que la casa resultase más cálida.

Liv pensaba que en cuanto naciese el bebé, todo volvería a la normalidad. Pero cuando Freya cumplió un mes, se dio cuenta de que las cosas nunca volverían a la normalidad, que ya nunca habría nada normal, y que la llegada de su hija había alterado su vida tan profundamente como nunca creyó que fuera posible.

Que una criatura tan diminuta pudiera ocuparle tanto tiempo seguía siendo una causa de continuo asombro para Liv. Freya exigía su atención constantemente, día y noche. Era difícil encontrar tiempo para hacer la comida o para lavar, y ya no digamos para leer un libro o escribir una carta. La enfermera le dijo a Liv que no malcriase a Freya y que la alimentase solo cada cuatro horas: «Lleva el cochecito al fondo del jardín, querida, y así no la oirás». Pero los llantos de Freya le rompían el corazón, y sus pechos rezumaban leche, de modo que, desgarrada por el sentimiento de culpa por el monstruo malcriado que estaba creando, alimentaba a Freya cada vez que lloraba. Freya nunca dejaba pasar cuatro horas entre toma y toma. Tres horas y media era lo máximo que aguantaba.

Las noches eran lo peor. Liv nunca se acostumbró a que la arrancaran de su sueño más profundo. Iba tambaleándose a la habitación de la niña, muerta de sueño. A veces se dormía mientras caminaba; un día se dio contra la jamba de la puerta, golpeándose la cabeza. En la habitación, sacaba a Freya de su capazo, se dejaba caer en la silla y Freya agarraba su pezón, chupando con desesperación. De vez en cuando Liv se adormilaba y se despertaba de golpe, temiendo dejar caer a la niña. Pero Freya mamaba sin parar, con los ojos cerrados, feliz. Después de comer, ella tenía que cambiarla, sacarle el aire, dejarla de nuevo en su capazo y regresar a la cama de puntillas. A veces Freya se dormía, a veces no. Temiendo que sus llantos molestasen a Stefan, había días que Liv se la llevaba al piso de abajo y la colocaba en el cochecito, y la acunaba hasta que finalmente la niña se dormía. Se acostumbró a sentarse sola en el salón frío y oscuro, con la cabeza apoyada en una mano y sujetando con la otra el asa del cochecito.

Y, sin embargo, no se podía decir que no fuese feliz. La primavera dejó paso al verano, y cuando Liv alimentaba a Freya a primera hora de la mañana, el cielo estaba lleno de vida por el canto de los pájaros, y los primeros rayos del sol iluminaban con un fuego blanco cada una de las hojas de hierba. Cuando Stefan supo que le habían aceptado la publicación de su trabajo, lo celebraron con *goulash* y una botella de vino tinto barato. Sabía que el profesor Samuels le diría que se quedase en la universidad, dijo Stefan. Sabía que lo haría.

Por las tardes, Liv daba de mamar a Freya y luego la sacaba al jardín, miraba el rostro pequeño y sereno de su hija y sentía una felicidad perfecta, desconocida. Las hormonas, le habría dicho Katherine, despectiva. Pero Liv sabía que no era eso, sabía que había encontrado el amor.

Aprendió a saber de qué humor estaba Stefan por la forma que tenía de volver a casa después del trabajo. La velocidad del coche cuando subía por el camino. La verja que se cerraba de golpe o bien con un suave chasquido. Sus pasos en la hierba, acompañados por el silencio o bien por una melodía tarareada alegremente.

Aquella noche la puerta delantera se cerró de golpe, resonando en toda casa. Stefan estaba ceñudo, tenía los ojos iracundos.

–No estaré en la universidad el año que viene –dijo con sequedad–. Solo hay fondos para un ayudante de investigación y han elegido a Camilla Green. –Tenía los puños apretados y el rostro sin color–. Yo contaba con esto. Estaba seguro de que lo conseguiría. Qué injusto, maldita sea. –Dando la vuelta en redondo, fue hacia la ventana y se quedó de espaldas a Liv, perfilado por la luz desfalleciente de la tarde–. Aunque lo demás fuera difícil –dijo, en voz baja–, al menos siempre he tenido *esto*. Siempre he sido el listo. Los exámenes, ser el primero de la clase, ganar todos los premios... Todo era fácil. Lo demás no era fácil, pero por lo menos eso sí. Pero ahora... –Y se dio la vuelta hacia ella–. No creí que fallase, Liv. Parecía desconcertado–. No creí que pudiese fallar.

Más tarde, aquella misma noche, cuando se despertó para amamantar a Freya, Liv vio que estaba sola en la cama. Después de ocuparse de Freya, se dirigió de puntillas al piso de abajo. La luz estaba encendida en el estudio de Stefan y oyó ruido de pasos y de cajones que se cerraban. Al abrir la puerta del estudio vio que Stefan había volcado su escritorio y su archivador, de modo que todo el contenido estaba esparcido por el suelo, como un mar de papel blanco. Su escritura, de un negro intenso, llenaba todas las páginas arrojadas al suelo.

—¡Stefan! —susurró ella—. ¿Qué estás haciendo?

—¿A ti qué te parece? Estoy haciendo limpieza.

—Pero tu trabajo...

—Una pérdida de tiempo, ¿no? —Daba patadas con furia a los montones de papel.

—¡Eso no es verdad! Te van a publicar el artículo, y habrá otros trabajos...

Sin embargo, él siguió arrancando hojas de los cuadernos. Hipnotizada, ella vio sus manos fuertes y elegantes romper el papel en trocitos pequeños y hacer bolas con él.

—Podrías enseñar en otra universidad —le rogó. En el caos de la habitación, la voz de ella sonaba hueca, hacía eco—. Manchester, o Leeds... —Cuando le tocó la mano, los músculos de él se agitaron y se apartó.

—El Citroën está en las últimas, ya lo sabes. No podría soportar un viaje tan largo.

—Podemos mudarnos.

—¿Mudarnos? —Stefan dio la vuelta en redondo hacia ella—. Jamás.

—¿Por qué no?

—Porque esta es mi casa. ¿Por qué voy a dejar que me echen de mi casa?

Ella empezó a recoger automáticamente todas las bolas de papel para luego alisarlas y ponerlas en una pila.

—Pero si no puedes encontrar trabajo aquí...

—No voy a dejar Holm Edge, Liv. Nunca. —La miró con los ojos muy abiertos—. Y deja esos malditos papeles.

—Stefan...

—¡He dicho que dejes esos papeles! —Se los quitó de las manos y los arrojó al suelo. Luego dijo, muy bajo—: No sabes de qué estás hablando, Liv. Deberías dejar de entrometerte en las cosas que no entiendes. Vete. —La agarró de los hombros, la obligó a dar la vuelta y la empujó hacia la puerta—. ¿Por qué no te vas y me dejas en paz?

Ella volvió a la cama y al final cayó en un sueño inquieto. A la mañana siguiente, vio que Stefan había cerrado con llave la puerta de su estudio. Llamó, pero él no contestó. Le dolía la cabeza y se sentía como si estuviese en medio de una pesadilla. A media mañana, metió a Freya, que estaba muy quisquillosa, en el cochecito, y se fue a su lugar preferido, un punto elevado en la carretera de Littledale. Un sendero estrecho conducía a la cima de una colina llena de rocas y tojos. El camino era demasiado estrecho para las ruedas del cochecito, de modo que desenganchó el capazo, lo llevó a la cima y lo colocó encima de un peñasco, con Freya dormida.

A medida que la lluvia iba disipándose, pudo ver todo el valle de Morecambe Bay y el mar. Tenía un resto de una tableta de chocolate en el bolsillo, de modo que la cortó en trocitos y se la comió. Le pareció que en el último año había perdido casi por completo el control de su vida. Se había enamorado, había dejado la universidad, se había casado y había dado a luz una niña en el espacio de doce meses. No creía ser la misma persona que un año antes. Se sentía como si hubiese estado corriendo, como si algo sin nombre le estuviera mordisqueando los talones.

Tuvo que hacerse con fuerzas para volver a Holm Edge. Pero cuando Stefan salió a la puerta a saludarla, vio que sonreía. Sintió una abrumadora sensación de alivio: aquel extraño nervioso y enfadado había desaparecido, y estaba de vuelta su brillante y encantador Stefan.

Él agarró el cochecito y lo llevó hasta la puerta delantera.

—He tenido una idea maravillosa —dijo—. Estaba deseando contártelo. —Abrió una botella de vino de mesa; sirvió dos vasos—. He decidido que tenías razón, cariño. No debo abandonar mi trabajo. Así que voy a escribir un libro. —Le pasó un vaso a Liv—. Así aprenderán, ¿no? El artículo no era lo bastante importante para hacer justicia a mis ideas. Y podré trabajar en casa... Aquí, en Holm Edge, así que estaremos siempre juntos. —Salió al jardín—. Y esa no es la única idea. Debemos plantar más cosas. Frutas y verduras. Y tendremos también animales. Un cerdo quizá, o cabras. Y empezaré a renovar el granero. —Hizo una pausa junto al edificio en ruinas–. Podré hacerlo, ¿verdad?, ahora que tendré más tiempo. –Cuando se volvió a ella, Liv vio el júbilo en sus ojos–. Todo irá bien, Liv –dijo–. Te lo prometo, cariño, todo irá bien.

Felix sabía que Saffron se estaba alejando de él. En otros tiempos, sus reencuentros compensaron sus ausencias; ahora, su brusquedad lo destrozaba, lo convertía, a medida que pasaban las semanas, en alguien que no le gustaba nada. Le estaba convirtiendo en alguien que se limitaba a pasar los días, que hacía preguntas acusadoras, que miraba con suspicacia a cada uno de los amigos de ella. Una noche se encontró en la puerta del dormitorio de ella escuchando... ¿el qué? ¿Una voz de hombre que murmurase su nombre? ¿Ese suspiro pequeño y satisfecho, que le era tan familiar, que emitía ella en el clímax? Haciendo un esfuerzo, se alejó.

A veces soñaba con ella. Soñaba que la sacudía, que sus manos la agarraban por los brazos y que las yemas de sus dedos le apretaban la carne. En sus sueños, la expresión del rostro de ella seguía impasible, sus ojos grises serenos, sin alterarse por la ira de él. Al despertar se sintió asqueado por la intensidad de la agresión, que no se borraba.

Un caluroso día de junio estaba ayudando a Martin a reparar el techo de uno de los dormitorios de la parte de atrás. A última hora de la tarde, Martin fue a Newbury en coche a comprar yeso. Subido al último peldaño de la escalera, Felix dejó la llana. Le dolían los brazos y estaba completamente gris por el polvo de yeso. En la habitación hacía un calor insoportable, aunque las ventanas estaban abiertas de par en par. Se quedó un rato sentado, mirando hacia fuera, al lago. En algunos lugares se había desbordado por la tormenta del día anterior, de modo que solo sobresalía la parte superior de los juncos por encima del nivel del agua: unas velas plumosas y pequeñas que rompían la superficie vítrea. Hubo un movimiento en el punto más alejado del lago y Felix vio que Justin se subía al árbol del cual habían colgado una cuerda como columpio, en una de las ramas extendidas. Felix examinó las orillas, pero Justin estaba solo, al parecer. Era martes, día de mercado, y a Nancy y Claire les tocaba ocuparse del puesto. Justin estaba soltando el columpio. Felix notó que le hormigueaba la espalda cuando lo vio en equilibrio precario encima del agua. Entonces pareció que perdía el equilibrio. Durante un momento, Felix pensó que Justin sería capaz de incorporarse. Pero agitó los brazos y cayó al lago.

Justin sabe nadar, pensó Felix. Seguro que sabe nadar. La cabecita dorada desapareció bajo la superficie del lago, y luego apareció de nuevo. Agitaba los brazos como loco. Justin, pensó Felix, mientras bajaba rápidamente la escalera, no sabe sumar, no sabe leer, no sabe formar una frase entera con sentido, ¿por qué iba a saber nadar?

Al salir corriendo de la casa notó el golpe del calor. Gritando el nombre de Justin, corrió a través de la terraza, por el césped, entre los árboles frutales, se quitó de una patada los zapatos mientras atravesaba los últimos árboles. La orilla del lago estaba desierta. Se sumergió.

El agua fría casi le quita el aliento. Felix buceó una y otra vez, buscando desesperadamente entre el barro, recogiendo madejas de algas, ramas empapadas que flotaban por debajo de la superficie como hoscas serpientes. Algo sedoso y tenue rozó sus dedos. Lo agarró con fuerza y sacó a Justin por encima de la superficie del agua sujetándolo por el largo pelo dorado. Luego, medio a rastras, llevó en brazos al niño a la orilla. Las algas y juncos eran casi impenetrables y resbalaba en el espeso barro. Al oír voces pidió ayuda. Justin pesaba en sus brazos, sus miembros inmóviles colgaban, empapados de agua.

Alguien le quitó al niño de los brazos. Al ver a Claire, supo que nunca olvidaría la expresión de su cara. Nancy se inclinaba hacia Justin y apretaba su boca contra la del niño. Felix salió tambaleante del agua y se sentó en la orilla, echándose el pelo hacia atrás, intentando llenar de aire los pulmones, con la mirada clavada en el niño. Respira, maldita sea, respira, pensó. Aquel momento pareció detenerse y quedarse congelado, esperando el mínimo movimiento en las costillas de Justin. Cuando Felix oyó el sonido –una tos ahogada y luego el llanto–, se apretó los dedos contra las cuencas de los ojos. Cuando por fin pudo volver a mirar, vio que Claire acunaba a Justin entre sus brazos y que Nancy envolvía con su chal los hombros temblorosos del niño. Consciente de una súbita y terrible rabia ante la proximidad del desastre, Felix se puso de pie y volvió a la casa. Oyó a las dos mujeres que le seguían. Justin iba sollozando y la angustia de Claire se hacía eco de la suya propia:

–¿Qué estabas haciendo, Justin? Sabías que no debías jugar en el columpio solo. ¿Quién tenía que vigilarte?

«¿Quién tenía que vigilarte?» Felix la vio, de pie ante la balaustrada de piedra de la terraza. Su largo pelo plateado flotaba por encima de sus hombros y llevaba el vestido índigo. Lawrence estaba junto a ella. Felix oyó susurrar a Nancy:

–Saffron...

Y luego se oyó el ruido de pasos rápidos.

–Has sido tú, ¿verdad, estúpida? –Claire corría por el césped.

Saffron la miró.

–¿Qué estás diciendo?

–Tú tenías que cuidar a los niños, ¿verdad?

–Estaba ocupada.

–¡Estabas ocupada! –Las suelas de madera de sus zuecos chasquearon mientras Claire subía corriendo los escalones de piedra–. ¿Sabes lo que has hecho, maldita idiota? ¿Lo sabes?

El sonido de la palma de la mano al abofetear la cara de Saffron fue como un disparo. La fuerza del golpe hizo dar un respingo a Saffron, que se tambaleó hacia atrás. Claire gritó:

–¡Justin casi se muere por tu culpa! ¡Casi se ahoga!

–Claire...

–Cállate, Lawrence. Se suponía que lo tenías que estar cuidando, estúpida, pero no te has molestado, ¿verdad?

–¿Ahogado? –Bryony salía de una habitación de abajo, con Zak en brazos.

–Está bien. Pero no gracias a ella. Si Felix no lo hubiese visto... –Claire agarró los delgados hombros de Saffron y empezó a sacudirla. Felix recordó haber hecho eso mismo en su sueño.

171

—¡Tranquilízate, Claire!

—¡Cierra la boca, Lawrence!

—Quizá deberíamos llamar a una ambulancia.

—Tú solo piensas en ti mismo.

—Si Justin hubiese hecho lo que se le ordenaba...

—Tendrías que haberle enseñado a nadar.

—¡Cállate, Lawrence!

Felix se interpuso entre Claire y Saffron, rodeó los hombros de Saffron con el brazo y se la llevó hacia la casa. La introdujo en la biblioteca y cerró la puerta tras ellos. Ella estaba blanca y temblaba. Él la hizo sentar en una silla. Felix se quedó de pie, con la ropa mojada chorreando sobre el pulido suelo de roble.

Ella dijo, trémula:

—¿Justin...?

—Se pondrá bien. —Intentó sonreír—. El susto que se ha llevado incluso puede que le haga bien. —Hizo una pausa—. ¿Tenías que vigilarlo tú?

—Sí. Pensaba que Justin estaba en la sala de juegos con India. Cuando he mirado antes lo he visto allí.

—¿No lo has visto salir de la casa?

—No. —Sus ojos grises lo miraban desafiantes—. Estaba arriba.

Él no quería preguntar, pero hizo un esfuerzo.

—¿En tu habitación?

—No. —Ella estaba sentada muy erguida, pero él notó que tenía las manos juntas y las apretaba mucho para evitar que temblasen—. En la habitación de Lawrence.

—Ah —dijo él. Solo eso. Ah. Notó que algo terminaba. Un sueño, quizá. Fue hasta la ventana y miró hacia fuera. Veía el patio y la carretera. Un Mini Cooper verde maniobraba junto a la cuneta.

—¿Estás enamorada de Lawrence?

—Claro que no.

—Pero te acuestas con él.

—Ya te he dicho, Felix, que no me acuesto con nadie.

—Pero...

—Follamos, jodemos, hacemos el amor, como prefieras. —Su voz sonaba dura.

Él cerró los ojos con fuerza y se oyó decir a sí mismo:

—Entiendo.

—¿Ah, sí? Dudo que sea así. Ojalá... —Ella se calló. Luego murmuró—: Ojalá hubiera sido diferente. Lo digo de verdad. Ojalá hubiera sido diferente.

Cuando él abrió los ojos, vio que el Mini Cooper verde había aparcado y que de él salía Katherine. La reconoció con la falta de sorpresa producto del agotamiento tanto emocional como físico.

Hizo solo una breve pausa al salir de la habitación.

—¿Te quedarás aquí?

—No creo que pueda, después de esto.

—¿Y Lawrence?

Ella se encogió de hombros.

—No lo sé. Quizá. Él no importa. —De repente, le agarró la mano—. Lo siento, Felix. —Le soltó la mano—. Lo siento mucho.

—Necesito que vuelvas a Londres conmigo, Felix —dijo Katherine.

—Sí —dijo él. Ella notó que él estaba muy mojado—. ¿Por qué?

—Por Toby —explicó Katherine—. Lo han detenido.

—Mierda.

—¿Vendrás?

—Por supuesto.

Ella lo miró de nuevo.

—¿No quieres nada? ¿Una toalla? ¿Cambiarte de ropa?

Felix no respondió, sino que la siguió al exterior de la casa, por el camino, hacia el lugar en el que estaba aparcado el coche de Toby, frente a la casa. Alejándose ya de Great Dransfield, Katherine dijo:

—Estás bastante mojado.

—Me he dado un chapuzón. —Se apartó el pelo empapado de la frente.

—¿No quieres contármelo?

—Ahora no. —Los ojos de Felix eran como piedras, verdes—. O nunca, quizá.

Ella le contó lo de Toby. Le había dado por salir de la casa de Chelsea solo por la noche. A altas horas de la madrugada salió a comprar cigarrillos a una máquina expendedora. Un policía lo vio y lo siguió a casa. La registraron.

—Ha tenido suerte, en realidad. Solo han encontrado una mínima cantidad de droga. Últimamente tenía mucho ácido, pero gracias a Dios no había nada en la casa. Pero de todos modos lo han arrestado y denunciado. Me ha llamado por teléfono. —Katherine aminoró en un cruce—. Está enfermo, Felix. Está completamente loco. Cree que los semáforos le hablan y que los ruidos que hacen las tuberías son criaturas de otros planetas que intentan ponerse en contacto con él. —Volvió a mirar a Felix. Realmente, estaba muy mojado, pensó ella. Y su pelo tenía un color raro..., de un gris oscuro y fangoso, con trocitos de cosas verdes pegadas.

Felix se inclinaba hacia delante y se retorcía el final de las mangas para escurrir el agua en el suelo. Katherine vio que fruncía el ceño.

—Pobre Toby... ¿Tiene abogado?

—Solo el que le ha enviado la Policía. He hablado con él esta mañana. Me ha parecido que estaba fatal. —Katherine rebuscó en la guantera sus cigarrillos—. Enciéndeme uno, ¿vale?

Félix encendió dos, uno para cada uno. Luego dijo:

—Voy a llamar a mi padre y a preguntarle el nombre de su abogado. Y luego pensaremos qué hacer.

De madrugada, Felix llevó a Toby de vuelta a la casa de Chelsea. Katherine estaba haciendo café abajo, en la destartalada cocina, cuando oyó sus pasos que bajaban las escaleras.

—Está dormido, gracias a Dios. —Felix se derrumbó en el sofá—. He llamado a sus padres en Hong Kong. Su madre va a tomar un avión y volverá en cuanto pueda.

La casa pertenecía a los padres de Toby. Katherine se imaginaba lo que diría su propia madre al ver aquella cocina. No quedaba ni una sola pieza de vajilla limpia y las colillas flotaban en el agua sucia y marrón del fregadero. El contenido de los cajones estaba tirado por el suelo –la Policía, suponía Katherine– y se veían marcas de quemaduras en el techo.

–Quizá sería mejor que limpiásemos.

–Te echaré una mano mañana por la mañana.

–¿No quieres volver a casa?

Felix se quedó inexpresivo, como si hubiese olvidado dónde estaba su casa. Pero meneó la cabeza.

–No, en realidad no.

Ella pensó: ¿Y Saffron?, pero no dijo nada mientras recorría la cocina recogiendo tazas y platos sucios y colocándolos junto al escurridero.

–¿Qué estás haciendo?

–He pensado que podía empezar ya.

–No seas tonta, Katherine. Pareces agotada.

Ella sabía que estaba exhausta, que llevaba despierta casi veinticuatro horas, pero dijo, obstinada:

–No me podré dormir, lo sé. No podré.

Él dio unas palmaditas al sofá, junto a él.

–Ven aquí.

Ella se sentó a su lado. Él dijo:

–No pienses que tengo malas intenciones. Hoy he enyesado un techo, me he dado un chapuzón que no estaba previsto y he pasado toda la tarde hablando con abogados y policías. ¿Crees de verdad que me queda energía para nada?

Ella consiguió sonreír.

–El caso –explicó él– es que si te paso el brazo alrededor, podemos dormir uno al lado del otro en este sofá. Y aunque hay camas en esta casa, ya he visto en qué estado se encuentran, y no me gusta ninguna de ellas.

–Felix...

–Calla, ni una palabra más. –Colocó una manta encima de los dos–. A dormir.

Katherine se quedó un rato echada, mirando hacia la oscuridad, mientras los acontecimientos del día pasaban como una película a alta velocidad por su mente. La llamada telefónica, de madrugada. Visitar a Toby en la comisaría y conducir hasta Berkshire para recoger a Felix. Al final, sus músculos empezaron a relajarse. Felix soltó un pequeño ronquido y acomodó su postura, de modo que su mano avanzó un poco por la cintura de ella. Ella no lo rechazó, sino que cerró los ojos y, al final, se durmió.

7

Stefan encontró un trabajo a tiempo parcial en una academia preparatoria en Lancaster, enseñando francés a los alumnos que habían suspendido el examen de acceso a la universidad. Al principio era optimista. El acento de los alumnos era horrible y su conducta muy brusca, explicó Stefan a Liv, pero él les enseñaría a amar el francés. Les inspiraría. Al cabo de pocos meses su entusiasmo inicial decayó. Sus alumnos, los padres y el director del colegio tenían un único objetivo común: aprobar el examen. Nadie dedicaba un solo pensamiento a la belleza del lenguaje, y una lección dedicada a estudiar algo que no estuviera en el currículum era, a ojos de todos salvo de Stefan, una lección desperdiciada. Stefan recibió una reprimenda del director. Le dijeron que se habían recibido quejas. Si el señor Galenski no coincidía con el ideario del colegio, entonces el señor Galenski debería reconsiderar su posición. El director le recordó a Stefan que, como profesor a tiempo parcial, no tenía contrato de trabajo. Stefan se limitó a los verbos irregulares y a enseñar traducciones de memoria.

Empezó a investigar para su libro. Los libros de referencia, tomos destrozados de segunda mano de lejanos países centroeuropeos, que Liv tenía problemas para situar en un mapa, desbordaban los estantes del estudio y estaban apilados formando montañas en el suelo. Liv le ayudaba a preparar las fichas de cartulina que remitirían de las mitologías a sus lugares de origen, sus temas y su antigüedad. El libro, esperaba Stefan, le haría famoso, y su éxito demostraría a la universidad lo equivocados que habían estado al elegir a Camilla Green. Trabajaba en él todas las tardes hasta altas horas de la noche.

El trabajo de profesor pagaba lo básico −comida, alquiler y electricidad−, pero dejaba muy poco para todo lo demás. Con los pequeños ahorros de Stefan le compraron ropa a Freya y una cunita de segunda mano que reemplazó el moisés, donde ya no cabía. De día, cuando no estaba enseñando, Stefan trabajaba en la casa y en el jardín. Debían vivir de la tierra, le recordó a Liv, de modo que plantaron patatas y nabos, coles de Bruselas y repollos. Stefan ayudó a Ted Marwick, el granjero del valle, a reparar una valla, y a cambio le regaló seis pollitas. Los patitos, que habían crecido y ya eran gansos de buen tamaño, merodeaban por el jardín, graznaban al cartero y atacaban su bicicleta con el cuello muy tieso, si era lo bastante atrevido como para abrir la cancela.

Stefan empezó a renovar el granero. Subido precariamente en unas escaleras, quitó los restos del antiguo tejado e hizo una hoguera con los muebles húmedos y mohosos de dentro. A medida que el otoño se convertía en invierno, a Freya le creció una franja de fino pelo negro que le rodeaba la cabeza como la tonsura de un monje. Era larga y delgada, toda brazos y piernas y energía incesante, una criatura completamente distinta de los bebés regordetes y plácidos que Liv veía una vez al mes en la clínica, en Caton. A los cinco meses y medio empezó a gatear, corriendo sobre las manos y rodillas, y balanceándose y chillando con impaciencia cuando no podía tocar algo que le hubiese llamado la atención.

Freya adoraba a Stefan, y Stefan la adoraba a ella. Cuando Freya se enojaba y su cara se ponía roja de furor, Stefan la levantaba en volandas, le ponía el abrigo y el gorro y se la llevaba por toda la casa y el jardín. Al ver las gallinas picoteando la hierba se distraía. Abría mucho los ojos y la boca formando una enorme O de asombro. Sonreía con su boquita desdentada y acercaba la mano para agarrar un mechón del pelo de Stefan, con una risa gorgoteante.

Liv empezó a hacer planes. Cuando Freya fuese un poco mayor, podría dejarla con Stefan unas pocas horas cada semana y tener algún trabajo a tiempo parcial en Caton o en Lancaster. Así sus preocupaciones financieras serían menores, y Liv tendría la compañía que en tiempos recientes había empezado a echar de menos. Las visitas de amigos del Departamento de Estudios Culturales habían ido decayendo hasta desaparecer por completo cuando Stefan dejó la universidad.

–No quiero que se vayan pavoneando delante de mí –dijo furioso Stefan cuando Liv le sugirió que invitase a alguno de sus antiguos colegas a cenar–. No quiero que me compadezcan. –En verano, dos compañeros de estudios de los tiempos universitarios de Liv hicieron el largo camino hasta Holm Edge, pero separados por el matrimonio y la maternidad, así como por la geografía, no parecía que tuvieran ya mucho que decirse unos a otros, y la visita no se repitió.

Ella invitó a una de las mujeres que conoció en la clínica a tomar un café en Holm Edge, pero la tarde no fue un éxito precisamente. La sillita infantil de la otra mujer se atascó en el camino fangoso y Liv tuvo que cavar con la pala, y la expresión de la cara de la visitante cuando Liv le enseñó la casa la desconcertó y le entraron ganas de reír. Por primera vez se dio cuenta de cómo debían de ver los demás el yeso encalado, los suelos de piedra, la antigua estufa de carbón. Casi había olvidado la existencia de estufas eléctricas y teléfonos. Casi había olvidado que algunas personas no tapan los agujeros del sofá con un chal, sino que se compran muebles nuevos, y que compran cortinas, en lugar de hacerlas de *patchwork,* y cojines, en lugar de hacerlos con jerseys viejos demasiado estropeados como para zurcirlos. Thea y ella siempre vivieron así. Nunca compraban en una tienda algo que pudieran hacer ellas mismas. Hacer y arreglar. Como su matrimonio, pensó Liv, que había que remendarlo de vez en cuando y convertirlo en algo nuevo.

Desde que cerró *El dedo de Frodo,* Katherine se mantuvo haciendo trabajos temporales. Estaban razonablemente bien pagados: ganaba más que trabajando para Toby y Stuart, aunque su labor era poco interesante y, al tener que trasladarse a distintas oficinas cada semana, hacía pocos amigos.

Los padres de Toby volvieron de Hong Kong a tiempo para asistir a su juicio. Escapó a la pena de cárcel y sus padres pagaron la multa. Lo enviaron a una lujosa clínica perdida en el campo. Katherine lo visitó allí y lo encontró alterado: ya no oía voces en el rodapié, aunque sí en el pijama de rayas y la bata de color azul, extrañamente apagadas y reducidas.

Sabía que Felix había abandonado la comuna porque le envió una postal: «El paraíso, definitivamente perdido. Me voy fuera un tiempo». Llamó a Stuart para contarle lo de Toby, y él emitió ruidos comprensivos y le hizo vagas promesas de visitarlo, pero ella sabía que no lo haría. Los meses de invierno pasaron como una sucesión interminable y agotadora de fiestas, cenas y citas. Katherine se decía que era lo que siempre quiso, una vida metropolitana y emocionante que reemplazase el asfixiante aburrimiento pueblerino de su hogar. Sin embargo, ninguno de sus novios le duraba nada, y ella tenía poco en común con las chicas a las que conocía en su trabajo. En sus momentos más oscuros, pensaba que salía simplemente porque no podía soportar estar sola. Si estaba sola, a veces sus pensamientos volvían a Rachel: el vacío, que era el único legado de su ausencia, y la rapidez con la que te borra la muerte, de una manera tan inmisericorde, tan absoluta.

La pareja australiana del piso de arriba, Kerry y Jane Mossop, celebraba fiestas al menos una vez a la semana, y Katherine siempre estaba invitada. Fue en una de las fiestas de los Mossop donde conoció a Graham. Kerry Mossop los presentó.

—Kathy —Kerry siempre la llamaba Kathy, y ella había dejado de intentar convencerlo de que no lo hiciera—, te quiero presentar a Graham Cotterell-Jones. Tiene una galería de arte.

Graham era rubio, pulcro y guapo. A diferencia de la mayoría de los otros invitados varones, que iban con vaqueros, él llevaba un traje oscuro con cuello Nehru. Katherine habló con él, gritando para hacerse oír por encima del tocadiscos y la conversación de cincuenta personas apiñadas en el pequeño salón. Él le habló de su galería en el Soho, le llenó la copa y le ofreció Gitanes insistentemente. Luego bailaron, con la palma de él acariciándole el culo, el pecho de él apretado contra sus pechos. En algún momento en el curso de la noche, ella se dio cuenta de que aunque podría haberse ido a la cama con él, no pensaba hacerlo. Tenía algo inquietante, ligeramente reptiliano. Hacia la una de la mañana, Katherine se separó y dijo, muy animada:

—Bueno, ha sido una fiesta estupenda, Graham, pero tengo que irme. Mañana trabajo.

—¿Irte? —repitió él.

—Pues sí. Es tarde. Mañana trabajo...

—Ya lo has dicho. —Había una expresión de frío desagrado en sus ojos, que hizo que ella se alegrase de haber decidido no pasar la noche con él.

Buscó a Kerry y Jane y les dio las gracias por la fiesta, y luego salió de la habitación y bajó las escaleras. Mirándose en el espejo de su habitación vio que tenía las mejillas sonrojadas y el maquillaje estropeado, lo cual le daba un aspecto bastante chabacano. Se echó agua fría en la cara. Se sentía bastante borracha y le zumbaban los oídos por la música y la conversación.

Sonó un golpecito en la puerta y abrió. Graham estaba de pie en el umbral.

—¿Sí? —dijo ella.

—Tenemos un asunto pendiente, ¿verdad, Katherine?

Sintió miedo e intentó cerrar la puerta, pero Graham metió el pie dentro.

—Perra —le dijo bajito, y luego le dio un empujón, con la palma apoyada en el pecho de ella, de modo que cayó de espaldas.

Katherine oyó que la puerta se cerraba. Estaba agazapada en el suelo; él la miraba. Sonreía.

—Ya ves —dijo—. No me gusta que me den calabazas, Katherine.

Ella tenía la mente en blanco.

—Vete. Vete ahora mismo —dijo. Pero las palabras no salieron tal y como había pensado, y sonaron inseguras y dubitativas.

—Ya te lo he dicho. —Sus ojos tenían una expresión despectiva—. Tenemos un asunto pendiente.

—¿Qué quieres decir? —El corazón de ella latía con fuerza.

—No me gustan las calientabraguetas, Katherine. Y tú eres una calientabraguetas, ¿verdad? —Él la levantó hasta ponerla de pie, mientras hablaba. Ella gritó, pero él la abofeteó una y otra vez hasta que volvió a caer al suelo, aturdida por el dolor y la humillación.

Entonces él se agachó junto a ella:

—Tienes costumbre de hacer esto, ¿verdad, Katherine? —susurró. Su cara estaba muy cerca de la de ella y sus ojos brillaban—. Provocar a los hombres y luego cerrar las piernas. Te pone, ¿verdad? Bueno, pues no voy a dejar que me hagas eso a mí. —Se oyó ruido de rasgar una tela cuando le abrió la blusa. Katherine, al reconocer el placer en los claros ojos de él, se dio cuenta de que ya había hecho aquello antes, y que ni se le ocurría que estuviese mal.

—Por favor... —dijo. Y él la volvió a abofetear.

—Me provocas toda la noche y luego me dejas con la miel en los labios. Eres una zorra, ¿a que sí? Una puta frígida de lo peor.

Y entonces le subió la falda hasta la cintura. Ella gimió mientras los dedos de él se introducían en los recovecos de su cuerpo.

—No, por favor..., no, por favor... —La piel de él, caliente y pegajosa, se apretaba contra la de ella. A Katherine le dio náuseas. Notaba que estaba sollozando. Sus brazos se agitaban desesperadamente mientras luchaba por separarse de él. Le oyó decir con brusquedad:

—Quieta, zorra.

Milagrosamente, los dedos de ella rozaron algo suave y frío: un cuenco que había quedado allí tras su apresurada cena, con sopa de tomate. Lo cogió y se lo tiró. Le dio en un lado de la cabeza, y al relajar momentáneamente la presión con que la tenía sujeta, ella se retorció a un lado y fue dando tumbos hacia la puerta. Como en una pesadilla, notaba sus músculos muy débiles y torpes, pero de alguna manera consiguió girar el picaporte, escapar hacia el baño que estaba enfrente y cerrar el pestillo justo antes de que él agarrase el picaporte.

Se sentó en el suelo del baño, con las rodillas apretadas contra el pecho, tapándose los oídos con las manos mientras él gritaba y golpeaba la puerta. Al cabo de un largo rato oyó pasos que bajaban las escaleras. No se atrevía a salir de la habitación; pensaba que nunca tendría el valor suficiente para salir de allí. Miró el reloj. Esperaría veinte minutos, se dijo. Se quedó sentada, temblando por la reacción, con la cara y el cuerpo doloridos y magullados, observando cómo se movían las manecillas del reloj. Cuando hubieron pasado veinte minutos, se levantó y abrió una rendija de la puerta, mirando con rapidez a derecha e izquierda. Veía su mano temblar al apoyarse en el picaporte. La puerta de su habitación estaba abierta de par en par. Intentó atisbar entre las sombras. La luz estaba encendida, pero los muebles estaban envueltos en la oscuridad. Ella registró la habitación –dentro del armario, bajo la cama, en el aparador que había bajo el fregadero– y luego cerró la puerta y colocó el sillón ante ella.

Katherine ordenó la habitación. La vajilla sucia fue a parar al fregadero y los restos de comida al cubo de la basura. Colgó su ropa en el armario y alineó los libros en el estante. Arrodillada en el suelo, limpió la sopa de tomate del linóleo, frotando con un trapo, una y otra vez. Seguía recordando cómo había manchado el rojo la piel blanca de él. Solo dejó de frotar cuando ya no podía ver por las lágrimas.

Luego se quitó toda la ropa, prenda a prenda, las echó en el cubo para lavar, llenó el fregadero de agua caliente y se lavó hasta el último centímetro de su cuerpo mientras lloraba.

Cuando hubo terminado se echó en la cama. Sentía odio hacia sí misma y una terrible y aplastante soledad. Pensó que no podría dormir –cada crujido de una tubería era un paso, cada ruido del tráfico, el aliento cálido de él en la cara–, pero al final lo consiguió.

Katherine soñaba. Rachel estaba a los pies de su cama. Le intentaba decir algo, pero Katherine no oía lo que le decía, porque tenía un peso enorme encima, asfixiante y molesto. Buscando aire para respirar, abrió los ojos y vio que la luz pálida del amanecer ya entraba por los cristales de la ventana.

No salió de casa durante tres días, hasta que las magulladuras y los moretones de los ojos se fueron desvaneciendo. Al final, al salir a buscar comida, se imaginó que los ojos despectivos de él la observaban. Cada movimiento repentino, cada sonido inesperado la sobresaltaban. Llamó a la agencia de trabajo temporal y dijo que estaba enferma e instaló un cerrojo con cadena en su puerta.

Pensó en irse a casa, preguntándose si en su pequeño y familiar dormitorio, con sus fotografías ya amarillentas de ciudades extranjeras y carteles de *El agente de C.I.P.O.L.*, se empezaría a sentir a salvo otra vez. Sabía que nadie le preguntaría por su repentino regreso. Los Constant no preguntaban, pensó amargamente. Los Constant eran expertos en falta de curiosidad. Ella nunca estuvo segura de si era por tacto o por indiferencia, o si el ambiente de la casa —el perpetuo cansancio y malhumor de su madre, y la preocupación de su padre por su trabajo— facilitaban ese distanciamiento. La casa de los Constant era siempre como un caldero en ebullición: si una emoción inesperada o una necesidad imprevista se hubiese añadido al brebaje de las brujas, solo el cielo sabe cómo se podría haber desbordado. Ella no estaba segura de que en esta ocasión fuese capaz de ocultar lo que le había ocurrido; temía llevar la desesperación escrita en los ojos.

Así que preparó la bolsa de viaje y tomó el tren a Lancaster. Al llegar a casa de Liv esperaba quizá sentir otra vez aquel puntito de envidia por la vida doméstica, por el deleite de la vida de casada, pero no fue así, no sintió apenas nada en absoluto; en realidad, solo el vago alivio de no estar ya en Londres.

Liv la abrazó para darle la bienvenida, le preparó sopa de verduras y bollitos caseros, y atizó el fuego para que no sintiese frío. Katherine hablaba continuamente, de nada y de todo, excepto de aquella cosa terrible que le había ocurrido. Por la tarde, Stefan se retiró a su estudio y Liv dio de mamar a Freya, la última toma del día. Katherine iba remoloneando por la habitación, hojeaba los libros y luego los devolvía a los estantes. Vio que Liv la miraba y le dijo rápidamente:

—Stefan de profesor particular... Él lo odia, ¿no?

Liv frunció el ceño.

—Prefería la universidad, sí.

—¿Y crees que continuará mucho tiempo?

—Tiene que hacerlo —dijo Liv, bruscamente—. No tenemos otros ingresos.

A Katherine le costó un momento comprender que Liv lo decía literalmente: que el trabajo a tiempo parcial de Stefan en la enseñanza era su única entrada de dinero. Dijo, dudando:

—Supongo que los bebés no salen muy caros, ¿no? Quiero decir que no comen mucho, y sus ropas y cosas son muy pequeñas.

Liv empezó a decir algo, pero cambió de opinión. Luego dijo:

—Vigílala un rato, mientras yo cojo un pelele limpio.

Y le pasó a Katherine el bebé. Katherine sujetó a Freya con torpeza, mientras Liv corría al piso de arriba. Freya eructó y ella pensó: «¡Dios mío, mi camisa nueva de Bus Stop!», pero al mirar por encima de su hombro vio que su blusa seguía limpia. La cabecita de Freya cayó sobre su hombro y su pequeño y cálido cuerpo se relajó. Katherine levantó un dedo indeciso para acariciar la suave mejilla de Freya y la niña sonrió con un gesto adorable, tierno, que fundió el corazón de Katherine. Una lágrima solitaria bajó por su mejilla, pero no se atrevió a levantar la mano para secársela por miedo a dejar caer a Freya. Luego Liv bajó las escaleras, agarró a la niña y dijo:

—Cuéntame.

—Contarte, ¿qué? —Sus palabras sonaban jadeantes y ahogadas.

Liv dejó a Freya encima de la alfombra y le empezó a cambiar el pañal y el pijama.

—Dime qué es eso que tanto te preocupa.

Katherine pensó en decir: «No me preocupa nada», o «no importa», pero no fue capaz; por el contrario, se apretó las manos contra los ojos doloridos. Al final, dijo:

—Algo espantoso. No puedo... —Su voz se apagó.

Liv la miró.

—¿Tiene que ver con el trabajo? —Katherine negó con la cabeza.

»Con tu familia, entonces. ¿Simon... o Philip? —Otra negativa con la cabeza.

»¿Un novio? —Como Katherine no respondía, Liv añadió muy bajo—: Somos hermanas de sangre, ¿recuerdas?

Katherine recordó la hoguera y la muñeca de Rachel. De pequeña siempre sentía en parte envidia y en parte desprecio por Rachel, por su enorme colección de muñecas, y obtuvo una satisfacción particular al contemplar cómo ardía la presumida *Miss Francia*. Intentó sonreír.

—¿Crees que todavía cuenta, aunque ya solo seamos dos?

—Claro que sí. Más aún, si cabe.

Liv se había arrellanado en el sillón para seguir amamantando a Freya. Katherine se oyó a sí misma decir:

—Es que me siento tan idiota... y tan sucia...

Luego, entrecortadamente, salió todo: la fiesta, Graham, que en unos pocos minutos le quitó la dignidad, el respeto por sí misma y la confianza.

No se lo contó todo, claro. No le dijo a Liv que jamás había disfrutado al irse a la cama con un hombre: estaba demasiado avergonzada de aquello. Cuando terminó, intentó reírse:

—En realidad no me hizo nada... y estaba tan ridículo con la sopa de tomate manchándole todo el traje... —Pero ya veía que Liv no se dejaba convencer, ni remotamente. Estaba tan acostumbrada a ser la fuerte, la que siempre sabía cuidarse, que era duro reconocer la profundidad de su desesperación.

Liv miró a Katherine.

—¿Fuiste a la Policía? —le preguntó.

—Claro que no. ¿Para qué habría servido?

—Él te atacó.

—Diría que yo le di pie, ¿no? Después de todo, no soy exactamente una virgen...

—Eso no cambia nada.

—Tú sabes que sí, que lo cambia, Liv —dijo Katherine, con vehemencia—. Escribí un artículo sobre casos de violación para la revista. Las mujeres prácticamente deben ser monjas para tener la mínima esperanza de ganar ante un tribunal. —Se miró las manos—. Pero de todos modos no es eso. Eso puedo soportarlo. Son las demás cosas.

Liv acunó a la niña dormida encima de su hombro.

—¿Qué otras cosas?

Katherine soltó una risita peculiar.

—Sigo pensando que es culpa mía, de alguna manera. Sé que es una tontería, pero no lo puedo evitar. Él dijo que yo era una..., que yo le había provocado. Y pienso: Bueno, es verdad, llevaba una falda muy corta, y estaba bastante borracha, y me gusta gustar a los hombres, y...

—Katherine —dijo Liv, con amabilidad, y Katherine se calló, apretando los labios.

Luego dijo, más calmada:

—A veces pienso que es como si no hubiese captado bien en qué consiste ser mujer. No digo las cosas adecuadas ni hago las cosas adecuadas. Es como si hubiera reglas que yo desconozco. Pensaba que lo había dejado todo atrás al irme a Londres. Tenía un trabajo que me gustaba, amigos, ropa bonita, un lugar para mí sola... Todo lo que había querido siempre. Pero ahora todo parece haber salido mal, y además, ¿para qué sirve todo, si tienes miedo siempre? Si a la hora de la verdad cualquier hombre puede hacerme lo que le dé la gana, solo porque es más fuerte que yo.

—No todos los hombres son así —señaló Liv.

—Pero ¿cómo puedo distinguirlos, Liv? —Katherine se dio en la palma con el otro puño—. También me encantaba la casa donde vivo, pero ahora la odio. Me da miedo. Sigo pensando... Cada noche tengo que mirar debajo de la cama y en el armario. Es una tontería, ya lo sé, pero si no, no puedo dormir. Y tampoco me gusta salir ya. No me siento a salvo. Ya nada va bien... —Su rostro se arrugó.

—Deberías irte al extranjero —dijo Liv, y Katherine levantó la cabeza sorprendida.

—¿Cómo?

—Vete al extranjero. Viaja. Es lo que siempre has querido hacer.

Ella pensó en sus ahorros para dar la vuelta al mundo, que seguían intactos en el banco. Y entonces dijo:

—No puedo.

—Claro que puedes.

—Tú no lo entiendes. —Se enfadó con Liv por ser tan poco empática, por carecer de comprensión—. Si apenas puedo atravesar la puerta de mi cuarto, ¿cómo me voy a ir al extranjero?

—Te las arreglarás. —Liv acariciaba la espalda curvada de Freya—. Te las arreglarás, porque tienes que hacerlo, Katherine. Es cuestión de hacerlo. Y a ti siempre se te ha dado bien hacer cosas.

Por primera vez vio que en realidad sí que era posible: bastaba con subir a un avión o a un barco y dejarlo todo atrás.

Oyó decir a Liv:

—Una de nosotras tiene que viajar. Una de nosotras tiene que ver el mundo y hacer grandes cosas. Y no voy a ser yo, ¿verdad? Tampoco ha podido ser Rachel. Así que te toca a ti. —Se puso de pie, con Freya en brazos—. Y además, yo necesito que vayas. Alguien tiene que ir a buscar a mi padre, ¿no?

En Navidad, Thea vino a pasar unos días con ellos. Cuando acabó el primer día de su visita, a Liv le pareció que ambas estaban distanciadas. Thea estaba muy callada, como si se guardara algo. Lavando los platos, aquella noche, Liv exclamó:

—¿Qué pasa, mamá? ¿Qué problema tienes?

Thea la miró sobresaltada.

—No hay ningún problema —sonrió—. Todo va bien, Liv. Mejor que bien, en realidad. —Tomó aire con fuerza—. El caso es que te quería hablar de algo importante. Tengo que hablarte de Richard.

Liv al principio no supo a qué Richard se refería, y luego exclamó, asombrada:

—¿El señor Thorneycroft?

Thea parecía algo aturullada.

—Tendría que haberte dicho algo antes, ya lo sé, pero es que no estaba segura de lo que pensarías. Y como has estado tan ocupada... El matrimonio... y luego Freya..., pues no quería... Y las cabinas telefónicas son difíciles, y una carta habría parecido demasiado formal.

—Mamá, ¿de qué demonios estás hablando?

Thea se frotó la frente.

—Ay, cariño, me estoy armando un lío, ¿verdad? Liv, Richard y yo estamos enamorados.

El plato que Liv estaba lavando se le deslizó hacia el agua jabonosa. «Richard y yo estamos enamorados.» Quiso decir: Pero mamá, si tienes cincuenta años y el señor Thorneycroft lleva chaquetas de *tweed* con coderas de piel, y cojea, y...

—Pero hace siglos que lo conoces —dijo débilmente—, no pensaba...

—Siempre me ha gustado Richard. Y siempre lo he respetado. Ha pasado por tantas cosas... La guerra, la muerte de su mujer y su hijo en el bombardeo. Lo sobrellevó todo. Y yo admiro eso, la capacidad de sobrellevar las cosas.

—No como papá, quieres decir.

Thea dejó el trapo de cocina.

—Richard no se parece a tu padre, Liv, no. —Entrelazó las manos—. Cuando fui a trabajar para él, me gustó el hecho de que Richard fuese todo aquello que no era Fin. Que fuese callado, mientras que Fin hablaba por los codos, que fuera cerrado, mientras que Fin era abierto y espontáneo. Durante mucho tiempo, Richard fue solo mi patrón. Y luego, supongo, casi sin notarlo, se convirtió en un amigo. Fue muy amable conmigo cuando murió la pobre Rachel —suspiró—. Encuentro que valoro la amabilidad, la constancia y la fiabilidad mucho más que en mi juventud. Es poco romántico, ya lo sé, pero hay que atribuirlo a mi edad. —Thea miró a Liv y añadió con suavidad—: Yo quise mucho a tu padre. Pero fue agotador, y me frustraba. Tantas esperanzas y tantas decepciones... Cada vez que se iba yo pensaba que lo había perdido para siempre. Cada vez que volvía yo pensaba: ya está, no me volverá a dejar nunca más. Pero siempre lo hacía, siempre. Y al final, la verdad, es que ya no me importaba. No tenía la capacidad de preocuparme más. Casi me sentí aliviada de que hubiese terminado todo.

—¿Vais a casaros?

—No tenemos planes de hacerlo. Pensábamos...

—Porque papá puede volver a casa, ¿sabes?

Hubo un silencio. Thea dijo, en voz baja:

—Cariño, realmente, no creo que lo haga.

—Pero me envió una postal. —Hacía dos años y medio. Sin noticias desde entonces. Notó un dolor sordo en su interior, como el que podría producir una herida no curada.

—Sabes que me divorcié de Fin hace años.

—Pero aun así...

—Y creo, querida, que si él hubiera querido volver a casa, a estas alturas ya lo habría hecho.

«Para mi querida hija Olivia.» Ella no había pensado que todavía le importase tanto.

—Yo quise mucho a Fin —añadió Thea, lentamente—, y todavía lo quiero, de alguna manera, supongo. Pero no podemos vivir el uno con el otro... Creo que me había dado cuenta de eso antes de que se fuera, incluso. Y el amor, por sí solo, a veces no basta.

Sí que basta, pensó Liv. Tiene que bastar. Agarró una sartén sucia y empezó a frotarla con fuerza con un estropajo.

—Una se cansa de vivir sola, ya lo ves. Fernhill resulta muy aburrido desde que te fuiste, Liv.

—Está Diana —dijo ella, desafiante—. Y la mamá de Katherine.

—Si frotas tanto esa pobre sartén, le harás un agujero. —Thea suspiró de nuevo—. Sabes que Barbara Constant siempre está muy ocupada. Y Diana y yo últimamente no nos hemos visto demasiado. No puedo soportar ver lo que está haciendo con la hija de Rachel.

Liv levantó la vista, sobresaltada.

—¿Con Alice?

—La viste con ropita antigua de Rachel y le da sus juguetes para que juegue con ellos. —Thea parecía furiosa—. Ya ha apuntado a la pobrecilla en Lady Margaret, y a clases de baile, y de equitación también, sin duda. Y en cuanto a Henry... Henry no hace nada para disuadir a Diana de la ilusión de que Alice es otra Rachel. Me rompe el corazón verlo.... Por el bien de Alice, y por el de Hector. Y por el de Diana también —añadió, y su tono se suavizó un poco—. Ella no está demasiado bien. Solo tiene cincuenta y tres años, pero parece diez años mayor.

Liv miró por la ventana. Todo el día había esperado que hubiese nieve para la primera Navidad de Freya, pero el cielo seguía resueltamente azul y sin nubes. Dijo, sin convicción:

—Si el señor Thorneycroft y tú no pensáis casaros...

—Pensamos que podríamos vivir juntos. Es lo que hace la gente hoy en día, ¿verdad?

—¡Mamá!

—No estarás escandalizada, ¿verdad, cariño?

—Por supuesto que no.

—Y además —Thea tomó aire con más fuerza—, planeamos alquilar una casita en Creta.

—¡En Creta! —La sartén se escapó de las manos de Liv y golpeó el suelo con un fuerte ruido.

—A Richard siempre le ha encantado Creta y el clima sería mucho mejor para su salud. —Thea sonrió—. Será una especie de luna de miel prolongada, quizá. Puedes tener una luna de miel si te vas a vivir con alguien, ¿verdad?

—No veo por qué no.

—Entonces ¿tenemos tus bendiciones?

—No necesitas mis bendiciones, mamá.

—Pero aun así...

Liv estrechó a Thea entre sus brazos, con los guantes de goma, el estropajo y todo. Había lágrimas en sus ojos, pero parpadeó para eliminarlas.

—Claro que sí, mamá.

Estaba oscuro cuando Felix volvió a casa de los Wyatts después de seis meses en el extranjero, y sus zapatos crujieron sobre la escarcha al atravesar el jardín. Se filtraba la luz por entre las cortinas de terciopelo escarlata del comedor, y oyó, amortiguado por el cristal, el murmullo de una conversación. La puerta lateral estaba abierta, de modo que entró. Cuando apareció en el comedor, se hizo un silencio súbito.

Luego Rose chilló:

—¡Felix! —Y saltó de su silla; Mia sonrió ampliamente y su padre dijo:

—Cierra la puerta, hombre, y ven a calentarte.

Rose se agarró del brazo de Felix y sus pequeñas manos aferraron las suyas, heladas. La abrazó y la apretó contra sí, y ella apretó también la cara contra los pliegues de su abrigo.

Durante la cena tuvo tiempo de observarlos a todos. Rose se había cortado el pelo; con unas podaderas, por el aspecto que tenía. Sobresalían breves mechones castaños en torno a su fino rostro, lo que le daba el aspecto de un pilluelo callejero victoriano, pensó él. La luz de las velas que su madrastra siempre insistía en encender en el comedor iluminaba el pelo de Mia, largo, de un castaño rojizo, y su belleza perdurable y clásica, pero ponía de relieve también las ojeras que rodeaban los ojos de Bernard Corcoran y las arrugas que corrían desde su nariz hasta su barbilla.

Le preguntaron por Europa, y Felix les contó que lavó platos en un café de Ámsterdam, que recogió uvas en el sur de Francia y que vagabundeó por las calles de Florencia, respirando la belleza y la antigüedad de la ciudad.

Pasó la noche en un banco en los jardines Bóboli.

—Pero al cabo de un rato empezó a hacer frío —explicó—, y me había gastado hasta el último billete de mil liras. Pero tuve suerte... Empecé a hablar con alguien en un bar una noche y acabé enseñando inglés a las tres hijas regordetas de una *contessa*. —Hizo una mueca—. Bueno, intentando enseñarles. Se pasaban casi todas las clases comiendo caramelos y mirándome con la boca abierta. Apenas decían una sola palabra, y todas tenían los ojos muy grandes, castaños. Era como educar a un rebaño de terneritas.

—¿Cómo se llamaban? —preguntó Rose.

—Marietta, Constanza y Fiametta —dijo Felix.

Rose repitió los nombres para sí.

—Qué nombres tan bonitos. Si *Bridie* tiene hijas, las llamaré Marietta, Constanza y Fiametta.

—¿Quién es *Bridie?*

—Mi cobaya. Las vendían en una feria benéfica, Felix. Era terrible..., seis cobayas en una caja de cartón. Apenas se podían mover. Solo tenía dinero para comprar dos. Es horrible cuando pienso en las demás... En lo que les puede haber pasado...

—¿Cómo están los perros? —preguntó Felix, cambiando de tema rápidamente—. ¿Qué tal están *Bryn* y *Maeve?* ¿Y los caballos? —añadió, notando demasiado tarde el aviso en los ojos de su padre.

—*Beauty* murió justo antes de Navidad. —*Beauty* era la yegua de Rose. Las lágrimas afloraron a sus ojos y corrieron por sus mejillas.

—Debía de ser muy vieja —dijo Felix, consolador.

—Setenta y siete años de caballo. —Rose se secó la nariz con la manga.

La distracción la proporcionó Mia al traer el budín. Mia seguía las recetas de los libros de cocina de una manera aproximada, sustituyendo algunos ingredientes por lo que tenía a mano. Pimienta por canela, melaza por miel. Los gustos mal combinados chocaban en la lengua, quemaban la garganta y luego burbujeaban incómodamente en el estómago durante horas.

—Tenía que ser budín de limón y jengibre —explicó Mia, mientras servía grandes trozos de bizcocho esponjoso en los platos—, pero no tenía limones, solo naranjas, y el jengibre se me cayó detrás del frigorífico, así que he usado café. Y Tía María en lugar de Grand Marnier.

—Buenísimo —dijo Bernard, efusivamente.

—¿Lleva huevos? —preguntó Rose, suspicaz.

—Media docena.

—Yo no como huevos.

—Rose se ha vuelto vegetariana.

—Vegana, papá. No como huevos, ni queso, ni leche. Ni animales muertos, claro.

—Pero comes chocolate, ¿no? —preguntó Felix—. He traído un

poco de Suiza. –Los ojos de Rose se iluminaron–. Está en mi mochila, en el vestíbulo.

Ella salió corriendo de la habitación. Mia fue a poner de comer a los gatos, dejando a Felix y a su padre solos. Felix le preguntó por los negocios. Bernard Corcoran frunció el ceño.

–Llevamos seis meses muy malos, a decir verdad. Pero espero que haya pasado ya lo peor. –Le ofreció unos cigarrillos a Felix y se encendió uno él mismo–. De repente, parece que nos hemos pasado de moda. Todos esos sitios nuevos, tiendas de Londres llenas de cromados y pana, nos están quitando el negocio.

La casa Corcoran estaba especializada en papeles pintados clásicos hechos a mano. A lo largo del siglo que llevaba de existencia, Corcoran había adquirido una enorme cantidad de antiguos tacos de estampación, elegantes rayas Regency, *chintz* florales y delicadas *chinoiseries.*

–Al parecer tenemos una imagen que no es la adecuada –gruñó Bernard–. Eso es lo que me ha dicho uno de esos chavales de la City. Un consultor. Alguien me lo recomendó. Un horrible Flash Harry.* ¡Llevaba joyas, por el amor de Dios! Bueno, el caso es que más o menos nos vino a decir que éramos unos dinosaurios, anclados en el pasado. Abre el whisky escocés, ¿quieres, Felix? Me vendría bien tomarme un sorbito, y estoy seguro de que a ti también, después del viaje.

Felix sirvió dos vasos. Oyó añadir a su padre:

–Nos dijo que invirtiéramos en nuevos diseños. ¡En diseños más baratos! –El disgusto de Bernard era palpable–. Para todas esas casitas diminutas que están construyendo hoy, supongo, y vendiendo a precios desorbitados. –Bernard suspiró–. He tenido que pedir algo de dinero prestado..., costes de inversión, ya me comprendes.

---

* Flash Harry: Personaje de ficción de una serie de películas inglesas de las décadas de 1950 y 1960 ambientada en el internado de señoritas Saint Trinian. El término se aplica por antonomasia a personajes ostentosos, vestidos de manera llamativa y de modales chabacanos. *(N. de la T.)*

Felix miró a su padre.

—Pero tú odias pedir dinero prestado. Siempre has dicho...

—Que no quiero deber ni que me deban. Ya lo sé. Pero no ha quedado más remedio. A veces uno no está en situación de elegir, y aunque tenemos activos, nos falta liquidez. —Bernard se sirvió más whisky e hizo un visible esfuerzo por sonreír—. De todos modos, estas cosas son muy aburridas. Me alegro mucho de que hayas venido, Felix.

—Yo también me alegro de haber vuelto. —Y era cierto: la intensidad de su placer al volver a casa le sorprendía mucho.

—Es una lástima que no pudieras venir por Navidad. Estábamos aquí los tres, más solos que la una.

—No pude librarme antes de Navidad, papá. Prometí quedarme hasta Año Nuevo. —No era verdad del todo: se alegró mucho de la posibilidad de quedarse en Italia. La Navidad, más que cualquier otro momento, ponía de relieve las ausencias y los cambios.

—¿Volverás a ese sitio *hippy?*

—¿A Great Dransfield? No. No he hecho aún ningún plan. Probablemente vuelva a Londres unos pocos días, a ver a algunos amigos..., a ver qué hago a continuación.

—Sabes que siempre hay un lugar para ti aquí. Y en la fábrica, por supuesto. Podrías ser de mucha ayuda, a decir verdad.

Aquella misma noche, más tarde, él recorrió la casa y volvió a todos sus lugares familiares. El desván, con sus ventanas de ojo de buey insertas en unas buhardillas curvadas. El rellano, con su enorme y preciosa ventana con una cristalera *art nouveau* que daba al jardín delantero. La casa era armoniosa sin ser remilgada; el papel de las paredes era de Corcoran, claro, y los muebles y adornos, gran parte de ellos diseñados especialmente para Wyatts, encarnaban el principio de William Morris de resultar tanto bellos como funcionales.

Dejó la mochila en su habitación y fue en busca de Rose. Ella estaba acurrucada en el alféizar de la ventana de su habitación, comiendo chocolate.

—¿Hay sitio para mí?

—Claro que sí.

Ella encogió las piernas y él se sentó a su lado. Ella metió la cabeza en el hueco del hombro de él, y dijo:

—¡Mira que no venir a casa por Navidad, Felix! ¡Qué malo! ¡Dejarme con la espantosa Mia!

—Lo siento. —La abrazó—. Te he traído esto.

Le entregó un paquete. Ella lo abrió.

—¡Qué bonito! —Era un pañuelo de seda, pintado a mano con varios tonos de azul, verde y dorado—. Lo llevaré siempre. —Se envolvió el pañuelo en torno a los hombros y él pensó que su magnificencia la empequeñecía, realzando más aún su fragilidad y su indefensión.

Le preguntó tímidamente:

—¿Qué tal el colegio?

—Odioso. Quiero dejarlo. Puedo hacerlo si quiero, ¿no? Tengo casi diecisiete... Soy mayor ya, ¿no?

Parecía menor y se comportaba como si tuviera menos edad, pensó él. Le tendió la mano y ella le puso una porción de chocolate en ella.

—Si dejas el colegio, ¿qué vas a hacer?

—Papá quiere que vaya a una escuela de secretariado en Norwich.

—Pero ¿y tú, Rosy? ¿Qué quieres tú?

Ella murmuró:

—No lo sé.

—¿Quieres quedarte aquí?

—Lo haría, si ella no estuviese.

Su eterna hostilidad hacia Mia le deprimía mucho. Dijo:

—Mia es la mujer de papá. Sería mucho más fácil para ti si intentaras que te gustara.

—Mamá era la mujer de papá. —Sacó el labio inferior—. Y siempre anda alrededor de papá... Nunca me lo deja para mí sola... y cocina fatal.

Él sonrió.

—Eso es verdad —lo intentó otra vez—. Elijas la carrera que elijas, Rosy, será más fácil para ti si te quedas un año más en el colegio. Si quisieras trabajar con animales, por ejemplo.

De mala gana, ella lo miró.

—¿Tú crees?

—Claro que sí. ¿Sabes qué? Si sigues un poco más, te llevaré a pasar un fin de semana a Londres. Iremos adonde quieras: a Harrods, al teatro..., a cualquier sitio.

Su carita delgada se transformó.

—¿De verdad?

—Prometido —dijo él—. Que me muera si no es verdad.

A la semana siguiente se encontró con Nancy en un café en el Soho. Después de pedir café los dos, Nancy le preguntó a Felix por Italia y él le contó lo de las tres hijas regordetas de la *contessa*.

Nancy se echó a reír.

—Menos difíciles que India y Justin, supongo.

Él sonrió. Sabía que de la comunidad original solo permanecían Claire y sus hijos en Great Dransfield.

—¿Cómo están?

—Ahora van a la escuela local. Se han adaptado bien.

Haciendo un esfuerzo, preguntó:

—¿Y Saffron? ¿Todavía sigue con Lawrence?

—No. —Nancy tocó la mano de Felix—. A Saffron nunca le importó un pimiento Lawrence, ¿sabes?

—No estaba seguro, a decir verdad, de que le importara un pimiento nadie. Incluido yo.

Nancy, frunciendo el ceño, dijo:

—Cuando conocí a Susan...

Él la miró intrigado y ella continuó:

—El nombre real de Saffron es Susan. ¿No lo sabías, Felix?

—Nunca me contó demasiadas cosas. Solo que suspendió el examen de reválida y que dejó el colegio a los quince años. Y que se casó.

—Se casó con uno de los socios del despacho de abogados en el que trabajaba. Ella tenía dieciocho años y él cuarenta y uno.

—Nancy se quedó pensativa—. Siempre he desconfiado de los hombres que se casan con mujeres mucho más jóvenes. Huele a un deseo de control, ¿no crees? Y después de que ella perdiera el bebé...

—¿El bebé? —La miró sorprendido.

—¿No te lo contó? Sufrió un aborto tardío. Estuvo muy enferma. Bueno, el caso es que todo eso ocurrió en la época en que murió mi padre y tuve la idea de fundar la comunidad. El resto ya lo sabes. —Nancy suspiró—. Saffron no quiso nunca a su marido. Supongo que se casó con él por las cosas habituales..., por seguridad, quizá.

—O por dinero —dijo Felix.

Los fríos ojos castaños de Nancy se clavaron en los suyos.

—Ella no es tan corrupta —dijo en voz baja, y él recordó a Saffron con su deshilachado vestido índigo, con sus pieles Oxfam.

—No —admitió—. No lo es.

—Nunca quiso a Ronald, pero deseaba ese bebé, y se quedó destrozada cuando lo perdió. Eso era lo que quería decirte, Felix, que las pérdidas afectan a las personas de distinta manera. Algunas tratan de llenar el vacío y otras desconfían de cualquier implicación.

Él pensó que quizá él mismo fuera en parte como Saffron, y que en los años transcurridos desde la muerte de su madre hubiera estado evitando responsabilidades. Se encontró revisando incómodamente la media docena de trabajos que tuvo desde que dejó la universidad, los muchos lugares diferentes donde vivió, la sucesión de relaciones sin futuro. Todas sus pertenencias cabían en una mochila. Antes se sentía orgulloso de su falta de posesiones, pero ahora se cuestionaba sus motivos.

Al despedirse de Nancy más tarde, se preguntó qué sueño le llevó a unirse a aquella comunidad. Quizá intentase recuperar lo que había perdido: la familia segura y cercana, quebrada para siempre la noche distante y tormentosa de diciembre en la que murió su madre. Andando por Piccadilly se sintió libre, como si el peso que llevaba hubiese desaparecido de sus hombros. «El nombre real de Saffron es Susan.» Al reemplazar lo exótico por lo corriente, él empezó a exorcizar parte de la fantasía y el misterio que ella poseía, y a ver en ella una humanidad imperfecta más realista (y más disculpable). Felix se quedó de pie en Piccadilly Circus, oyendo con cariño el rugido del tráfico y oliendo el aire familiar de Londres, frío y polvoriento. Pensó que al día siguiente buscaría un lugar para vivir y un trabajo. Sabía que no volvería a Wyatts: se había forjado su propio camino desde hacía demasiado tiempo y, además, uno nunca puede volver atrás. Pero sí que se convertiría en mejor hermano y mejor hijo. Y pasó entre la multitud hacia la estación del metro.

Llegaron postales de Katherine desde América a Holm Edge, a lo largo de los meses de invierno. Postales de desiertos rojos y ocres y de montañas con la cumbre blanca, y un puente arqueado y dorado. Liv las puso sobre la chimenea, donde los cielos azules contrastaban con las grises nubes invernales del exterior. Eran un vínculo con un mundo que se iba volviendo cada vez más remoto.

Stefan se enfrascó en sus planes para el huerto y el granero, pero sus energías se desvanecían con el viento y la lluvia primaverales. Cuando cavaba en el huerto, la lluvia le daba en la espalda y la cabeza sin cubrir, y la tierra se convertía en barro, a medida que el agua iba bajando por la ladera de la colina. Cuando la lona impermeable con la que cubrió temporalmente el tejado del granero se hundió por el peso del agua que acumulaba tras una fuerte tormenta, y empapó las paredes recién enyesadas, se encerró en su estudio y solo salía de vez en cuando para comer. Tenía mala cara, estaba blanco, exhausto y nervioso. Había una fragilidad en él que hacía que su carácter saltase a la menor provocación: un plato de la cena quemado, un juguete con el que había tropezado bajando las escaleras. Liv elegía sus palabras cuidadosamente cuando hablaba con él; cuando le rogaba que descansase, él se revolvía hacia ella, furioso.

Una noche, a finales de marzo, se despertaron por el escándalo que organizaban los gansos. Stefan se puso el abrigo y salió corriendo a tiempo para ver a un zorro, de un castaño rojizo y con la boca escarlata, salir disparado por la puerta del jardín. El gallinero era una carnicería de cadáveres sin cabeza, desperdigados entre la paja ensangrentada. A la luz de la linterna, la cara de Stefan estaba pálida.

—La puerta..., ¿cómo ha conseguido entrar por la maldita puerta?

Ella vio la acusación en sus ojos.

—Yo he cerrado el pasador de la puerta, Stefan. Estoy segura.

—¿Es que no puedo confiar en ti para nada? —Pasó a su lado bruscamente, alcanzó un pico y una pala y empezó a cavar un agujero en la tierra empapada para enterrar a las aves muertas.

Estuvo sin hablarle los dos días siguientes. A la hora de comer se sentaba en silencio, tamborileando con los dedos en la mesa. Liv le preparó sus platos favoritos, procuró que Freya no le molestase mientras trabajaba, le zurció los agujeros de los jerseys, preparó té y pastel casero. Ella le demostraría cuánto lo amaba, pensó, y así él volvería a amarla. Lo haría todo siempre bien y así él no volvería a enfadarse nunca más con ella.

Cuando Stefan se fue de casa el lunes por la mañana en coche a Lancaster, a Liv le dolía cada músculo del cuerpo por la tensión. Los bajos techos y las pequeñas ventanas de la casa parecían oprimirla; no podía soportar un día más en Holm Edge. Decidió llevarse a Freya a Lancaster. Le compraría unos zapatitos.

Stefan normalmente metía el dinero de la casa debajo del reloj de la chimenea, pero cuando fue a mirar, Liv no encontró nada salvo la hilera de postales, con sus cielos azules y sus bellos paisajes. Reuniendo el contenido de su monedero y sus bolsillos, metió a Freya en su cochecito y salió de la casa. La lluvia empezó de nuevo mientras esperaba en la parada del autobús, finas y frías agujas que se agarraban a sus pestañas y bajaban por su nariz. El autobús se retrasó, y Freya, aburrida cuando cesaba el movimiento, lloriqueaba. Liv la tomó en brazos, resguardándola con los dobleces de su propia trenca. Freya se retorcía, luchando para que la dejara en el suelo, pero justo cuando su cara estaba más enrojecida por la frustración, vio al autobús doblando la esquina, y la irritación de la niña se transformó en deleite.

La zapatería estaba muy llena, con media docena de niños a los que tomaban medidas para sus zapatos nuevos. Freya se quedó sentada en el regazo de Liv unos pocos momentos, pero luego se deslizó al suelo y empezó a explorar, yendo de silla en silla. Muchas madres y niños se apretujaban en la pequeña tienda. En el tiempo que le costó a Liv plegar la silla y meter las bolsas debajo de su asiento, Freya trepó a un expositor de zapatos, se incorporó para alcanzar un par especialmente atractivo y resbaló en el suelo de madera pulida con sus pies calzados con leotardos. Zapatos, precios y Freya cayeron al suelo.

Freya se puso a aullar, la dependienta de la tienda chasqueó la lengua con desaprobación. Freya tenía un hematoma rosa del tamaño de un penique en la frente, y cuando la dependienta intentó medirle los pies, se retorció, irritada, y se puso a llorar. La dependienta estuvo ausente lo que parecieron horas y horas, y reapareció con varios pares de zapatos cuando Freya ya se había calmado un poco. La niña empezó a lloriquear otra vez mientras la dependienta le abrochaba un par diminuto y rojo, moviendo sin parar los pies y echando la cabeza hacia atrás. Cuando Liv le preguntó a la dependienta el precio de los zapatos, el corazón le dio un vuelco. Miró en su monedero. Tenía siete libras, dos chelines y ocho peniques, y los zapatos costaban nueve libras con diez. No imaginaba que un par de zapatos de bebé pudieran costar casi diez libras. Rebuscó en los bolsillos y en el fondo de su bolso, por ver si tenía monedas sueltas, pero no había nada.

—¿Se los envuelvo, señora?

Le ardía la cara.

—¿Cuánto son estos zapatitos de lona? —Tenían en exposición unas sandalias con tela de cuadritos.

—No recomendamos esos zapatos para que caminen los bebés, señora. Si los lleva cada día, se podrían dañar los pies del niño. —La dependienta miraba desdeñosa a Liv—. ¿Se lleva estos, señora?

Liv negó con la cabeza.

—Hoy no. Me lo pensaré.

Agarró sus bolsas, a Freya y el cochecito y salió rápidamente de la tienda. Fuera, la lluvia le empapó la cara. Lágrimas de humillación ardían en sus ojos. Estaba a mitad de camino de Market Street cuando oyó una voz que la llamaba por su nombre.

—¿Olivia? Eres Olivia Galenski, ¿verdad? —Liv se giró—. Probablemente no me recordarás. Soy Camilla Green. Nos conocimos en la fiesta del profesor Samuels. —Unos agudos ojos azules se desplazaron de Liv a Freya y luego de nuevo a Liv—. ¿Y esta debe de ser...?

—Freya. Se llama Freya.

—Qué monada. ¿No es un encanto? —Camilla Green tocó las mejillas gordezuelas de Freya. Sus ojos curiosos volvieron a Liv—. Pensaba que os habíais trasladado. Nadie del departamento ha visto a Stefan desde hace siglos.

—Seguimos viviendo en Holm Edge.

—Nunca pensé que Stefan se quedara allí. Tan aislado. El peor lugar del mundo para alguien como él.

La lluvia fría como el hielo corría por la espalda de Liv y se metía debajo de su trenca. Si no corría perdería el siguiente autobús. Pero tuvo que preguntárselo.

—¿Qué quieres decir con eso de «alguien como él»?

Camilla Green se metió un mechón de pelo debajo del sombrero de terciopelo.

—Stefan necesita público, ¿no? Casi como un espejo. Es como si, sin la demás gente, empezara a preguntarse si realmente existe o no. —Se echó a reír—. Todas aquellas chicas que se arremolinaban a su alrededor al final de sus seminarios..., sus ménades, las llamábamos. Al principio pensábamos que se las llevaba a la cama, pero no era así. Simplemente, las necesitaba para asegurarse de que seguía estando allí.

Liv hizo un esfuerzo y dijo:

—Stefan está bien. Somos muy felices en Holm Edge. Tengo que irme. —Luego bajó por la calle rápidamente.

Perdió el autobús; en un café, pidió un té para ella y una galleta para Freya. A medida que la lluvia golpeaba la ventana, tuvo que reprimir una oleada de furia. Esa espantosa dependienta de la zapatería... No tener dinero para pagar los zapatos... Camilla Green... Recordó lo que Katherine dijo, alegremente: «Supongo que los bebés no cuestan mucho, ¿verdad?». Pensó en todas las cosas que no le contó a Katherine: las semanas que comían solo lentejas y patatas fritas, los largos recorridos de tienda en tienda para encontrar la hogaza de pan más barata, el paquete de té más económico. No importaba que ella se comprase la ropa en mercadillos de segunda mano, pero sí que no pudiera permitirse un par de zapatitos para Freya.

Y la soledad. Eso también importaba. Por primera vez tuvo que confesarse su terrible soledad. El aislamiento se había apoderado de ella, producto de la pobreza, la geografía y el orgullo de Stefan. A ella no le importaba estar sola: como hija única, estaba acostumbrada. Pero no estaba acostumbrada a sentirse sola. Primero fueron Fin y Thea, luego Rachel y Katherine. Fin se fue, Rachel estaba muerta, Katherine en América y Thea en Creta. Liv sabía que si le confesaba su situación a Thea, volaría a Inglaterra al momento. Pero no pensaba hacerlo, claro que no. No pensaba interrumpir la felicidad que irradiaba de las cartas de Thea. Era muy duro reconocer, aun para sí misma, que el amor de Stefan no era, como creyó en tiempos, todo lo que necesitaba.

Al abrir la cancela vio la silueta de Stefan recortada en la ventana de la cocina. Ella lo saludó, pero él no respondió. Entró en casa.

—¿Dónde has estado? —Su voz sonaba fría y dura.

—Lancaster. He ido a Lancaster.

—¿Con quién estabas?

El sufrimiento y el cansancio se desbordaron.

—Las únicas personas con las que he hablado hoy han sido el conductor del autobús, una dependienta de una tienda y Camilla Green. Ah, sí, y la señora que sirve en la tetería.

—¿Camilla Green? —repitió él, bruscamente—. ¿Por qué has hablado con Camilla Green?

—Porque nos hemos encontrado por casualidad, en la calle. Hemos hablado cinco minutos, si llega. Pero en realidad todo eso es asunto mío, Stefan, ¿no? Voy adonde quiero y hablo con quien me da la gana.

—Entonces no te daré dinero para la casa la semana que viene tampoco, ¿qué te parece? —Ella sintió un gran frío dentro, la ira reemplazada por la conmoción.

—Pensaba que te habías olvidado —susurró.

—No me he olvidado —dijo él. Sonrió—. Nunca me olvido de nada.

Ella recordó las gallinas y la certeza de Stefan de que la culpa era de ella.

—Quieres castigarme...

—Quería ayudarte a recordar que no debes ser tan descuidada. Darte una lección, Liv.

Él salió de la casa. Oyó el ruido desfalleciente del Citroën que bajaba por el camino. Se quedó donde estaba, envolviéndose con los brazos. Freya estaba dormida en el cochecito y el silencio de la casa parecía rodearla. El único sonido era el rápido golpeteo de su propio corazón. Al cabo de un rato se quitó el abrigo húmedo, lo colgó en el perchero y puso los guantes y la bufanda a secar en la estufa. Anduvo por la casa muy despacio, casi como si estuviera enferma, recogiendo un plato sucio por aquí, un puñado de juguetes por allá. Tras recoger una pila de libros de Stefan de la mesa, entró en su estudio.

Stefan había pegado unas hojas de papel a las paredes. Una compleja telaraña de flechas y líneas, dibujadas con rotuladores de colores, se extendía por el papel. Los diagramas trazaban el diseño de su libro. Cuando las examinó de cerca, Liv vio que las flechas de colores enlazaban un tema con otro, trazando el desarrollo de los mitos y su extensión de país en país. Se sintió como si estuviera atrapada en una telaraña de colorines.

Miró el escritorio de Stefan, esperando ver capítulos terminados, pero solo tenía unas pocas docenas de páginas mecanografiadas, tachadas con rayas feroces. Miró a su alrededor una vez más, le pareció que las líneas de colores envolvían la habitación como una maraña de cuerdas unidas entre sí, inextricablemente.

8

Katherine llevaba siete meses en el extranjero cuando una oferta del tipo de trabajo con el que siempre había soñado la obligó a volver a Inglaterra, en julio de 1971. Había conocido a Netta Parker, editora jefe de *Glitz*, en San Francisco. Netta estaba a punto de abandonar Estados Unidos para ir a Londres y poner en marcha una edición inglesa de la revista. *Glitz* llevaba más de dos años vendiéndose con éxito en Estados Unidos. Como Netta le explicó a Katherine, mientras tomaban muchos whisky sours, era una revista de mujeres «con cojones». Dobles páginas de moda muy llamativas, entrevistas polémicas y artículos muy explícitos sobre sexo. Y ni asomo de recetas ni rollos maternales. Al final de la noche, Netta encargó a Katherine que escribiese una columna mensual sobre sus viajes americanos. Netta quedó encantada con los artículos que le mandó Katherine y le prometió un trabajo cuando volviese a Londres.

Katherine se fue a casa a pasar un apresurado fin de semana, mimó muchísimo a Philip y dio lecciones de feminismo a su madre mientras la ayudaba a cocinar y hacer las tareas domésticas. Llamó por teléfono a Toby, que ahora estaba empleado en el negocio de diseño de interiores de sus padres, y a Felix, que trabajaba para una cooperativa inmobiliaria en Hoxton, y pasó una ruidosa velada en el pub con los dos.

Katherine empezó a trabajar la semana después de volver a Inglaterra. Las oficinas de *Glitz* eran grandes y diáfanas. Su escritorio era uno entre veinte en una sala donde sonaban sin parar los teléfonos y el tecleo de las máquinas de escribir. Encontró un apartamento en la primera planta de un edificio en Islington: cocina separada, dormitorio y salón, no habría más platos sucios en la cama. Ya no le importaba estar sola; el aislamiento que experimentó en el extranjero, apartada de todo aquello que le era familiar, la obligó a aprender a soportarlo.

En la belleza decadente de las ciudades europeas, en la resplandeciente enormidad de América, Katherine se prometió empezar de nuevo. No volver a permitirse nunca ser vulnerable. Aprendió a sentirse segura físicamente; evitaba andar sola por la noche por calles mal iluminadas, cerraba por dentro las portezuelas de los coches, comprobaba la seguridad de las habitaciones en las que dormía... Decidió ganar un buen salario, porque un trabajo bien pagado significaba que podía encontrar un piso decente, en lugar de una habitación con una cerradura de mala calidad, y que podía permitirse tener coche. En cuanto al amor, se dio cuenta de que no era para ella. Qué ironía, pensaba a veces, que trabajase para una revista cuyas páginas, todas y cada una de ellas, ensalzaban la necesidad de una vida sexual activa: ella, que había recuperado la castidad durante el último año.

A principios de septiembre, su editora dejó un puñado de fotos en el escritorio de Katherine.

—Un trabajo para ti, Katherine. Ha sido idea de Netta... Un artículo sobre hombres de éxito. Hombres de negocios, actores, deportistas, cualquiera que esté macizo. Una corta entrevista y una foto, ya sabes cómo va. Iba a hacerlo Sally, pero tiene la varicela, hay que ver.

Había media docena de fotos. Katherine examinó a los hombres.

—Los eligió Sally. Fantásticos, ¿no? Tendrás que darte prisa... necesitamos el artículo para finales de semana. Me voy corriendo.

Cuando se quedó sola de nuevo, Katherine miró con más detenimiento una de las fotos. El pelo de un castaño claro, corto, los ojos grises como esquirlas de granito, la barbilla ligeramente hendida.

Cuando dio la vuelta a la foto para leer el nombre escrito al dorso, de repente volvió a tener diecisiete años, volvió a llevar su vestido de Biba y sus botas de color ciruela en la boda de Rachel. «Madre mía, Katherine, me gustaría ponerte en hielo durante unos pocos años...»

Katherine quedó con Jordan Aymes en un pub junto a St. James Park. Le costó algo de tiempo encontrarlo –el Parlamento ya había suspendido sus actividades– y su secretaria dudaba de que él quisiera colaborar.

–¿Qué revista? *¿Glitz?* El señor Aymes tiene una agenda muy apretada, me temo.

Sin embargo, consiguió acordar una cita, y Katherine esperó en una mesa del bar. Llevaba un traje de cloqué azul pálido y se había arreglado recientemente el pelo, que llevaba cortado a capas. Sabía que, aunque ella lo recordase, él seguramente no; que, para él, ella fue solo una agradable pero efímera distracción, que lo ayudó a sobrellevar una ocasión formal y aburrida. Esperando y bebiéndose una tónica, se recordó a sí misma con diecisiete años y lo halagador que le resultó que aquel hombre, que evidentemente era muy sofisticado, la eligiera a ella en particular. Liv, pensó divertida, habría fantaseado sobre Jordan Aymes durante meses después de aquello, imaginándose que estaba enamorada de él, inventándose encuentros fortuitos y citas secretas. Pero ella no fue nunca demasiado soñadora, y sus pies siempre estaban firmemente asentados en el suelo.

Vio su silueta en la entrada del bar: un poco por encima de la altura media, ancho de hombros, con su perfil clásico. Le pareció que no había cambiado nada desde que se vieron por última vez. Cuando él se volvió y la miró, ella se levantó y le tendió la mano.

–Señor Aymes, me alegro mucho de que haya accedido a verme.

–Señorita Constant, el placer es mío. ¿Puedo pedirle una bebida?

–Una tónica, por favor. –Ella lo vio dirigirse a la barra. Cuando intentó escribir, vio que le temblaba la mano. Una letra garrapatosa como de araña, pensó, recordando el cálido cenador y las telarañas.

Él volvió a la mesa con las bebidas. Ella dijo:

—Si pudiera empezar por recapitular unos cuantos hechos...

—Lo que quiera, señorita Constant.

—Usted nació en 1935.

—En Reading, sí.

—¿No tiene hermanos ni hermanas?

—Fui el hijo tardío e inesperado de unos padres muy trabajadores, humildes y poco imaginativos.

—¿Y le importó mucho? —Ella lo miró—. Ser hijo único, quiero decir.

—No lo sé. ¿Debería?

Ella pensó en Rachel y que, de niña, ella envidiaba su intimidad, ser única. Se encogió de hombros.

—Quizá. A algunas personas les importaría, creo.

—Pues yo creo que a mí no. —Las comisuras de sus labios se curvaron hacia arriba y sus ojos se posaron en ella—. Temo que siempre he querido ser el centro de atención.

Ella consultó sus notas.

—Usted fue a un colegio privado y luego a un instituto. ¿Era feliz en el colegio?

—Mucho. Tenía cabeza para estudiar y también se me daban bien los deportes, cosa que me ayudó, supongo.

—Un par de años de servicio militar...

—De nuevo, muy agradable.

—Luego Oxford y al ayuntamiento.

—Hace usted que suene nauseabundamente predecible y aburrido, señorita Constant.

Ella levantó la vista.

—Su vida no ha sido aburrida en absoluto, señor Aymes. Más bien ha tenido suerte.

—¿Preferiría usted historias de abandono y de privación?

—Si tiene alguna.

—Lo siento. —Él sonrió—. Solo he vivido las tragedias más corrientes. Unos padres que ya eran de mediana edad cuando yo nací y que no vivieron para ver mi éxito. La experiencia, común a tantos de nosotros, que fuimos subiendo desde la nada, de no encajar nunca del todo en el medio en el que nos encontramos. Ese tipo de cosas.

—¿Ninguna ambición frustrada?

—Ah, sí, tengo ambiciones, pero creo que es un poco pronto aún para considerarlas frustradas. Y estoy seguro de que esos incomprensibles garabatos que tiene usted delante detallan mi carrera con absoluta meticulosidad, señorita Constant.

Ella leyó en voz alta:

—Ganó usted una elección para cubrir el escaño vacante de Litchampton East en el sesenta y seis, cuando tenía treinta y un años. Cuando el Gobierno de Heath llegó al poder en el setenta, fue usted nombrado secretario privado parlamentario del Departamento de Comercio e Industria. Se casó con Patricia de Vaux en el sesenta y dos, no tienen hijos, y vive usted en Hertfordshire. —Levantó la vista hacia él—. Así que tiene usted todo lo que quiere, señor Aymes.

—Ah —dijo él, en voz baja, mirándola—, yo no diría tanto...

—Bueno, entonces..., en el futuro... ¿Le gustaría llegar a primer ministro? —Ella sabía que hablaba atropelladamente.

—Bueno, eso sería estupendo, ¿verdad?

Ella vio la risa en sus ojos y se preguntó si se estaría riendo de ella.

—*Glitz*... ¿No es esa revista que ha conseguido una cierta reputación persuadiendo a ciertos caballeros mal aconsejados que posen llevando solamente un timón de barco, o una rosa estratégicamente colocada?

—No, una rosa, no —murmuró Katherine. Se esforzó por mirarle a los ojos—. Las espinas...

Él se echó a reír.

—¿Tiene alguna pregunta más, señorita Constant? ¿No quieren saber sus lectores cuáles son los gustos de sus entrevistados? ¿Sus coches favoritos? Llevo un Jaguar. ¿El lugar de vacaciones favorito? A mi mujer le gusta Portofino, pero yo debo decir con toda sinceridad que prefiero Escocia. ¿Mi plato favorito? Pues, desde luego, debo decir que no son los huevos de codorniz...

Ella levantó la cabeza sobresaltada. Lo miró.

—Señor Aymes...

—Señorita Constant. O quizá, como somos antiguos conocidos, debería llamarla Katherine.

Ella recordó la suavidad helada de la media docena de huevos de codorniz deslizándose por su garganta; se los comió porque la mirada calculadora de él la desafió a hacerlo. Dijo, furiosa:

—¡Me recordaba! ¡Se acordaba de mí desde el principio!

—Pues claro que sí. Nunca olvido una cara. Especialmente una cara como la suya.

Se estaba riendo de ella, pensó.

—Y ¿por qué no me lo ha dicho?

—Porque no estaba seguro de que tú me recordaras a mí.

—Es diferente. Claro que lo recordaba. —Tú eres memorable, quiso decirle ella. Yo no. Sintiéndose muy tonta, volvió a meter la libreta y los bolígrafos en el bolso.

—No quería ofenderte, Katherine. Por favor, quédate. Déjame que vaya a buscarte otra bebida —dijo él con suavidad.

—No, es igual —dijo ella, muy tiesa—. Ya tengo lo que necesitaba. Gracias por concederme su valioso tiempo, señor Aymes. —Y salió del pub.

Dos días más tarde, una carta marcada como «Privada y confidencial» llegó al escritorio de Katherine. Cuando ella vio la firma, aspiró aire con fuerza y encendió un cigarrillo.

Querida señorita Constant:

Como disculparse por escrito es una forma bastante cobarde, espero que sea lo suficientemente generosa como para permitirme enmendar mi conducta en persona. He reservado una mesa en el Terrazza, en Romilly Street, mañana por la noche, a las ocho en punto. Consideraría de una gran amabilidad por su parte que se reuniera usted conmigo allí.

La carta iba firmada *Jordan Aymes*.

Cuando Katherine recordaba la entrevista en el pub, su bochorno persistía. Pero era su propia conducta lo que la abochornaba: su ira, retrospectivamente, le parecía poco razonable. Jordan Aymes le explicó que no estaba seguro de que ella lo recordase. Suponer lo contrario habría demostrado una arrogancia insoportable por su parte.

Ella se vistió cuidadosamente con un vestido midi negro y zapatos de charol negro. En el restaurante, Jordan Aymes la esperaba en una mesa del rincón. Se puso de pie cuando ella se acercó.

—Señorita Constant.

—Katherine —dijo ella—. Por favor, llámame Katherine. En realidad todo esto no es necesario. Soy yo la que tengo que disculparme... No tenía derecho alguno a sentirme molesta, especialmente dado que fuiste tan amable de concederme la entrevista.

—Pero ahora que estás aquí —dijo él—, cenarás conmigo, ¿no, Katherine? —Lo contrario habría resultado grosero, así que se sentó.

La comida estaba deliciosa, y la conversación de Jordan Aymes era alegre, divertida y entretenida. El camarero les estaba sirviendo el café cuando Jordan dijo:

—Peinaste mi currículum el otro día con un peine fino, Katherine. Así que ahora es tu turno. Veré lo que recuerdo. Eres hija de un médico rural y su esposa. Tienes tres hermanos, uno mayor, otro menor y un gemelo. —Le ofreció un platito con bombones de chocolate y menta—. ¿Qué tal están tus hermanos?

—Michael es médico en prácticas en el Hospital Addenbrookes, en Cambridge. Simon trabaja para un marchante de antigüedades en Edimburgo. En cuanto a Philip, pues está igual.

Él la miró, inquisitivo.

—Philip sufrió daños cerebrales cuando tenía pocos meses de vida —dijo ella, cansinamente—. Por el sarampión. Así que no progresa como la mayor parte de la gente. —Se quedó callada. No podía imaginar por qué le contaba lo de Philip a Jordan Aymes, a quien apenas conocía.

—Lo siento —dijo él—. Habrá sido muy duro para tu familia.

Ella lo miró desafiante.

—No es ninguna carga, ¿sabes? Es más fácil quererlo a él que a la mayoría de la gente, de hecho.

Él le tocó la mano.

—No quería decir...

Ella hizo un esfuerzo.

—Perdón. Lo siento. —Sonrió—. Parece que nos disculpamos mucho el uno con el otro, ¿no? Claro que cuidar a Philip ha sido difícil, especialmente para mamá. Es que la gente supone cosas que me molestan, y... —Apartó la vista.

—Te muestras protectora con tu hermano. Es admirable, Katherine. —Sus ojos grises y fríos se estrecharon—. El caso es que he estado calculando. Tenías casi dieciocho años en el sesenta y ocho, y eso significa que naciste en el cincuenta. De modo que ahora tienes veintiuno.

—Mi cumpleaños fue el mes pasado.

—Ojalá lo hubiera sabido. Felicidades. No llevas anillo en el dedo, así que supongo que no te has casado... ¿Qué más sé de ti? Que te gusta el champán y los huevos de codorniz, claro. Que eres periodista. Y que conocemos los dos a Henry Wyborne. —Frunció el ceño—. Fue hace tres años, ¿verdad? En la boda de aquella pobre chica.

Ella pensó en Rachel, en su segundo vestido color azul empolvado. «Soy la señora Seton, pero me siento como si tuviera que volver al colegio el mes que viene.»

—Una chica tan guapa —dijo Jordan, en voz baja—. El pobre Wyborne ya no ha vuelto a ser el mismo. A decir verdad nunca fui muy amigo de ese hombre, pero desde entonces... Bueno, a veces, la verdad es que me da mucha pena.

—No he visto al señor Wyborne desde hace siglos. Y a Hector no lo he visto desde el funeral. Me pregunto qué estará haciendo... Dónde se habrá metido. Si lo ha conseguido superar. —Katherine hizo una mueca—. Eso es lo que pasa cuando ocurren cosas horribles, ¿verdad? A uno le parece que solo es el hueco espantoso, el que ha dejado la persona que se ha ido, pero es algo más. Es como..., como si se resquebrajara un cristal.

—¿Un efecto como de reacción en cadena, quieres decir? —Jordan se quedó pensativo—. La estrella de Henry Wyborne estaba en ascenso en el partido justo antes de que muriese su hija. Lo señalaron para un puesto ministerial. Pero desde entonces ya no pone el corazón en esto. Se deja llevar por la inercia. –Se encogió de hombros–. Circunstancia que da una oportunidad a la gente como yo, supongo.

Katherine pensó en el caos de su vida después de Rachel: su falta de dirección y su deseo frenético de llenar todas las horas del día. Dijo lentamente:

–Supongo que después de que muriese, yo perdí mi camino.

–¿Y lo has encontrado de nuevo?

Una vez más, la mirada de él la desconcertó.

–Eso espero –dijo, en voz muy baja–. Eso creo.

A menudo, a Liv le parecía que la tierra misma se estaba volviendo contra ellos. El huerto, que todavía no era más que una fracción del enorme *potager* que Stefan planeaba, parecía estar asolado permanentemente por la enfermedad y las plagas. Los gusanos se retorcían en el interior de los frutos diminutos y ennegrecidos de los manzanos y ciruelos, y una legión de babosas y caracoles convertía en encaje las hojas de coles y lechugas. En primavera, el viento y la lluvia azotaban las plantas, convirtiendo los semilleros a medio formar en un mar de barro. En verano, no llovía durante varias semanas seguidas, de modo que tenían que acarrear interminables latas de agua desde la casa al huerto. Nada parecía crecer con el tamaño apropiado; se alimentaban de miniaturas marchitas.

Ahora ella comprendía que Stefan la culpara a ella de sus reveses, porque no podía culparse a sí mismo ni a su situación. Y hubo muchos reveses aquel año. Cada uno de ellos –el hollín que llenaba el tiro de la chimenea se incendió, la manguera doble que bombeaba el agua se rajó y el agua se derramó por el suelo, los gansos desaparecieron durante semanas y los acabaron descubriendo incubando un montón de huevos infértiles– traía consigo desaprobación y culpa. Cuando Liv intentaba razonar con Stefan, él se enfadaba o se retiraba: se ausentaba de casa o se encerranba en su estudio hasta que le cambiaba el humor y entonces la obsequiaba con alguna ofrenda de paz cara e inadecuada: un ramo de flores comprado en una tienda, un canario en una jaula o un collar de cuentas victoriano de una tienda de antigüedades de Lancaster.

A medida que iban pasando los meses, gradual pero inexorablemente iban cayendo en la pobreza. Liv se esforzaba por apañarse, pero gran parte de lo que poseían ya no tenía arreglo. A las sábanas ya les habían dado la vuelta, y ella zurcía sobre lo zurcido y ponía parches encima de los parches. No le importaba que sus propias ropas estuvieran raídas, aunque se sorprendía a sí misma mirando con añoranza los escaparates de las tiendas en Lancaster, pero sí le importaba que lo estuvieran las de Freya. Una vez, cuando se quedó sin dinero para la casa y no había nada en el huerto, ella y Freya tuvieron que comer patatas fritas durante una semana. A menudo, Liv aprovechaba los restos de la comida de Freya. Manzana cocida, natillas, arroz con ciruelas, carne picada con patatas, se lo comía ya estuviese tibio o frío, de pie en la cocina, al final de otro largo día, dolorida por el agotamiento, demasiado cansada para cocinar para ella sola.

En julio, ayudó a Stefan a revisar el sistema de índices de su libro. Con el nuevo sistema ya en marcha, le explicó él, al final podría empezar a escribir. Trabajando por la noche, Liv recordó su primera visita a Holm Edge, la intimidad de los dos, fácil y sin forzar, el encanto y la animación de Stefan. Acabaron los índices al amanecer, se fueron a la cama e hicieron el amor. Entre los brazos de él, ella creyó que habían empezado de nuevo.

Pero a lo largo de las semanas siguientes se acumuló en el escritorio de Stefan un caos de papeles con marcas de Tipp-Ex, lleno de párrafos cortados y pegados. La telaraña de diagramas en las paredes del estudio fue creciendo, reptando por el techo. La euforia de Stefan se desvaneció y fue reemplazada por la tensión. Como estaban en agosto, no tenía trabajo en la enseñanza. Cuando llegaban facturas con el correo de la mañana, él las recogía y desaparecía en su estudio.

Se estaban abandonando, anunció una mañana. No conseguían ser autosuficientes y eso significaba que estaban a merced de otros. Harían sopa con ortigas y envasarían bayas y frutas para aguantar durante los meses de invierno. Limpiaron y frotaron las viejas ollas de hierro, abandonadas en el granero, para hacer conservas. Un cocimiento de hojas de un color fangoso burbujeaba de manera poco apetecible en el fogón. Hicieron conservas de cebollas, zanahorias, coliflor y remolacha; alineados en los estantes del granero, los tarros recordaban a Liv las nauseabundas cosas en formol del laboratorio de biología del Lady Margaret. Solo con mirarlas se ponía mala. Incluso había dejado de acabarse los restos de la cena de Freya; al enfrentarse a un cuenco de cuajada en el cual Freya escupió varios trocitos de salchicha, tuvo que correr al baño a vomitar.

En el perímetro sur del jardín de Holm Edge crecía una maraña de zarzamoras silvestres. Las cosecharían todas, declaró Stefan una tarde cálida de finales de agosto, y harían mermelada y confitura. Tenía mucha vitamina C, así que sería muy buena para Freya. Llevaron cestas, escaleras y tijeras de podar al fondo del jardín. Las zarzas eran espesas y estaban provistas de largas espinas. Aunque fue fácil arrancar las primeras moras, las mejores parecían estar siempre fuera de su alcance. El sol le daba con fuerza a Liv en la cabeza y, cuando se sentó a descansar, Stefan gritó:

—¡Vamos, por el amor de Dios, Liv, si acabamos de empezar!

Su voz tenía aquel filo peligroso, esa indicación de que se avecinaban tormentas.

Ella se esforzó por seguir trabajando. Freya se pinchó con una zarza y se echó a llorar. Una rama rasgó la falda de Liv, de modo que quedó colgando del dobladillo una tira desgarrada. Llevaba los dedos teñidos de negro por el zumo y las avispas zumbaban en torno a las cestas llenas de frutos. Algunas de las bayas eran muy jugosas, otras no estaban maduras. Stefan se subió a la escalera para alcanzar las que estaban en la parte superior de los arbustos.

—Debe de haber kilos y kilos aquí —dijo—. Te estás dejando las que tienes a tus pies, Liv... Deberías tener más cuidado. Recógelas tú, Freya. La tonta de mamá se deja moras tan bonitas como esas. En cuanto tengamos muchas, podremos probar con las avellanas. He encontrado una receta de crema de avellanas para untar.

Mucha vitamina D... Si conseguimos la comida suficiente para aguantar el invierno, yo podré dejar esa maldita academia...

Aquella noche Liv estaba echada, despierta, mirando hacia la oscuridad. Vio la escena claramente: ella misma con su vestido roto, sin atreverse a dejar de recoger moras; Freya, con las manos y la cara manchadas y arañazos en brazos y piernas. Y Stefan, subido en la escalera, incitándolas a que se esforzaran más. No acabaron hasta que se puso el sol. Freya se quedó dormida en la hierba, enroscada, formando un ovillo, con el pulgar en la boca. Liv estaba demasiado cansada para bañarla, demasiado cansada para comer, demasiado cansada para hacer otra cosa que echarse, con los músculos temblorosos, intentando desechar ideas espantosas.

«Podré dejar esa maldita academia..., la comida suficiente para aguantar el invierno..., las avellanas después..., mucha vitamina D...»

El tono de irracionalidad en la voz de Stefan resonaba en la oscuridad, y Liv temblaba. Me da miedo, pensó. Era la primera vez que lo admitía ante sí misma. Se quedó mirando hacia las estrellas y pensó: Me da miedo Stefan.

Un fin de semana, Katherine fue en coche hacia el norte a visitar a Liv. Subiendo por el camino, aparcó ante Holm Edge, miró la casa y pensó que tenía un aspecto triste, abandonado: faltaban tejas del tejado, la hierba estaba sin cortar. Stefan se encontraba de pie ante la puerta delantera. Katherine lo saludó, pero mientras él cruzaba el jardín para acercarse a ella, en sus ojos no se veía ni asomo de bienvenida, y ella dijo, inquieta:

—Soy yo, Stefan. Katherine.

—Liv no me ha dicho que venías.

—Lo he decidido de improviso. Espero que no os importe.

Hubo una pausa absurda e inquietante en la que parecía que él iba a decir: «Pues sí, en realidad sí que me importa», y le haría dar la vuelta. Pero abrió la puerta.

—Será mejor que entres.

Al abrir la puerta delantera, llamó a Liv y se oyeron pasos que bajaban deprisa las escaleras.

—¡Katherine!

—¡Livvy! —Katherine le dio un rápido abrazo, pero Liv estaba tensa y no respondió—. ¿No te alegras de verme, Liv?

—Claro que sí. —Sin embargo, Liv parecía tensa—. Es que no te esperaba...

Intentando bromear, Katherine dijo:

—Eres igual que Stefan. Pensaba que me iba a mandar de vuelta a Londres...

Liv fue rápidamente hacia la ventana y miró hacia fuera.

—¿Estaba enfadado?

—¿Por qué demonios iba a estarlo?

Liv sonrió, pero la sonrisa era tensa y poco convincente.

—Cuánto me alegro de verte, Katherine. Haré un poco de té.

Mientras Liv hacía el té, Katherine se puso a hablar de América y miró la habitación que las rodeaba. Desde su última visita, el año anterior, se había instalado en ella un aire de decrepitud que la conmocionó. De la tapicería del sofá sobresalían los muelles, la alfombra tenía marcas de quemaduras, posiblemente en los sitios donde habían caído carbones encendidos de la estufa. Los libros —volúmenes maltrechos, sin lomo, de segunda mano— estaban apilados contra las paredes y su olor mohoso invadía toda la casa. Katherine tardó un rato en averiguar qué tenía de raro aquella habitación. Entonces se dio cuenta de que los Galenski no tenían ninguno de los objetos superfluos que tienen la mayor parte de la gente: no había periódicos, ni revistas, ni paquetes de cigarrillos, ni tabletas de chocolate. No había televisor ni reproductor de discos. Era, pensó Katherine con un estremecimiento, monástico y a la vez miserable. Katherine recordó la casita de las Fairbrother en Fernhill, atestada de macetas de colores de Thea y objetos, carteles y pinturas decorativas de Liv. La casita era como una cueva del tesoro, con su encantador jardín secreto, estrecho y largo. Liv y Thea siempre fueron pobres, siempre fueron excéntricas, pero nunca sórdidas, nunca miserables. Katherine sabía, en lo más profundo de su corazón, que Liv jamás habría elegido vivir así.

217

Vio que Liv servía el té y notó por primera vez su delgadez, los huecos que tenía en torno a los ojos y por debajo de los pómulos. No llevaba maquillaje alguno –Katherine recordaba las horas que pasaron Rachel, Liv y ella experimentando con el perfilador de ojos y el pintalabios– y su largo vestido indio tenía un remiendo en el dobladillo.

Katherine le preguntó:

–¿Dónde está Freya?

Liv puso una taza de té frente a ella.

–En la siesta. Le están saliendo los dientes... los molares de atrás... –Levantó la vista hacia la ventana otra vez–. Le llevaré una taza de té a Stefan. –Y salió.

El té era una especie de mejunje de hierbas con hojas flotando. Katherine bebió un poco, nada entusiasmada.

Liv volvió a entrar en casa. Seguía llevando la taza.

–No lo ha querido.

Aquella misma sonrisa tensa. Katherine notó que la mano de Liv temblaba al dejar la taza encima de la mesa.

–Debes obligar a Stefan a que te ayude con la niña por la noche, Liv. Tienes mala cara, parece que no te encuentras bien.

–No es que no me encuentre bien, es que estoy embarazada –dijo Liv, y Katherine se la quedó mirando.

–¡Embarazada!

–Sí.

–Pero Freya solo tiene...

–Dieciocho meses. –La voz de Liv sonaba apagada.

–Y esta casa... Es obvio que no tenéis ni un céntimo..., ni siquiera tienes teléfono. –Katherine sabía que estaba metiendo la pata y que hablaba sin tacto alguno, pero aun así no pudo contenerse–. ¿Cómo puedes pensar en tener otro bebé?

–Voy a tenerlo, eso es todo. No estaba planeado, ¿sabes? Esas cosas no siempre se pueden planear.

Había una crispación en la voz de Liv que llevó a Katherine a hacer un esfuerzo por controlar su conmoción. Le dijo, con más suavidad:

–Pero está la píldora, Liv. ¿Por qué no has tomado la píldora?

–Lo intenté, pero me mareaba por las mañanas. Aunque ya podía haber perseverado, porque ahora me mareo todas las mañanas igualmente. –Liv soltó una risa sin diversión alguna–. De modo que pensamos en usar preservativos, pero nos olvidamos una vez y... –Se encogió de hombros–. Parece que me quedo embarazada con una facilidad pasmosa. Cuando piensas que algunas tardan años y años...

–¿Y lo vas a tener, entonces?

Las cejas de Liv se contrajeron.

–No creerás ni por un momento que voy a hacer otra cosa, ¿no? –Parecía enfadada de nuevo.

–Solo pensaba que...

–Yo quiero este bebé.

Hubo un silencio. Katherine hizo un esfuerzo.

–Claro. No quería agobiarte. Es que... –Se calló. Es que no pareces estar bien para manejar a una niña, no digamos ya dos. Tu forma de vida parece que se está volviendo cada vez más medieval. Es que te estás perdiendo a ti misma, tu juventud, tus talentos, bajo la carga devoradora de la vida doméstica.

Liv miraba de nuevo por la ventana. Katherine la oyó decir, más calmada:

–Freya es lo mejor que me ha ocurrido, eso tienes que entenderlo. Lo mejor con diferencia. –Tenía las manos juntas–. Supongo que a veces me pregunto si seré capaz de querer a este otro niño tanto como amo a Freya. No me puedo imaginar querer a alguien tanto como quiero a Freya.

–Pero el amor no es lo único...

–Sí, es lo único que importa. –Liv habló con violencia.

«Pero ¿y tú, Liv?», quería decir Katherine. Por el contrario, preguntó:

–¿Qué piensa Thea de todo esto?

Liv apartó la vista.

–Aún no se lo he dicho.

–¿Por qué no?

–No he tenido tiempo de escribirle. Está viviendo en Creta ahora, ¿no lo sabías?

—¡En Creta! —Katherine se quedó desconcertada. Era como si hubiese estado fuera durante años, pensó. Nadie parecía estar igual que cuando los dejó.

—¿Y Stefan? —preguntó—. ¿Qué piensa de lo del bebé?

—Pues está encantado, claro. —Sin embargo, la voz de Liv sonaba apagada. Empezó a quitar los platos, a lavar los cubiertos. Miró por la ventana de nuevo—. ¿Ese coche es tuyo, Katherine?

—Me lo compré hace unos días —Katherine miró a Liv—. ¿No has aprendido a conducir todavía?

—No.

—Debes pedirle a Stefan que te enseñe.

—No lo hará. —Liv parecía a punto de decir algo más, pero se contuvo.

—¿Cómo que no lo hará? —repitió Katherine.

Soltó una risa ligera.

—Se supone que no es bueno que un marido enseñe a conducir a su mujer.

—Entonces toma unas clases.

—No puedo pagarlas.

—Stefan da clases, ¿no? Pues que te las pague.

—No es partidario.

—Entonces no se lo digas —dijo Katherine, exasperada—. No tiene por qué saberlo. Ve a clases cuando él esté en el trabajo. Para ti sería una diferencia enorme, Liv. Yo lo sé porque cuando aprendí a conducir...

Se quedó callada, mirando a Liv. Liv tenía la cara muy pálida y se mordía los labios. Katherine dijo, despacio:

—Tienes dinero propio, ¿no? —Liv negó con la cabeza.

»Pero tendréis una cuenta conjunta...

Liv no dijo nada. Katherine miró esa cara sin maquillar, sus ropas gastadas, la triste habitación, con ojos nuevos.

Dijo despacio:

—No tienes ningún dinero propio y supongo que tampoco tienes talonario de la cuenta bancaria de Stefan. Pero tendrás algo... —Frunció el ceño, pensando—. ¿Una asignación familiar?

—No te la dan con el primer hijo.

—Así que dejas que te trate como si fueras una criada.

—No es eso.

—¿Ah, no? Mírate... Mira este sitio, perdido en medio de la nada...

—A mí me gusta esto. —Los ojos de Liv parecían más oscuros, incrustados en una cara blanca como el hueso—. Y hemos tenido dificultades durante un tiempo, lo admito, pero las cosas irán mejor, de eso estoy segura.

—¿Tiene ya un trabajo a tiempo completo Stefan?

—No. Pero está escribiendo un libro.

—¿Tiene editor... o un contrato?

De nuevo dijo que no con la cabeza. Katherine exclamó bruscamente:

—Cuesta siglos encontrar editor, y siglos que se publique un libro, y más siglos sacar dinero de él, si es que alguna vez lo consigues. Sobre todo los libros académicos. No es posible que él cuente con eso. —Sin embargo, mirando de nuevo la habitación, con sus inestables pilas de libros, Katherine supo que toda la casa giraba en torno al trabajo de Stefan, y del mismo Stefan.

—Y estamos intentando ser autosuficientes —añadió Liv, a la defensiva—. Cultivar nuestras propias verduras.

—Y eso habrá sido idea de Stefan también, ¿no? Supongo que lo próximo que hará será obligarte a que muelas tú el trigo y hagas tu propia harina.

—Bueno, sí, realmente... —Liv calló.

Katherine recordó el momento en el que vio brevemente a Stefan, aquella misma tarde, y la inquietante sospecha de que podía enviarla de vuelta a Londres sin ver a Liv. Y darse cuenta de que era capaz de hacer una cosa semejante.

Y Liv miró por la ventana y preguntó: «¿Está enfadado?».

Al fin la ira de Katherine fue menguando, reemplazada por la ansiedad.

—Liv, ¿va todo bien entre Stefan y tú?

—Claro que sí.

En parte, a ella le habría gustado fingir que creía a Liv, pero hizo un esfuerzo y siguió adelante:

—Quiero decir, ¿no te habrá hecho daño, alguna cosa fea de ese tipo, no?

—Nunca me ha pegado. —Los ojos de Liv huían de los de Katherine.

—Pero se niega a enseñarte a conducir... y no te deja tener tu propia cuenta bancaria... y ni una sola vez en todo el tiempo que llevas casada me has visitado en Londres.

—Katherine, calla. —La voz de Liv sonaba peligrosamente tranquila.

—... y tu ropa parece que viene toda de un mercadillo de segunda mano... y no parece que haya nada de comida en toda la casa...

—Katherine, te he dicho que te calles. —Liv tenía los puños apretados. Cuando se dio la vuelta, Katherine vio la ira en sus ojos—. Te vas meses y meses fuera, apareces de repente sin pedir permiso... ¿Cómo te atreves a criticar mi forma de vivir? ¿Qué papel representas en mi vida ahora, si es que representas alguno? ¿Qué sabes tú del matrimonio, de los hijos?

Hubo un silencio. Entonces Katherine susurró:

—Liv, ven a casa conmigo ahora. Llévate a Freya y tus cosas y vente a Londres conmigo ahora mismo.

Se abrió la puerta. Stefan estaba de pie en el umbral. Katherine oyó que Liv decía rápidamente:

—Katherine ya se iba, Stefan. Ya se iba.

Volviendo por la M6, Katherine seguía recordando la expresión que tenía Liv en la cara cuando Stefan entró en la casa. Hacía un esfuerzo por concentrarse en la carretera, comprobar el espejo retrovisor, recordar hacer las señales.

Al llegar a Londres a última hora de la noche, no se fue a casa, sino que primero paró en una licorería y luego se dirigió al piso de Felix en Hoxton.

—Ya sé que es tarde —le explicó—, pero tengo una botella de vino y tú nunca te vas a dormir temprano.

—Estoy empapelando la habitación de delante —dijo él, y la besó en la mejilla. Felix tenía alquilada la planta baja de lo que en tiempos fue una casa espléndida del siglo XVIII. Se dirigió con Katherine a una habitación enorme con una ventana saliente. Estaba vacía, no había más que un par de escaleras, una bombilla desnuda, un cubo de pasta adhesiva y muchos rollos de papel pintado. Una de las paredes estaba cubierta con un papel de un rojo oscuro, decorado con enormes flores de lis doradas.

»Mi padre me da el papel —explicó Felix—. Rollos defectuosos. Señorial, ¿verdad?

Katherine pasó los dedos por las flores de lis.

—La expresión «grandeza decadente» le viene a uno a la mente enseguida.

—Sí, sí, ¿verdad? El papel sujeta las paredes para que no se caigan. Literalmente. O bien empapelaba, o tenía que enyesar de nuevo todas las paredes. Y no podía permitírmelo. —Desenvolvió la botella de vino tinto—. Voy a buscar un sacacorchos y unas copas.

Se bebieron el vino sentados en unos cojines en el suelo, en la habitación a medio decorar, porque, según explicó Felix, era la habitación más bonita de la casa. Encendió unas velas, puso un disco de Joni Mitchell y encontró un paquete de galletas Rich Tea, que Katherine devoró, hambrienta. Le habló a Katherine de su trabajo, que consistía en organizar la renovación de casas antiguas, sobre todo adosados victorianos, y Katherine le habló a Felix de su último encargo para *Glitz*. Luego dijo:

—Hoy he ido a Lancaster y he vuelto.

—Vaya, un viaje largo. —La miró—. ¿Por qué?

—Para ver a Liv.

—Liv... Bonita sonrisa..., metro sesenta de altura más o menos..., ojos color marrón oscuro...

—Eso es.

—Amiga de tu otra amiga, la que murió.

—Sí. Bueno, el caso es que se ha casado y se ha encerrado en lo doméstico. Es una locura... Ya tiene una niña y ahora espera otro.

—Quizá le gusten los niños —dijo Felix, conciliador.

—¡Pero es un verdadero desperdicio, Felix! Liv estudiaba en la universidad cuando conoció a Stefan... y lo dejó todo, sin más.

Siempre se le dio muy bien coser y hacer cosas, y conseguir que un sitio pareciese agradable..., todo eso que a mí se me da tan mal... Y ahora vive en un tugurio espantoso, en medio de la nada, sin calefacción central ni teléfono. Solo porque él insiste...

–¿Él?

–Stefan –frunció el ceño Katherine–. El marido de Liv.

–¿Un idiota? ¿Un plutócrata vanidoso? ¿Te mira por encima del hombro? ¿O sencillamente es un pelmazo?

Ella sonrió y volvió a llenar las copas.

–Nada de eso. Stefan es muy guapo y muy culto, y no es aburrido en absoluto.

–Pues ¿cuál es el problema?

Katherine se echó a temblar.

–No puedo soportarlo.

Él encendió cigarrillos para los dos.

–Cuéntame.

–Si no es el centro de atención, se enfurruña.

–Muchos hombres son así. Un atributo de nuestro sexo.

–Tú no eres así, Felix. Y él va rondando por ahí como... –Buscó el símil adecuado–... como el Heathcliff de *Cumbres borrascosas*.

–¿Un tipo oscuro, inquietante?

–Sí. Es impredecible..., es como estar con unos fuegos artificiales que no han prendido, no puedes relajarte. Y no se interesa ni remotamente por mí. No existe motivo alguno por el que debiera interesarse, claro, pero al menos se podría esperar que lo intentase, por Liv. Cuando lo conocí me pareció encantador, pero ahora, cuando miro hacia atrás, veo que era porque quería que yo le prestara mi atención. Y supongo que no he caído bajo su hechizo, así que desde entonces no se ha molestado siquiera en intentar impresionarme. Y hoy... –Tembló–. Ha sido horrible.

–¿Poco amistoso?

–Peor que eso. La gente siempre finge, ¿no, Felix? Siempre lo intenta, aunque se encuentre fatal. Hasta cuando Toby se estaba volviendo loco, intentaba hacernos creer que se encontraba bien. No le funcionó, desde luego, pero al menos hizo el esfuerzo. Pero a Stefan —Katherine se mordió los labios— no le gusto nada, sé que es así. Y no se molesta en ocultarlo. —Se comió otra galleta, mirando hacia la oscuridad. Las ventanas no tenían cortinas y podía verse desde allí la luna creciente, yaciendo de espaldas en un cielo como la tinta—. Liv no tiene dinero propio —dijo, despacio—. Nada en absoluto. No puede ir a trabajar por Freya y la cuenta bancaria de Stefan está solo a su nombre. Por lo que he visto, él solo le da dinero cuando le parece bien.

—A algunas personas no les importa. —El perfil de Felix se veía subrayado por la pálida luz de las velas—. Ya sé que parece anticuado, incluso represivo, pero ellos no lo ven así.

—Liv depende totalmente de Stefan. Está atrapada y creo que él quiere que esté atrapada. No estoy segura siquiera de que tenga suficiente para comer. Y no creo que tenga a nadie a quien recurrir. No parece que tengan ningún amigo. La madre de Liv ahora vive en el extranjero, y a su padre no lo ve desde hace décadas. Probablemente haya muerto. Rachel está muerta, claro, y yo... Bueno, no he sido una visitante demasiado asidua, precisamente. Y después de hoy, probablemente no me dejen entrar nunca más. —Se frotó la frente arrugada, recordando la escena breve y desagradable al final de su visita. Stefan entró en la habitación y la agarró por el codo para sacarla de la casa. Katherine se soltó de un tirón y Liv se limitó a apartar la vista. No protestó. No defendió su derecho a que la visitase una antigua amiga. Simplemente se limitó a apartar la vista, y su largo pelo cayó por encima de los ojos angustiados, asustados.

»Le he dicho que se largara. —Katherine agrupó los restos de galleta en un montoncito pequeño—. Le he dicho que se viniera a casa conmigo.

—¿Y qué ha dicho ella?

—Nada. Ha entrado Stefan. No estoy segura de si me ha oído.

—Si está embarazada... —dijo Felix, lentamente—. No es tan fácil dejarlo todo y salir corriendo..., empezar de nuevo, cuando tienes un hijo.

–Le he preguntado si él le hacía daño y me ha dicho que nunca le ha pegado. Eso no es respuesta, ¿no? Hay otras formas de hacer daño a las personas, ¿no?

Él asistió en silencio. Al cabo de un rato, siguió:

–Lo peor de todo es que no puedo hacer nada para ayudarla. Liv me ha dejado claro que preferiría que no la hubiese visitado, y lo mejor que he podido hacer es dejarla sola. Y además tenía razón, claro. ¿Qué sé yo de matrimonio y de hijos? –Katherine esbozó una sonrisa compungida–. El caso es que esperaba que Liv me aconsejara. Pero me ha resultado bastante obvio que mis problemas no eran nada comparados con los suyos.

Él se apoyó en un codo, sonriendo y mirándola.

–¿Qué problemas puedes tener tú, Katherine? Tienes una brillante carrera en el periodismo, un piso con yeso en las paredes...

–Hace mucho tiempo –empezó ella– conocí a un hombre...

–Ah –dijo él–. Entonces tu corazón quedó herido. Pobre Toby y pobre Stuart, que suspiraban por ti.

–Bobadas. Y mi corazón no está herido.

Él parecía escéptico.

–Entonces ¿cuál es el problema?

–Bueno, para empezar, él está casado. –El día anterior recibió una nota de Jordan Aymes. En la nota le decía que su esposa estaba fuera, de vacaciones, y que le habían regalado por sorpresa un par de entradas para el teatro. ¿Le gustaría a Katherine acompañarlo a una representación de *Esperando a Godot*? A él no le interesaba especialmente el teatro contemporáneo, de modo que su compañía podría mejorar lo que prometía ser una velada algo aburrida. La carta seguía encima de su tocador, sin respuesta.

»Eso no me importa, por supuesto. Ya sabes que no soy de las que se casan. Es que no estoy segura de por qué se fija en mí. No estoy segura de lo que quiere.

Felix estaba echado de espaldas, apoyando la cabeza en las manos. Bufó.

Katherine se levantó, fue a la ventana y miró las manecillas de su reloj de pulsera. Eran las dos menos cuarto de la madrugada.

De repente se sintió horriblemente cansada, todas las complicaciones del día la habían dejado exhausta, y dijo:

—He bebido demasiado para conducir. ¿Puedo quedarme a dormir aquí, Felix?

A veces Liv sentía cómo se iba deslizando hacia un pozo profundo y oscuro. Justo en aquel momento sus dedos todavía conseguían agarrarse al brocal de piedra, pero tenía que luchar para no caer en la negrura. Cualquier fingimiento que hubiera querido mantener para sí de que su matrimonio era bueno, aunque un poco tormentoso, y de que su forma de vida era sostenible, aunque poco convencional, lo destruyó Katherine. Katherine se dio cuenta de los engaños con los que ella se consolaba, los sacó a la luz uno por uno y se los mostró claramente como lo que eran. Nunca serían autosuficientes, porque la delgada capa de tierra en torno a Holm Edge era incapaz de dar unas cosechas saludables, y porque ellos mismos carecían de conocimientos y de habilidades. La casa misma estaba cayendo en la ruina. El libro de Stefan no se hallaba más cerca de su conclusión que un año antes. Y la obsesión e irracionalidad de Stefan no eran consecuencia de sus problemas temporales, sino que eran aspectos de su carácter profundamente arraigados.

El problema era que reconocer su situación no le aportaba soluciones. Tenía bloqueadas todas las vías de escape: por Stefan, o por Freya, o por el destino. Su sugerencia de buscar un trabajo a tiempo parcial en Caton fue recibido con gran indignación por parte de Stefan y con una furibunda prohibición. Ella no podía desafiarlo porque lo necesitaba para que cuidase de Freya. Había pensado en coser en casa, pero su estado le impedía eso también. Mientras que con Freya se encontró bien durante todo el embarazo, con este segundo hijo se puso muy enferma desde el momento mismo de su concepción. El agotamiento que sentía no estaba relacionado en absoluto con el tamaño del diminuto feto que se alojaba en su útero. Las náuseas, que se suponía que podían durar unas horas por la mañana, la asaltaban a cualquier hora del día. Freya, viéndola inclinarse sobre el váter, le daba palmaditas en la cabeza diciendo, consoladora:

—Pobre mami. Pobre mami.

La consumían la ira y la vergüenza al recordar que Katherine la vio en su peor momento; no podía haber llegado en un momento más inoportuno. Stefan llevaba días susceptible y de mal humor, desde que le reveló su embarazo no planeado. Él solo le dijo lo que ambos sabían ya: que no podían permitirse tener otro hijo. Al principio soportó con cansina resignación que la culpase por lo que habían engendrado los dos. Pero la mañana de la visita de Katherine se pelearon amargamente: Liv señaló a Stefan que si escatimaba el dinero para la casa, eso afectaría a Freya, tanto como a ella misma. Stefan aseguró que era ella, Liv, quien tenía la culpa, porque le hacía perder los estribos.

Aquella noche, sin embargo, después de que se fuera Katherine, la hostilidad de Stefan se disolvió entre recriminaciones hacia sí mismo y humillaciones. Le pidió que lo perdonase; ella era demasiado buena para Stefan, dijo, y temía perderla. Tomando las manos de Liv entre las suyas, con la cara pálida y demacrada, le prometió no volver a enfadarse nunca más con ella. Se abrazaron y se besaron, y durante un momento ella se entregó a la fuerza y la calidez tranquilizadora de su cuerpo. Sin embargo, ella sabía que aquella reconciliación no era más que parte de un ciclo que se había vuelto demasiado familiar. El entusiasmo salvaje de Stefan parecía condenado siempre al fracaso. El fracaso llevaba consigo la rabia inicial y la depresión, y luego el cansancio y el odio a sí mismo. Liv había llegado a temer la euforia tanto como la ira.

A ella le parecía que todos sus problemas nacían en Holm Edge, y que todas sus dificultades se veían magnificadas por el lugar. No le gustaba, al contrario de lo que le había dicho a Katherine. En tiempos sí le gustó, pero ahora su amor se había convertido en odio. A veces sentía como si las paredes de aquella casa se estuviesen cerrando sobre ella, aprisionándola. No había pensado hasta entonces que fuese posible odiar la piedra y la pizarra. Recordó las palabras de Camilla Green: «Holm Edge es el peor sitio del mundo para Stefan». El temperamento de Stefan se veía espoleado por los caprichos del propio Holm Edge: por los vendavales que tiraban las tejas del tejado, el zorro que atacaba a las gallinas y la estufa que se negaba a encenderse. El cansancio de ella se veía exacerbado por la distancia entre la casa y las tiendas, la estafeta de correos y la clínica, es decir, las cosas normales de todos los días que la mayor parte de la gente daba por sentadas. A menudo no veía a nadie más que a Freya y a Stefan durante días y días. Se preguntaba si se olvidaría de cómo se habla con otras personas: a veces le parecía que en las tiendas, en la clínica, todos la miraban raro, como si sus rasgos, su mirada, traicionasen la excentricidad y el aislamiento de su vida.

Sin embargo, sabía que Stefan nunca abandonaría voluntariamente Holm Edge. Dos voces resonaban en sus oídos. La de Katherine: «Ven a casa conmigo, Liv. Ven conmigo a Londres». Y la de Thea: «A veces no basta con el amor». Por primera vez se preguntó si, en caso de que Stefan se negase a abandonar Holm Edge, ella podría algún día abandonar la casa sin él.

9

Katherine y Jordan Aymes se hicieron amantes en diciembre de 1971. Eran amigos desde hacía algunos meses, o se decían a sí mismos que eran amigos, aunque Katherine siempre supo de alguna manera que aquello era, si no un engaño, sí un aplazamiento. Se veían de vez en cuando, y la frecuencia de sus encuentros la dictaban las exigencias de sus respectivas carreras y, por supuesto, el matrimonio de Jordan. Entre esos encuentros, cuando no tenía nada más en que ocupar su mente, Katherine pensaba en él, en sus rasgos fuertes, aguileños, en sus fríos ojos grises, en su espontánea sonrisa.

Jordan tenía un pequeño piso en St. James Park, donde se alojaba cuando se celebraban sesiones en el Congreso. Poco antes de Navidad la invitó a cenar allí. Comieron brie y pan francés, y gambas, resplandecientes con sus cáscaras color coral, y se bebieron una botella de Frascati. Fortnum and Mason, explicó Jordan mientras comían: él nunca cocinaba, era un cocinero nefasto.

Ella sonrió.

—Y supongo que envías las camisas a la lavandería y que tienes una mujer que te viene a limpiar, ¿no?

—Me temo que sí. ¿Y tú? —La miró—. No puedo imaginar que seas de las que hacen las labores domésticas, Katherine.

—Antes era horriblemente desordenada. Casi por principio. Recientemente, sin embargo, he descubierto que me gusta ser ordenada. La vida es más agradable si no te pasas las mañanas descubriendo que no hay nada para comer y que no tienes un solo par de medias sin carreras.

Él se levantó y se fue a la habitación de al lado. Volvió con un envoltorio.

—Feliz Navidad. —Puso el paquete ante ella.

—Jordan...

—Vamos. Ábrelo. Fingiremos que es la mañana de Navidad.

Un vestido brillante de seda, de un marrón tostado, se encontraba alojado en un nido de papel de seda. Ella dio un respingo.

—¡Jordan, es precioso!

—Lo he elegido porque es del mismo color que tus ojos.

—No tendrías que haber... —Katherine se detuvo mientras los labios de él tocaban su nuca.

—¿Tampoco tendría que haber hecho esto?

Se quedó muy quieta. Pasado un rato, él se puso de pie junto a ella.

—¿Katherine?

—Es un regalo muy bonito... —Su voz se fue apagando. El corazón le latía con fuerza.

—¿Pero...? —preguntó Jordan—. Hay un pero al final de esa frase, está claro, querida.

Katherine no respondió, de modo que él dijo:

—Déjame que la complete por ti, entonces. Pero no me encuentras atractivo, quizá.

Ella susurró:

—No es eso.

—Entonces está claro que rechazas las insinuaciones de un hombre casado, lógicamente.

Era una forma de salir airosa. Pero pensó que tenía que ser sincera con él. Negó con la cabeza.

Jordan frunció el ceño.

—¿Hay algún otro?

Katherine se levantó y se dirigió a la ventana, mirando hacia St. James Park.

—Si quieres no seguimos hablando del asunto... —Aunque él intentaba ocultarlo, ella notaba en su voz que se sentía herido.

Se volvió hacia él.

—Me preguntaste si había alguien más. Bueno, ahora no, pero lo hubo en el pasado.

—¿Alguien especial, quizá?

—Ah —dijo ella, con ligereza—, pues estaba Jamie; él fue el primero, en la parte de atrás de un coche, me temo. Muy poco original. Y luego me trasladé a Londres, y vino Mark, que era poeta, y John, que era mánager de un grupo de pop, y Julian, que no hacía nada en realidad, pero que tenía unos padres que eran riquísimos. Y luego estuvo Sacha, que imprimía *El dedo de Frodo,* y que al parecer pensaba que yo era un extra del trabajo, y Gian. Entrevisté a Gian, algo sobre las protestas estudiantiles en la universidad de Milán, creo. Y luego Howard, que era vicario en prácticas, muy tímido, pero también muy mono, y, uf, sí, muchos otros, pero no recuerdo sus nombres. —Se quedó callada y luego dijo—: Y, últimamente, al final, Graham, pero intento no pensar en él. Y desde Graham, no he estado con nadie más. Desde hace más de un año.

—No será por falta de posibilidades, supongo.

—No —sonrió ella—. Debo de ser la única mujer que fue a América a encontrarse a sí misma y acabó haciendo eso: encontrarse a sí misma, quiero decir, y no a otra persona. —Luego apretó los puños y dijo—, en voz baja—: El caso es que parece que no he sacado nada con todo esto.

—No lo entiendo.

Ella se retorció las manos.

—No disfruto. Del sexo, quiero decir. Nunca lo he disfrutado. —Ya estaba dicho. Pensaba que se quitaría un peso de encima, pero no era así, se sentía vacía y deprimida. Hizo un esfuerzo—: Soy frígida. Ya lo ves, Jordan.

—¿Quién te ha dicho eso?

Ella lo miró con acritud.

—¿Acaso importa?

—Es el tipo de cosas que dicen los hombres a las chicas para justificar su falta de habilidad en la cama.

—Me gustaría creer eso, pero me parece demasiada coincidencia que me hayan tocado todos los inútiles a mí.

—Si hubieras tenido una o dos malas experiencias, y la parte de atrás de un coche no parece un sitio demasiado bueno para empezar, entonces podrías, consciente o inconscientemente, temer el sexo, en lugar de buscarlo. Gran parte del placer está en la mente, mi hermosa Katherine. Ya sé que esa no es la filosofía de vuestra revista, que parece regodearse más bien en lo físico, pero lo que pasa por esa cabecita puede contar muchísimo.

—Seguí intentándolo, ¿no? —Ella sonrió—. No se puede decir que no lo intentase.

—Entonces ¿por qué no intentarlo una vez más?

Estaba muy cerca de ella. Olía la colonia carísima que él llevaba.

—Por ejemplo —le dijo en voz baja—: ¿Te gusta esto?

Sus labios tocaron el interior de su muñeca, y ella tembló.

—Jordan, no sé...

—¿Y esto? —Ahora su boca acariciaba la palma de la mano de ella.

Ella tragó saliva.

—Un poco, sí.

—¿Y esto? —Sus labios trazaron el hueco de su codo, el arco de su hombro.

—Quizá —susurró ella—. Si practicase...

—¿Y qué me dices de esto? —Él la atrajo hacia sí y ella cerró los ojos y sus labios se tocaron. Antes nunca se había perdido en un beso: una parte de sí misma siempre permanecía fuera, vigilante, precavida, calculando, pero ahora, por primera vez, se entregaba a la delicia del beso.

»¿Qué opinas, Katherine Constant? ¿Mejor que los huevos de codorniz? —Las palmas de él rozaron el contorno de su cuerpo y él inclinó la cabeza, poniendo sus labios encima de la curva de su cuello.

—No estoy segura... —murmuró ella.

—Seguiré intentándolo, pues. —Con una sola mano, Jordan corrió las cortinas ante la ventana, encerrándolos en la elegancia de la habitación color marfil. Sus dedos entraron en el cabello corto de ella y apretó los finos mechones contra su propia cara.

»Como la seda —murmuró—. Como la mejor seda italiana lavada. —Luego, bajando las manos, empezó a desabrocharle la blusa. Ella tembló y él susurró—: Calla, mi encantadora Katherine. Todo lo que quieras y nada más, te lo prometo.

Entonces él la llevó a la habitación. Allí la acarició hasta que ocurrió el milagro y ella empezó a desearlo, se abrió a él, le dio la bienvenida. Y cuando él se introdujo en ella, ella gritó llena de deleite al sentir aquel placer.

Katherine no sabía cuál de las veces disfrutó más, si la primera vez que hicieron el amor, o la segunda, o la tercera. Al final, con la cabeza apoyada en el hombro de él, invadida por una gloriosa lasitud y casi incapaz de mover un miembro, se quedó quieta, deliciosamente exhausta, demasiado cansada incluso para subir la sábana y tapar su cuerpo desnudo.

Se le ocurrió que con el primer amante que tuvo supuso que el placer sería fácil, y que con el segundo y el tercero creyó que pronto disfrutaría, y que continuó después porque no podía soportar que nadie adivinase su vergonzoso fracaso. Luego murió Rachel y comprendió, de repente, conmocionada, que la vida no duraría siempre, y sintió la necesidad de experimentar todo lo que hubiera en el tiempo del que disponía. Sintió temor y una autodestructiva necesidad de compañía. Y luego, claro, Graham puso de manifiesto todo el odio que siempre sintió por sí misma, y la obligó, aun sin querer, a mirarse dentro, a empezar de nuevo.

Los labios de Jordan le besaron la coronilla.

—¿En qué estás pensando?

—En América —dijo ella—. Pensaba en América.

—¿Te gustó?

—Me encantó. —Katherine sonreía en la oscuridad—. Todo parecía nuevo, y a una escala muy distinta. Pasé una semana en las montañas Rocosas. Parecían brillar, no sé cómo... Y los pájaros, las mariposas, las flores... eran grandes y hermosos y llenos de color. Se podría imaginar que el Jardín del Edén era así.

Se quedaron un rato echados en silencio y luego ella dijo:

—Tendría que irme...

—¿Es obligatorio?

Katherine se incorporó.

—Mañana tengo que ir a la oficina temprano. —Sonrió—. Y no puedo ir a trabajar vestida así.

Se puso de nuevo su vestido de crepe negro sin mangas.

Cuando los dedos de él rozaron su piel, mientras se volvía a subir la cremallera, ella tembló.

—¿Cuándo...? —empezó, pero se mordió la lengua.

Jordan se estaba poniendo un batín de seda azul marino.

—Vuelvo a Hertfordshire mañana. El Congreso suspende sus actividades. Por eso te he dado el regalo de Navidad hoy.

Ella comprendió lo que él le estaba diciendo. Dijo con ligereza:

—Claro. Ya me llamarás.

—Katherine...

—Cuando puedas. Aunque creo que yo también voy a estar muy ocupada.

—Katherine... —Se acercó y se quedó de pie ante ella—. No...

Ella cerró los ojos con fuerza y se sentó en la cama. No pensaba que le importaría tanto.

Jordan se sentó a su lado.

—¿Por qué estás enfadada conmigo?

—No estoy enfadada. —Las palabras eran confusas y ahogadas. Intentó sonreír—. «Lo que quieras y nada más» —repitió—. Eso es lo que me has dicho, ¿verdad, Jordan?

La miró, serio.

—¿Qué estás diciendo? ¿Crees que esto no me importa? ¿Que es una historia de una noche?

Las lágrimas de los ojos de ella difuminaron los rasgos de él, de líneas acusadas.

—Bueno, ¿y no es eso?

—Por el amor de Dios. —Katherine notó la ira en la voz de él. Se secó los ojos con el dorso de la mano mientras él decía, sereno—: No. No es nada de eso.

—Estás casado, Jordan —recordó su ficha en el «Quién es quién». Jordan Christopher Aymes, c. Patricia Mary de Vaux.

Él suspiró.

—Sí.

—Y supongo que habrás tenido otras aventuras.

—Sí —dijo, sin alterarse—. He tenido otras aventuras. —Ella buscó sus zapatos.

»Pero nunca como esta —dijo él, y ella hizo una pausa, con un zapato puesto y el otro no. Jordan recorrió la habitación hasta donde se encontraba ella y le agarró las manos entre las suyas—. Querida Katherine —dijo—, si tú hubieras sido una aventura más, entonces no habría esperado cuatro meses. Te habría invitado aquí al cabo de quince días de cortejo, nos habríamos ido viendo de vez en cuando, y luego nos habríamos separado. Pero contigo es diferente. Tú eres diferente. Ya lo sabía la primera vez que te vi, en la boda de Rachel Wyborne.

—Oh —susurró Katherine.

Jordan pasó a la habitación de al lado y sirvió dos brandys. Puso uno de los vasos en las manos de ella.

—Tengo que ser sincero contigo. Nunca abandonaré a Tricia. Ella siempre me ha sido leal y le debo muchísimo.

Tricia, pensó Katherine. Se la imaginó con exceso de peso y caballuna, con una falda de *tweed,* conjunto de jersey y chaqueta de punto y unas perlas.

—Lo comprendes, ¿verdad?

—Claro. —Katherine pensó en el breve matrimonio de Rachel, y en Liv, atrapada con Stefan—. No me interesa el matrimonio, Jordan. Nunca me ha interesado. Valoro demasiado mi libertad.

—Si nos vamos a ver. —Le tocó la mano—. Y me gustaría mucho verte, Katherine, entonces tenemos que ser discretos. Las indiscreciones flagrantes no harán ningún bien a mi carrera. Y además, tal y como ya te he explicado, no quiero herir a Tricia. ¿Te parecerá mal?

—En absoluto.

—Bien —dijo él—. Me alegro de que me lo hayas dicho. Porque si no habría encontrado horriblemente difícil estar de humor para las fiestas las próximas semanas. Horriblemente difícil.

La segunda hija de Liv nació a principios de abril. La llamaron Georgette Thea, por la madre de Stefan y la de Liv. Como era muy pequeña, ya que pesaba menos de dos kilos y medio, y el parto fue difícil, la llevaron a la unidad de cuidados intensivos. Liv y Georgie se quedaron una semana en el hospital. Después Liv vio aquella semana como un punto de inflexión, igual que la visita de Katherine. Tuvo tiempo de pensar y de ver las cosas con claridad. Por primera vez en dos años era capaz de abandonar sus responsabilidades y dejar que la cuidaran otros, en un lugar que estaba caldeado, y era limpio y civilizado. La comida, de la cual se quejaban las demás madres, a Liv le pareció deliciosa. No tenía que comer espantosas verduras en conserva o conseguir sacar algo comestible de un cuello de cordero o vientre de cerdo, y, lo mejor de todo, otras personas cocinaban para ella. Cuando los puntos le empezaron a doler menos, empezó a pasear por la sala de día en bata y a hojear algunas revistas, o a sentarse sencillamente en un sillón, disfrutando de la paz. Georgie era una niña muy tranquila, se despertaba a intervalos de cuatro horas y dormía entre toma y toma. Liv no sintió los nervios y la inseguridad que había experimentado con Freya. Era una delicia empezar a familiarizarse con aquella desconocida diminuta y morena. El amor era fácil, no estaba contaminado por la ansiedad.

Stefan la visitaba cada día, trayendo a Freya con él. Su diferencia con los demás maridos era notoria. En otros tiempos ella se habría extasiado con ese hecho, creyéndolo romántico, pero ahora le molestaba. En otros tiempos le habría parecido que sus andrajosos pantalones de pana y su bufanda de color verde esmeralda eran originales y poco convencionales; ahora solo veía la cantidad de remiendos y parches que salpicaban la tela de color verde oliva, y el borde de un par de centímetros mugriento y deshilachado en las puntas de la bufanda. Y se inquietaba. Los otros maridos se sentaban tranquilamente y hablaban en tono bajo con sus mujeres y sus hijos; Stefan, si le daba la gana, se ponía a cantar, o intentaba incluir a las familias de las camas adyacentes en la conversación. A veces Stefan era el primero en llegar a la sala, en cuanto la enfermera abría las puertas para la hora de visita; otras veces aparecía en el último momento. En una ocasión no llegó al hospital hasta cinco minutos después de que hubiese acabado la hora de visita. Liv le oyó discutir y gritar a la enfermera mientras ella se lo llevaba por el pasillo. Cuando se hubo ido, corrió las cortinas alrededor de su cama y se echó a llorar.

Al volver a Holm Edge después de su ausencia de una semana, era como si viera la casa también con unos ojos más fríos y más limpios. Los suelos desnudos, la pintura que se descascarillaba, la humedad y el frío, los muebles destartalados y las alfombras gastadas, el moho negro en las paredes... La harina y el azúcar que salpicaban el suelo de la cocina como cenizas volcánicas... Los libros y notas de Stefan, que fluían como la lava y desbordaban de su estudio hacia el salón, apoyados contra las paredes, acumulándose en cajas en el suelo...

Una noche, mientras daba de mamar a Georgie, pensó lo mucho que la habían cambiado los años. Mirando hacia atrás, la chica que fue en tiempos ahora la exasperaba: su falta de realismo y su confianza ciega en que, a pesar de todos los presagios, todo iría bien. Sonaron timbres de alarma, pero ella no les hizo caso. A los diecinueve, esperando a su héroe, vio a Stefan y pensó que oía el sonido de los cascos de un caballo blanco retumbando en el suelo. Stefan se ajustaba a un ideal romántico: alto, moreno y guapo, con esa inflexión seductoramente extranjera en su voz, entró en su vida como si saliera de las páginas de una novela romántica. Ella vio en él todo aquello que anhelaba, y se enamoró de su espontaneidad y su carisma, de su pasado exótico y desplazado, de su desdén por los convencionalismos. Y de la necesidad que él tenía de ella. Pero el paso del tiempo le enseñó que la impetuosidad se puede convertir en irracionalidad. Le enseñó que la desdichada niñez de Stefan le dejó una profunda inseguridad y un sentido erróneo de su propia valía. Y le enseñó también que la necesidad puede devorar y destruir.

Thea creía que su matrimonio con Stefan fue una reacción a la muerte de Rachel, un nuevo amor para reemplazar la amistad perdida. Ahora, Liv se daba cuenta de que había algo de verdad en ello, pero también se daba cuenta de que su apresurado matrimonio llenó en realidad el hueco dejado por otro abandono más antiguo. Como Fin, Stefan había viajado mucho, era encantador y culto. Igual que creyó siempre que su padre volvería a casa, también creyó que el amor, y solo el amor, era lo que contaba. Ahora sabía que, aunque en cierto sentido siempre amaría a Stefan, él era, sin embargo, un hombre imperfecto y con unos problemas muy graves. Se dio cuenta también de que su deber fundamental era hacia sus hijas, que necesitaban su protección. Aquella noche quemó la postal de Fin en la estufa, arrodillada en las losas, y contempló cómo se iban ennegreciendo y curvando los mares azules y las verdes palmeras. El final de un sueño, pensó; el final de la ilusión.

Gradualmente se fue apartando de él, de una forma sutil, casi imperceptible al principio. Empezó a ahorrar dinero, alguna moneda aquí y allá, de cinco o de diez peniques, que guardaba del dinero de la casa. Guardaba la mitad de la asignación familiar que pidió por Georgie. No sabía todavía para qué era el dinero, o por qué no lo gastaba en las muchas cosas que necesitaba, en lugar de esconderlo en un calcetín, en el fondo de su cajón. Solo sabía que el simple hecho de que estuviera allí la consolaba.

La asesora de salud, que acudió a su casa cuando Georgie tenía seis semanas, le dijo con mucho tacto, mientras se iba:

−Te voy a dejar este folleto, querida, que te puede resultar útil.

El folleto indicaba cómo pedir un subsidio suplementario. Liv lo tiró a la papelera, porque sabía que Stefan no se dejaría convencer para pedir ayuda estatal para alimentar a su familia. Durante aquellos días intentó que nada alterase la precaria paz de la casa. No porque, como creyó en tiempos, si era buena, si se convertía en la esposa perfecta, podría conseguir el amor y la aprobación incondicionales de Stefan, sino porque tenía la sensación de que necesitaba un intervalo en el cual tomar fuerzas, recuperarse del todo del parto, ver el camino al futuro. Por la noche Stefan trabajaba en su libro y cada vez se iba más tarde a la cama. El tecleo de la máquina de escribir era como un toque de difuntos.

El granero se infestó de ratas, de modo que Stefan le pidió prestada una escopeta al señor Marwick. Hizo que Liv y Freya se quedasen de pie tras él mientras la sacaba por la ventana y apuntaba con el arma a las ratas que salían del granero a robar comida del cuenco de los gansos. Los estampidos destrozaron el silencio y el césped quedó sembrado de pequeños cadáveres ensangrentados. Stefan guardaba la escopeta en el granero, muy arriba, fuera del alcance de Freya. Sin embargo, unas ratas grises y delgadas seguían mordiendo los mendrugos secos del cuenco, y las cajas de cartón que sacaban para los basureros estaban agujereadas con una filigrana de marcas de dientes. Una vez, una caja de documentos de Stefan que quedó junto a la puerta principal acabó convertida en confeti blanco y negro.

Stefan estaba obsesionado con las ratas, soñaba con ellas. Ante cualquier movimiento que oyera tras él se volvía y buscaba la escopeta. Esperaba en el granero, subido en la escalera, con los ojos brillantes, atisbando a ver si había movimiento, esperando ver agitarse un rabo.

—Me ha parecido ver una —decía—. Había algo en la hierba... Mira, Liv, ¿lo ves?

Al despertarse una noche, ella lo vio de pie junto a la ventana. Llevaba la escopeta. Sonrió fugazmente.

—He oído algo.

—Vuelve a la cama, Stefan. —Liv tenía la boca seca.

—A veces creo que las oigo en el desván.

—Probablemente sea el viento, nada más... o alguna teja suelta.

Cuando Georgie empezó a llorar, Stefan dijo:

—Si se meten en la cuna...

—Stefan, no se van a meter en la cuna. No hay nadie en esta habitación excepto tú, yo y Georgie. —Ella sostuvo a Georgie—. Baja la escopeta, cariño, y vuelve a la cama.

Stefan abrió la ventana. El aire frío invadió la habitación y el estruendo del arma de fuego desgarró el tejido de la noche. Georgie se puso tiesa en brazos de Liv y oyeron pasos en el pasillo. Freya abrió la puerta.

—Mamá, no me gusta eso. Que pare ya.

—Vuelve a tu habitación, cariño. —Liv temblaba por la reacción—. Papá ya ha terminado. —Salió de la cama—. Ya se ha ido, Stefan. Puedes dejar la escopeta.

Exhausta, se apoyó en el alféizar. Entre su miedo, sintió una oleada de compasión y de dolor.

—Vuelve a la cama, cariño.

—No sirve para nada. No podré dormir.

—Te prepararé una botella de agua caliente y algo para beber.

Los ojos de él estaban rodeados de sombras oscuras y su barbilla cubierta de una barba de días.

—Te lo he dicho, Liv. No puedo dormir. Llevo siglos sin dormir.

—¿Cuánto tiempo? —Ella le tocó la cara demacrada.

—Días..., semanas... No me acuerdo.

—Deberías ir al médico. Te daría algo para ayudarte.

—Es el libro, ¿sabes? No puedo hacerlo. Lo veo cuando cierro los ojos. Se ramifica en todas direcciones y no puedo abarcarlo.

Ella pensó en la telaraña de líneas de colores que se extendían por las paredes de su estudio.

—A lo mejor deberías descansar un poco del libro. Un descanso adecuado.

—Tengo que acabarlo. Dos años, Liv. Llevo trabajando en él más de dos años, ¡y aún no he acabado más que media docena de capítulos! Y cuando los leo... —Stefan hizo una pausa, con los puños apretados—, cuando los leo, me parecen engañosos, vacíos... Un montón de tópicos.

Ella tenía la sensación de que cualquier esperanza de poder salvar aquel matrimonio maltratado, hecho jirones, descansaba en el hecho de que ella eligiese las palabras correctas.

—Puedes hacer alguna otra cosa —dijo, con mucho cuidado—. No tienes por qué escribir el libro.

Stefan parpadeó.

—¿Rendirme, quieres decir?

Ella asintió y él se echó a reír.

—No seas ridícula, Liv... No puedo abandonarlo.

—Stefan, te estás poniendo enfermo.

Él hizo un gesto desdeñoso.

–Estoy cansado, nada más. Si pudiera dormir un poco...

–Stefan, estás enfermo. ¿No te das cuenta?

Durante un momento ella pensó que él iba a pegarle, pero luego la tensa energía se disipó y él se sentó en la cama, con la cabeza entre las manos.

–Si no termino el libro –dijo, muy despacio–, entonces todo lo que he intentado hasta ahora habrá sido inútil. ¿Qué habré conseguido? Un huerto en el que no crece nada..., una casa infestada de bichos... –La miró–. A veces creo que este sitio está maldito. ¿No lo crees tú también, Liv? A causa de los acebos.

–Stefan...

–Todo se vuelve en nuestra contra, ¿verdad? –Él frunció el ceño–. A menudo pienso en él, ¿sabes?

Ella se envolvió con la manta, pero esta no conseguía calentarla. El frío parecía venir de su interior.

–¿En quién, Stefan?

–En el inquilino que vivía aquí antes que nosotros. Ya te acordarás. Se pegó un tiro. Me pregunto si se sentía así. –Stefan se pasó las yemas de los dedos por la frente. Luego dijo–: Cuando duermo, sueño. Sueño que me despierto y la casa está vacía. Voy caminando de habitación en habitación y no hay nadie. –Levantó la vista hacia ella y susurró–: Nunca dejaré que te vayas, Liv. Lo entiendes, ¿verdad? Nunca dejaré que te vayas. –Sus ojos eran de un color azul oscuro, opacos, como piedrecillas desgastadas por el mar.

Las limitaciones de su aventura con Jordan Aymes convenían a Katherine. *Glitz* tuvo un gran éxito y Katherine ascendió enseguida a subjefa de sección. Trabajaba muchas horas y a menudo estaba ocupada los siete días de la semana. Viajaba muchísimo, volaba a Edimburgo para entrevistar a un grupo de rock o iba en coche a Cornualles para hablar con un aquelarre de brujas blancas. Le encantaba su trabajo y nunca se aburría. Le encantaba el ritmo de la revista desde su concepción, cuando buscaban nuevas ideas y hacían cubiertas y desplegables de prueba, pasando por la combinación de artículos y secciones fijas, hasta su aparición final en los quioscos.

Sus encuentros con Jordan eran una delicia, un secreto privado y placentero. A ella no le importaba la discreción que les imponía la situación, ni tampoco que a veces tuviesen solo media hora arrebatada al almuerzo, media hora en la que hacían el amor sin preliminares y se apartaban el uno del otro exhaustos y sin aliento. Para haber empezado tarde, pensaba ella arrepentida, parecía estar recuperando el tiempo perdido a toda velocidad. Cuando estaba lejos, sentía hambre de él, y añoraba sentir sus brazos en torno a ella, su cuerpo contra el de ella. Era como si algo en su interior se hubiese desatado y no pudiese sujetarlo ya. Intentaba descifrar por qué Jordan Aymes fue capaz de encender aquella chispa en ella mientras que ninguno de sus anteriores amantes pudo provocar un resplandor semejante. No podía ser solo porque fuera mejor en la cama, aunque lo era, ni porque tuviese paciencia y se tomase su tiempo, aunque lo hacía. Pensó que era como si Jordan poseyera el secreto de algún ingrediente misterioso, algún factor mágico que ella era incapaz de identificar.

Él le dio una llave de su piso. Al principio a ella le ponía un poco nerviosa usarla, pero él la tranquilizó.

—Tricia solo viene a Londres cuando está obligada, para recepciones y fiestas —explicó—. Ella prefiere el campo. De modo que yo lo sé con mucha antelación.

Esperándole en el piso, Katherine comía de los tarros y paquetes de la diminuta cocina, se preparaba un lujoso baño y se envolvía en el albornoz de Jordan. Luego encendía la chimenea de gas y se acurrucaba frente al televisor. Ante ella se desplegaban escenas de bombas en Irlanda del Norte y mineros haciendo piquetes ante depósitos de carbón. En aquel lujoso piso color crema y blanco ella se sentía cálida y segura, como si viviera en un mundo distinto al que aparecía en la pantalla del televisor. Al oír girar la llave de él en la cerradura, su corazón se ponía a latir con fuerza, y notaba la tensión en la boca del estómago. A menudo no hablaban. El contacto ocupaba el lugar de las palabras, los besos eran su única puntuación. A veces ni siquiera llegaban al dormitorio, sino que hacían el amor allí mismo, donde estaban, con la gruesa alfombra bajo la espalda y el calor del fuego en los miembros desnudos. Solo después, cuando ya se habían saciado y estaban acurrucados, con los miembros entrelazados, los músculos relajados, toda la pasión ya disipada, empezaban a hablar.

Fue en una de esas ocasiones cuando casi se pelean. Jordan llegaba tarde del Congreso, no se detuvieron el tiempo suficiente para apagar la televisión, así que cuando por fin sus cuerpos se separaron y Katherine cerró los ojos, llenos de deleite y embriaguez, todavía se oía el murmullo amortiguado de las noticias de última hora de la noche. «Otra subida más de los artículos de primera necesidad... Piquetes en una fábrica en Leeds...»

Jordan levantó la vista.

—Dios mío, es desesperante. —Ella se levantó, apagó el aparato y se hizo el silencio.

—¿El qué?

—Eso. —Frunciendo el ceño, señaló el televisor—. La codicia...

—¿Crees que son codiciosos?

—Bueno, ahora no es momento de pedir que se aumenten los salarios, ¿no? La inflación está tocando techo.

Katherine recogió la camiseta, tirada en el suelo a su lado, y se la puso en torno a los hombros.

—No me parece que estén pensando en esas cosas. Supongo que simplemente piensan en cómo les afecta a ellos lo que están cobrando.

—Exacto. Codicia, falta de visión a largo plazo y egoísmo. —Él se puso los pantalones y se fue a la cocina.

—Lo que quería decir —explicó ella— es que les preocupa cuánta comida podrán comprar, por ejemplo, o si podrán irse de vacaciones o no. No es egoísmo, es sentido práctico.

—Es egoísmo cuando secuestran todo un país. —Jordan abrió un paquete de cacahuetes; este se rompió y el contenido se esparció por el suelo—. Maldita sea... —Le pasó el resto del paquete a Katherine—. Las clases trabajadoras tienen un nivel de vida superior al que han tenido jamás. ¿Por qué no pueden sentirse agradecidos por ello? Lo único que les pide el Gobierno es un poco de contención.

Ella se encogió de hombros.

—No servirá de nada. La gente siempre quiere lo que tienen las demás personas. Yo siempre lo he querido.

La irritación de Jordan se calmó y la miró afectuosamente.

—Me olvidaba de tus tendencias izquierdistas. Los años que pasaste trabajando para ese periodicucho difamatorio.

—No sé si soy especialmente izquierdista, Jordan. Lo único que sé es que he pasado siglos y siglos deseando tener cosas: una habitación más grande, como Michael, o bonitos vestidos, como Rachel, y sé que no me conformo con menos, así que, ¿por qué iban a hacerlo los demás? —Miró a su alrededor. Los cacahuetes todavía se encontraban esparcidos por el suelo. Los tendría que limpiar la asistenta, supuso ella. Todo aquel apartamento hablaba de confianza y riqueza—. Y tú eres igual, Jordan. Sabes que es así. Quizá nacieras en una casa pareada en Reading, pero, desde luego, no querías quedarte el resto de tu vida en una casa como esa.

Él estaba sirviendo dos vasos de whisky, de espaldas a ella.

—Cierto. Pero yo lo he conseguido todo con mi esfuerzo. No me lo han servido en bandeja.

Katherine pensó: pero naciste listo, con talento y guapo. Y eres un hombre, y el éxito siempre ha sido más fácil para los hombres. Y, además, hiciste un matrimonio de conveniencia. Sin embargo, ocultó ese pensamiento en el fondo de su mente: si no pensaba en Tricia, la mujer seguiría siendo una figura en la sombra, insignificante. Por el contrario, dijo:

—Lo que se te daba bien a ti siempre ha sido muy valorado. Lo que se les da bien a ellos siempre ha sido infravalorado. ¿Quién puede decir qué vale más, o cuál es el trabajo más difícil, ser miembro del parlamento o minero?

—No estarás sugiriendo en serio que el trabajo manual deba dignificarse con el mismo estatus que las profesiones liberales. —Jordan tendió un vaso a Katherine—. Eso es ridículo. ¿Qué sería lo siguiente? Quizá deberíamos ganar lo mismo, un juez de la Corte

Suprema, un cirujano cardiaco, una asistenta y un basurero. Entonces ninguno de nosotros tendría incentivo alguno para mejorar.

Hubo un silencio. Entonces él gruñó y se sentó junto a ella.

—Lo siento. Lo siento, cariño. —Le agarró la mano y ella vio lo cansado que parecía.

—¿Un mal día?

—Tu amigo Henry Wyborne hablando monótonamente durante horas de cosas sin importancia no me ha ayudado demasiado.

—Henry Wyborne no es amigo mío —dijo ella, con ligera ironía. Lo miró—. ¿Por qué no te gusta?

Él se bebió el whisky.

—Porque es muy grandilocuente y presuntuoso. Y no tiene sentido del humor. Y es un manipulador. Todos los políticos son manipuladores, desde luego, en mayor o menor grado, pero Henry Wyborne lo convierte en un verdadero arte.

Katherine recordó a la niña de ojos vivarachos en su cunita y el dolor que marcaba los rostros de los Wyborne.

—Tuvo un comienzo deslumbrante en el partido —murmuró Jordan—. Héroe de Dunquerque, todo eso. Siempre he envidiado bastante a esa generación. El bien y el mal, escoger el bando... Era algo mucho más directo en 1940, ¿no te parece?

—Nunca he pensado demasiado en aquello. La guerra parece que sucedió hace mucho tiempo.

—Wyborne bebe, ¿sabes? Desde que murió su hija. Todo el mundo lo sabe, pero nadie lo menciona, claro.

La sonrisa de Katherine se desvaneció.

—Yo quise hablar con el padre de Rachel después de que ella muriera. Preguntarle si sabía por qué quería hablar con nosotras. Pero no pude. Parecía muy... angustiado.

Ella le explicó las llamadas de teléfono de Rachel a Liv y a ella el día antes de morir.

—Todavía me inquieta —dijo—. Siempre he pensado... Ah —suspiró—, si hubiera vuelto a mi habitación aquel día... Si no me hubiera quedado a pasar la noche fuera... El hombre con el que estaba no significaba nada para mí. Ni siquiera recuerdo su nombre. Sé que

Liv siente lo mismo. Es algo realmente horrible. Querer que el reloj retroceda.

Se quedó callada. Varias veces a lo largo de los últimos meses pensó en ir en coche a Lancashire, sacar a Liv y a las niñas de aquella horrible casa en la que vivían y llevárselas a Londres. No lo haría, claro está, porque uno no puede obligar a otra persona a tomar semejante decisión: tiene que salir de ellos. De modo que se limitó a escribir y a enviar generosos regalos para el cumpleaños de Freya, y para dar la bienvenida a la otra niña. No recibió respuesta a sus cartas —se preguntaba a veces si Stefan no las habría destruido; lo creía capaz de ello—, solo una educada nota de agradecimiento por los regalos. Una o dos veces pensó en escribir a Thea, pero no lo hizo. Habría parecido una traición. Sin embargo, seguía preocupada, agobiada por la idea de que una vez más, quizá, ofreciese demasiado poco, y demasiado tarde.

En junio, cuando sus alumnos hubieron hecho los exámenes, las horas de enseñanza de Stefan se vieron reducidas una vez más. En años anteriores compensaba aquel descenso en sus ingresos dando clases particulares; aquel año no lo hizo. Decidió convertir el granero en un alojamiento separado para que, según explicó a Liv, pudieran aceptar a algún realquilado. Cama y desayuno, y quizá la cena también. Se puso a trabajar una vez más, encalando las paredes. Llevó algunos muebles de la casa al granero «para ambientarlo un poco», le dijo a Liv. El salón ahora estaba vacío, solo quedaban las pilas de libros y unos cuantos cojines.

La escopeta seguía en el granero. Liv tenía la sensación de estar esperando a que estallara una tormenta. El cálido tiempo veraniego intensificaba su sensación de temor. Al llevar a Georgie a la doctora para que le hiciera un reconocimiento, le preguntó tímidamente si no ser capaz de dormir podía poner enferma a una persona. Ella la miró intrigada.

—¿Está hablando de usted misma, señora Galenski?

—De mi marido.

—El insomnio prolongado puede conducir a sufrir problemas mentales. O bien puede ser consecuencia de estos, por supuesto.

—¿Qué tipo de problemas? —Tenía la boca seca.

—Irritabilidad, falta de concentración, humor cambiante... En casos extremos, psicosis.

—¿Ayudarían unas pastillas para dormir?

—Podría ser. Pero si su marido tiene problemas para dormir, entonces le sugiero que pida hora para una visita.

Ella sabía que Stefan jamás haría semejante cosa.

—Yo pensaba... —se aclaró la garganta—, pensaba que quizá podría usted darme algo para llevárselo a casa.

—Me temo que no puedo hacer eso, señora Galenski. Tengo que ver primero al paciente.

Ella se sintió descorazonada. Oyó que la doctora decía:

—Podría ir a verlo a casa, si está usted preocupada.

Ella se imaginó la escena. El coche de la doctora subiendo por el estrecho camino hasta Holm Edge. Enseñarle a aquella mujer tan agradable y perspicaz unas habitaciones que no contenían más muebles que unos cojines y libros. Presentarle a Stefan. Si el día era bueno, él se mostraría encantador y la engañaría, y rechazaría cualquier tipo de ayuda. Si era malo... Tuvo que reprimir un escalofrío. Se imaginó a Stefan yendo a por la escopeta al granero y expulsando a la doctora de la casa.

Esbozó una sonrisa con esfuerzo.

—No hay necesidad de eso. En realidad, no importa.

En el autobús de vuelta a casa apretaba a Georgie contra ella, viendo la trampa en la que había estado a punto de caer. Los asistentes sociales se llevaban a los niños de las casas que no eran adecuadas, se los quitaban a padres que eran un peligro para ellos, a madres que no podían protegerlos. Había que impedir que pasara algo semejante a toda costa.

Una vez más, intentó hacer planes. Si dejase a Stefan... Lo que antes le parecía ridículo e inconcebible se había convertido en una posibilidad. Sin embargo, las dificultades prácticas que suponía una empresa semejante resultaban abrumadoras. Ella tenía

248

ahorradas casi veinte libras, pero ¿cuánto tiempo podría alimentar con aquello a Georgie, Freya y ella misma? ¿Cuánto tiempo podría alojarlas? Tendría que conseguir un trabajo, pero ¿qué trabajo podía hacer ella? Estaba dispuesta a intentar cualquier cosa —hacer de camarera, limpiar, trabajar en un bar, cualquier cosa—, pero quedaba el problema de las niñas. ¿Cuánto podía pagar para que alguien cuidase de Freya y Georgie mientras ella estaba trabajando? Una vez pagada la canguro, ¿cuánto dinero le quedaría para comida, ropa y alojamiento?

Y si dejaba Holm Edge, ¿adónde podría ir? Fueran cuales fuesen las desventajas de vivir en Holm Edge, al menos tenían un techo sobre sus cabezas. Ella no podía volver a Fernhill, ya que ahora la casita estaba alquilada a otra persona, y además Stefan la encontraría enseguida allí. No veía a Katherine desde el año pasado y la última vez que se vieron se pelearon. Su orgullo se rebelaba ante la idea de hacer cargar a Katherine con las tres, a quien ni siquiera le gustaban los niños. Pero no había nadie más.

El mismo hecho de irse ya presentaba unos problemas muy graves. Llevar a las dos niñas en transporte público en sí mismo ya era una empresa sobrehumana. Georgie no era todavía lo bastante mayor como para ponerla en la sillita, lo cual significaba que debía llevarla a todas partes en el capazo. Para tomar el autobús, Liv tenía que desmontar el capazo y quitarle las ruedas, y, haciendo varios viajes, subir las pesadas ruedas por la escalera y meterlas en la rejilla portaequipajes, sentar a Freya en un asiento y luego meter el capazo con Georgie entre las dos. Si llevaba bolsas de la compra, eso significaba otro viaje de entrada y salida del autobús. Se imaginó intentando subir a un autobús o tren con Georgie, Freya, el capazo y el equipaje que tendrían que llevarse con ellas si abandonaban Holm Edge. Le costaría media hora preparar a las dos niñas para hacer algo semejante, y tener que hacer el equipaje con la ropa de las niñas, los biberones y los pañales, preguntándose todo el tiempo si Stefan, cuyas salidas eran siempre de una duración impredecible, volvería o no a casa.

Y lo peor de todo: se imaginaba lo que podía hacer él si descubría que ella quería irse. «Nunca dejaré que te vayas, Liv.»

Debía esperar, pensó, esperar el momento adecuado. Aguantar un poco más. Esperar a que Georgie fuese lo bastante mayor como para ir en la sillita, o hasta que hubiese ahorrado algo más de dinero...

Al día siguiente estaba tendiendo la colada en la cuerda cuando oyó ruido en el interior de la casa.

Dejó las pinzas y subió las escaleras. Continuaban los ruidos y golpes. En el piso de arriba vio que la puerta del dormitorio estaba abierta. Cuando miró dentro, su corazón se paró. Stefan estaba buscando en los cajones de la cómoda. Libros, ropa y zapatos estaban esparcidos en montones por el suelo del dormitorio. Él había abierto el cajón superior y estaba sacando jerseys y camisetas. Se puso enferma de terror.

—Stefan... —dijo, y él se volvió a mirarla.

—Barentov... *Mitos de Europa del Este...* No lo encuentro por ninguna parte. —Cerró de un golpe el cajón.

—Aquí no está. —Ella misma notó el pánico en su voz—. Está en el piso de abajo, seguro.

—Alguien me lo ha quitado. A lo mejor Freya. El otro día puso mis zapatos en la cesta de la colada. —Abrió el segundo cajón, donde ella guardaba sus ahorros; Liv se clavó las uñas en la palma de la mano y rezó.

Guantes y medias salieron volando por toda la habitación. Se oyó un golpe seco cuando un par de calcetines dieron en el suelo. Luego un sonido tintineante al escapar las monedas de su prisión y rodar formando curvas y espirales por la habitación.

Stefan se detuvo. Liv le vio fruncir el ceño al agacharse a recoger una moneda. Dijo rápidamente:

—Es el dinero de mi cumpleaños.

—Thea te mandó diez libras. Aquí hay el doble. —Sostenía la moneda en la palma de la mano.

Cuando cruzó la habitación en dirección a ella, vio que sus ojos se endurecían.

—¿De dónde has sacado esto, Liv?

—He ahorrado. De verdad, lo he ahorrado. Es para las niñas..., para Navidad...

—¡Mentirosa! —No tuvo oportunidad de esquivar el golpe. Cuando la palma de la mano de él se estrelló con dureza en su cara, las piernas se le doblaron.

»¡Mentirosa! —La levantó—. ¿Para qué es? —Sus manos se clavaron en su carne mientras la sacudía violentamente—. ¿Qué estás planeando hacer con esto?

—Nada. —Le ardía la mejilla y notó el sabor de la sangre. Tenía la mente en blanco por la conmoción. Se oyó balbucir—: Te lo he dicho, es para las niñas...

—Entonces ¿por qué me lo ocultabas? —Su expresión se alteró y ella vio en su mirada furor e irracionalidad—. Ibas a abandonarme, ¿verdad, Liv? —Stefan debió de leer la verdad en sus ojos, porque la agarró del pelo y la arrastró por la habitación—. Eres demasiado idiota, ¿no lo entiendes? —le susurró—. Lo que te dije era verdad. Nunca podrás dejarme, Liv. Nunca.

Luego la arrojó lejos de sí. La espalda de ella rebotó contra la pared y cayó al suelo. Agachada, con las rodillas pegadas a la barbilla, ella se envolvió con los brazos, en un gesto de protección. Oyó que Stefan salía de la habitación y luego un sonido de roce al dar la vuelta a la llave en la cerradura. Corrió hacia la puerta, pero aunque sacudió el picaporte y gritó el nombre de él, sus pasos se alejaron al bajar corriendo la escalera.

Desde el jardín llegó el ronroneo del motor del coche. Desde la ventana, Liv veía el capazo en el cochecito, junto al acebo, y Georgie dormida en su interior, y el Citroën que tomaba velocidad al bajar por el camino. Agarrada al alféizar, hizo un esfuerzo para analizar su situación. Estaba encerrada en el dormitorio y Stefan se había ido. Las niñas estaban solas. Sufrió un momento de pánico espantoso cuando se le ocurrieron todas las cosas que podían suceder. A Freya se le podía pasar por la cabeza sacar a Georgie del cochecito y tirarla al suelo. O podía entrar en el granero, subir las escaleras y sacar la escopeta del estante...

De alguna manera, consiguió controlarse. Se limpió la sangre de la boca con la manga e intentó serenarse y pensar. Oía a Freya que estaba jugando en las escaleras, así que fue hasta la puerta, se arrodilló y miró por la cerradura. La llave no estaba; Stefan debía de habérsela llevado. Pero todas las llaves de la casa abrían las cerraduras por igual. Así que llamó a Freya.

Se oyeron unos pasitos menudos por el pasillo.

—¿Mamá? —El picaporte se movió cuando Freya intentó abrirlo—. ¿Mamá? Déjame entrar, mamá. —Las lágrimas hacían temblar la vocecilla de Freya.

Liv aspiró aire con fuerza.

—Cariño, no hay por qué asustarse, pero mamá no puede abrir la puerta. Quiero que seas una niña muy lista y vayas a buscar la llave de la puerta del estudio de papá y la traigas aquí arriba.

—Mamá, quiero entrar.

—Podrás entrar si vas a por la llave, Freya. Entonces yo abriré la puerta. ¿Podrás hacerlo?

—Sí, mamá.

—Y ten mucho cuidado con las escaleras, cariño.

Hubo un momento de silencio y luego el sonido de unos pasos que bajaban. Pareció pasar una eternidad hasta que volvió Freya. Liv la oyó meter la llave en la cerradura, pero la llave no giró. La cerradura era demasiado dura para las manitas de la niña.

—Intenta meter la llave por debajo de la puerta, Freya.

Más ruidos de roce.

—No entra, mamá.

Liv estuvo a punto de chillar por la frustración y el terror. Tomó aire.

—Ve abajo y sal al jardín, cariño. Y llévate la llave.

Freya desapareció una vez más por el pasillo. Liv abrió la ventana. El jardín, y la libertad, parecían seductoramente cercanos. Liv vació todo el contenido de su cestita de costura en el suelo y ató un trozo de lana a las asas de la cesta. Miró hacia abajo, vio a Freya de pie, en el césped, de modo que fue bajando la cestita por la ventana y le dijo a Freya que pusiera la llave en la cesta. Luego volvió a subirla hasta la habitación.

Al abrir la puerta, solo hizo una pausa para recoger todo el dinero del suelo. Entonces corrió escaleras abajo y salió al jardín. Georgie, la dulce y buena Georgie, todavía dormía. Liv reunió la ropa y los pañales que encontró y lo metió todo en una bolsa.

Luego metió todas sus cartas antiguas, postales y libretas de direcciones en su bolsa de tela y llenó otra bolsa con biberones, muñecos y los libros y juguetes favoritos de Freya. Mientras hacía el equipaje, acechaba para ver si oía el sonido de un coche que subiera por el camino. Ahora sabía que nunca habría un momento adecuado, y que no podía aguantar más. Arrojó las bolsas en la rejilla del cochecito y se pasó la bolsa de tela por el hombro. Luego agarró a Freya de la mano.

Solo miró hacia atrás, a la casa, una vez. La luz del sol brillaba a través de las ramas del acebo, proyectando dibujos en la hierba. Recordó la primera vez que vio Holm Edge, y que Stefan se levantó y le sonrió, mientras se dirigía hacia ella para saludarla. Y recordó el mapa que le dibujó en el dorso de la mano, y cómo las líneas de un azul violeta hacían eco al dibujo de sus venas. Ella seguía un mapa distinto ahora: aceleró el paso, alejándose deprisa.

Felix se encontró con Rose en la estación de Liverpool Street. Ella se agarró de su brazo, apretándose contra él mientras se dirigían al metro. Caminaron a lo largo de King's Road, Rose se detenía fascinada ante las tiendas, y Felix la invitó a comer –espaguetis a la boloñesa y helado de postre– en una *trattoria*. Él preguntó por su padre –«apenas lo veo, Felix. Siempre está trabajando»–, por Mia –«llevaba las botas de agua de mamá el otro día. La vi. ¡Las de mamá!»– y los animales –«*Fiametta* está preñada, o sea que supongo que o *Marietta* o *Constanza* deben de ser macho»–. Luego le explicó que iban a pasar la tarde en casa de Katherine, porque él le había prometido instalarle un riel de cortina. Rose lo miró suspicaz.

–¿Quién es Katherine?

–Una amiga. Te gustará. Vamos.

En casa de Katherine, Rose se sentó acurrucada en una butaca leyendo revistas mientras Felix estaba ocupado con las escaleras y el taladro. Hacia las ocho sonó el timbre.

Él contestó por el interfono.

–¿Quién es?

Hubo un silencio durante el cual le pareció oír llorar a un bebé.

–Soy Liv. Buscaba a Katherine.

Él iba a decir: «Todavía no ha llegado», y volver a las cortinas, pero luego pensó: Liv. Liv, la del marido celoso y los dos niños pequeños, y la casa ruinosa en Lancashire. ¿Qué estaría haciendo Liv en Londres?

–Espera, ya bajo. –Y salió de la habitación. Bajó corriendo las escaleras y oyó los llantos antes de ver su silueta enmarcada por la ventana de la puerta delantera.

Abrió la puerta. Ella llevaba una niña en brazos y otro bebé más pequeño aún en un cochecito. Las dos criaturas lloraban. Ella dijo, trémula:

–Se han portado maravillosamente bien, pero ya no pueden más. No pensaba que Katherine... –Su voz se volvía más temblorosa a medida que hablaba.

–Katherine volverá pronto a casa –dijo Felix–. Ya te ayudo con el bebé. –Desenganchó el capazo de las ruedas y se llevó las dos cosas escaleras arriba. El bebé lloraba con la carita muy roja. Oyó a Liv que subía tras él. No tuvo que hacer ninguna pregunta ni ver el hematoma rojo e inflamado en un lado de la cara de Liv, evidente en cuanto pasaron a la luz más intensa del salón, para saber que había ocurrido algo espantoso. Se concentró en la ayuda práctica. Llamó a Katherine a la oficina, pero no respondió, y entonces hizo un té y unos bocadillos mientras Liv amamantaba al bebé. Rose ayudó a la pequeña Freya a quitarse el abrigo y el sombrero, y acunó al bebé después de darle el pecho. Felix sabía, al mirar a Liv, que se encontraba en un estado de absoluta extenuación y que apenas era capaz de hablar, y mucho menos explicar lo que le pasaba. Cuando contempló su rostro maltratado fue consciente de una profunda y oscura ira; mientras observaba a Rose acunando al bebé, vio, para su gran asombro, que todo el resentimiento y toda la infelicidad se habían desvanecido de los rasgos de la chica, y que ella miraba al bebé dormido con una expresión de absoluta serenidad.

Katherine llegó a las diez. Georgie dormía en su cochecito y Freya se había acurrucado en la cama de Katherine. Liv se sobresaltó cuando la llave de Katherine giró en la cerradura. Dijo:

–Katherine, espero que no te importe... –Y se echó a llorar desconsoladamente.

Katherine la abrazó.

–¡Claro que no me importa, tonta! No me importa en absoluto. –Felix notó que los ojos de Katherine también estaban llenos de lágrimas.

10

Liv se quedó solo tres días con Katherine. Su alivio inicial por haber encontrado refugio se vio sustituido enseguida por el miedo: miedo de que Stefan consiguiera encontrarla, miedo a las represalias que seguirían. Stefan podía adivinar que se había ido con Katherine, pero no creía que supiera su dirección y el número de teléfono de Katherine no estaba en la guía. Además, había recogido con cuidado todas las cartas, postales y agendas antes de abandonar Holm Edge y se las había metido en el bolso. Pero, a pesar de todo, le seguía preocupando la posibilidad de que él la encontrase.

Fue Felix quien dio con la solución. El piso —una planta baja en una casa victoriana— estaba en Beckett Street, a cuatrocientos metros de donde vivía Felix. Era un alquiler a corto plazo, que debía renovarse a los seis meses.

—Te dará un espacio para respirar —dijo, y mirando a su alrededor, ella supo que sería así. Las habitaciones eran frías y hacían eco, y el suelo del baño era extrañamente irregular, por la humedad filtrada desde los cimientos. Tenía cocina y un salón, y un pequeño y polvoriento jardín lleno de rosales, demasiado altos y delgados, y lilas enmohecidas. Un peral viejo con espaldera crecía contra la pared posterior de la casa; sus ramas daban golpecitos en los cristales de la ventana con unos deditos finos, cubiertos de líquenes. Parte de la ansiedad y la extenuación de Liv empezó a ceder y se sintió protegida en un diminuto capullo de esperanza. Por muy pequeño que fuera el piso, y viejo, sería *suyo*.

Los inquilinos anteriores habían dejado algunos muebles: un viejo hornillo eléctrico y una mesa de formica amarilla desgastada en la cocina y, en la habitación delantera, grande y con más luz, una cama doble llena de bultos. La primera noche, Liv, Freya y Georgie durmieron acurrucadas las tres en la cama. Katherine le prestó mantas, tazas y platos, y le regaló varias bolsas de comida. Al día siguiente apareció Felix con maderas y una sierra e hizo una camita para Freya. Liv sujetaba los tablones mientras él los iba atornillando; cuando él se dio un martillazo en un dedo ella temió, tensa por la ansiedad, que se pusiera furioso, las inevitables críticas y gritos, pero él se limitó a hacer una mueca y decir:

—¡Uy, qué patoso! —Y siguió trabajando. Ella lo miró suspicaz, preguntándose si su tranquilidad no sería fingida. Pasó mucho tiempo antes de que volviera a relajarse.

Los sonidos de Holm Edge —el canto de los pájaros, el susurro de la hierba con el viento— se vieron reemplazados por el rugido del tráfico y por las peleas intensas y públicas de los vecinos. La ciudad trajo consigo un tipo de aislamiento distinto: miradas que se evitaban en el metro, una mezcolanza de idiomas desconocidos en la calle. Ella no era lo bastante rápida, lo bastante dura, lo bastante lista para la vida urbana. Los coches le tocaban el claxon cuando cruzaba la calle; los borrachos que volvían a casa tambaleándose desde el pub la empujaban. No era capaz de conservar en la cabeza un mapa de la ciudad. Había calles con verjas metálicas y perros grandes que ladraban, calles sin tiendas y con oficinas ciegas con muros de cristal, calles donde por la noche los coches iban más despacio, con la ventanilla del pasajero bajada para hablar con las chicas que pasaban el rato en las aceras. Giraba por sitios equivocados, entraba en callejones sin salida. Al irse a la cama, por la noche, cerraba los ojos y la ciudad continuaba atacándola, un parpadeo de imágenes inconexas.

Le habría gustado esconderse para siempre en el piso, segura dentro de sus cuatro paredes, pero Freya y Georgie la arrastraban al mundo exterior. Felix y su hermana, Rose, las visitaron una tarde soleada. En el jardín, Rose jugaba al escondite con Freya, mientras Felix estaba echado en la hierba, con los ojos cerrados y la cabeza apoyada en los brazos.

—¿Buscarás un trabajo, Liv? —le preguntó—. ¿O quieres pedir un subsidio?

La simple idea de meterse en el sistema de la Seguridad Social la alarmó.

—Me gustaría encontrar trabajo —dijo—, pero con las niñas... ¿Qué voy a hacer con ellas?

—Encontrar una canguro que las cuide —se incorporó y chilló—: ¡Rose! —Rose acudió para unirse a ellos—. Rose, tú podrías cuidar de Freya y Georgie mientras Liv va a trabajar, ¿verdad?

—Claro. —Rose volvió a jugar al escondite.

—Felix, Rose y tú ya habéis hecho mucho por mí, no puedo aprovecharme más.

—¿Por qué no? En realidad me estás haciendo un favor. Rose no quiere volver a casa. Ahora ya tiene dieciocho años... Ha dejado el colegio. Quiere quedarse en Londres conmigo. —Felix suspiró—. Ella se ocupa de mí. Me prepara una barbaridad de comida y se queda mirándome mientras me la como. Es espantoso, Liv. ¡Incluso me plancha la ropa! —Llevaba una camiseta cuyo lema estaba tan difuminado que resultaba ilegible y unos vaqueros desgastados. La tela tenía marcas de planchado—. Tengo que encontrarle algo que hacer. Si cuidase a Freya y Georgie, al menos saldría de casa. —Se echó de nuevo y cerró los ojos, como si estuviera todo decidido.

El lunes, Liv buscó en los periódicos locales algún trabajo. Un café que estaba unas calles más abajo buscaba a alguien para que echase una mano. Sheila, la propietaria, tenía el pelo gris y corto, y unos enormes pendientes de rayas, fumaba sin parar y llamaba «tesoro» a Liv. Sheila le dio trabajo; Liv empezó al día siguiente. Trabajaba combinando horas de la comida con otras de la cena, de modo que nunca estaba demasiado tiempo alejada de las niñas.

El trabajo era agotador, pero le encantaba. Trabajar significaba volver a formar parte del mundo. Aunque solo ganaba quince libras a la semana, el alquiler del piso era bajo y, además, estaba acostumbrada a vivir con poco dinero. Cuando, al final de la semana, abrió su sobre y contó los billetes, notó un pinchazo de orgullo. Ganar su propio salario, mantenerse ella y a sus hijas por sí sola, le permitía tener la cabeza alta una vez más. Al volver a casa, con las quince libras guardadas y a salvo en el bolso, se sintió libre. Nunca más, se prometió a sí misma, volvería a depender de un hombre.

Compró una cunita para Georgie en una tienda de beneficencia y puso una funda holgada a un sillón comprado en una tienda de segunda mano. Encontró una cómoda con cajones en un contenedor, la lijó y la pintó. Disfrazó las paredes de la habitación delantera, desnudas y descascarilladas, con un mural de una selva con monos que saltaban de árbol en árbol, y tigres a lo Rousseau que se asomaban entre la hierba. Encontraba tranquilidad y placer haciendo suyo aquel piso, y redescubriendo las habilidades que les permitirían vivir cómodamente en él. Poco a poco, trabajosamente, estaba recuperando la confianza que su matrimonio le había arrebatado.

Con seis meses, Georgie se adaptó fácilmente a los cambios en su joven vida, pero Freya, que ya tenía dos y medio, lo encontraba más difícil. Lista, inquieta y exigente, volvió a las costumbres de la primera infancia. Aunque ya llevaba tres meses sin mojar la cama, volvió a hacerlo a menudo, y sus rabietas se podían oír en toda la calle. Echaba de menos a Stefan y Holm Edge. A menudo se apoyaba en el alféizar de la ventana, mirando hacia la calle. Cuando Liv le preguntaba qué buscaba, ella murmuraba, con el pulgar en la boca: «A papá».

Los lunes por la tarde se reunía con un grupo de madres con bebés, en la sala de reuniones de la parroquia. Liv tomaba tazas de Nescafé aguado y hablaba con las demás madres de las minucias de la vida de sus hijos, los problemas para dormir y para comer, los pequeños triunfos e hitos, ese tipo de cosas que, si se las mencionaba a Katherine, producían una mirada de aburrimiento supino. Un día, una de las otras madres le preguntó dónde vivía antes de trasladarse a Londres.

—En Lancashire —explicó ella, y describió Holm Edge.

—Debes de echarlo de menos —dijo la otra mujer, comprensiva—. ¿Eres feliz en Londres? —Ella sonrió y dijo que sí, que por supuesto que era feliz, pero al volver a casa reconoció que su felicidad estaba dividida en pequeños fragmentos: la sonrisa de Georgie cuando la saludaba cada mañana, la manita de Freya en la suya cuando caminaban por la acera.

Estaba demasiado herida por el pasado, sentía demasiada aprensión hacia el futuro como para ser completamente feliz. Algunas veces le parecía que le faltaban un par de capas de piel, y que todo lo que tocaba le dejaba marca. A veces, los llantos de Freya la despertaban a media noche y la propia Liv quedaba en desvelo horas y horas después de consolarla, mirando hacia la oscuridad, y la asaltaban todas sus preocupaciones. Algunas noches lloraba en silencio para no despertar a las niñas. Su humor iba alternando entre el alivio y la pena. Cuando la despertaban cada mañana los sonidos del tráfico y el roce de los pies en las aceras, sentía todavía, aun antes de abrir los ojos, una oleada de gratitud por estar en Londres y no en Holm Edge. El nudo de hierro que agarrotaba sus costillas durante los últimos meses de su matrimonio al fin empezó a fundirse y a desaparecer. Ya no se sobresaltaba al oír pasos ante la puerta. Ya casi no daba respingos cuando, al mirar por la ventana, veía un hombre moreno.

Liv le hizo un blusón para pintar a Freya con una tela de algodón que compró en el mercado. Una de las asistentes al grupo de madres y bebés lo vio y le pidió que le hiciera a su hija uno similar: al cabo de un par de semanas ya había hecho y vendido media docena.

Felix, Katherine y ella entablaron una amistad fácil. Las veladas y los fines de semana los pasaban en casa de uno o del otro, comían espaguetis, oían discos, hablaban de los acontecimientos del día. Liv preparaba la cena, que comían en unos platos de mercadillo, acompañada por vino tinto barato. Sentados a la mesa de formica amarilla de la cocina de Liv, hablaban horas y horas. Las discusiones surgían y luego morían, sus voces solo se acallaban porque sabían que las niñas dormían en la habitación de al lado. Las manecillas del reloj giraban y, ya de madrugada, se abrían huecos en la conversación y las ideas parecían escabullirse de su presa. Las frases se iban arrastrando y haciendo más lentas, fragmentadas por la fatiga, hasta que Katherine se iba dando tumbos hacia la puerta delantera o Felix buscaba su chaqueta.

A veces Katherine se iba antes, murmurando alguna excusa. Una noche, cuando la puerta se cerró tras ella, Felix bostezó y dijo perezosamente:

—Rose cree que tiene un amante secreto.

Liv lo miró y él se encogió de hombros.

—Katherine no es de las que se van a dormir temprano, ¿no?

Liv recordó a Katherine aquella noche: el vestido de terciopelo color tostado, su cuidadoso maquillaje.

—¿No has notado, Felix —dijo—, que siempre lleva la ropa más bonita las noches que se retira temprano?

Felix sonrió.

—Entonces no crees que sea por nosotros, ¿no? —Él le sirvió más vino.

Liv negó con la cabeza.

—No, gracias. Tengo que lavar los platos... Se me caerían todos.

—Rebotarían. —Él le rellenó la copa de todos modos. Liv se sentía agradablemente achispada, como si el vino hubiese eliminado los bordes cortantes de su nueva vida, a la que estaba empezando a acostumbrarse.

Ella lavó los platos y él los fue secando, y se bebieron el resto del vino. Su conversación se fue deslizando hacia el absurdo, sin verse restringida por el ingenio frío y ácido de Katherine. Por algún motivo que ella nunca consiguió recordar después, Felix insistió en enseñarle la canción de su colegio, que era muy patriotera y en latín, y ella se rio tanto que se le cayó una copa que se hizo pedazos en el suelo. Él dijo, compungido:

—Pues no ha rebotado, ¿verdad? —Y ella se encontró apoyada en el fregadero, riéndose a carcajadas, tapándose la boca con las manos mientras él recogía los cristales.

Ella se dio cuenta al mirarlo de que se había acostumbrado mucho a él, de que ya no temía que él pudiese cambiar y convertirse en aquel extraño familiar, el de los ojos llenos de desdén. También pensó que hacía años, literalmente, años, desde la última vez que se rio de aquella manera. Desde la universidad, desde que Rachel formaba parte de aquel otro trío.

Nunca, nunca se había reído tanto con Stefan. Qué extraño, pensó, que tuviera que ser la amistad, más que el amor, la que le permitiera reír.

Un miércoles, Katherine se dio cuenta de que estaba enamorada de Jordan Aymes. Fue en la pausa del almuerzo, mientras rellenaba un test de *Glitz:* «Cómo saber si estás verdaderamente, locamente, apasionadamente enamorada». Marcando las pequeñas casillas, se rio mucho con las otras chicas, pero cuando miró el resultado, su corazón empezó a martillear con fuerza. «¡Uf, estás colada por él, te has tragado el anzuelo!» Arrancó la página, la tiró a su papelera y volvió a la máquina de escribir. Era una tontería, por supuesto. No podía estar enamorada de Jordan Aymes, ¿verdad que no? El amor no podía ser el ingrediente secreto, el misterioso factor X, ¿verdad?

Al día siguiente fue a ver a Liv. Seguía intranquila: rondaba por la cocina, toqueteando un sonajero del bebé, un tubo de pastillas de chocolate, mirando con los ojos vacuos un libro infantil para colorear. Oyó que Liv le preguntaba:

—¿Qué te pasa?

—No me pasa nada.

Liv dijo, con ligereza:

—Rose cree que tienes un amante secreto. —Katherine tiró la ceniza a los escalones del jardín—. ¿Katherine...?

Recordó la primera vez que lo vio. En casa de los Wyborne: «Huevos de codorniz en gelatina. Se supone que es una exquisitez, ya lo sé...». De repente dijo:

—Bueno, creo que estoy enamorada de alguien. Pero no puede ser, ¿verdad, Liv? Yo no creo en el amor, ¿no? —No esperó una respuesta, sino que aplastó la colilla de su cigarrillo con el tacón y murmuró—: Pensaba que solo me gustaba. Y que lo deseaba, claro.

Notaba la incredulidad en su propia voz, incredulidad de que ella, Katherine Constant, pudiese haber caído en ese abismo tan poco original. Intentó sonreír, pero más bien tenía ganas de llorar.

–No puedo dejar de pensar en él... –continuó–. Sueño con él... Si tuviera catorce años, escribiría su nombre en mi carpeta, me atrevería a decir. Demonios –murmuró–. Me vendría bien una copa.

–Me temo que solo hay té. –Katherine vio comprensión en los ojos de Liv, y se dio la vuelta–. Si has encontrado a alguien, pues es estupendo, ¿no?

Katherine se volvió y se encaró con Liv, inexpresiva.

–Pero están el sexo y la amistad también, ¿no? Todo lo demás... corazones, rosas y todas esas tonterías... Es solo una trampa para mantener a las mujeres en la cocina, ¿no te parece?

–No puedes decir que el amor no existe. No puedes negar los sentimientos, llegar a preocuparte por alguien más que por ti misma, incluso. Eso no significa que tengas que casarte con ellos, pero...

–Bueno, ciertamente, no es mi caso. Él ya está casado. –Katherine encendió otro cigarrillo–. No debes decírselo a nadie –dijo, más tranquila–. Le he prometido a Jordan que lo guardaría en secreto. Es solo que..., no pensé que... –No estaba segura de si se sentía mejor por haber compartido su secreto con Liv o peor. Mejor por haber compartido algunas de sus incertidumbres o peor por haber confesado su vulnerabilidad. Dijo bruscamente:

»Es diputado del congreso, así que tiene que ser muy respetable. Su mujer es el típico caso de esposa leal y él es demasiado bueno para herir sus sentimientos.

–¿Cuánto hace que lo conoces?

–Un año. Más, si nos remontamos al momento en que lo vi por primera vez. Estaba invitado en la boda de Rachel.

–¿Y no te importa que esté casado?

–Claro que no. –No hizo pausa alguna para preguntarse si lo que decía era verdad. Algunos pensamientos es mejor contemplarlos, aceptarlos y luego apartarlos–. A veces lo prefiero. Ya sabes que nunca he querido eso, perder mi independencia... Hijos, la esclavitud doméstica... –Katherine calló. La pequeña cocina estaba sembrada de juguetes y ropita diminuta. Vio una expresión adusta en los ojos de Liv–. Lo siento –dijo, más bajo–. Otra vez hablo como una bocazas...

Liv empezó a recoger los juguetes y a meterlos en una caja de cartón.

–Cuéntame cosas de él. ¿Es guapo?

Katherine tenía una foto de tamaño pasaporte que guardaba en su monedero. Se la enseñó a Liv. Suponía que alguna mujer podía encontrar molesto el aire distante de Jordan, pero ella, que yació con él y vio el deseo que sentía por él reflejado en sus ojos, lo encontraba perfecto. Añadió:

–Conoce al padre de Rachel, claro. En realidad, no puede ni verlo. Dice que es un manipulador.

–Bueno, es verdad. ¿Recuerdas que mintió a Hector y le dijo que Rachel había decidido dejarlo e irse a París? Porque no quería que se casaran. Supongo que pensaba que era lo mejor –dijo Liv lentamente, recordando–, que estaba protegiendo a Rachel.

Liv se quedó en la puerta, mirando hacia la noche oscura, con la muñeca de trapo de Freya entre las manos.

Rose se tomó muy en serio la ocupación como canguro de Freya y Georgie, e incluso leyó el libro del doctor Spock sobre el cuidado de bebés en su tiempo libre. Bernard Corcoran aceptó de buen grado que su hija dejase el hogar y le enviaba una pequeña asignación cada mes. El cambio en Rose, durante los meses que pasó en Londres, fue notorio. Desapareció la negatividad y el enfurruñamiento, así como el infantilismo. Ya no se quedaba en la cama hasta el mediodía ni esperaba a que otros se lo hicieran todo. Incluso tenía alguna conversación telefónica con Mia, de vez en cuando. Pasaba gran parte del tiempo cuidando a las hijas de Liv y trabajaba en un centro de acogida de animales que estaba cerca. El intenso apego de Rose por Freya y Georgie sorprendió a Felix al principio, pero al final comprendió que su obstinación, que a él lo había fatigado tanto, era buena, si se encauzaba en la dirección adecuada.

Se le ocurrió momentáneamente a Felix que alguien podía encontrar su amistad con Liv y Katherine poco conveniente, o incluso vergonzosa, o evasiva. Tenía veinticinco años y se suponía que debía de estar pasándolo en grande, o buscando pareja y una cierta estabilidad. Pero no hizo caso de todos esos pensamientos. Un domingo tomó prestado el camión que usaban para las reformas de casas y se fueron los seis –Rose, Katherine, Liv y las niñas– a Bushey Park. El tiempo de finales de otoño era luminoso y ventoso, y las hojas caídas formaban pequeños remolinos en la hierba.

El sol, poniéndose despacio en el cielo, arrojaba unas largas sombras. Georgie dormía en su cochecito mientras Liv llevaba a Freya a buscar un lavabo de señoras.

Rose las vio irse.

–Deberías casarte con Liv, Felix –dijo–. Entonces yo sería tía de Freya y Georgie.

–Liv ya está casada, Rose –señaló Katherine.

–Ya lo sé, pero sería horroroso que volviera con ese espantoso marido que tiene. Yo la echaría de menos muchísimo.

–No seas tonta, Rose. Liv no va a volver con Stefan.

–No tienes por qué enfadarte, Felix. Las mujeres a veces vuelven con sus maridos, aunque ellos sean horribles.

–Pero llevan casi cinco meses separados.

–Ella podría cambiar de opinión.

Felix notaba el miedo en la voz de Rose. Se metió las manos en los bolsillos de la chaqueta y se alejó de ella, dando patadas a unos montones de hojas secas. Las palabras de Rose hacían eco en su interior. Él sabía, por supuesto, que Liv temía que Stefan encontrara su pista y viniera a Londres, pero a medida que pasaban las semanas y los meses se asumía que el peligro había pasado. Las palabras de Rose lo inquietaban. Las mujeres, incluso las maltratadas, a veces volvían con sus maridos. De repente vio que se había acostumbrado mucho a ella. Que había dejado que su vida se mezclase con la de ella.

De camino a casa, las niñas acabaron dormidas en la parte de atrás de la furgoneta. Felix dejó a Katherine en su casa y a Rose en el hogar de acogida de perros. Estaban parados en un semáforo cuando Felix le preguntó a Liv:

—¿Has decidido qué harás cuando renovemos tu piso? Tendrás que trasladarte...

—No había pensado en ello. Nunca pienso con más de un día o dos de anticipación.

—¿Por qué no?

—Porque me preocupa, supongo.

Los vivos colores iluminaban su perfil y el oscuro halo de su cabello.

—Estoy seguro de que encontrarás otro sitio —dijo él—. Yo podría buscártelo, si quieres.

—No es eso —Liv se mordió el labio—. Es por Stefan. No pienso más de un día o dos por anticipado porque, si lo hago, tendré que pensar qué hacer con Stefan.

—Pero no hay nada que hacer, ¿no? Tú lo has abandonado, y más tarde o más temprano pedirás el divorcio, supongo, y entonces...

—No es tan sencillo, Felix. Las cosas nunca son así de sencillas con Stefan. —Miró por la ventanilla—. No puedo creer que esté a salvo, ¿sabes?

—Claro que estás a salvo.

—¿Ah, sí? —Ella se giró.

—¿Has sabido algo de él? —Liv negó con la cabeza—. Pues entonces... Probablemente haya aceptado la situación.

Otro silencio. Había empezado a lloviznar. Los faros de los coches se reflejaban en el sedoso asfalto negro. Liv dijo, despacio:

—A veces controlaba el tiempo de mis visitas a las tiendas. Si tardaba más del tiempo que tenía estimado, debía explicar dónde había estado. Cinco minutos en la panadería, diez minutos en el supermercado, ese tipo de cosas. Una vez, como no fui capaz de explicar todos los momentos, faltaban doce minutos, creo recordar, me vació el monedero entre las zarzas. Para que no pudiera salir otra vez. —La expresión de sus ojos al volverse hacia él era fría y reflexiva–. ¿Crees de verdad que un hombre así sencillamente «aceptará la situación», Felix?

La lluvia arreciaba; él puso en marcha los limpiaparabrisas. Parte de su alegría, sobrevenida casi sin darse cuenta, se disolvió. Le preguntó, haciendo un esfuerzo:

—Entonces ¿crees que todavía te busca?

—Estoy segura. –Liv cerró los ojos un instante–. Cuando tengo un buen día, me digo que hay nueve millones de personas en Londres y que es imposible que encuentre a tres. Pero otros días recuerdo que Stefan es listo, decidido y lo bastante obsesivo como para buscar día y noche hasta que nos encuentre. –La mirada de ella se fijó en el rítmico vaivén de los limpiaparabrisas–. No creo que sepa dónde vive Katherine, porque nos habría encontrado ya, si lo supiera. Y mamá ciertamente no le dirá dónde estoy, y nadie más lo sabe. Así que me puedo sentir a salvo, ¿no? No hay motivo alguno por el cual no pueda sentirme a salvo, ¿verdad?

Él dijo, con una confianza que ya no sentía:

—Ningún motivo en absoluto.

La lluvia golpeaba el parabrisas; tras ellos, Freya gemía en sueños.

Katherine decidió hacer una cena. Invitó a Liv, Felix y Rose, a Netta Parker, de su trabajo, y su novio, Gavin, y a la pareja del piso de arriba, Martin y Beth. Mientras planeaba el menú, sus pensamientos derivaban, como solían hacer a menudo, hacia Jordan. Por supuesto, ella no le había dicho que lo amaba. Sabía que una confesión semejante alteraría el tono de su relación. Se permitió pasajeramente imaginar que invitaba a Jordan a su cena, que lo presentaba a sus amigos. Apartó de su mente ese pensamiento, sabiendo que estaba pisando un terreno peligroso, y procuró concentrarse, por el contrario, en el asunto poco familiar para ella de la cocina. Furtivamente, Katherine compró un ejemplar de *Woman's Own,* que prometía instrucciones para una cena sencilla para ocho. La compra le ocupó tres horas, a la hora de comer, y los preparativos, que empezó en cuanto volvió a casa del trabajo, el viernes, le costaron mucho más de lo que pensaba. Cuando sonó la puerta a las siete y media chilló y corrió escaleras abajo, con las manos llenas de harina.

Abrió la puerta.

—Llegáis demasiado temprano... —empezó a decir–. Ni siquiera he empezado el... –Se detuvo–. ¡Simon! –susurró.

Simon estaba de pie ante su puerta. Llevaba una bolsa de viaje.

—¿No me vas a decir que entre, Kitty?

Ella le enseñó el piso a su gemelo. En la cocina, Simon miró la comida desparramada: carcasas de pollo, mondas de verduras, y un revoltijo gris y pegajoso que se suponía que era un pastel.

—Pero ¿qué demonios estás haciendo? –dijo.

—Tengo una cena esta noche. Pero me está costando más de lo que pensaba y no estoy segura de estar haciéndolo bien. –Lo miró–. ¿Qué haces tú en Londres, Simon? Se suponía que estabas en Edimburgo...

—Ya he tenido bastante. Un sitio demasiado frío y mi casera parecía la hermana de John Knox* —imitó un refinado acento de Edimburgo–: «Nada de señoritas en la habitación, señor Constant. Yo tengo una casa decente».

Simon sonreía. Aparentemente, era el mismo, familiar e indolente, pero Katherine, que lo conocía bien, detectó en él un cierta tensión.

—Así que te has despedido...

—No exactamente.

—¿Qué ha pasado entonces?

Él dijo, despreocupadamente:

—En realidad el viejo desgraciado me ha echado. –La miró–. ¿Podría tomar algo de beber, Kitty, mientras me aplicas el tercer grado? Al menos así esto no me recordará tanto a casa...

_____

* Se refiere a John Knox (1514-1572), sacerdote escocés considerado el fundador del presbiterianismo, cuya doctrina promovía valores puritanos en franca aparición, política y religiosa, a las mayorías anglicana y católica de la época. *(N. de la T.)*

Ella le puso un vaso de vino.

–Dime qué ha pasado.

Él se bebió el primer vaso deprisa, y cuando se hubo acabado el segundo ella ya sabía lo bastante como para entender toda la historia. La tienda de antigüedades no iba bien, de modo que Simon, que siempre apreciaba las mejores cosas de la vida, empezó a sisar un poco para conseguir algún pequeño extra. Al principio eran bolígrafos y clips, luego calderilla de caja de cambio, y luego –el incidente que provocó su despido– un par de objetos de la tienda.

–Unas estatuillas Minton espantosas –dijo Simon. Parecía ofendido–. Llevaban años detrás de una cómoda. No pensaba que Gerald fuese a echarlas de menos. –Gerald era el propietario de la tienda de antigüedades–. Pero se puso como un loco. –Se encogió de hombros–. La tienda no iba demasiado bien. Creo que estaba buscando una excusa para librarse de mí, a decir verdad.

Katherine pensó: no reconocerás la verdad aunque se te eche encima. Sintió frío en su interior. Dijo:

–Simon, eso es robar. –Él la miró con los ojos azules abiertos de par en par.

–Tonterías. No seas tan mojigata, Kitty. Todo el mundo lo hace. Son extras del trabajo. ¿Cómo se supone que te las vas a arreglar, si no?

Ella no supo qué contestarle.

–¿Se lo has dicho a papá y mamá?

–Les he dado la versión corregida, claro.

Simon se volvió a llenar el vaso y Katherine se preguntó, mirándolo, si no tendría razón, si no se estaría dando aires de superioridad moral, pero se dio cuenta de que no podía imaginarse a ninguno de sus amigos más íntimos –Jordan, Liv, Felix– haciendo lo mismo que Simon.

Él le dedicó una repentina y encantadora sonrisa.

–Me preguntaba si podría dormir en tu sofá, Kitty. Solo unos días, hasta que encuentre algo.

–Claro. –Sonó el timbre y Katherine volvió a chillar y corrió escaleras abajo. Hizo entrar a Liv y las niñas–. Ni siquiera he empezado a pelar las patatas —dijo, mientras subían las escaleras—, ni a hacer la *crème brûlée.*

Los ojos de Liv se abrieron como platos cuando vio la cocina.

—Haz arroz en lugar de patatas, así no tendrás que pelarlas. Y no hagas *crème brûlée,* con una macedonia y un pastel de manzana será suficiente. —Levantó la vista—. Ah, hola, Simon. No sabía que estabas por aquí. —Fue al dormitorio de Katherine a acostar a las niñas.

Cuando se quedaron solos de nuevo, Simon dijo:

—¿Esa era Liv...?

—Vive en Londres ahora. ¿No te lo he contado? Ha dejado a su marido.

Simon parpadeó.

—Está muy cambiada —dijo, y ella lo vio mirar hacia la puerta como si, concentrándose, pudiese ver a través de la madera a la mujer que estaba al otro lado.

Felix y Rose llegaron tarde a la cena. Una de las perras del centro de acogida tuvo que ser sacrificada, de modo que Rose estaba disgustada y necesitó mucho consuelo y ánimos; luego el camión pinchó una rueda, al dar la vuelta a una esquina, y Felix consiguió evitar por los pelos que se estrellase contra el escaparate de cristal de una tienda, y pasó un cuarto de hora muy incómodo bajo la lluvia, cambiando la rueda.

Se disculpó. Katherine, que estaba sonrojada y nerviosa, le ofreció una toalla para que se secara el pelo.

—Estás muy mojado, Felix. Quizá Simon pueda prestarte alguna camisa.

Simon lo miró y dijo:

—Solo he traído una bolsa para pasar la noche.

Felix, que sabía reconocer perfectamente un desaire, sonrió a Katherine.

—No hace falta. Ya me secaré.

La cena fue una de esas ocasiones que no acaban de funcionar ni salen a flote. El arroz estaba pasado y el *coq au vin* fibroso y demasiado hecho: Felix, que siempre tenía mucha hambre, comió con entusiasmo, pero Simon, cortando la carne teatralmente, dijo:

–No está en el mejor momento de su juventud, ¿no crees, Kitty?

A Felix le pareció que los invitados eran todos agradables e interesantes, con la excepción del odioso gemelo de Katherine, pero, no sabía por qué, no conectaban.

Rose les habló de la perrita.

–Tenía un carácter tan bueno... La habían tratado tan mal y, sin embargo, era tan agradable...

–¿De qué raza era? –preguntó Netta, compasiva.

–Ah..., parte collie y parte labrador, y también un poco de setter... –La cara de Rose se arrugó un poco.

–No con pedigrí exactamente, pues –murmuró Simon.

Las lágrimas gotearon de la punta de la nariz de Rose hasta su plato. Poniéndose de pie y echando hacia atrás la silla, salió corriendo de la habitación.

–Iré a ver si está bien. –Liv abandonó la mesa.

–Pobrecilla –dijo Netta–. No ha comido ni un bocado.

–Le guardaría la cena en el horno –dijo Katherine–, pero la ensalada... –Miraba confusa el arroz y la ensalada del plato de Rose–. Me había olvidado de que era vegetariana.

Felix se sirvió un poco más de vino.

–Vegana.

Simon lanzó un bufido.

Netta lo miró.

–¿No lo apruebas?

–La gente hace esas dietas que se ponen de moda para atraer la atención, ¿no os parece?

–Mucha gente en el mundo no come carne –dijo Felix, malhumorado–. No sugerirás que hay naciones enteras que son vegetarianas para atraer la atención, ¿no, Simon?

–No hablo de los millones de personas que se mueren de hambre en la India. Ellos lo hacen porque no tienen otra opción. Si pudieran permitirse comer carne allí, probablemente irían a por ella, ¿no?

Liv volvió a la mesa.

—Ya se encuentra mejor. Volverá dentro de un momento... Solo está lavándose un poco la cara.

—Hablábamos de ser vegetarianos —dijo Felix, calmado—. Simon cree que los vegetarianos solo quieren llamar la atención.

—No he dicho eso. Claro que admiro los principios auténticos. Pero pienso que esas modas..., bueno, es como para intentar demostrar que eres mejor que los demás, ¿no? —Simon se echó atrás en su silla—. Apuesto a que muchos de los supuestos veganos compran comida basura a escondidas. Una hamburguesa de Wimpy cuando nadie mira..., una tableta de Dairy Milk cuando pueden...

Katherine dijo:

—Estás juzgando a todo el mundo según tus propias normas.

—Vamos, Kitty, no seas ingenua. Soy menos hipócrita que la mayoría de la gente, eso es todo. Admito que hago cosas que hacemos todos.

—Muchas personas se atienen a sus principios.

—¿Quién? Dime una si eres capaz.

—Nancy Barnes —dijo Felix—. Viví con ella un tiempo, en una comuna de Hampshire. Ella intentaba llevar el tipo de vida en el que creía. No era fácil, pero lo intentaba.

—¿Y tuvo éxito su experimento de autosuficiencia?

Hablando con Simon, se dio cuenta de que llevaba semanas sin pensar en Saffron..., quizá meses. Ella se había diluido en el pasado, era un dulce y breve episodio que ahora parecía bastante separado del resto de su vida.

—No, en realidad, no —admitió—. Hubo... problemas. Choque de personalidades, supongo.

Simon se encogió de hombros, como si su tesis quedara demostrada. Katherine dijo rápidamente:

—Traeré el pastel.

Felix recogió algunos platos. O ayudaba a quitar la mesa a Katherine o le daba un puñetazo a Simon Constant, cosa que habría conseguido que se sintiera mucho mejor, pero que no habría hecho nada para mejorar la velada.

En la cocina, Katherine dijo:

—Lo siento.

—¿El qué?

—Simon. Y la comida.

—La comida está muy rica.

—No, no es verdad. Es espantosa. Y mira esto. —Y le enseñó con desesperación las tartitas de manzana, que tenían el color del cemento y los bordes ennegrecidos—. Creo que las he dejado demasiado tiempo en el horno.

Felix miraba a través de la puerta abierta. Simon se inclinaba hacia Liv, hablándole. Su brazo se curvaba dominador sobre el respaldo de la silla de ella, y puntuaba sus frases con un toquecito de los dedos en el hombro de ella.

—¡Felix! —él se giró. Katherine captó la dirección de su mirada—. Decía que si puedes quitar los trocitos de plátano de la macedonia... Se han puesto marrones. Parecen babosas.

Unos días después, Liv llamó al piso de Katherine después del trabajo, una noche. La puerta estaba abierta de par en par, así que entró. Simon estaba echado en el sofá. Ella lo saludó.

—¿Está Katherine? —Él negó con la cabeza—. ¿Puedes decirle que me he pasado y que le he traído esto para darle las gracias por lo del sábado? —Llevaba un ramo de crisantemos.

—Pero no te vayas tan rápido, Liv. —Simon consiguió desprenderse del sofá y se dirigió a la cocina—. Tiene que haber por aquí una copa de vino. —Abrió el frigorífico.

—No puedo. Tengo que volver con Freya y Georgie, ya sabes.

—Ah. ¿Qué vas a hacer luego, más tarde?

Leer cuentos a la hora de irse a dormir y ponerme al día con la plancha, pensó ella.

—Podríamos ir a ver una película.

—No tengo canguro.

—Pues mañana por la noche... Esa chica..., la que siempre está tan mustia, la hermana de como se llame..., trabaja para ti, ¿no?

Su descripción de Rose la irritó. Dijo:

—Rose me ayuda, sí.

—Pues vale. Podemos ir al cine y luego a comer algo. También hay un club en Wardour Street... —La miró—. Debes de estar harta de todo el rollo doméstico, Liv.

Le estaba pidiendo que saliera con él. Una cita. Hacía tanto tiempo que no le pasaba algo parecido que casi no consigue reconocerlo. Se había olvidado de que los hombres piden a las mujeres que salgan con ellos, igual que se había olvidado de cómo rehusar con amabilidad una cita no deseada.

—Simon, no puedo, de verdad.

Él se enfurruñó.

—¿Por qué no?

—Porque..., porque estoy casada.

—Pero lo has dejado.

—Aun así...

—Solo una cita.

—Es demasiado pronto. No estoy preparada para relacionarme con otra persona. Y las niñas ocupan todo mi tiempo y mis energías.

Volviendo a casa, tras hacer la cena y meter a las niñas en la cama, se olvidó de la conversación con Simon Constant. Sin embargo, más tarde, cuando las niñas ya dormían y la casa estaba silenciosa, y ella se disponía a meterse en la cama, vio su propio reflejo en el espejo del baño. Parecía haber cambiado desde que se miró aquella misma mañana. Era como si de nuevo pudiera verse a sí misma con claridad: ojos oscuros, piel pálida, una nube de pelo oscuro y rebelde. Se llevó una mano a la cara, tocándola como si esta se hubiese vuelto poco familiar.

A lo largo de los últimos años se había puesto a sí misma en una categoría distinta, ya no se clasificaba junto con las mujeres jóvenes, como Katherine o Rose. Era la esposa de Stefan, la madre de Freya y Georgie. Sin embargo, empezaba ya a existir una vez más como ser humano independiente, se redescubría a sí misma lentamente, quitando las capas exteriores, y encontraba a la Liv medio olvidada que yacía debajo.

Un mes después de su llegada a Londres, Simon todavía seguía durmiendo en el sofá de Katherine. Ella no estaba segura de cómo pasaba los días: si se lo preguntaba, él señalaba el montón de periódicos del suelo y la pequeña pila de cacharros para lavar en el fregadero. Aseguraba que buscaba trabajo —de ahí los periódicos—, pero aunque siempre tenía perspectivas de empleo, invariablemente seguía echado en el sofá cuando ella se iba al trabajo por la mañana, y seguía en el sofá cuando volvía a casa por la noche.

Katherine no se había dado cuenta de lo mucho que le irritaba tener que compartir el piso con otra persona. Aunque nunca notaba su propio desorden, el de otra persona, aunque fuera su gemelo, la iba poniendo cada vez más nerviosa. Y lo peor de todo es que la presencia de Simon acentuaba las limitaciones de su relación con Jordan. Pensó en contarle a Simon lo de Jordan, pero descartó la idea enseguida. Katherine conocía los puntos flacos de su hermano, igual que los suyos propios. La discreción no era una de las mayores virtudes de Simon: contaba secretos por diversión, o para provocar, o como arma. Las largas llamadas telefónicas por la noche de las que antes disfrutaban ella y Jordan se vieron interrumpidas porque el teléfono estaba en el salón, donde dormía Simon. Katherine empezó a salir a escondidas por la noche a llamar al despacho de Jordan desde la cabina telefónica de la esquina. Más tarde, siempre asociaría el olor rancio y metálico de la cabina de teléfono con la intensidad del primer amor.

Ella y Jordan habían descubierto unos cuantos sitios que consideraban suyos. Un restaurante de currys en Fulham Road, un pub muy ahumado en una parte de Londres casi olvidada, y un parque pequeño —apenas un estanque y un puñado de castaños de Indias— que al parecer nadie más conocía. Dos veces en verano pasaron un día entero juntos: fueron a toda velocidad en el Jaguar de Jordan por pequeñas carreteras frondosas y pararon en el pub de un pueblo para tomar un poco de queso y encurtidos y una pinta de cerveza. En esas salidas ella disfrutaba de una deliciosa sensación de irresponsabilidad, como si, tal y como decía Jordan, estuviesen de vacaciones escolares.

Sin embargo, desde finales de agosto lo veía con menos frecuencia. La presión del trabajo, le dijo él, y, al leer los periódicos, con su deprimente letanía de huelgas, bombas y secuestros, ella tuvo que darle la razón. Antes encontraba emocionante la imprevisibilidad de sus encuentros; últimamente ese hecho empezaba a crisparle los nervios. Siempre era él quien contactaba con ella; nunca al revés. Antes a ella no le importaba, pero ahora veía que la dependencia de aquel arreglo casaba muy mal con su supuesta liberación.

Continuaba manteniendo en secreto que lo amaba, atesorando ese secreto. Hablaban de que se gustaban, de adoración, de deseo, pero nunca de amor. A veces, cuando había pasado una semana o dos sin verlo, y ella empezaba a cuestionarse los sentimientos de él hacia ella, dejaba que aquella pregunta quedase sin responder, diciéndose que no importaba. Él buscaba su compañía, se reía con sus bromas y la complacía en la cama..., ¿qué más podía pedir? Si él no hubiese estado atado, ¿se habría casado con él? Creía que no: el matrimonio con Jordan Aymes la habría convertido en una criatura risible, la esposa de un diputado *tory*. Viéndose a sí misma con faldas plisadas y conjuntos de chaqueta y jersey de Pringle, Katherine sonrió. Cuando intentaba imaginarse en las funciones constituyentes –aplaudiendo educadamente los discursos de él y haciendo la pelota a los fieles al partido–, le fallaba la imaginación. Sabía que sus diferencias políticas eran muchas, y que si la hubiesen exhibido como compañera de él, no habría sido capaz de callárselas todas. El arreglo que tenían era perfecto, se dijo. Jordan era interesante, inteligente y atractivo... ¿Qué podía importar que en algunos asuntos sus creencias fuesen tan dispares? En la cama eran solo uno, sus cuerpos se unían y estaban juntos, inseparables.

La mayor parte del tiempo creía que ella era la primera. Cuando los ojos grises de él se nublaban de deseo, y cuando le decía, tras una ausencia de unos días: «Necesitaba oír tu voz», ella sabía que era la primera. Se preguntaba por qué necesitaba tanto ser la primera. Porque era la tercera de cuatro hermanos, suponía;

porque era la única hija en una familia de chicos, porque era gemela, de modo que nunca fue única, especial.

Felix llamaba a su padre cada sábado por la tarde. Hablaban de críquet o de rugby, según la estación, de los inútiles del Gobierno y de negocios. Un sábado a principios de diciembre, sin embargo, las respuestas de Bernard Corcoran resultaron monosilábicas, rozando la incoherencia. Quedaban silencios entre las frases y, al final, Bernard, con una brusca despedida, colgó el teléfono. Felix se despertó temprano a la mañana siguiente y decidió acercarse con el coche a Wyatts.

Llegó a la casa sobre las diez. Mia estaba en la cocina, abriendo latas para dar de comer a los perros. Levantó la vista cuando él entró.

—Felix, qué sorpresa.

Él le besó la mejilla.

—¿Qué tal estás, Mia?

—Muy bien. ¿Quieres café?

—Sí, por favor —observó cómo se lo servía en una taza—. ¿Dónde está papá?

—En su despacho.

Él removió el azúcar del café. Su padre nunca iba al despacho en domingo. Nunca.

—¿Quieres algo para comer, cariño? —Mia miró vagamente por la cocina—. ¿Un bocadillo?

Bryn y *Maeve* masticaban ruidosamente, desperdigando las galletitas de su comida por el suelo de la cocina.

—No, estoy bien, gracias —dijo Felix—. Papá estaba un poco callado anoche al teléfono. ¿No se encuentra bien? ¿O es que está preocupado por algo?

Mia se echó atrás un mechón del largo pelo rojizo.

—Pues no lo sé. No cuenta nada. Bueno, no me cuenta nada a mí... —Encendió un cigarrillo—. Bernard estuvo en un campo de prisioneros japonés en la guerra, ¿verdad? Pues nunca me ha hablado de eso, ¿te das cuenta? Nunca, nunca. Me enteré por casualidad... Uno de sus compañeros de golf lo mencionó. —Dejó escapar una fina voluta de humo–. Ya le he preguntado si pasa algo –dijo en voz baja–, pero no me cuenta nada. Como si fuera una niña.

Él no recordaba haber visto jamás a Mia enfadada.

–Seguro que no lo hace a propósito... –empezó–. Te lo diría si... –Su voz se apagó.

–¿Sí, tú crees? –Se agachó para acariciar la larga cabeza moteada de *Maeve*.

Felix se levantó.

–Iré a verlo a la fábrica.

–¿Te quedarás unos días?

Él vio de repente lo sola que debía de encontrarse Mia, aislada enmedio del campo con un marido poco comunicativo y una casa enorme, llena de ecos, que todavía conservaba la huella de su predecesora.

–Claro que sí. –Le debían unos días de vacaciones en el trabajo.

Fue en coche hasta Norwich. La fábrica Corcoran era un enorme edificio victoriano, construido a las afueras de la ciudad y rodeado por hileras de casitas adosadas. Los muros de ladrillo rojo del edificio estaban salpicados de altas ventanas en forma de arco que le daban una grandiosidad de catedral. De pequeño, al leer «Kubla Khan» en el colegio, Felix se imaginó la cúpula del placer muy parecida al edificio Corcoran: enormes salas llenas de luz, pobladas por el suave rumor de las cintas transportadoras y el olor a tinte y a papel.

Llegó al despacho. Por la puerta entreabierta Felix vio los montones de papeles y los libros de contabilidad en el escritorio. Luego vio a su padre. Estaba sentado, muy quieto, de espaldas a la puerta, pero algo en la inclinación de sus hombros y en la forma en que caía su cabeza en la mano en la que se apoyaba hizo que el estómago de Felix diese un vuelco. Pero cuando pronunció el nombre de su padre, Bernard Corcoran se incorporó y sonrió.

–¡Felix! Qué sorpresa. ¿Qué te trae por aquí, chico? No quiero decir que no me alegre de verte, claro.

–Estaba preocupado por ti, papá.

Bernard volvió al escritorio.

—¿Preocupado?

—Por teléfono... parecías un poco agobiado.

Felix indicó las pilas de documentos.

—¿Quieres que te eche una mano con todo esto?

—No, no hace falta. —Bernard se incorporó—. Tengo una idea mucho mejor. Vamos a comer. A aquel pub tan bonito...

Fueron al Rose and Crown, a unas pocas calles de distancia. Después de pedir en la barra, Bernard llevó unos whiskys para los dos y se sentaron en una mesa del fondo.

Felix lo intentó de nuevo.

—Normalmente no vas al despacho en domingo, papá. ¿Pasa algo?

Bernard hizo una mueca.

—Algún contratiempo con el querido fisco, eso es todo. Me ha parecido que tenía que comprobar algunos números. Se está bien en domingo, muy tranquilo. —Dejó el vaso vacío—. ¿Otro?

—No, gracias, tengo que conducir. —Frunció el ceño—. ¿Van bien las cosas? El negocio, quiero decir...

—Ah, bueno, nos las vamos arreglando. —Cuando Bernard se levantó para ir hacia la barra se tambaleó ligeramente y casi tira la mesa.

Felix le tendió la mano para que se apoyase.

—Papá...

—Que estoy bien, te digo —la voz de Bernard sonaba cortante. Hubo un silencio. La mano de Felix se apartó del hombro de su padre. Entonces Bernard dijo—: Lo siento. No debería tomarla contigo. —Se sentó—. Tenemos problemas de liquidez, ¿sabes? Algunos de nuestros mayores clientes tardan siglos en pagar sus facturas. Saben que se lo pueden permitir... ¿qué podemos hacer nosotros, después de todo? Saben que los necesitamos. He tenido que pedir un préstamo para cubrir el déficit, y con los tipos de interés tan altos como están ahora... —Las palabras se apagaron. Felix no sabía lo que le preocupaba más, si el tono amoratado y poco saludable que tenía la cara de su padre o bien la desesperación que se notaba en su voz.

—¿Has tenido que pedir otro préstamo? —exclamó.

Bernard asintió. Cuando empezaba a hablar llegó la camarera e interrumpió la conversación. Cuando se quedaron solos una vez más, Felix dijo con muchas precauciones:

—¿Tienes miedo de no poder pagar las cuotas, papá?

Bernard echaba sal a su bistec y su budín de riñones. Sus ojos rehuyeron los de Felix.

—No, no, no es nada parecido. Simplemente, es que nos está costando un poco más recuperarnos de lo que yo pensaba. Sabes que no me gusta nada pedir préstamos.

—¿Así que no hay... —era duro incluso contemplar esa posibilidad—, no hay nada que ponga en peligro Corcoran?

—¿En peligro? —Bernard sonrió. Sus ojos azules, clavados en los verdes de Felix, eran enormes y límpidos—. Claro que no. ¿Cómo se te ocurre algo semejante? Desde luego que no.

Al volver a casa andando después de la reunión del grupo de madres con bebés, un lunes por la tarde, Freya levantó el cuadro que había pintado.

—Es un dragón verde, mamá.

—Es precioso, cariño. ¿Lo ponemos en la pared cuando volvamos a casa?

—En el aparador. Georgie no sabe dibujar. —Freya miró con desdén los garabatos de cera de su hermana.

—Pondremos el dibujo de Georgie al lado de su cunita —dijo Liv, con tacto.

Se acercaban ya a la casa. De repente Freya se paró en seco y se echó a reír.

—¿Freya? Vamos, cariño, corre, es la hora de la cena.

Cuando miró hacia la casa, al sitio que señalaba Freya, ella también se quedó inmóvil.

—¡Papá! —dijo Freya, y palmoteó, llena de alegría.

11

Stefan atravesó la calle hacia ella. Freya corrió hacia él y este la estrechó entre sus brazos.

Liv se cruzó de brazos intentando tranquilizar sus miembros temblorosos. Los músculos de su rostro estaban tensos. Susurró:

—¿Cómo nos has encontrado?

Él sonrió. Ella pensó que estaba cambiado, que estaba más delgado, con los rasgos afilados y demacrados.

—Tuve suerte —dijo—. Viajaba en tren y alguien dejó una revista en el asiento que tenía al lado. La hojeé y vi el nombre de tu amiga Katherine. «Katherine Constant, subjefa de sección.» De modo que así supe dónde trabajaba, ya lo ves.

Su mente parecía funcionar muy despacio; sin embargo, ella se dio cuenta de cómo debió de ocurrir.

—¿Y la seguiste hasta casa?

—Vino aquí hace un par de noches. Te vi abrirle la puerta —abrazó a Freya—. Mi diosa..., mi niñita preciosa...

—He hecho un dibujo, papi.

—¿Ah, sí, cariño? A ver, enséñamelo.

Liv le tendió el dibujo a Stefan. El delgado trocito de papel osciló entre sus dedos, con el mismo ritmo que su mano temblorosa. Ella se imaginó a Stefan esperando ante las oficinas de *Glitz* en Fleet Street hasta que Katherine salió del edificio, y siguiéndola hasta su piso. Stefan siguiendo a Katherine hasta Beckett Street. Y vigilando. Y esperando.

Freya se había soltado de los brazos de Stefan y lo llevaba hacia la casa. Liv los siguió. En la puerta delantera, él dudó.

—Si pudiera entrar... Solo un momento.

El seco y frío clima de diciembre pareció penetrar a través de su ropa, congelándole la piel. Liv le oyó decir muy bajo:

—Ya sé que no tengo ningún derecho... No espero nada...

Ella abrió la puerta y él la siguió hacia el interior de la casa. Las manos frías se mostraban torpes al intentar soltar el arnés de Georgie, de modo que Stefan se agachó junto a Liv y pasó las correas por las anillas y sacó a Georgie de la sillita. Ella vio que él acunaba a su hijita pequeña apoyándola en el hombro, y que cerraba los ojos, lleno de deleite.

Liv puso la tetera al fuego. Eso es lo que hace uno cuando quiere dar sensación de normalidad. Freya parloteaba, llenando los silencios.

Stefan sacó del bolsillo de su abrigo una muñeca con el pelo rubio y alitas de hada.

—Toma, Freya. Es un regalo para ti, mi amor. Llévatela fuera y enséñale el jardín. Mamá y yo tenemos que hablar.

Freya salió corriendo al jardín. Los párpados de Georgie empezaban a cerrarse. Liv la metió en su cuna. Solas durante unos instantes en la habitación delantera, ella apretó las yemas de sus dedos contra las fontanelas de su cráneo.

Cuando volvió a la cocina, él le dijo:

—No sé por dónde empezar.

Liv preparó té. Fuerte, sin azúcar; sus gustos eran inquietantemente familiares. Le oyó decir:

—No sé cómo podrás perdonarme, Liv, porque yo no puedo perdonarme a mí mismo. Cuando recuerdo lo que hice, me odio.

El chasquido, como un arma de fuego, cuando la mano de él le dio en la cara. Él la agarró por el pelo, tiró de ella por toda la habitación, como si estuviera recogiendo el hilo de pescar y ella fuera un pez.

—Me hiciste daño.

Stefan inclinó la cabeza.

—Si pudiera cambiar el pasado, lo haría, Liv. Pero no puedo. Lo único que puedo hacer es rogarte que me perdones y prometerte que jamás volverá a ocurrir.

¿Qué esperaba él, que sonriera, que le dejara abrazarla, que recogiera sus cosas y dejara la nueva vida que había creado para las niñas y volviera de nuevo a Holm Edge? Pasó la uña por el borde acanalado de la superficie de trabajo, marcando una línea fina en la pálida madera.

—No volverá a ocurrir —dijo Liv—, porque no dejaré que ocurra nunca más. Por eso te dejé, Stefan, de modo que no temo que puedan volver a ocurrir cosas como esa. He cambiado, ya lo ves.

Vio que él miraba la destartalada habitación y que luego su mirada se dirigía a Freya, que jugaba en el jardín.

—Yo también he cambiado, Liv. Eso era lo que quería decirte.

Ella agarró la taza con sus dedos fríos, intentando calentarse. Notaba los párpados pesados, como si ella, igual que Georgie, estuviera a punto de quedarse dormida.

—¿No quieres saber cómo he cambiado, Liv?

—Si me lo quieres contar.

—Tengo trabajo.

En su recuerdo aparecieron los planes de Stefan, amontonados uno encima de otro como troncos corriendo por un estrecho desfiladero. El libro, el huerto, la casa de huéspedes...

Como si él le leyera la mente, dijo:

—Esta vez es distinto. Es un trabajo de verdad. Empiezo dentro de tres semanas. Una empresa de exportación en Manchester. Necesitaban a alguien que supiera idiomas. A tiempo completo. Tendré que llevar traje y corbata. —Sonrió.

Liv se preguntó qué querría él. ¿Aprobación? ¿Felicitaciones? «Stefan, es maravilloso, prepara a las niñas y volvamos a casa...»

—Me alegro mucho por ti, Stefan. Espero que te vaya muy bien.

—He estado pensando en todo, Liv. He tenido mucho tiempo para pensar, estos últimos meses. Nunca tuvimos suerte, ¿verdad? No se puede decir que tuviéramos suerte... —Frunció el ceño—. El zorro, las ratas, las tormentas... Lo hicieron todo muy difícil, ¿verdad? Y no estábamos preparados para las niñas. Claro, en cuanto las tienes, las quieres más que a nada en el mundo, pero a menudo pienso que habría sido muy distinto si hubiésemos tenido tiempo para acostumbrarnos el uno al otro. Y si yo hubiese conseguido ese trabajo fijo en la universidad, eso habría ayudado mucho, ¿no crees? Habría sido totalmente distinto si hubiésemos tenido un poquito de suerte. ¿No te parece?

—Stefan —dijo Liv. Estaba insoportablemente cansada—. ¿Por qué has venido?

—A verte —dijo él, sencillamente.

Por un momento ella cerró los ojos.

—Tienes que entender que yo ya me he hecho una nueva vida.

Hubo un silencio. Entonces él dijo:

—No habría esperado otra cosa, Liv.

—Tengo una casa, un trabajo, amigos...

—Katherine —dijo él.

—Sí. Katherine se ha portado muy bien conmigo. No habría podido salir adelante sin ella.

Stefan se quedó de pie ante la puerta. Liv estudió su rostro, buscando pruebas de celos o de ira, pero sus rasgos se veían ensombrecidos por el peral.

—No te pido nada, Liv. Bueno..., solo una cosa. Que me permitas ver a las niñas. Las he echado mucho de menos, ¿sabes? Especialmente a Freya.

Le pareció justo decir:

—Ella también te ha echado de menos, Stefan.

—No he sido mal padre, ¿verdad? —Liv negó con la cabeza—. Entonces ¿me dejarás verlas? —dijo—. Solo las pocas semanas que esté en Londres. —Ella asintió.

Cuando Stefan se marchó, se quedó de pie en la cocina, con las manos apretadas, mirando hacia el jardín. El pequeño cuadro de hierba y arbustos ahora le parecía lleno de sombras. Las ráfagas de viento hacían que las ramas más finas del peral rascasen y diesen golpecitos en los cristales de la ventana, como si alguien pidiera que lo dejase entrar.

Empezó a preparar la cena. Tenía que recordarse a sí misma lo que debía hacer: los movimientos del cuchillo, pelar las patatas, dar la vuelta al grifo mientras llenaba el fregadero de agua. Notaba las manos entumecidas y se imaginó que apretaba la punta del cuchillo contra la palma de la mano y que veía la sangre que se iba acumulando sobre su pálida piel. Solo para sentir el dolor. Solo para sentir algo. Solo para sobresaltarse, para dar un respingo y que sus pensamientos embarullados recobrasen la coherencia. «Hermanas de sangre.»

Pero estaba sola y, además, había perdido hacía mucho tiempo la fe en el mundo ordenado de su niñez. Stefan le proporcionaba una magia oscura, un mundo en el que nada era como parecía en realidad, en el cual ella no podía confiar en sus propios instintos. Las paredes surgían del suelo tras ella, los laberintos se retorcían y daban vueltas. Qué fácil, pensó, creer que él había cambiado; sería mucho menos doloroso y mucho menos humillante aceptar la penitencia de él.

Sin embargo, pensó en las horas de su vida pasada mientras él estaba de pie al otro lado de la calle, en las sombras, acechando, esperando. Y cuando, una vez más, la rama tocó la ventana, ella se sobresaltó y se dio la vuelta, con el corazón latiendo deprisa, enfrentada a la oscuridad.

Rose estaba en la cocina, comiendo unos Maltesers y leyendo la revista *Honey,* cuando Felix regresó a Londres.

—¿No estás cuidando a las niñas de Liv? —Él abrió el frigorífico, que estaba vacío excepto por un envase de cuarto de leche y una loncha de jamón reseco.

—No me necesita —Rose parecía muy desgraciada—. Su marido está cuidando a Freya y a Georgie.

Felix se dio la vuelta.

—¿Su marido? ¿Estás segura?

—Va a cuidarlas también durante la hora de la comida, de modo que no las veré tampoco.

Él dejó la leche. Ya no tenía hambre. Miró a su hermana.

—¿Lo has visto? ¿Cómo era?

Ella hizo una mueca.

—Como *Vinegar Tom*.* —Rose tuvo en tiempos un gato que se llamaba *Vinegar Tom*—. ¿Te acuerdas, Felix? No sabías por dónde andaba y, de repente, te dabas la vuelta y estaba debajo del sofá, mirándote. Y era muy agradable cuando a él le interesaba, pero si le aburrías, te atacaba. —E hizo un movimiento súbito, como un gato desnudando sus garras.

Katherine llevó a Felix a su dormitorio. Tenía montones de vestidos tirados encima de la cama y uno de sus párpados brillaba con una sombra de ojos escarchada de un color verde pálido, mientras que el otro estaba sin pintar.

—Simon ha salido —explicó Katherine. Miró a Felix—. Estás furioso, Felix. —Se sentó ante su tocador y alcanzó la sombra de ojos.

—¿Sabías que el marido de Liv estaba aquí? ¿En Londres? —Felix parecía muy enfadado—. No podía creerlo cuando me lo ha dicho Rose... Y ella le deja que cuide a las niñas...

—Son hijas suyas también.

Él la miró.

—Entonces, ¿crees que está bien? Él le pega, la encierra en una habitación, ¿y luego cree que puede aparecer sin más y jugar a papás y mamás?

—Claro que no, no me parece que esté bien. Y deja de andar de aquí para allá, Felix. Me estoy poniendo bizca.

—¿Sabes cuánto tiempo piensa quedarse él en Londres?

—Unas semanas, dijo Liv.

—¿Y luego?

—Tiene un trabajo en Manchester, parece ser.

—Así que no piensa quedarse. No estará aquí para..., bueno, ¿no intentará convencerla de que vuelva con él?

---

* *Vinegar Tom* es una obra de teatro de la británica Caryl Churchill, que debe su nombre al gato de la protagonista. *(N. de la T.)*

—Stefan le dijo a Liv que solo quería ver a las niñas. —Aunque, pensó Katherine, Stefan es artero, astuto y listo. Que la hubiera seguido desde el trabajo y que ella hubiese ido caminando por las calles oscuras sin verlo era algo que le molestaba. ¿Cuánto tiempo llevaría escondido entre las sombras, observándola?

Ella dejó el rímel y se volvió hacia él.

—¿Quieres café? ¿O una cerveza?

—No, gracias. Creo que voy a ver si puedo encontrar a Liv en el trabajo.

Katherine estudió su reflejo en el espejo y frunció el ceño.

—¿Cómo es posible que algo que pensabas que te quedaba tan bien hace solo una semana, de repente parezca tan horrible? —Llevaba un vestido largo y negro de una tela muy fina, con un bordado en torno al escote y los puños.

Él hizo una pausa ante la puerta.

—Estás maravillosa. Como siempre.

—Adulador. —Se levantó y le dio un beso en la mejilla—. Tendré que cambiarme. —Empezó a quitarse el vestido—. Sal. Tengo que salir dentro de diez minutos y no estoy preparada ni de lejos.

Se cambió el vestido negro por una falda de terciopelo brillante plateado y una blusa de crochet color turquesa. Se estaba cepillando el pelo cuando oyó que Simon volvía al piso.

—¿Qué pasa con ese como se llame? Casi me tira al bajar las escaleras.

—¿Felix? Nada. —Sin embargo, la conversación con Felix la dejó inquieta. Mientras se colocaba un pendiente en el lóbulo, añadió, ausente—: Me preguntaba por Stefan. Estaba muy enfadado. No pensaba... —Levantó la mirada y vio la expresión que tenía su hermano y se calló.

—¿Qué? —dijo Simon—. ¿Qué es lo que no pensabas?

—Nada. Que estaba de mal humor, eso es todo.

Sonó el teléfono. Simon respondió.

—¿Kitty? —Le pasó el receptor.

Era Jordan.

—No podemos quedar, cariño. Ha surgido algo.

287

Simon la miraba. Ella recompuso su expresión y dijo, mansamente:

—¿Trabajo?

—Estoy en casa —dijo Jordan—. Te llamo desde una cabina..., le he dicho a Tricia que iba a por cigarrillos. Tengo que irme, querida...

Ella colgó. Quiso desgarrar la falda y la blusa, destruir la perfección de su maquillaje con un pañuelo de papel, pero por el contrario, se volvió a Simon y dijo:

—Me han dejado plantada. ¿Qué hacemos? ¿Vamos al cine... o a un restaurante?

Felix llegó al café donde trabajaba Liv justo cuando acababa el turno de ella. La ruta más rápida de vuelta a Beckett Street los llevaba atravesando el parque. Hacía un frío intenso y una niebla densa flotaba entre los grupos de arbustos y árboles. Unas farolas victorianas muy ornamentadas brillaban entre los senderos serpenteantes.

Caminaron en silencio un rato y luego él dijo:

—Rose me ha contado que tu marido ha vuelto. Y que lo has visto..., que le has dejado que cuide a las niñas.

—Claro. También son hijas de Stefan. —Ella se volvió a mirarlo—. Siempre existirá ese vínculo, ¿no? No puedo fingir que mi matrimonio no ha existido nunca. —La piel de ella estaba pálida por el frío, sus labios azulados y, en la oscuridad, sus ojos se veían duros y negros, como de obsidiana—. Ni siquiera lamento haberme casado con él. —Su voz sonaba amarga—. Si no me hubiese casado con Stefan, no habría tenido nunca a Freya y Georgie.

Él hizo un esfuerzo y le preguntó:

—¿Vas a volver con él?

—Claro que no —dijo ella, y él notó que lo invadía el alivio. Ella se volvió en redondo a mirarlo—. ¿Cómo has podido pensar que iba a hacerlo? ¿Cómo has podido?

—Como tú has dicho, Stefan es tu marido. Es el padre de tus hijas.

—Eso no significa que vaya a volver a vivir con él.

—Pero entonces ¿no está viviendo en vuestra casa?

—Claro que no.

—Yo pensaba...

—¿Que él solo tenía que mover un dedo y yo iría corriendo?

Él no respondió, sino que tomó la mano de ella entre la suya y se la pasó en torno al brazo, mientras andaban por un túnel de mustios rododendros. Al cabo de un rato, él dijo:

—Cuando Rose me ha contado lo de Stefan, yo me preguntaba si... —Hizo una pausa en el cruce de dos caminos, mirándola. La niebla ponía en el pelo de ella y en sus pestañas unas diminutas cuentas perladas—. A veces —dijo él—, ver a alguien puede hacer que sientas algo distinto hacia esa persona. Recuerdas lo que viste en ella por primera vez.

Ella rascaba el suelo con la punta de su bota. Luego levantó la vista hacia él.

—Tuve miedo cuando vi a Stefan. —Su voz sonaba débil—. Eso fue todo, Felix. Sentí miedo.

—Bueno —dijo él—. Es que te echaría de menos, si te fueras.

—No me voy —dijo ella, con vehemencia.

—Liv —dijo él, muy bajito, y sus manos se apoyaron ligeramente en el hueco de la cintura de ella. Y cuando, al final, inevitablemente, la besó, ella no lo apartó, ni dijo nada de lo que se podría esperar sobre lo poco adecuado del momento, el lugar, las circunstancias. Por el contrario, le metió los dedos entre el pelo, acercándolo hacia sí, con urgencia en su boca y el aliento tan jadeante como el de él.

Unos pasos en la oscuridad: ella se apartó de él. Una mujer de mediana edad que paseaba a su perro, pasó junto a ellos.

—Liv... —dijo Felix, pero ella levantó una mano para silenciarlo.

—No digas nada. Por favor. No... digas nada. —Ella se metió las manos en los bolsillos y echó a andar. Él creyó ver en sus ojos una luz desafiante, casi guerrera.

Y después de haberse despedido de ella, las ruedecillas dentadas susurraron y chasquearon a medida que todas las piezas iban poniéndose en su lugar. Él sabía lo tonto que fue, felicitándose con suficiencia por su fácil y platónica amistad con Liv y Katherine. Sabía por qué la besó, sabía por qué no pensaba ya en Saffron, y sabía por qué, durante toda la fiesta de Katherine, se sintió ofendido por el flirteo de Simon Constant con ella. Y por qué, sobre todo, temía tanto que Stefan volviera a casa. Estaba enamorado de Liv Galenski, llevaba semanas enamorado de ella, meses, quizá. Se le ocurrió que ese tipo de amor, ese amor furtivo, inesperado, era algo que podía agarrarse a él como la hiedra y quizá no lo soltara nunca.

El ritmo de los días de Liv pareció alterarse. Cuando miraba atrás, a los cinco meses transcurridos desde la separación de Stefan, estos parecían disolverse, derrumbarse, adoptando un aire de irrealidad, casi como si nunca hubiesen ocurrido. La cara que puso Rose Corcoran cuando, una vez más, Liv tuvo que decirle que no la necesitaba, la entristeció. Con Stefan, las niñas hacían cosas distintas. Salían, hacían viajes en la parte superior de un autobús de dos pisos, o visitaban Harrods para ver los muñecos de peluche. Hacían volar cometas en el parque, o Stefan le ponía a Freya sus botas de agua y la dejaba chapotear en los charcos. Una hora entera, entrando y saliendo de los charcos, mientras Stefan le daba la mano, con los vaqueros y el impermeable chorreantes, los ojos dilatados por la emoción y el cansancio.

La llegada de Stefan perturbó su vida, destruyendo las rutinas establecidas. Veía muy poco a Katherine y menos a Felix. Felix fue a su casa solo una vez, mientras Stefan estuvo en Londres. Estaban en la cocina; Stefan le enseñaba a Freya a hacer angelotes de papel. El suelo estaba lleno de trocitos de papel esparcidos. Liv presentó a los dos hombres. Se estrecharon la mano y hubo una conversación breve y tensa. Las tijeras cortaban el papel, chas, chas, chas. A ella le pareció que ambos se husmeaban como perros y tembló al recordar el contacto de los labios de Felix, tan helado y vaporoso como la niebla.

Stefan estaba en la cocina cuando Liv volvió a casa desde el trabajo. Levantó la vista.

—Llegas tarde.

Ella miró el reloj.

—Solo diez minutos. Teníamos mucho trabajo.

—Tenemos que hablar. —Se pasó las manos por el pelo—. Creo que deberíamos discutir sobre el futuro, Liv.

El estómago de ella dio un vuelco.

—¿El futuro?

—Creo que deberíamos intentarlo una vez más. —Cuando ella intentó hablar, él levantó la mano para que callase—. No, escúchame, por favor. —Mecánicamente, Liv se quitó la bufanda y se desabrochó los botones de la trenca—. No estamos solo nosotros, ¿no? Lo que sintamos el uno por el otro. También hay que pensar en las niñas, ¿verdad?

El corazón de ella latía con fuerza, pero se esforzó por hablar con calma.

—Sabes muy bien que el bienestar de Freya y Georgie es lo más importante del mundo para mí.

—Para mí también.

Liv tenía la boca seca.

—Stefan, yo te dejé para poder darles a las niñas una vida mejor.

—¿Mejor? ¿Esto? ¿Dos habitaciones y un jardín del tamaño de un sello de correos?

—Está el parque. —Ella sabía que hablaba a la defensiva.

—Nunca podrás dejar que se aparten de tu vista. ¿Has pensado en eso? Hay una calle muy transitada justo delante de la puerta. —Stefan miró el marco de la ventana alabeado y los sitios donde el yeso había caído del techo—. Holm Edge quizá no fuese lujoso, pero al menos era sólido. Este lugar parece que no durará otro año más.

—Lo van a renovar. —Liv veía las trampas que se iban abriendo.

—¿Y dónde viviréis las niñas y tú, mientras hacen las obras?

—Ya encontraremos algún sitio. —En los ojos de Stefan se percibía una luz victoriosa. Ella susurró—. No lo sé.

Stefan sonrió.

—Sé sincera contigo misma, Liv. Quizá tú prefieras la ciudad, pero Holm Edge era mejor para Freya y Georgie, ¿verdad?

—Trabajaré duro...

—Un padre ausente y una madre que siempre está fuera, trabajando. ¿Es eso lo que quieres para nuestras hijas?

—Ya encontraré otro sitio. Felix dijo que nos ayudaría.

—¿Felix? —Los dedos de él tamborileaban en el tablero de la mesa.

—Trabaja en una cooperativa de viviendas... Dijo que nos encontraría otro sitio.

Ella sabía que hablaba demasiado rápido y que su nerviosismo era evidente. Pensó en el parque: ese súbito e incongruente brote de alegría y deseo.

La mano de Stefan descansaba en su hombro. ¿Para transmitirle consuelo, se preguntó ella, o propiedad?

—No quiero preocuparte, Liv —dijo él—. Es lo último que deseo. Lo único que quiero es decirte que todavía te quiero. Que siempre te he querido y siempre te querré.

Ella lo apartó entonces.

—¡Que me quieres! ¿Encerrarme en una habitación, pegarme..., a eso lo llamas querer, Stefan?

—Ya te he dicho que he cambiado. Tienes que creerme, he cambiado. —Las palabras eran dulces, hipnóticas, como un mantra—. Te he dicho que no volverá a ocurrir nunca nada igual. ¿Cómo podría hacer que me creyeras? ¿Cómo podría hacer que me dieras una segunda oportunidad?

Ella pensó: ya te di una segunda oportunidad. Y una tercera, y una cuarta, y una décima, y una vigésima oportunidad.

—Después de todo, los dos cometimos errores, ¿verdad, Liv? Si tú no hubieses estado tan absorbida con las niñas, si hubieses tenido más tiempo para mí... Si no hubiese tenido a veces la sensación de que yo solo existía en la periferia de tu vida...

Una pequeña sonrisa curvó las comisuras de sus labios. Su voz convencía, persuadía. Liv se preguntó si él no diría la verdad; si, absorta por las necesidades de Freya y Georgie, no habría descuidado las de su marido.

–Pero podemos aprender de nuestros errores, ¿no? Estuvo bien en tiempos, ¿verdad, Liv? ¿Recuerdas la primera vez que viniste a Holm Edge, lo perfecto que fue todo? ¿Recuerdas las cosas que hicimos juntos..., los sitios a los que fuimos? Los hicimos nuestros, ¿no? No necesitábamos a nadie más. Podría volver a ser así, sé que podría ser. Podría ser bueno otra vez.

Se acercó, se quedó de pie junto a ella, que tembló cuando sus brazos la rodearon. ¿Protegerla? ¿O atraparla? La voz de Stefan, baja y suave, susurraba a su oído:

–Tengo que hacerte una pregunta. ¿Qué es lo más importante que puedes darle a un niño?

–Amor, claro. –Le temblaba la voz.

–Y el amor de su padre y su madre es mejor que el de uno solo, ¿no estás de acuerdo?

Liv se quedó casi inmóvil. Recordaba a una niñita caminando por una playa. Cómo divergían los caminos de Thea y Fin y cómo la desgarró a ella esa divergencia. Su creencia infundada y patética de que el amor triunfaría y de que su padre volvería a casa con ella, una creencia que persistió a lo largo de todos los años de su niñez.

–Pienses lo que pienses de mí, Liv, por muy poco que me quieras, ¿no es el momento ahora de poner en primer lugar a Freya y Georgie? ¿No sería muy... muy egoísta, no hacerlo? –Cada sílaba parecía desgarrarla, miembro a miembro–. ¿No vale la pena por ellas? –Notaba la calidez del cuerpo de él contra el suyo; los labios de él rozaron su oreja–. ¿No vale la pena por ellas que lo intentemos una vez más?

A menudo, cuando estaba en el trabajo, cuando estaba con amigos, fragmentos de la conversación con su padre aparecían en la mente de Felix. «Problemas de liquidez, ya ves... He tenido que pedir un préstamo para cubrir el déficit...» A menudo recordaba la expresión en los ojos de su padre y la ira casi desconocida en su voz, cuando se tambaleó al levantarse de la silla.

Aunque intentó tranquilizarse repitiéndose las negativas de su padre, un gusanillo de inquietud seguía retorciéndose en su estómago.

Fue a casa a pasar unos días, pero el fin de semana no fue ningún éxito. Cuando Bernard no estaba acompañado, se mostraba despreocupado y no hacía caso del interrogatorio de Felix sobre sus negocios. Y además, al estar alejado de Londres, la incertidumbre que sentía Felix por Liv fue en aumento. En Wyatts también tuvo tiempo para pensar. Demasiado tiempo para ver con claridad que era muy posible que Liv volviera a Lancashire con su marido.

Necesitaba ver a Stefan Galenski por sí mismo. Stefan no resultó ser como lo imaginaba Felix. Se imaginaba al marido de Liv brutal y basto, el típico maltratador de mujeres de puños grandes y frente estrecha. La realidad le sorprendió. Belleza, inteligencia y un encanto que Felix notaba que podía apagarse como la llama de una vela. Mientras hablaban, la mano de Stefan se apoyó en el hombro de su hijita, un gesto que indicaba con tanta claridad como si lo hubiera dicho: «mía».

Felix parecía oscilar perpetuamente entre unos miedos y otros. Su padre, Liv. Los días pasaron. Luego, una tarde, cuando estaba a punto de volver a casa, Mia llamó al despacho de la cooperativa inmobiliaria.

—Felix —dijo ella—. Creo que deberías venir a casa.

—¿Qué ha pasado? —Su voz sonaba tensa.

—Ven a casa. Por favor.

Subió al coche y fue a Wyatts. Con los nervios corrió demasiado, adelantando cuando encontraba un tramo recto de carretera. Los faros surgían de la oscuridad y las ramas de los altos árboles querían tocarlo, como para expulsarlo de la carretera.

En Wyatts, Mia estaba en el salón. Se abrieron las cortinas y Felix vio a través de los ventanales el césped, plateado por la luna. Los perros estaban acurrucados en el sofá junto a ella y había una botella de whisky en la mesa.

—Bernard se ha ido a dormir —dijo—. Le he dicho que se tomara una pastilla. Sírvete un vaso.

—No, gracias —empezó él—. No quiero...

—Ah, sí, querrás, Felix, te lo aseguro. —Su voz sonaba tranquila y dura. Él fue a buscar un vaso.

—Son los negocios, ¿verdad? —dijo, y ella le lanzó una rápida mirada.

—¿Lo sabías?

—Yo... he ido deduciendo cosas.

Ella se rio amargamente.

—Pues lo has hecho mejor que yo. Pero supongo que Bernard no se casó conmigo por mi cerebro.

—Mia... —Se abrió la puerta y su padre apareció en la habitación—. He oído el coche. —Bernard miró a Mia—. ¿No crees que sea obligación mía contarle a mi hijo lo que he hecho?

Hubo un silencio breve, tenso, y luego Mia se levantó del sofá y salió de la habitación, con los perros tras ella.

Cuando se hubo cerrado la puerta, Felix dijo:

—¿Contarme qué, papá?

Su padre estaba de pie, de espaldas a él, mirando por la cristalera.

—Tendría que habértelo dicho hace meses, pero no me atrevía. No tenía agallas. —Se volvió hacia Felix—. No tenía agallas —repitió— para decirle a mi hijo que lo he perdido todo.

—¿Corcoran...?

—En bancarrota.

Las palabras fueron como un mazazo. El corazón de Felix pareció caer en picado, de una costilla a otra. Oyó añadir a su padre:

—Las cosas llevaban años yendo mal. Sabes que tuve que pedir un préstamo para poder seguir. El banco y... —Las palabras murieron—. Tomé algunas decisiones malas. Pedí prestado dinero a un tipo en el que pensé que podía confiar. Fui al colegio con su padre. Pensaba que eso significaba algo. Pero ahora..., el mundo es distinto, ¿verdad?

En el estómago de Felix se había instalado una horrible frialdad y la premonición de que su vida, en aquel preciso momento, oscilaba insegura, al borde del abismo. Recordó que la noche que su madre murió él estaba en el piso de arriba. Miró por la ventana del rellano y vio el coche de policía que entraba en el camino de la casa. Recordó que entonces no corrió hacia la puerta, sino que esperó, queriendo prolongar el momento de no saber. Entonces tuvo el mismo impulso.

—Lo hemos perdido todo. —Bernard tomó aliento, tembloroso—. Todo. Absolutamente todo. Cuando tuve que invertir dinero en la fábrica, puse la casa como garantía.

Puse la casa como garantía, pensó Felix. Su mente parecía funcionar muy despacio.

—¿Wyatts? —susurró.

Bernard asintió. Parecía asustado.

—¿Hemos perdido la casa? —Incluso a sus propios oídos su voz sonaba extraña.

—Sí.

Quiso decir: «Eso no es posible, papá».

—Pero es nuestra... —susurró.

—Ya no.

—Pero si lo pides seguramente te darán más tiempo. Si se lo explicas, podríamos volver a remontar el negocio.

—Nuestros acreedores no quieren que volvamos a remontar el negocio. —La mano de Bernard temblaba al servirse un whisky—. Les importa una mierda el negocio. Harán venir al síndico de quiebras y luego se clausurará. Y luego venderán la tierra para urbanizarla. Harán una fortuna. —Su boca se curvó en un simulacro de sonrisa—. Al parecer se llama «liquidación de activos».

Se volvió a Felix.

»Para ti y para mí puede ser malo, pero piensa que para los hombres será mucho peor. Algunos tienen cincuenta y tantos, sesenta años... Ya no conseguirán otro trabajo. Algunos de los artesanos, los impresores y los teñidores llevan cuarenta años trabajando para mí. —La piel de Bernard tenía un tono gris y sus ojos parecían vacíos y nublados.

»Siempre he querido que tú trabajases para Corcoran algún día, Felix. Habría sido todo tuyo. Siempre he pensado que ya tuviste suficiente mala suerte al perder a tu madre de aquella manera. Te he decepcionado, ¿verdad? –dijo Bernard, en voz baja–. He decepcionado a todo el mundo.

Publicaron un artículo en *Glitz* titulado «La amante». La foto que lo acompañaba mostraba a una mujer que llevaba una *negligée* negra y unas zapatillas con plumas de avestruz. El pelo le caía por encima de la cara, ocultando sus ojos y dándole un aspecto taimado. Taimada o ciega, Katherine no estaba segura. Se esforzó por dedicar la atención pertinente a todos los acontecimientos del día: las huelgas, los atentados terroristas, la charla constante sobre las catástrofes que se avecinaban. No podía convencerse a sí misma de que su propia necesidad de Jordan no fuese más urgente que todo eso. Necesitaba sentir las yemas de sus dedos recorriendo su columna vertebral. Necesitaba oírle contar los pequeños incidentes del día. Necesitaba que le dijese que era hermosa. Se dijo que su separación sería una fase transitoria. Pero era casi Navidad y se tenía que tragar su rabia, imaginando a Jordan atrapado junto a su esposa regordeta y cursi en Hertfordshire, escapándose a hacer llamadas ocasionales desde una cabina telefónica medio estropeada.

Recibió una nota en el trabajo. Jordan le pedía que se reuniera con él en el piso. «Solo una hora o así, me temo. Hacia las seis. Te echo de menos, cariño.» En el lavabo de señoras, en el trabajo, ella se retocó el maquillaje cuidadosamente y se fue temprano. En el piso de St. James Park se preparó un gin-tonic y se dispuso a esperarlo. Se sentía absurdamente nerviosa. A diferencia de lo que solía hacer otras veces, ni se desnudó, ni se bañó, ni se metió en la cama. Por el contrario, se puso a pasear por el piso, tamborileando con las puntas de los dedos en las superficies de mármol del baño, y hundiendo los altos tacones en la gruesa alfombra.

Nunca supo por qué se asomó a la ventana. No podía ni imaginarse –todas las posibilidades eran espantosas– lo que habría ocurrido de no haberlo hecho. Pero el caso es que apartó una cortina y miró hacia la calle. Vio a Jordan que salía de un taxi. Lo seguía una mujer. Ella llevaba el pelo oscuro cortado a lo paje, muy liso, y el abrigo largo hasta los pies y con cuello de piel ponía de relieve su estatura y su elegancia. Llevaba el abrigo desabrochado. Jordan le tendió la mano para ayudarla a salir del coche. El taxi se alejó. La mujer se dio la vuelta y Katherine la vio de perfil. La cortina se le escapó de las manos, súbitamente flácidas.

Un momento de comprensión, súbita e insoportable, y luego arrojó el resto del gin-tonic al fregadero, limpió la huella de pintalabios en el borde del vaso. Agarró su bolso y sus guantes, ahuecó bien los cojines, apagó la luz y salió al pasillo.

Oyó la voz de él que hacía eco por la escalera:

—Dios mío, Tricia, los Dawson no, por favor. Cualquiera menos los Dawson.

Tenía que pasar junto a ellos para dirigirse hacia las escaleras y bajar. A él no lo miró, pero sí que echó una mirada de reojo a la mujer que iba de su brazo. Automáticamente registró la cara esbelta de la mujer de Jordan, de rasgos delicados, y su ropa cara y de hermoso corte.

En el metro se quedó mirando por la ventanilla y vio los rasgos de Tricia Aymes superpuestos en el cristal oscuro. Se levantó el cuello y cruzó los brazos con fuerza, abrazándose a sí misma. Temblaba como si estuviera enferma. El frío de ese día de diciembre parecía meterse en su interior, y la intensidad de su humillación era como un dolor físico.

Volvió a su piso. Se había olvidado de Simon, pero cuando abrió la puerta lo vio echado en el sofá. Estaba viendo un concurso en el que el público chillaba y los concursantes intentaban realizar alguna proeza imposible, como Sísifo. Katherine se quedó mirando la pantalla, muda, sin entender nada. Luego su mirada se desvió hacia las tazas de café y los platos y revistas y novelas tirados por el suelo.

Cuando sonó el teléfono, ella saltó. Simon descolgó el auricular; Katherine se tuvo que clavar las uñas en la palma de la mano para evitar chillarle. Él le pasó el receptor.

—Katherine —dijo Jordan, y ella colgó de golpe.

—Se han equivocado de número —dijo mirando a Simon. Él volvió al sofá, a su sofá. Había un paquete de cigarrillos, un cenicero en equilibrio en uno de los brazos y los restos de la cena de él en el otro.

Simon se burlaba, mirando la pantalla parpadeante.

—Vaya idiotas... —murmuró.

Toda la ira y el sufrimiento acumulados de Katherine se desbordaron. Dijo:

—¿Es que nunca vas a ir a buscar trabajo?

—Dios, tú también, Kitty. He recibido una carta de nuestros padres esta mañana...

—No me llames Kitty. Lo odio. Me suena... infantil.

—Vaya, vaya —dijo él—. Estamos sensibles.

Algo se disparó en su interior.

—¿O es que quieres gorronear aquí hasta que acabe la década? ¿No se te ha ocurrido que me gustaría tener mi piso solo para mí? ¿Que quizá no me guste encontrarme con el vago de mi hermano aquí cada vez que traigo a mis amigos a casa?

—Calla, Kitty.

Pero sentía un cierto alivio descargando en Simon su ira y su dolor.

—Llevas aquí seis semanas y no me has dado ni un penique. Te comes mi comida, te bebes mi vino, acaparas el baño hora tras hora. Si tuvieras un poco de respeto por ti mismo... o un mínimo de decencia, trabajarías en un café de mierda, como Liv, antes que aprovecharte así de mí. Felix te habría podido encontrar trabajo hace siglos, ¿sabes, Simon? Pero tú no quieres ensuciarte las manos, ¿verdad?

Todo el color desapareció de la cara de él.

—He dicho que te calles.

—¡Vete de una vez! —gritó ella—. ¡Vete ya y déjame sola! —Y salió por la puerta, cerrándola de un portazo tras de sí. El sonido hizo eco mientras bajaba corriendo las escaleras.

Antes de salir de Wyatts, Felix dio una vuelta por la casa. Él nació allí y, siete años más tarde, Rose. Siempre había esperado volver: que Wyatts le pertenecería algún día; formaba parte de él, igual que tener los ojos verdes o que se le dieran bien las matemáticas. Fue recorriendo las habitaciones, una tras otra, despidiéndose de ellas de alguna manera, supuso. Cuando miró por la ventana vio que la niebla se había posado sobre el campo y que los setos de boj y los rosales estaban envueltos en gris, como si estuvieran de luto.

Volvió a Londres. Quedaba Rose, a fin de cuentas. No estaba en su piso, sin embargo, así que se dirigió hacia Beckett Street.

Liv estaba cerrando la puerta delantera cuando él llegó a su casa.

—Rose ha llevado a los niños al parque —le explicó, dirigiéndose hacia las tiendas. Caminaba rápido por la calle atestada de gente. Sus ojos evitaban los de él. Luego dijo repentinamente—: Stefan me ha pedido que vuelva con él.

Felix la miró, pero la mirada de ella estaba fija en la calle.

—¿Y le has dicho...?

—Que lo pensaría.

El frío le mordía, y metió las manos en los bolsillos de su abrigo del ejército. Por segunda vez en veinticuatro horas tenía la extraña sensación de que su corazón caía dentro de su pecho como una piedra que tuviera entre las costillas.

—¿Estás pensando en serio en volver con Stefan? —dijo, furioso.

—No lo sé... —Liv se volvió a un lado, agitando las manos enguantadas en el frío aire—. Tengo que pensar.

—Pero ¿qué es lo que tienes que pensar? —Notaba la ira en la garganta, como una bilis—. Te pegó, Liv. ¿Acaso te has olvidado de eso?

—Están las niñas. Te olvidas de las niñas.

—Dios mío... —Se volvió hacia ella—. ¿Cómo puede ser bueno para Freya y Georgie vivir con un hombre como ese?

—Stefan dice que ha cambiado. Jura que ha cambiado.

Él le agarró el brazo, haciendo que se detuviera.

—¿Y tú lo has creído?

—No lo sé. —Liv se soltó de una sacudida y entró en el pequeño supermercado.

Felix la siguió.

—La gente como él no cambia —dijo.

La mirada oscura de Liv se clavó en él.

—Tú eres un experto, ¿verdad, Felix? —le dijo, cortante—. En el matrimonio y los niños...

Y en el compromiso, podría haber añadido, dando voz así a la angustia que llevaba acosándolo las últimas veinticuatro horas. Corcoran, Wyatts, su padre: en los últimos años se escabulló de todo aquello, diciéndose a sí mismo que era fiel a sus ideales al escapar a toda implicación y responsabilidad.

—Tengo que pensar en lo que me ha dicho Stefan. —Liv levantó un cesto de la pila—. Es el padre de las niñas. Freya lo adora. No puedo fingir que eso no cuenta, ¿verdad?

Él quería agarrarla por los hombros, sacudirla, hacer que lo escuchara. La tienda estaba llena de gente que volvía a casa del trabajo. Hombres trajeados los empujaban; mujeres arrastrando niños pequeños pasaban por en medio, separándolos. Liv parecía escoger artículos de las estanterías al azar: una lata de betún, mermelada Rowntree, un paquete de copos de jabón Lux. Él la oyó decir, más tranquila:

—Cuando Stefan me habla no veo las cosas con claridad. ¿Ha sido culpa mía también? ¿Ha sido culpa mía que mi matrimonio se deshiciera? Siempre he pensado que la culpa fue de Stefan, pero quizá estuviera equivocada. Si yo me hubiese portado de una forma diferente, ¿habría ido todo bien?

Felix dijo, cansado:

—Liv, sabes que eso es una tontería.

—¿Ah, sí? ¿Cómo puedo estar segura? ¿Y cómo estás tan seguro tú de que mis necesidades son más importantes que las de mis niñas?

Él apenas había dormido la noche anterior. Se sintió exhausto de repente, derrotado por la velocidad y la ferocidad de los acontecimientos. Quería dormir o emborracharse de una manera ciega y espantosa. Para no tener que pensar más. Pero hizo un último intento:

—¿Y yo? —preguntó—. ¿Dónde quedo yo en todo esto?

Liv lo miró sin expresión, con las asas de la cesta entre los dedos. Él dijo, despacio:

–Ah, ya lo veo. Entendido. –Se volvió en redondo y salió de la tienda.

Stefan fue a casa de Katherine. Simon abrió la puerta. Llevaba un abrigo y una bufanda en torno al cuello. Junto a él se encontraba una bolsa de viaje con camisas, calcetines y novelas sobresaliendo por la cremallera abierta.

–Estoy buscando a mi mujer, Liv –explicó Stefan–. Pensaba que podría estar aquí.

–¿Liv? No la he visto. –El otro curvó un poquito los labios, se pasó los dedos blancos por el pelo oscuro y sedoso. Una caída de ojos con los párpados de largas pestañas–. Supongo que estará con ese como se llame –dijo Simon de repente–. No sé cuántos. Felix. –Mirando a Stefan, Simon añadió, inocentemente–: Son uña y carne esos dos.

«¿Y dónde quedo yo en todo esto?» Caminando por el parque hacia el café, Liv daba vueltas y más vueltas a las palabras de Felix en su mente, recordando la expresión de su rostro cuando las dijo. Al llegar al sitio donde se unían los cuatro senderos cerró los ojos, recordando el contacto de los labios de él con los suyos. Su decisión, que hasta entonces le parecía tan difícil de tomar, de repente se volvió muy clara.

No volvería con Stefan porque ya no lo amaba. Stefan era parte de un pasado que ella ya había superado. Ella sí había cambiado, porque había aprendido que el miedo y el amor no pueden coexistir, y que nada, ni siquiera las niñas, justificaba la falta de amor. Por mucho que el propio Stefan hubiese cambiado, ella no podía olvidar los motivos por los que lo dejó. Los malos recuerdos permanecían, arraigados, imposibles de erradicar, de modo que cuando estaba con él, ella elegía las palabras con mucho cuidado, andaba de puntillas para no herir viejas sensibilidades y miedos familiares. Casi llegó a creer que sus miedos eran aceptables, que formaban parte de la convivencia normal con un hombre. Pero fue Felix, al principio un amigo, pero algún día quizá algo más, quien le demostró que eso no era cierto.

Hablaría con Stefan al día siguiente, pensó. Sintió una cierta compasión por él: por Stefan, que amaba a sus hijas; por Stefan, que odiaba estar solo. En el café saludó a Sheila, se puso el delantal y se dispuso a trabajar. Estaba arrodillada en el suelo tras el mostrador, ordenando uno de los armarios, cuando oyó la campanilla de la puerta que anunciaba a otro cliente. Levantó la vista.

—Stefan... —Liv se acercó al mostrador. Por encima de su hombro, vio que Sheila estaba haciendo las cuentas semanales en el despachito de atrás—. Estoy trabajando —dijo rápidamente—. No es buen momento...

—No es que estés demasiado ocupada ahora mismo, ¿no?

Los únicos clientes eran un viejo con una gorra que llevaba una eternidad con una taza de té y dos adolescentes con cazadoras de cuero que devoraban patatas fritas y bebían cocacola.

—Tendrás algo de tiempo para hablar del futuro de nuestras hijas, ¿no? ¿No creerás que esto —Stefan miró desdeñosamente el café— es más importante que el bienestar de Freya y Georgie? —Los ojos de él se clavaron en ella, fijos, calculadores—. ¿O es que andas con evasivas, Liv? ¿Me estás devolviendo la pelota, haciéndome esperar, demostrándome quién es el jefe?

Ella empezó a decir: «No seas ridículo, Stefan...», pero se mordió la lengua. No debía dejar que esa conversación degenerase en insultos, en una lucha de poder. Debía mostrarse contenida, práctica y adulta.

—Está bien. Si eso es lo que quieres, hablaremos ahora. —Lo miró—. ¿Quieres algo? ¿Una bebida, algo?

—Nada.

Salió de detrás del mostrador.

—Vamos a sentarnos, ¿de acuerdo? Más civilizado.

Se sentaron en una mesa del rincón. Stefan sonrió.

—Me has preguntado si quería algo, Liv. Solo quiero una cosa, y es oírte decir que vas a volver a casa conmigo. —Estaba desenvolviendo unos terrones de azúcar y colocándolos formando una ordenada torre en el centro de la mesa.

Liv tomó aliento.

—Stefan, lo siento, pero no puedo decirte tal cosa.

Él no pareció oírla. Colocó otro terrón de azúcar encima de la torre.

—Podemos hacer el equipaje esta misma noche, salir en tren mañana. He comprobado los horarios. Hay un tren de Carlisle a las diez y media.

—Stefan, no voy a volver contigo. —Liv tenía los puños apretados y la boca seca. Estaba en terreno familiar, se recordó a sí misma; no tenía motivo alguno para sentirse asustada—. Lo he pensado muy bien y no puedo volver contigo.

Una sucesión de emociones se reflejaron en el rostro de Stefan: conmoción, asombro, dolor. Ella se preguntaba si cada paso que había dado, cada palabra que había pronunciado él durante su estancia en Londres, no habrían estado encaminadas a asegurarse de que ella volvía, si no se habría propuesto desde el principio que ella volviera con él.

—¿Por qué no? —susurró—. Tienes que hacerlo.

—Stefan... —Le tocó los dedos apretados y notó los tendones duros y tensos—. Por favor, intenta comprenderlo. Éramos muy jóvenes cuando nos casamos, ¿verdad? Bueno, yo era muy joven. Solo diecinueve años. Apenas una niña, ¿no? Era tonta y romántica y no sabía lo que significaba el amor y el matrimonio. Y quizá tú tenías razón el otro día cuando dijiste que no habíamos tenido mucha suerte. Quizá si las cosas hubiesen sido más fáciles, si las niñas no hubiesen llegado tan rápidamente, las cosas podrían haber sido diferentes. Pero yo lo intenté, intenté ser la esposa que tú querías, Stefan y, sencillamente, no pude hacerlo. Y al final, creo..., sé... que no tengo ánimos para intentarlo una vez más. Lo siento mucho, pero, sencillamente, no puedo.

Mientras hablaba, la expresión de Stefan se alteraba, como si se hubiese levantado una cortina o un velo se hubiese apartado.

Ella recordó, dispersos en su conversación del día anterior, como esporas de moho entre granos de trigo, los pequeños recordatorios de por qué ella había aprendido a temerlo. Su forma de saludarla cuando llegó a casa desde el trabajo. «Llegas tarde.» El tamborileo de sus dedos en la mesa.

—Podrás ver a las niñas, por supuesto —dijo rápidamente—. Lo arreglaré como es debido, con un abogado, de modo que, cuando nos divorciemos, tú tengas derecho a...

—¿Divorcio? Jamás.

—Será mejor así. Una ruptura limpia. Mejor para los dos.

—Nunca. —Aquel filo de advertencia en su voz le era muy familiar—. Tú eres mi esposa, Liv. Hasta que la muerte nos separe, ¿recuerdas? Lo prometiste. Eres mía. Siempre serás mía.

En el silencio, a ella le latían las sienes y se sintió insoportablemente cansada.

—Te he buscado antes —le dijo de repente—. ¿Dónde has ido?

Por un momento no se acordó, pero luego recordó el supermercado, una cesta llena de cosas que no necesitaba. Y Felix: «¿Dónde encajo yo en todo esto?».

—A dar un paseo.

—¿Sola?

Liv asintió.

—Mentirosa —le dijo.

Y Liv se acobardó. En el despachito de atrás, Sheila levantó la vista de sus cuentas.

—Estabas con Felix Corcoran, ¿no?

Luchó por contener el pánico.

—Te lo he dicho, Stefan. Felix y yo...

—Vamos. Dilo. «Felix y yo solo somos amigos» —imitó la voz de ella en falsete.

—Es cierto.

—Pues yo no te creo, Liv. Después de todo, me has mentido antes, ¿no? Me prometiste que nunca me abandonarías, mientras ibas ahorrando dinero para escapar.

—Te digo la verdad. Felix y yo...

—¿Es tu amante?

Cuánta malevolencia en una sola palabra. Los chicos de las cazadoras de cuero levantaron la vista, riéndose por lo bajo. Sheila la llamó desde el despacho de atrás:

—¿Va todo bien, Liv?

—Mi marido ya se iba. —La voz le temblaba.

Stefan se levantó de la mesa. La torre de terrones de azúcar se tambaleó y cayó al suelo. El pequeño ruido hizo eco con el palpitar del corazón de Liv. Ella apretó los puños.

—El motivo por el que no quiero volver contigo es porque ya no te quiero, Stefan. Tendrás que aceptarlo.

Un súbito gesto del brazo de Stefan y una pila de tazas y platillos cayeron del mostrador con estrépito. Liv dio un salto hacia atrás mientras los fragmentos de loza se esparcían por el suelo. Con el rabillo del ojo Liv vio a Sheila agarrar el teléfono.

—No me voy a ningún sitio sin ti, Liv.

—Stefan, por favor, vete. Por favor. —Se oía el chasquido del marcador del teléfono, luego la voz de Sheila, baja y urgente.

—Te has olvidado de lo que te dije, ¿verdad? —Le brillaban los ojos—. Te dije que no te dejaría ir nunca. ¿Crees que no lo decía en serio? ¿Crees que he cambiado de opinión?

Una cesta con cubiertos que estaba al lado cayó con estrépito al suelo. Se vio un brillo metálico cuando cuchillos, tenedores y cucharas resbalaron por el linóleo. Uno de los chicos lanzó un taco.

Sheila salió de la parte de atrás.

—Ya basta, señor Galenski.

—Cállate. —Stefan se volvió de nuevo a Liv—. No has oído ni una palabra de lo que te he dicho, ¿verdad? —Su rostro estaba contorsionado por la furia—. Haré todo lo que sea necesario para que vengas conmigo. Cualquier cosa.

—Señor Galenski...

—¡He dicho que te calles!

—He llamado a la Policía. Están de camino.

—Stefan, no comprendes...

—No, eres tú la que no comprendes, Liv. —Sus palabras eran frías y claras—. Lo que no comprendes es que haré cualquier cosa para que vuelvas. Porque eres mía. Porque me perteneces.

Y con un movimiento rápido y súbito, agarró a Sheila con el brazo derecho y con la mano libre le tiró fuerte del pelo, echándole la cabeza hacia atrás.

—Lo que sea necesario —dijo. Sonreía.

—¡Stefan, por favor...!

—Si me prometes que vendrás a casa conmigo, no le haré daño.

Las lágrimas corrían por sus mejillas. Estaba hipnotizada por la conmoción que vio en los ojos de Sheila.

—¡Prométemelo! —repitió Stefan, mientras el sonido de la sangre que bombeaba en la cabeza de Liv casi logra ahogar el aullido distante de la sirena de la Policía.

12

Después de la pelea con Simon, Katherine anduvo vagando sin objetivo un rato. Llamó a casa de Liv, pero Rose, que cuidaba a las niñas, le explicó que Liv estaba trabajando. Katherine no podía volver a casa todavía, así que se dirigió a casa de Felix.

Él le abrió la puerta.

—¿Estás ocupado?

—Mucho. —Levantó un vaso de whisky—. ¿Quieres uno? —Ella lo siguió hacia el interior.

Miró la habitación. Siempre le había gustado la casa de Felix: los suelos desnudos, los grandes techos que hacían eco, los arquitrabes medio desmoronados, la pomposidad y la ironía de esas flores de lis doradas.

Katherine le oyó decir:

—¿Tienes frío?

—Un poco. —Se apretaba el abrigo en torno al cuerpo. Sabía que el frío venía de su interior.

—Si quieres enciendo el fuego. —Los ojos de Felix tenían una expresión confusa; ella se dio cuenta de que estaba muy borracho.

—¿Te importa si me sirvo yo misma? —señaló la botella.

—A tu gusto. —Felix arrugó un papel y encendió el fuego.

Katherine se sentó en uno de los cojines del suelo, apretándose la frente con la yema de los dedos e intentando no llorar. El fuego siseó y chisporroteó.

—¿Katherine?

—¡Qué estúpida he sido!

—Bueno, ya somos dos. Aunque dudo de que tu estupidez esté al mismo nivel que la mía.

Katerine se frotó los ojos con el dorso de la mano.

—¿Qué quieres decir?

Felix fue marcándolas con los dedos.

—El negocio familiar ha quebrado. Hemos perdido la casa en la que llevábamos viviendo los últimos setenta y cinco años. La mujer a la que pensaba que amaba no me quiere en absoluto. —Y se tragó el resto de su whisky.

—¿Liv? —preguntó Katherine, levantando la vista hacia Felix. Él asintió.

Liv, que ya tiene marido, aunque imperfecto, pensó Katherine. Que tiene dos hijos. Hubo un tiempo en que Felix fue su mejor amigo. En que no tuvo que compartirlo. Su bebida le pareció más amarga, como si los celos le hubiesen dado sabor.

Él le dirigió una sonrisa nada feliz.

—Ya ves. A ver si puedes competir con eso.

Katherine pensó en Jordan.

—Tengo una aventura con un hombre casado —anunció abruptamente—. Desde hace más de un año. Pero ha terminado. Se acabó. —Con sencillez, explicó a Felix que estaba esperando en el piso y miró por la ventana y vio por primera vez a Tricia Aymes.

»Yo pensaba que sería fea —dijo. No podía dejar de mostrar en su voz el asombro que sentía—. Yo... no sé, sencillamente lo supuse. Con falditas de *tweed* y un culo muy gordo. Pero no era así, en absoluto. Y si hubiese sido solo eso, quizá hubiera podido soportarlo, pero... —Recordó que al volverse Tricia Aymes mostró la curva de su vientre silueteada contra la luz neblinosa.

»Estaba embarazada —susurró. Se bebió el whisky, intentando amortiguar el dolor. Recordó cómo se sintió al tener a las niñas de Liv en sus brazos. Sabía que nunca alumbraría un hijo de Jordan y que nunca lo podría tener entre sus brazos. En eso consistía ser una amante. *Glitz* estaba equivocada, no eran *negligées* negras ni zapatillas de satén. Era pertenecer solamente a una parte de la vida de alguien. Era ser el segundo plato.

»Creía que no me importaría compartirlo con otra persona —continuó, lentamente—. Pero sí me importa, Felix, sí me importa.

Pensó amargamente que nunca supo lo que era no compartir a alguien. Nunca conoció el amor íntegro. Desde el momento de su nacimiento, la atención de sus padres se centró en Simon, el muchacho brillante y guapo. Todo lo que ella tenía lo había conseguido sola. Se había acostumbrado a la falta de reconocimiento y a la ausencia de alabanzas. Creía que no le importaba, pero ahora era consciente de una rabia terrible, ardiente.

¿Por qué no podía ser ella la primera para alguien? ¿Por qué no podía ella también esperar, exigir amor?

Felix se quedó de pie junto a la ventana. Ella se acercó a él. Los ojos de Felix estaban ligeramente desenfocados.

—Son todos esos recuerdos, ¿verdad? —le dijo.

—Todas las veces que he estado esperando a Jordan... Todas las veces que él me ha llamado en el último minuto diciendo que no podía venir por el trabajo. Supongo que en realidad estaba con ella.

Felix la atrajo hacia sí cuando se echó a llorar. Pero una pequeña parte de ella permanecía aparte, fríamente consciente de que si se agarraba a él, la consolaría, extrayendo de ella a su vez todo el consuelo que pudiera para sí.

—Siempre lo he dado por supuesto, supongo. Nunca había pensado lo que sería no tener Wyatts. Pero lo voy a averiguar, ¿verdad?

—Calla —dijo ella, bajito—. Calla. —Sus dedos le acariciaron la nuca. Ella sabía que necesitaba el olvido del presente que podía proporcionarle el sexo. Y sabía también lo mucho que necesitaba a alguien que la quisiera.

Lo miró.

—Querido Felix —murmuró—, hace siglos que somos amigos, ¿verdad?

—Años y años.

Katherine dejó que el dorso de su mano se deslizara suavemente por el contorno de la cara de él. Apretó su cuerpo contra el de Felix. Notó sus huesos, los tendones, el rápido latido de su corazón.

—Es mucho más fácil ser amigo de alguien... El amor es una pérdida de tiempo, ¿verdad? —Y cuando levantó la cara, Felix la besó, como ella sabía que haría.

En la comisaría, el sargento dijo:

—Vamos a llamar a un psiquiatra... Creemos que es lo mejor. ¿Ha mostrado alguna vez tendencias suicidas, señora Galenski? —Liv negó con la cabeza y firmó el documento que colocaron ante ella. Más tarde, al salir a la calle, se abrazó fuerte, intentando mantener el calor. La noche fría y sin nubes daba una perfecta claridad a las calles londinenses. Ella vio los cristales de hielo que recubrían el pavimento y los árboles de Navidad en las ventanas, pirámides de luces de colores parpadeantes. Un camión que echaba arena bajaba por la calle lentamente, y un gato negro atravesó una plaza vacía.

Al principio las calles no le resultaban familiares, lo que intensificaba su sensación de aislamiento, pero entonces vio que había llegado a la esquina de la calle donde vivía Felix. Echó a andar más rápido, intentó correr, pero entumecida por el cansancio y la conmoción, se limitó a deslizarse por la helada superficie del pavimento.

Los vio, a Katherine y Felix, en silueta ante la ventana sin cortinas. Algunas veces, durante las últimas semanas, ella había creído que él la amaba. Ahora, al agarrarse el cuello del abrigo y taparse la garganta, los vio abrazarse y comprendió la magnitud de su error. Dio un paso atrás en la oscuridad, al comprender que era una intrusa, al ver con claridad que lo había malinterpretado todo, que no había entendido nada. Y se alejó enmedio de la noche, de vuelta con sus hijas.

Debió de quedarse dormido, pero el sonido de la puerta delantera al cerrarse lo despertó. Katherine dormía a su lado; observó con una ligera sensación de asombro su piel desnuda, pecosa. Se puso la camiseta y los vaqueros y salió.

Rose estaba sentada en la mesa de la cocina. Se tapaba la cara con las manos y sollozaba. Felix le tocó los estrechos hombros.

—¿Alguien te lo ha dicho? ¿Has llamado a casa?

La celosía de dedos se deslizó hacia abajo y ella lo miró con los ojos rojos, sin comprender.

—¿Has hablado con papá? —Su mente estaba confusa por el alcohol y el sexo; no podía pensar con claridad. Dejó la tetera y fue a buscar el Nescafé.

—¿Papá? —repitió ella.

Él tomó aliento.

—¿Te han hablado papá o Mia de la casa, Rose?

—¿De qué casa?

—De nuestra casa. De Wyatts, claro.

Ella se limpió la nariz en la manga.

—No sé de qué me estás hablando, Felix.

De modo que él se lo contó. Que el negocio estaba en quiebra y que habían perdido la casa. Cuando acabó, ella dijo solamente:

—Pobre papá.

La confusión de él se redobló.

—¿No te importa? Pero yo pensaba...

—No me importan las casas. Ya sabes que no me importan esas cosas; las casas, por ejemplo.

Se sentó frente a ella y bebió un poco de café solo, para aclararse la cabeza.

—Si no llorabas por la casa, entonces ¿por qué llorabas?

—Por Freya y Georgie. —Su rostro se arrugó.

Comprendiendo de repente, él dijo:

—¿Porque se van? —Ella asintió.

Él luchó por encontrar algún consuelo para aquella situación tan incómoda.

—Quizá puedas visitarlas en Lancashire.

—¿Lancashire? No se van a Lancashire.

Él parpadeó.

—Pero Stefan...

—Liv no vuelve con Stefan. Stefan está detenido.

Vio un paquete de cigarrillos encima de la mesa; de Katherine, supuso. Llevaba meses sin fumar, pero encendió uno y dijo con cuidado:

—Cuéntame, Rose.

—Liv le dijo a Stefan que no iba a volver con él.

Algo pareció derrumbarse en su interior.

—Pero yo pensaba...

—Liv le dijo que no iba a volver con él porque ya no lo quería.

—Oh... —susurró Felix.

Y se quedó sentado un rato, mientras el cigarrillo se iba consumiendo entre sus dedos. Liv no volvía con Stefan. Liv no amaba a Stefan. Durante un momento su esperanza se volvió a iluminar y, al instante, con la misma rapidez, se apagó.

Rose seguía hablando:

—Así que él perdió los estribos y rompió las cosas en el café y llamaron a la Policía.

—Dios mío. —La miró—. ¿Le hizo daño?

—A Liv no, a Sheila, que ha tenido que ir al hospital.

Felix se apretó la frente con los dedos.

—Pero tú decías que se iba...

—Con Freya y Georgie, sí. —Rose parecía desesperada—. Le he dicho que me iba con ella, para ayudarla a cuidarlas, pero me ha dicho que no sería buena idea. Y de todos modos, papá...

—¿Adónde? ¿Adónde se ha ido?

—No lo sé. No lo ha dicho.

Oyó un sonido tras él. Se volvió. Katherine. Katherine, con quien había hecho el amor la noche anterior. Se había olvidado de Katherine.

La alcanzó cuando ya se iba de su casa. Bajo el farol de la calle, el rostro de ella tenía la blancura de un hueso y sus ojos parecían más oscuros e inexpresivos. Al principio no habló, pero cuando él la agarró del codo, volviéndola hacia él:

—Katherine...

—Vale, Felix. No tienes que explicar nada. Y no tienes que declararme tu amor eterno ni pedirme que me case contigo ni ninguna tontería por el estilo. Esta noche ha sido un error espantoso, ¿no? —Sus altos tacones resonaron en la acera helada—. Solo que... si pudieras no salir corriendo a por Liv esta misma noche. Cuando hace solo una hora que nosotros... —Él vio que las lágrimas brillaban en sus ojos—. Tengo mi orgullo, ¿sabes? —susurró—. Tengo mi orgullo.

Se alejó de él. Felix miró su reloj. Eran más de las once. El perfume de Katherine permanecía pegado a su piel. Volvió a casa.

Liv soñó con la casita rosa junto al mar. La rompiente formaba un encaje con los cristales de colores que salpicaban la costa, y en sus sueños se sintió segura, a salvo.

Al despertarse, temprano, supo adónde ir. Se movió en silencio por las habitaciones mientras vaciaba cajones, recogía libros y juguetes de los estantes y los metía en bolsas. Cuando las niñas se despertaron les dio de comer y las vistió con sus ropas más abrigadas. Freya le preguntó adónde iban.

—Nos vamos de vacaciones, cariño. Vamos a la orilla del mar. —Miró las habitaciones que fueron su hogar durante seis meses y se despidió de ellas mentalmente. Nunca había encajado en la ciudad, en realidad, pensó.

Al cerrar la puerta delantera vio a Felix. Él cruzó la calle en su dirección. Ella le tendió las llaves.

—Te las iba a dejar en el buzón.

—Rose me ha contado lo que ocurrió.

—Así las cosas han quedado claras —dijo Liv—. Ahora ya sé que él nunca cambiará.

—¿Y te vas?

—Bueno, no puedo quedarme aquí, ¿no?

—¿Sin despedirte?

Liv no respondió, se colgó una bolsa al hombro y pasó la otra por las asas del cochecito.

—¿Y Katherine? —dijo Felix, y ella los recordó a los dos enmarcados en la ventana, Felix y Katherine, abrazados. Se apartó de él, dirigiéndose hacia la calle.

—¡Creía que éramos amigos! —gritó, furioso.

—Lo éramos. —Los gases de los tubos de escape de los coches que pasaban formaban nubes en el aire helado—. Pero tengo que irme, Felix. Tengo que aprender a arreglármelas yo sola. Esto ha sido solo... —buscó la palabra adecuada— un interludio.

Casi habían llegado a la estación del metro. La gente que iba a trabajar se lanzaba hacia las taquillas. Liv oyó que preguntaba:

—Pero ¿adónde irás?

Y ella sonrió al fin, y dijo:

—A casa.

En el tren, Freya miraba con los ojos muy abiertos por la ventanilla y Liv abrazaba a Georgie contra su pecho mientras la ciudad iba dejando su lugar a la uniformidad de ladrillo rojo de los barrios residenciales. Algunas imágenes interrumpían las filas de casas adosadas: la furia en los ojos de Stefan cuando la Policía entró en el café, el crujido del hueso cuando arrojó a Sheila contra la pared. La serenidad y la pasión en el rostro de Felix cuando besaba a Katherine; el éxtasis en la cabeza de Katherine, echada hacia atrás, con los ojos cerrados. Liv cerró también los ojos intentando borrar aquellas imágenes, pero persistían, ardientes como la luz en sus retinas.

A mediodía compró unos rollitos de queso y galletas en el vagón restaurante para Freya y para ella, y dio a Georgie un botecito de comida para bebés. Ahora el tren se dirigía hacia el campo abierto, donde los surcos arados resplandecían, plateados, en los lugares donde se había formado la escarcha. En las cimas de las colinas suaves y onduladas, los cuervos daban vueltas en torno a grupos de árboles sin hojas. El brillo del cielo, con una opalescencia que recordaba a Liv su niñez, anunciaba que pronto verían el mar. Recordó que, mucho tiempo atrás, ella y Rachel dieron vueltas, con los brazos extendidos, para poder ver el mar. «Nuestras niñas de ojos oscuros», dijo Diana entonces. Ahora, mirando el horizonte, esperando aquel pequeño milagro, ella abrazaba a sus pequeñas contra su pecho. Se le ocurrió que, a pesar de los terribles acontecimientos de las últimas veinticuatro horas, su viaje tenía sentido. Era como si, por primera vez desde hacía años, se encaminara en la dirección correcta. Entonces el sol asomó entre las nubes y el horizonte pareció resplandecer como una sarta de perlas.

—Mira, Freya —susurró—. El mar.

Se alojaron en una pensión aquella noche. Las habitaciones eran baratas, porque estaban en temporada baja. Pronto encontraría algo de alquiler, algún lugar tranquilo donde él nunca pudiera encontrarlas.

Al día siguiente fueron en autobús hasta el pueblecito costero donde ella vivió con Fin y Thea. Paseó por allí un rato, intentando orientarse, buscando la casita rosa junto al mar. En la estafeta de correos compró unos dulces para Freya y unos sellos para poder escribir a Thea. La encargada era una señora con el pelo canoso y aspecto agradable.

—Yo viví aquí —le explicó Liv— cuando era pequeña. Hace más de doce años. En una casita rosa junto al mar.

—¿Cuadrada, como un dibujo infantil?

Recordaba haberla dibujado: cuatro ventanas, una puerta y una chimenea, y flores de colores que casi llegaban al techo.

—Me parece que se refiere a la antigua casita del guardacostas. Tenía las paredes rosas y estaba junto al mar. Me temo que ha desaparecido, cariño.

—¿Desaparecido?

—Se la llevó el mar. Un temporal, hace un par de años... Ocurre a veces en esta parte de la costa. Pueblos enteros desaparecen en el mar. Ahora no dejan construir tan cerca de la costa.

Ella se sintió aturdida, incapaz de asimilar ese golpe. Oyó que la encargada decía:

–¿Se encuentra bien, querida?

Hizo un esfuerzo por recuperarse.

–Sí, estoy bien. Bien.

Más tarde fueron a la playa. Había recorrido el círculo completo, pensó Liv. Aquí mismo, hacía mucho tiempo, caminando entre las piedrecillas, vio cómo divergían los caminos de sus padres. Ahora ella estaba sola. Había dejado a su madre, a su marido, a sus amigos. Todos aquellos círculos que en tiempos la protegieron habían desaparecido. Pensó en la casa tragada por las olas, e imaginó a los peces nadando a través de sus ventanas sin cristales, y los moluscos y las algas cubriendo su techo y sus paredes.

Llevaba a una de sus hijas en brazos y observaba el progreso lento de la otra por la playa. Se detenía para recoger una piedrecilla aquí, una concha allá; de repente se quedaba mirando, embelesada, el ir y venir de las olas. Su dependencia la aterrorizaba y, sin embargo, también daba sentido a su vida, le daba forma y objetivo. Ella sola era responsable de su futura felicidad y bienestar. Mis niñas de ojos oscuros, pensó, mirando hacia el mar.

Por Año Nuevo, Jordan fue a verla.

–Tricia llegó a Londres inesperadamente –empezó–. Nunca viene a Londres a menos que tenga que hacerlo, no le gusta nada. Yo no sabía... –Katherine se retorció las manos mientras miraba por la ventana y veía caer los copos de nieve de un cielo plomizo.

Él le habló de su matrimonio. Tricia venía de una familia rica y muy bien relacionada. Casarse con ella le permitió a él proseguir la carrera que había elegido, y le dio la oportunidad de medrar. Un matrimonio de conveniencia, parecía decir.

Katherine consiguió hablar al fin.

–Estaba embarazada, Jordan –dijo–. ¡Estaba embarazada!

Él inclinó la cabeza. Cuando la volvió a levantar, ella vio que algunas de las capas que lo recubrían, de autoengaño y de orgullo, habían caído. Llevaban diez años intentándolo, explicó. A Tricia le encantaban los niños, ansiaba tener niños. Él mismo había abandonado toda esperanza, mucho tiempo atrás. Y entonces ocurrió el milagro.

—No podía encontrar las palabras para decírtelo, Katherine. Lo siento muchísimo. —Se acercó a ella. Le rodeó la cintura con los brazos—. Tampoco encontraba las palabras para decirte que te quiero.

Ella cerró los ojos. Jordan apretó sus labios contra el hueco de su nuca y las manos, al acariciarla, inflamaron de nuevo el fuego familiar. Detrás de sus párpados cerrados, Katherine vio solo un recuerdo de la nieve que caía. Ese recuerdo —los dos en la habitación, el mundo exterior frío y blanco— persistió a lo largo de los meses siguientes.

Volvió con él porque era incapaz de estar sola. La soledad le resultaba insoportable. Sin embargo, el equilibrio entre ellos había cambiado: ella se había convertido en su igual. Ya no creía que él fuera perfecto. Conocía sus fallos: la sensación de inviolabilidad que otorga el poder y el éxito y el deseo codicioso de tener lo mejor de todo, a cualquier coste. Fallos que ella misma compartía. Pero con una diferencia: ella se daba cuenta y él no.

Pasó el tiempo. Hizo las paces con Simon. Él formaba parte de ella..., una parte que no siempre le gustaba, pero no podía negar. A finales de febrero de 1974 cayó el Gobierno conservador. Sin embargo, Jordan mantuvo su escaño. Aunque ella seguía amándolo, y creía que siempre lo amaría, era consciente de que en su interior tenía una herida abierta, por su engaño. Se aseguró de tener una vida aparte, visitando regularmente a su familia, un fin de semana al mes, y pasando muchas veladas con amigos. Dejó la revista y encontró un nuevo trabajo en una editorial de mujeres. Necesitaba un cambio, un desafío. Entró en un grupo de concienciación, acudió a las marchas «Reclaim the Night» contra la violencia machista, e hizo campaña para que construyeran una casa de acogida para mujeres maltratadas en Islington. Se trasladó a un piso más grande y se compró un coche nuevo. Aquel verano se fue a Escocia, se proponía visitar solo Edimburgo, degustar las delicias civilizadas de su festival, pero yendo un día en coche a Loch Lomond se encontró súbitamente fascinada. De modo que se dirigió hacia el norte y pasó varios días sola, aventurándose por montañas repletas de mosquitos y cambiando sus zapatos de plataforma por un par de botas de montaña, y su chaqueta French Connection por un jersey con capucha.

A finales de aquel año, viajaba en metro a Piccadilly Circus cuando el tren se detuvo en Russell Square y las puertas del vagón quedaron bloqueadas. Uno de los pasajeros intentó abrirlas infructuosamente. La gente empezó a mirar por las ventanillas y a golpear el suelo con los pies, impaciente. Pasaron cinco minutos antes de que emitieran un comunicado por la megafonía de la estación Tannoy. «Señoras y señores, les pedimos disculpas por este inevitable retraso debido a un incidente en la estación Russell Square.» Un incidente, pensó Katherine. Con el rabillo del ojo vio a un bombero que bajaba por las escaleras del andén. Atrapados en el vagón, oyó murmurar a una mujer tras ella:

—Una bomba. Están buscando una bomba.

Katherine juntó las manos mientras miraba al suelo. Un miedo que experimentaba por primera vez después de la muerte de Rachel, al caos y a la nada, salía de nuevo a la superficie. Aparecieron en su mente todos los titulares que recordaba de los atentados del IRA: Guildford, Birmingham, la Torre de Londres... Casi notaba el impacto de la explosión, veía el cristal hecho añicos y los cuerpos rotos, y oía los gritos.

Pasaron diez minutos, veinte. Una chica joven en un extremo del vagón empezó a llorar, un gemido leve y agudo que irritaba a Katherine. Notaba como si estuviera suspendida en una especie de limbo, entre el núcleo de la tierra y la superficie, entre la vida y la muerte. Quince minutos más. Nadie hablaba. Ansiaba darle una bofetada a la chica que lloraba. Luego el tren por fin se puso en marcha, salió lentamente de la estación. En Holborn, Katherine salió apresuradamente del vagón, subió las escaleras a todo correr hasta que la boca de metro la condujo a la acera.

No dejó de correr hasta que se dio de bruces con alguien. Su cara chocó con una bufanda de cachemir, un abrigo de lana. Jadeó e intentó gritar. Luego levantó la vista.

–¡Hector!

Hector no vivía lejos de allí, en Bloomsbury. Le agarró el maletín, la apartó de la multitud y la condujo a través de un laberinto de calles y plazas hasta un bloque de pisos, y luego subieron unos cuantos tramos de escaleras.

Un terrier Jack Russell empezó a ladrar en cuanto Hector abrió la puerta principal.

–Para ya, *Charlie*.

Hector preparó café y vertió un buen chorro de brandy en cada taza. Sentada en un sofá chesterfield tan viejo que la piel color marrón oscuro estaba agrietada y rajada, Katherine sujetó la taza entre las manos y dejó que la tensión fuera desapareciendo. Miró a su alrededor. La habitación en la que se encontraba estaba muy desordenada y mal iluminada. Contenía muchos libros y algunos muebles oscuros y pesados. El aparador y las estanterías estaban cubiertos de fotos enmarcadas. Se veían algunas instantáneas de una niña pequeña –Alice, supuso Katherine–, pero casi todas las fotos eran de Rachel. Rachel en Bellingford, Rachel en un coche deportivo, Rachel azotada por el viento y con las mejillas rosadas en una colina, Rachel radiante y serena con su vestido de novia.

Habían pasado cinco años desde la muerte de Rachel. Katherine pensó en la boda de Rachel y Hector y, menos de un año más tarde, en el funeral. Hacía mucho tiempo.

–No sabía que estuvieses viviendo en Londres, Hector.

–Hace casi cuatro años. –Se sentó frente a ella.

–Intenté escribirte –explicó Katherine–, pero te habías ido.

–Voví a Bellingford después del funeral, pero no me quedé mucho tiempo.

–¿Por qué no?

Él sonrió.

—Recuerdo que Rachel en una ocasión me preguntó si la casa estaba embrujada. Le dije que no. Pero después de morir ella, veía fantasmas por todas partes.

—¿Fantasmas?

—Todo me recordaba a ella. Todas las cosas que le pertenecían, todos los lugares donde habíamos estado. Solo tenía que mirar sus gafas de sol, por ejemplo, o su reloj. Qué extraño, que unos objetos inanimados puedan tener tal poder...

Su voz se fue apagando. Ella lo vio mirar las fotos. La intensidad de su pena ininterrumpida la asombró.

—Me fui —dijo entonces—. Estuve fuera un año. Haciendo cosas nuevas, para librarme de los recuerdos. Pero es peor, ¿sabes? —Su sonrisa era burlona, se reía de sí mismo—. No tener ni siquiera los recuerdos. Quedarse sin nada.

—Así que volviste. ¿Y Bellingford...?

—Lo he cerrado. No puedo venderlo porque está en fideicomiso.

—¿Sigues trabajando para el banco?

—Me largué. Tengo una librería de segunda mano en Bayswater. Un tipo con el que fui al colegio me sugirió que me hiciera socio suyo. Luego decidió dejarlo, de modo que le compré su parte.

—Suena divertido... Siempre me han gustado las librerías de viejo.

—Me gano la vida.

Algo en su tono la silenció. Al cabo de un rato, dijo, dubitativa:

—¿Y Alice? ¿Cómo está Alice?

—Pues... muy bien.

—¿Sigue viviendo con los Wyborne?

Él asintió. Katherine pensó al principio que no iba a decir nada más, que tendría que volver a buscar otro tema de conversación, pero entonces él dijo:

—Diana está enferma. Tiene cáncer. ¿Lo sabías?

Katherine se quedó en silencio, conmocionada. Recordó la última vez que vio a Diana Wyborne, lo envejecida que parecía, y el temblor de sus brazos al levantar a su nietecita de la cuna.

—Qué horror —dijo al fin—. ¿Y está...? ¿Se va a recuperar...?

—No lo sé. Los Wyborne no me tienen demasiada confianza, ¿sabes?

Su amargura la sorprendió. Se dio cuenta entonces de que las heridas del pasado seguían sin cicatrizar. Sus pensamientos volaron a Liv y luego a Felix. Otras despedidas, otras traiciones.

Como si le hubiese leído la mente, él dijo:

—Tu amiga, la del pelo oscuro... Rachel la quería mucho.

—No veo a Liv desde hace un par de años. Ahora vive en la costa este, creo. Hemos perdido el contacto.

Tres frases breves resumían el fin de una amistad que duró casi quince años. Katherine se levantó y se acercó a la ventana.

—Supongo que sencillamente nos fuimos separando. —Entrecruzó los dedos mientras miraba hacia la calle. Estaba oscureciendo y los coches avanzaban despacio, en fila, y luego se separaban unos de otros, a la izquierda, a la derecha; el brillo de sus faros se iba volviendo cada vez más débil hasta que quedaban fuera de la vista.

TERCERA PARTE

Zarzarrosa

1975–1978

13

Diana Wyborne murió en abril de 1975. Quince días antes de su muerte, Henry Wyborne se llevó aparte a Hector, que visitaba en Fernhill Grange a su hija.

Invitó a entrar a Hector al salón y le ofreció un whisky. Los dos hombres se sentaron en silencio, bebiendo. La tarde estaba muy tranquila, como si la casa misma fuese consciente de que en el piso de arriba una mujer agonizaba.

—Cuando Diana se haya ido, debes hacerte cargo de la niña.

Hector, que estaba deseando escaparse de la casa en cuanto fuese posible de una manera digna, miró a su suegro.

—¿Alice? —dijo, aturdido—. ¿Yo?

—Eres su padre.

—Sí, pero... —En ese momento, Hector deseó no haber bebido—. Yo suponía... Yo pensaba... —Se quitó las gafas y limpió los cristales con un pañuelo—. Mi piso... no es lo bastante grande. Solo hay un dormitorio. —Sabía que aquello sonaba poco convincente, patético.

Henry dijo, con calma:

—Entonces tendrás que buscar algo más grande, ¿verdad? —Se sirvió más licor y llenó de nuevo la copa de Hector—. Sería terrible para la pobrecilla vivir aquí, una vez Diana no esté. La niñera está bien, no digo que no, pero las niñeras vienen y van, ya sabes. Y yo estoy fuera casi todo el tiempo. Y además —miró a Hector—, Alice no tendría que haber venido a vivir aquí nunca. Se tendría que haber ido contigo cuando Rachel murió. Siempre pensé que estuvo mal lo que pasó.

Hector estaba asombrado. Empezó a decir:

—Pero Diana dijo...

—Una parte de Diana murió con Rachel. —Henry permanecía de pie junto a la ventana—. Y lo mismo pasó con todos nosotros, ¿verdad? Y ella estaba muy decidida a que la niña viviese con nosotros. Pensó que llenaría el hueco, supongo, y yo creí que no tenía derecho a negárselo. Pero de todos modos, estuvo mal.

—Pero Alice os quiere —dijo Hector—. Y a mí apenas me conoce.

—Entonces tendrás que ponerle remedio, ¿no te parece? —El tono de Henry Wyborne era duro, nada comprensivo. Luego su expresión se suavizó ligeramente—. La echaré mucho de menos, claro. Pero recuerda que yo tengo ya casi cincuenta y cinco años. Cuando Alice tenga dieciocho, yo estaré ya cerca de los setenta. Un anciano. Ella se merece algo mejor. —Bajó la vista y susurró—: Esos malditos médicos no me quieren decir cuánto le queda a mi pobre Diana. Días, semanas, dicen, aunque no sé cómo podrá vivir semanas así...

Hector tuvo que apartar la vista. Le pareció casi indecente contemplar la profundidad del dolor que veía en los ojos de Henry Wyborne.

Cuando Henry habló de nuevo, su tono era desafiante.

—No te digo que lamente lo que hicimos. Alice fue un consuelo para Diana y te juro por Dios que ella se merecía cualquier consuelo que pudiera encontrar. Pero no sería justo que yo me quedara ahora con la niña. —Apuró el contenido de su copa—. Preferiría que dejases que Alice se quedara aquí hasta... hasta que haya acabado todo. Por si Diana la quiere ver.

Hector consiguió murmurar algo adecuado a la situación. Henry destapó la licorera del whisky.

—Siempre puedes enviarla a un internado —dijo—, si no estás seguro de poder ocuparte de ella. Algunos de esos sitios las admiten muy jóvenes... Niñas con padres militares, ese tipo de cosas. Y ella siempre ha sido una niña muy dócil, la verdad.

Hector se despidió poco después. Camino de su coche, notó en el aire el áspero roce que siempre asociaba con el inicio de la primavera. Una noche como aquella, hacía siete años, paró y se ofreció a llevar a Liv. Poco después Liv le presentó a Rachel. Hector cerró los ojos intentando recordar la primera vez que vio a Rachel. Llevaba un vestido ajustado, plateado, y el cabello castaño recogido hacia atrás con una especie de cinta. Pero la imagen era borrosa y evanescente, y reconoció amargamente que el recuerdo original ya se estaba desvaneciendo y que lo estaba sustituyendo un recuerdo que era poco más que una recreación, una narración repetida hasta la saciedad.

Encendió un cigarrillo. La extraordinaria conversación con Henry Wyborne resonaba en sus oídos. «Cuando Diana se haya ido, tú debes hacerte cargo de la niña.» Recordó aquella otra conversación, después del funeral de Rachel: «Debes ser realista, Hector. Ahora eres un hombre soltero, que tiene que ganarse la vida. ¿Qué sabes tú de cuidar a un bebé? ¿Qué tipo de vida puedes ofrecerle? Un bebé, una niña, especialmente, necesita a una mujer que lo cuide». Cada una de aquellas palabras era como un cuchillo clavado en un espíritu ya herido más allá de toda posible reparación. Él no discutió, no luchó por la niña. Se limitó a aceptar mansamente la evaluación que hizo Diana de él. Le entregó a su hija porque él mismo sentía por Alice un atisbo de la misma emoción que Diana sentía por él. Alice le arrebató a Rachel. Y en un mundo lleno de insoportables recuerdos de la mujer a la que amó y perdió, la niña hubiese sido uno constante.

Se había alejado para huir de los recuerdos. Sin embargo, como le explicó a Katherine, pronto descubrió que sin ellos no le quedaba nada en absoluto. De regreso a Gran Bretaña, retomó su escasa relación con su hija. Desde entonces visitaba a Alice diligentemente una vez al mes. Cada visita se convertía en una odisea por la evidente desaprobación que mostraba Diana y por su propia incomodidad con su hija. Las tardes pasadas en Fernhill Grange bajo los ojos inquisidores de su suegra le demostraron que Diana tenía razón: no sabía ocuparse de una niña. Alice, que ahora tenía cinco años, seguía siendo una desconocida. Tenía la sensación de que para ella también sus visitas eran un deber, más que un placer.

Al visitar a Alice, la primera emoción que sintió fue la culpa. Culpa por no haberla querido; culpa por el hecho de que ella no lo quisiera. Culpa por su profunda traición a Rachel al ser incapaz de cuidar de su hija. La culpa parecía ser la única emoción honda que era capaz de sentir en aquel momento. Hector recordó la expresión de los ojos de Henry Wyborne aquella tarde, cuando él dijo: «Siempre pensé que estuvo mal lo que pasó». Era una sorpresa, pensó Hector al poner en marcha el coche, enterarse después de tanto tiempo de que Henry también se sentía culpable.

Tres semanas después enseñaba a Alice su dormitorio en el piso de Bloomsbury. Había despejado la pequeña habitación que antes usaba como estudio, sustituyendo su escritorio y la estantería por una cama y una cómoda con cajones.

—¿Te gusta tu nueva habitación, Alice?

—Sí, papá.

A Hector le pareció notar un asomo de desesperación en aquellas palabras susurradas. La habitación, que daba al norte, parecía oscura, y todavía la invadía el olor mohoso de los libros. Pero él dijo, animoso:

—Bien. ¿Quieres que saquemos tus cosas? —Abrió la maleta de la niña y empezó a sacar todos los vestiditos, jerseys y camisones que la niñera le había guardado, para colocarlos en los cajones de la cómoda. Oyó que ella aspiraba aire con fuerza y, cuando se volvió a mirarla, vio que en sus ojos se reflejaba una expresión de horror—. ¿Qué pasa, Alice?

—Estás metiendo los calcetines con las faldas, papá. Los calcetines van con las braguitas y las medias, y las faldas van con los vestidos y los pantalones.

—Oh. —Intentó arreglar las cosas. Ella se puso de pie junto a él, doblando las prendas con pulcritud, metiendo una manga por aquí, un lazo por allá. Él tuvo una súbita visión de Rachel en Bellingford, desempaquetando su ajuar y metiéndolo en una antigua cómoda de cajones que olía a naftalina.

»Bueno, ya acabaremos después, ¿vale? —dijo él, y miró su reloj. Eran las cuatro y media. No sabía los horarios que tenía la niña. La forma que tenía él de pasar el domingo por la tarde, comida en un pub, un intento desganado de hacer las tareas domésticas, y a las cuatro y pico la primera copa de la tarde, estaba claro que no era la adecuada para una niña.

Dijo, vacilante:

—Es la hora de la merienda, ¿verdad?

Fueron a la cocina. Él había comprado algo de comida. Le preguntó:

—Pan con miel y tarta, ¿te parece bien? —Y ella asintió.

En cuanto le dio la merienda se dejó caer aliviado en el sofá con el *Observer*. Estaba ya por la mitad del suplemento a color cuando levantó la vista y vio que la niña no comía.

—¿Qué pasa, Alice?

—¡Que tiene corteza!

Él buscó un cuchillo y la quitó.

—¡Y además hay pasas! —dijo, señalando el bollito de Chelsea que él había comprado.

—¿No te gustan las pasas?

Ella negó con la cabeza. Tenía los ojos muy abiertos y alarmados.

—La abuela me da una pajita para que me beba la leche —susurró—, para que no se me meta en la nariz.

Él consiguió convencerla para que se comiera dos de los bocadillos, pero el bollito se quedó sin comer y la leche sin beber. A lo largo de los días siguientes, él pareció cometer una serie interminable de transgresiones. El agua del baño estaba siempre demasiado caliente o demasiado fría, las toallas no estaban lo bastante esponjosas, le ponía la cantidad equivocada de pasta de dientes en el cepillo, esperaba que se pusiera el jersey azul con el vestido rosa, etcétera.

—Haga lo que haga, siempre está mal —se quejó a Katherine cuando ella lo visitó una tarde—. No le hago la tostada a tiras, como le hacía su abuela, no me acuerdo de hacerle saltar los dos últimos escalones, como hacía su abuelo. No hago nada bien.

—Ya mejorará —dijo Katherine, vagamente.

—¿Tú crees? —Hector no estaba nada convencido.

—Aprenderéis cada uno las costumbres del otro.

—Es muy cansado... Estaba acostumbrado a que fuésemos solo *Charlie* y yo.

Captó una mirada de ella y se dio cuenta de lo mal que debía de sonar: un solterón que se compadece a sí mismo, acostumbrado a hacer las cosas a su manera. A menudo se preguntaba por qué ella seguía visitándolo. Suponía que sentía pena por él.

—De todos modos —dijo—, vamos a ver una escuela el viernes. Un internado llamado St. Johanna. Lo sugirió Henry.

—¿No es demasiado pequeña?

—Le he explicado la situación a la directora. Aceptan algunas niñas de cinco años en circunstancias especiales. Y Alice cumple seis años en junio.

—Supongo que debe de ser difícil —dijo Katherine, intentando mostrarse comprensiva—. El trabajo, quiero decir.

—Bueno, Kevin está de guardia —Kevin era el ayudante de Hector en la tienda—. No piso la tienda desde hace una semana. —No la echaba de menos, la verdad: el trabajo, como cualquier otra parte de su vida, era una medida provisional, algo que ni amaba ni odiaba, sino que soportaba como una forma cualquiera de pasar los días.

Al día siguiente hubo una serie de desastres. Primero, el huevo del desayuno de Alice estaba demasiado hecho y, luego, al intentar lavarle el pelo fino y sedoso para la visita a la escuela, al día siguiente, le metió champú en el ojo. Ella no gritó ni lloró —nunca gritaba ni lloraba—, sino que simplemente, mientras él le limpiaba el ojo con agua fría, tenía una expresión de indefensión total. Luego tuvieron que ir a la tienda: las cuentas estaban enrevesadas y los inspectores de Hacienda amenazaban con hacer una visita. En el metro, se enfadó mucho porque algunos de los pasajeros parecían no tener en cuenta que llevaba una niña pequeña y la golpeaban en las escaleras mecánicas o la empujaban ante las puertas del vagón para hacerse con un sitio. A Alice pareció gustarle la tienda, sin embargo, y se quedó sentada muy contenta en una esquina durante una hora, absorta con un libro ilustrado de Kate Greenaway, mientras él y Kevin repasaban los números.

Luego, al llevarla a comer, las cosas se deterioraron de nuevo. Fueron a un restaurante italiano que estaba cerca, donde ella miró con disgusto sus espaguetis a la boloñesa.

—¡Todo está mezclado! —susurró. La depresión de Hector se agudizó más aún; ansiaba tomarse un vaso de vino. Los amables camareros italianos ofrecieron a Alice toda clase de manjares: una oliva, un macarrón, un cuenco de minestrone. La niña lo rechazó todo y no comió ni un bocado. Hector se acordó vivamente de Rachel en sus momentos de mayor tozudez.

Por la tarde, para animarla, sugirió que salieran al parque. Ella aceptó, pero Hector tuvo la sensación de que Alice no disfrutó nada, se limitó a subir unas cuantas veces, con muchas precauciones, al tobogán y al columpio. Luego fueron de compras, ella muy pegada a él, levantando la nariz, molesta con las multitudes. A la hora de la cena a él se le quemaron los palitos de pescado, de modo que la niña solo picoteó un poco. En cuanto la metió en la cama se sirvió una copa bastante cargada, se dejó caer en una silla e intentó ignorar su terrible dolor de cabeza.

Al día siguiente fueron en coche a St. Johanna. El colegio estaba en Surrey, no lejos de los barrios caros y residenciales de Virginia Water. La directora, la señorita Framlingham, les dio la bienvenida. Se lo enseñaron todo. Hector inspeccionó las camitas de los pequeños dormitorios, cada una de ellas con una hilera de ositos y muñecas, y le enseñaron también el gimnasio, espléndidamente equipado, y los enormes campos de hockey. Después del día anterior en el parque, a él le resultaba difícil imaginar a Alice subiendo por las cuerdas de aquel gimnasio, o corriendo confiada por el campo. En el comedor, viendo un ejército de niñitas que hacían una pausa para comer, no pudo evitar darse cuenta de que nadie quitaba las cortezas al pan y que no tenían pajitas para beberse la leche. Al completar formularios en el despacho de la señorita Framlingham, Hector se dio cuenta de que estaba inquieto, pero trató de ignorar la sensación.

Mientras se alejaban en el coche del colegio, dijo animadamente:

—Te ha gustado este sitio, ¿verdad, Alice? —Ella asintió—. Será divertido, ¿no? Con todas esas niñas para jugar...

—Sí, papá.

Él vio la expresión de la niña en el espejo retrovisor. El miedo que aleteaba en sus ojos, los dientes apretados contra el labio. Recordó, años atrás, el primer día que pasó él en el internado. «Los mejores días de tu vida», dijo entonces su padre, con una animación que él mismo acababa de fingir ahora. Odió todo aquello desde el primer día de curso y continuó odiándolo hasta el día, diez años más tarde, en que lo abandonó.

Se le ocurrió entonces que lo había hecho todo mal. Por primera vez se vio a sí mismo en ella. Alice podía parecerse a Rachel —una semejanza que lo inquietaba—, pero su retraimiento, su falta de confianza física, su necesidad de orden y rutina, todo eso venía de él. Recordó cómo sujetaba el libro de Kate Greenaway, pegado a la cara, y cómo tropezaba en el parque, y se le ocurrió que aquellos grandes ojos oscuros —igualitos a los de Rachel— quizá fuesen miopes, como los suyos.

Aparcó en un espacio junto a la carretera. Dijo con suavidad:

—No quieres ir a ese colegio, ¿verdad? —Y ella lo miró y negó con la cabeza.

Entonces le dijo:

—Echas de menos a la abuelita, ¿verdad, cariño? —Y una lágrima cayó por la mejilla de la niña.

Él la sentó en su regazo y la abrazó mientras lloraba. No sabía cómo se las iba a arreglar, pero al menos intentaría hacerlo lo mejor que pudiera. Al cabo de un rato le secó la carita con su pañuelo, la volvió a colocar en su asiento en la parte de atrás del coche y volvieron a casa.

Desde que dejaron Londres, Liv, Freya y Georgie habían ido subiendo poco a poco por la costa de East Anglia, desde Suffolk a Norfolk, viviendo en distintas habitaciones y pisos amueblados. Todos eran igual de deprimentes y llenos de corrientes de aire, con esos muebles que nadie quiere: sofás desfondados con la tapicería gastada y brillante por décadas de uso, cómodas endebles que se volcaban cuando intentabas abrir sus cajones eternamente atestados, baños compartidos con baldosas roñosas, manchas verdes en el esmalte y grifos goteantes.

Soportaron un invierno entero en una caravana aparcada entre unas dunas, en la ventosa costa este, donde tenían la comida y la ropa siempre llenas de arena. Compartieron brevemente una casa ocupada en Great Yarmouth, una casa victoriana enorme y en tiempos espléndida, donde el temor de Liv a tener complicaciones con la Policía o con los servicios sociales pronto la convenció de trasladarse. Solo estuvieron un par de semanas en un apartamento de vacaciones donde el propietario, que entraba en la cocina casi cada día para leer el contador del gas, tocaba el culo a Liv y se frotaba contra sus pechos.

Liv mantenía a sus hijas trabajando en tiendas y cafés, pubs y granjas. El cuidado de las niñas era un problema interminable e insoluble: con otras madres, organizó los turnos de trabajo para poder pasar las mañanas tras la caja registradora de un supermercado; fue a la recogida de la fresa mientras Freya y Georgie jugaban en un rincón del campo; limpió despachos, con las niñas tras ella mientras pasaba la aspiradora y quitaba el polvo; en casa escribía direcciones en sobres y vendía ropa y joyería en reuniones programadas; trabajó en una freiduría de pescado cuando las niñas ya estaban acostadas, volviendo a casa cada hora a echar un vistazo para asegurarse de que seguían durmiendo.

Ninguno de los trabajos le duraba mucho. El del supermercado se acabó cuando las niñas pillaron la rubeola. Era poco fiable, le dijo el encargado: «No podemos estar siempre cubriéndola, señora Galenski, cada vez que tiene un problema doméstico». Tuvo que dejar el trabajo de limpieza cuando una de las supervisoras se quejó a su jefe por lo de las niñas. Los trabajos de granja eran estacionales y, al final, no tuvo el estómago suficiente como para ganarse la vida vendiendo joyería de mal gusto y ropa mal hecha a mujeres que no tenían mucho más dinero que ella. En la freiduría duró solo unas cuantas noches, porque no pudo soportar la culpabilidad y la ansiedad de dejar solas a Freya y Georgie.

Sin embargo, cualquier trabajo era preferible a los períodos de desempleo. A veces a Liv le costaba solo un día o dos encontrar otro empleo; una vez estuvo sin trabajo casi un mes. Un mes de buscar trabajo en la oficina de empleo, en los anuncios del periódico local y en los escaparates de las tiendas. A medida que pasaban los días, permanecía despierta por la noche, congelada y asustada, temiendo el futuro. Se imaginaba a Freya y Georgie hambrientas; se las imaginaba con neumonía porque no podía permitirse los cincuenta centavos del contador del gas. Se imaginaba que perdían el techo que las cobijaba porque no podía pagar el alquiler, y que le quitaban a sus niñas.

De alguna manera, siempre conseguía sobrevivir. Thea le enviaba dinero cuando Liv estaba en un sitio el tiempo suficiente para recibir correo: sin ella no habría podido arreglárselas. Pasó el invierno y llegó de nuevo el verano, y con el verano llegaban los trabajos temporales. En julio de 1974 se trasladaron a Samphire Cottage. Liv trabajaba en una granja de lavanda y le dijo a la propietaria de la granja, la señora Maynard, que buscaba un sitio donde vivir. Daphne Maynard se había encariñado con Freya. Decía que le recordaba a su propia hija cuando era pequeña. Respondía a las incesantes preguntas de Freya con paciencia y consideración, y no le importaba cuando la niña iba tras ella desde el campo a la cocina y a la oficina.

La señora Maynard le habló a Liv de Samphire Cottage. La pequeña casita de ladrillo rojo estaba situada a unos cientos de metros de la carretera de la costa de Norfolk, junto a la entrada a un sendero que se desviaba hacia las salinas. Se alzaba allí un grupito de sauces y un pequeño jardín rodeado de acequias que, en verano, resplandecía de caléndulas y arroyuelas moradas. La casita tenía dos habitaciones arriba y dos abajo, con un cobertizo de madera adosado a la parte de atrás, donde por las mañanas daba el sol. Los días buenos se veía la línea distante del dique de guijarros que era lo único que separaba el mar del Norte de los pantanos. Otros días el viento aullaba y la costa y el mar estaban cubiertos por velos grises.

La calefacción de la casa la proporcionaba una cocina Aga y una chimenea en el salón. Al enseñarle la casita a Liv, la señora Maynard se disculpó por la carencia de radiadores: habían querido instalar calefacción central, pero no había gas en el pueblo y, desde la guerra árabe-israelí y el consiguiente embargo, el precio del petróleo había subido como la espuma. Luego dijo, sin mucha convicción:

—¿No será muy solitario para usted?

Liv negó con la cabeza, sonrió, y le dijo que Samphire Cottage era justamente lo que deseaba.

Freya y Georgie dormían en el dormitorio de atrás, Liv en el de delante. Las habitaciones de abajo estaban decoradas con los dibujos de las niñas y el cobertizo albergaba la máquina de coser de Liv. Compró una vieja Singer en un mercadillo por una libra y se la llevó a casa en la sillita de Georgie. Puso un anuncio en el escaparte de la oficina de correos: «Costura en general: cojines, cortinas, ropa de niños a medida». No es que le llovieran los encargos, pero, al cabo de un tiempo, su reputación empezó a extenderse por el boca oreja y tuvo el trabajo suficiente como para ocuparse por las tardes. Disfrutaba de la costura, redescubría sus antiguas habilidades y aprendía cosas nuevas. Hacía *patchworks,* bordados y aplicaciones, y experimentó con el estampado de telas. A veces, cuando las cosas eran un poco más fáciles, iba a Norwich y visitaba las tiendas de artesanía y las bibliotecas, buscando nuevas ideas. El suelo de baldosas rojas del cobertizo siempre estaba salpicado de retales de telas e hilos de algodón, como hojas de otoño de colores vivos.

Fuera, las libélulas corrían entre los juncos y unas ranas de un color marrón verdoso se escondían en las acequias. Liv quería quedarse allí para siempre. La primavera de 1975 Freya empezó a asistir a la escuela del pueblo, a tres kilómetros de distancia, y Georgie a la guardería. Por primera vez desde hacía años Liv tenía unas horas libres sin las niñas cada mañana. Empezó a coser más, ahorró y se compró una bicicleta de segunda mano, con un asiento para Freya detrás y un pequeño soporte en el manillar para Georgie. Hacía colchas de cuna y las vendía a las madres en la puerta de la escuela. Cuidaba a los niños de otras personas después del colegio. Cogió un trabajo de limpieza y, a principios del verano, un trabajo a tiempo parcial en el pub del pueblo. Y así, a duras penas, iba subsistiendo.

Sus días pendían del hilo de unas rutinas cuidadosamente estudiadas. Por la mañana llevaba a Freya al colegio y a Georgie a la guardería, y luego iba a limpiar durante un par de horas la casa de veraneo de una gente rica. Después iba en bicicleta al pub, donde ayudaba en la cocina y en la barra. Otra madre recogía a Georgie de la guardería y le daba de comer. Cuando Liv salía del pub, a las dos y media, recogía a Georgie, hacía las compras o se iba a casa y hacía las tareas domésticas, y luego iba en bicicleta a la escuela a esperar a Freya. Ya en casa, daba la cena a las niñas, jugaba con ellas y les leía cuentos. Después del baño y de acostarlas, se ponía con la máquina de coser. Hacía ella misma toda la ropa de Freya y Georgie, y la mayoría de la suya propia también. Otras madres veían y admiraban sus diseños originales y le pidieron que hiciera ropa también para sus niños. Ella procuraba que Freya y Georgie fuesen siempre bien vestidas y bien alimentadas, e intentaba estar siempre disponible para ellas cuando la necesitaban.

Freya, con cinco años, era una niña alta y esbelta, con el pelo negro y sedoso, que Liv le cortaba en una melenita corta con las tijeras de costura. Bullía con una energía inquieta, como un arco tenso. Hablaba con todo el mundo, les interrogaba, intentando comprender el mundo. Su franqueza con los desconocidos a veces alarmaba a Liv. Era como si buscase algo, como si estuviera hambrienta de algo. Georgie, con tres años, era lo opuesto de Freya, menuda, risueña, de buen carácter. Mirando a su hija mayor, tan inquieta, Liv tenía una sensación constante de culpabilidad.

A lo largo del último año y medio, Katherine a veces se preguntaba por qué seguía visitando a Hector. No es que fuera una buena compañía, casi siempre estaba taciturno y absorto. Pasaba una hora y ella no conseguía sacarle más que unas pocas frases. Sus sugerencias para salir –al cine o a dar un paseo por Regent's Park– a menudo eran recibidas con un encogimiento de hombros o una expresión de indiferencia. A veces ella quería sacudirle, o gritarle, o largarse exasperada de su casa, cosa que en alguna ocasión, cuando la situación le resultaba insoportable, hacía. Sin embargo, siempre volvía. Hector era su penitencia, pensaba a veces, el recuerdo de un pasado que habría querido olvidar. Dos años y medio antes, su sufrimiento por Jordan y la envidia que sentía por Liv la llevaron a seducir a Felix. Dos amistades acabaron aquella noche. Felix y ella tuvieron la convicción, nunca expresada, de que habían traspasado una frontera indebida. Él se trasladó, cambió de trabajo y desde entonces no lo había vuelto a ver. Ni tampoco había sabido nada de Liv desde que se fue de Londres. Katherine era consciente de que la herida era duradera. Hubo un tiempo en que Liv la necesitó; ahora ya no. Se decía a sí misma que Liv mantenía en secreto su paradero porque temía que Stefan la pudiera volver a encontrar. Sin embargo, en el fondo, tenía la impresión de que Liv, de alguna manera, sabía lo que había sucedido entre ella y Felix. Y que le importaba.

Katherine llegó a la conclusión de que insistía en ver a Hector porque al hacerlo podía reparar la deuda que tenía con una de sus amigas, al menos. Al volver a ver a Hector después de encontrarse con él, el día que pasó tanto miedo por la bomba, el vacío emocional de la vida de él la preocupó. La soledad que ella misma había soportado no era nada comparada con el aislamiento de Hector, en parte autoimpuesto. No tenía amigos, ni familia, aparte de una tía solterona en Henley-on-Thames, a quien hacía visitas de compromiso en Navidad y por su cumpleaños. Katherine sospechaba que él rechazó todas las ofertas de amistad en las semanas, meses y años que siguieron a la muerte de Rachel. Ninguna amistad podía resistir tanto rechazo, tanto silencio y tanto ensimismamiento. Hector tenía su trabajo, al que dedicaba solo el interés necesario para mantener en funcionamiento la librería de segunda mano. No tenía aficiones, a menos que familiarizarse con el fondo de una botella de whisky pudiera considerarse una afición. Ni siquiera parecía importarle mucho el perro. Hector toleraba a *Charlie* porque este había pertenecido a Rachel, y lo llevaba a dar sus paseos obligatorios en torno a Hyde Park, soportando sus malas costumbres –la tendencia a morder los brazos de piel del sofá y una debilidad por el chocolate– con una paciencia fruto de la absoluta falta de interés.

Sin embargo, había otro motivo por el cual Katherine seguía visitando a Hector. Porque aquel espantoso día de Navidad de 1972 comprendió lo que significa perder a alguien a quien amas. No olvidaba la intensidad del dolor que sintió al mirar por la ventana del piso de Jordan y verlo con su mujer. Comprendió entonces lo vulnerable que te hace el amor, que perderlo puede borrar toda esperanza y que puede destruir tus defensas, dejándote desnudo y expuesto. Tenía la sensación de que, desde la muerte de Rachel, Hector vivía en un mundo que carecía de reglas y de sentido, un mundo en el cual la felicidad podía convertirse en dolor en un parpadeo.

Aunque Hector apenas mencionaba a Rachel, su recuerdo dominaba aquel pequeño piso. Ella estaba en las hileras de fotos y en los cuadros y adornos que Katherine recordaba de su dormitorio en Fernhill Grange. Hector limpiaba el polvo de las fotos y los adornos cada día. Era la única tarea doméstica que hacía, pensaba a veces Katherine: el resto del piso se ahogaba bajo una capa de polvo.

Pero desde la muerte de Diana Wyborne, todo empezó a cambiar. Alice llevaba tres meses viviendo con Hector e iba a un colegio que estaba a solo unas calles de distancia del piso de Bloomsbury. Poco a poco, las habitaciones de la casa perdían su aspecto mohoso. Juguetes de vivos colores salpicaban las alfombras turcas desvaídas; dibujos infantiles de casas, caballos y barcos sobre improbables mares turquesa ocultaban algunos de los libros encuadernados con colores oscuros. Ahora que acompañaba a Hector y Alice en sus paseos diarios por el parque, hasta *Charlie* había perdido algo de grasa. Katherine pensó que era como si una cortina se fuese retirando poco a poco, dejando que entrase la luz a través de una ventana.

En verano, Philip enfermó. Tuvo un ataque y no recuperó la conciencia durante varias horas. Katherine, al visitarlo en el hospital, pensó que aunque él le sonreía y la llamaba por su nombre, y le apretaba la mano, algo había cambiado: otro fragmento del Philip original había desaparecido. En el lecho del hospital, pálido y vestido con su camisón blanco, su cuerpo parecía menguado, hundido entre las ropas de cama, tan lisas, y su pelo rojo intenso era la única salpicadura de color.

Al volver a Londres, sonó el teléfono mientras ella abría la puerta de casa. Era Jordan.

—Tengo un par de horas —dijo—. Estoy en el piso.

Ella se sentía cansada: el largo trayecto en coche, la ansiedad por Philip. Dio vueltas al cable del teléfono entre los dedos.

—¿No podrías venir aquí, Jordan?

—Sabes que eso no es buena idea, cariño. Basta con que aparezca un periodista entrometido y mi cara saldrá en la primera plana del *Sun*.

—Pero...

—«Katherine la picarona en el nidito de amor secreto de un diputado.» Solo pienso en ti, cariño.

Ella fue al piso. Jordan había comprado ostras, que le dio él mismo una a una, acompañadas de champán. En la última ostra descansaban un par de pendientes de perlas.

—Son preciosos, Jordan. —Se arrodilló ante él, apartó a ambos lados la cortina de pelo de un rubio rojizo y le dio un beso.

—Son para atenuar un poco el golpe, me temo.

Katherine se tensó, con los ojos entornados, mirándolo.

—Tricia insiste en que nos vayamos todo el mes de agosto —dijo Jordan—. A la Toscana. No he podido decir que no, me temo, querida. No está demasiado bien desde que nació Edward. Necesita un respiro.

Ella pensó: no quiero saberlo, es que no quiero, sencillamente. Pero dijo, con ligereza:

—Toscana..., qué suerte la tuya. Te envidio muchísimo.

—Katherine... —Tocó los tensos hombros de ella—. Pensaré en ti todo el día, todos los días. —Su voz le suplicaba, su boca la acariciaba–. Y cuando vuelva pasaremos un fin de semana juntos, te lo prometo.

–Nunca hemos pasado juntos un fin de semana. Solo tardes, días y noches. ¿Sabes, Jordan, que nunca hemos pasado más de ocho horas seguidas juntos? Lo he calculado.

–Quizá por eso sea tan bueno... Quizá por eso sea tan especial... –Los dedos de él bajaron por el vientre de ella, persuasivos, acariciándola y volviendo a encender el fuego entre sus piernas. Durante un instante ella se preguntó cómo podía enfadarse tanto con él y desearlo tanto, al mismo tiempo. Luego se colocó encima de él, a horcajadas, introduciéndole en su interior, con movimientos lentos al principio, incitándole, excitándole, haciéndole esperar, hasta que vio que él también sufría.

Katherine se introdujo en la bañera de grifos dorados. Jordan le llevó una copa de champán.

Katherine negó con la cabeza.

–No, gracias.

Él le pasó un dedo por los pechos.

–Todavía queda media botella.

–Acábatela tú. Yo prefiero café, Jordan.

–Qué moderada. –Su voz sonaba burlona–. Esa no es mi salvaje Katherine.

–Tengo que conducir.

Ella le oyó llegar a la cocina. Al cabo de unos momentos, Jordan dijo:

–Tricia ha comprado una cosa nueva, no sé cómo funciona.

Katherine ya había notado que era un negado total para cualquier asunto doméstico. En tiempos lo encontraba atractivo; ahora la irritaba.

–¿Qué tipo de cosa?

–Se enchufa –dijo Jordan, vagamente.

–Llena la jarra de agua y pon el café en la parte de arriba –dijo ella. Se sumergió de nuevo en el agua perfumada, de modo que los mechones de su pelo flotaron en la superficie como pálidas algas rojizas.

Jordan entró en el baño.

—No encuentro el molinillo. ¿Dónde demonios está?

Conteniendo un suspiro, ella salió del baño y se envolvió en una toalla. En la cocina, el molinillo de café estaba en el mismo sitio de siempre, detrás del molinillo de pimienta. Buscó café en grano en el armario y Jordan se puso de pie tras ella, metiendo las manos bajo los pliegues de la toalla. Sus palmas eran cálidas sobre la piel húmeda de ella. Metió la cara entre el pelo húmedo de Katherine y le acarició los lóbulos de los que colgaban los pendientes.

—Tenemos veinte minutos —susurró—. En realidad, no quieres ese café, ¿verdad?

Ella dejó que la besara durante un rato, pero, por primera vez, que pudiera recordar al menos, su cuerpo no respondió. Estaba cansada, pensó. O bien no era el día adecuado del mes. Al cabo de un rato puso la excusa de que tenía trabajo que hacer, se vistió, recogió sus cosas y se fue a casa.

En las vacaciones de otoño, Liv y las niñas cogieron el autobús a Norwich. Liv compró tela para hacer vestidos y unos retales para *patchwork*, y luego caminaron casi un kilómetro desde el centro de la ciudad hasta una tienda de manualidades. Aunque el día empezó bien, llovía ya cuando salieron de la tienda. Liv abrió el paraguas mientras caminaban junto a un edificio en construcción; Georgie miraba con la boca abierta los camiones y la maquinaria. La obra estaba al lado de una fábrica abandonada. Los letreros de «se vende» colgaban oblicuamente de las altas verjas de hierro que rodeaban la fábrica, y algunas de las ventanas del enorme edificio victoriano, de ladrillo rojo, estaban rotas. Todo aquel lugar tenía un aspecto decadente y lúgubre. La lluvia había formado enormes charcos en el asfalto agujereado y manchas negras de humo bajaban desde las ventanas carbonizadas, como resultado de algún incendio.

En la acera, un hombre estaba de pie ante las puertas delanteras. Alto, con el pelo oscuro y ancho de hombros, llevaba unos vaqueros azul oscuro y una chaqueta de cuero negro bien cortada. Había algo familiar en él: Liv lo miró con más detenimiento, esforzándose. Freya ya había echado a correr y estaba hablando con él.

—Tengo un impermeable rojo en casa, pero nos lo hemos olvidado. Vamos a tomar unos batidos en un café. Vivimos en una casa que se llama Samphire Cottage. El *samphire* es una planta que se llama hinojo marino, ¿lo sabías? Me llamo Freya Galenski, ¿y tú?

Y al oír esto, el hombre que estaba de pie ante la puerta miró a Freya. El corazón de Liv se puso a latir con fuerza. Su voz llegó desde la calle hasta ella.

—Te llamas Freya. Y tu hermana se llama Georgie.

Se oyó a sí misma susurrar:

—¡Felix!

—Y el nombre de tu mamá —dijo él— es Liv.

Freya levantó la vista hacia Felix.

—¿Eres tú mi papá?

—No. No, cariño.

Liv cogió a Georgie en brazos. Estaba temblando. Al acercarse a él, vio cómo había cambiado. El pelo corto parecía realzar los ángulos de su cara, parecía mayor, más duro.

—Qué sorpresa verte, Liv —dijo él. No era maravilloso ni fantástico, sino solo una sorpresa. Una palabra blanda, poco reveladora—. ¿Qué demonios estás haciendo aquí?

—De compras. —Liv estaba sin aliento—. ¿Y tú, Felix?

Él miró la fábrica abandonada.

—Pensando a ver si podía entrar —parpadeó—. ¿Qué tal estás?

—Bien, bien. Es increíble encontrarte así... —Y luego recordó que los Corcoran poseían una espléndida casa en algún lugar de Norfolk. No era ninguna sorpresa que se encontraran, pues.

—Ha pasado mucho tiempo.

—Dos años y medio. —Las palabras parecieron hacer eco en los altos muros de la fábrica. Los acontecimientos que desencadenaron su despedida en Londres pasaron por su mente: Stefan, Katherine...

»Freya ahora va al colegio —se oyó decir—, y Georgie a la guardería.

—Rose las echa de menos —dijo él.

—Tuve que irme de Londres. —Ella sabía que sonaba a la defensiva—. Sabes que tuve que irme de Londres. —Georgie se retorcía y se libró de sus brazos, y regresó a los charcos.

—¿Por culpa de Stefan?

—Sí. —Y por tu culpa, pensó ella.

Silencio. Si todavía hubiesen significado algo el uno para el otro, pensó, le habría preocupado que tuvieran tantos problemas para encontrar algo que decir.

—¿Todavía vives en Londres, Felix?

—Tengo un piso en Fulham. ¿Y tú?

Ella le dijo el nombre del pueblo. Él miró su reloj. Ella dijo rápidamente:

—Tengo que irme... He prometido a las niñas que las llevaría a comer algo a la ciudad.

Freya ya estaba trepando por las verjas de hierro.

—Te llevo en coche —dijo él.

—No, no hay necesidad. —Liv recogió las bolsas—. Freya, baja.

Pero él ya estaba abriendo las puertas de un Renault azul oscuro.

—La lluvia... —dijo.

Las sandalias húmedas de Freya no se agarraron bien al hierro fundido y cayó al suelo, aterrizando mal. Se echó a llorar.

—Te lo he dicho, Freya... —Con una sola mano, Liv intentaba ayudar a Freya a levantarse, pero Georgie la tenía abrazada por las rodillas.

—¡Hay sangre! —chillaba Freya—. ¡Suelta, Georgie!

—Ven. —Felix le agarró las bolsas de la compra a Liv y las metió en el maletero del coche. Freya le dio un cachete a Georgie y las dos niñas lloraron al unísono. Liv se sintió agotada tras el largo camino con las bolsas pesadas mientras arrastraba a las dos niñas. El cansancio se mezclaba con la rabia de que Felix las viese en su peor momento. A punto estuvo de decir: «No siempre son así», pero consiguió morderse los labios.

Al meter a las niñas en el coche, él dijo:

—¿Qué es esto? Carmesí de alizarina..., azul ultramar... —El trocito de linóleo y los botes de tinte sobresalían de la parte superior de una de las bolsas. Él cerró el maletero—. ¿Qué es lo que haces?

—Cortinas, cojines... Ropa infantil, sobre todo. —Se subió delante, junto a Felix.

Pasando por las calles mojadas, mientras los limpiaparabrisas iban de un lado a otro, el sonido del motor llenaba los silencios recurrentes. Ella pensó: ojalá no te hubieras ofrecido a llevarme en coche, si luego ibas a estar tan taciturno, si ibas a hacerme sentir tan extraña. A ella le pareció ver en él una inquietud y una furia contenida que cuadraban bien con la buena ropa, el pelo corto, el frío que se veía en sus ojos.

Ella rompió el silencio.

—¿Todavía trabajas para la cooperativa inmobiliaria?

—Trabajo para una empresa de inversiones en la City.

Oh, pensó ella, al comprender, de repente, los cambios experimentados en él.

—¿Y te gusta?

—Está bien. Tenía que aprender cómo se hace el dinero.

Llegaron al centro de la ciudad. Ella se apartó el húmedo flequillo de la cara.

—Antes no te preocupaba el dinero.

—¿Ah, no? —El sonrió sin humor—. Qué ingenuo era.

Las calles y las tiendas iban pasando, un borrón gris y marrón. Felix aparcó en una calle lateral y tendió a Liv sus bolsas del maletero.

—Bueno, ha sido muy agradable volver a verte —dijo, como si fuera una conocida lejana. En eso se había convertido, supuso ella.

Sin pensarlo, dijo:

—Has cambiado, Felix.

—¿Ah, sí? —Liv no pudo leer su expresión—. Sí, supongo que he cambiado.

De pie en la acera, con las niñas, ella esperó a que el coche se alejara y se perdiera de vista. «Tenía que aprender cómo se hace el dinero», y pensó: Bueno, no has tardado mucho en cambiar y ser como todos, ¿verdad, Felix Corcoran? Y luego cogió aire con fuerza y dijo:

—Bueno, venga, ¿quién quiere un batido? —Y las niñas chillaron encantadas.

Felix atravesó Norwich hasta la casa donde ahora vivían Mia y su padre. Camino de la antigua fábrica de Corcoran, por primera vez desde hacía años, no se había fijado en Liv hasta que la niña, Freya, le dijo su nombre. Luego fue como si hubiese retrocedido tres años, a aquellos días intensos y emocionantes en Londres. La conmoción de verla se mezcló con la ira al examinar puertas, ventanas y cerrojos y ver lo que podían hacer el abandono y el paso del tiempo con un negocio antes floreciente. Recuerdos y emociones chocaron entre sí: el placer de verla, un resentimiento no resuelto por haberlo abandonado, tan de repente, y un recuerdo molesto e incómodo del día que supo que iba a perder su hogar y acabó haciendo el amor con Katherine.

Todo le recordaba que el tiempo había pasado y que los parámetros de su vida y la de ella se habían alterado tan profundamente que el pasado resultaba distante y a la vez irrelevante. Lo más duro de aceptar era darse cuenta de que todavía la seguía encontrando atractiva.

La frialdad y la desaprobación emanaban de ella mientras iban hacia el centro de la ciudad. «Has cambiado», le dijo, dejando bien claro que el cambio no era para bien. Él sabía que se había mostrado taciturno y difícil. La fábrica quemada, la perspectiva de comer con su padre, todo ello pesaba con fuerza en su ánimo.

Desde que dejaron Wyatts, Bernard y Mia vivían en una casita pequeña en el extremo sur de Norwich. Felix aparcó junto a la casa. Mia estaba en el trabajo, de modo que Bernard preparó unos huevos con beicon que Felix no quería comer en realidad, y le sirvió un whisky que él habría preferido no beberse. El beicon estaba quemado y las yemas de los huevos reventadas. Los torpes intentos de cocinar por parte de su padre siempre deprimían a

Felix, pero fingió entusiasmo, acabándose todo lo que había en el plato.

Felix examinaba a su padre mientras hablaban. Bernard había perdido peso desde que sufrió el ataque al corazón en los primeros meses de 1973. Esa era una época que, incluso ahora, Felix apenas podía soportar recordar. Durante un tiempo pensó que Bernard no se recuperaría. Recordó diez minutos horribles con un joven médico, sobrepasado por el trabajo, que les explicó la gravedad del estado de Bernard. Recordaba haberse quedado embotado, incapaz de absorber la realidad de aquel nuevo desastre.

Pero Bernard salió adelante, frustrando las expectativas de los médicos. Durante su lenta recuperación, los deprimentes mecanismos de la quiebra siguieron funcionando, destruyendo el tejido familiar de sus vidas. La fábrica cerró y Wyatts se puso en venta. Mia les encontró una casa para vivir y se puso a trabajar de secretaria para una empresa de seguros. Rose, para quien los objetos materiales tenían tan poco atractivo emocional, seleccionó el contenido de Wyatts. Algunas de las mejores piezas de mobiliario fueron subastadas, para obtener la liquidez tan necesaria; unas pocas se conservaron, embutidas en la casa de Norwich, mucho más pequeña.

Felix sabía que su padre nunca volvería a trabajar, que su salud quedó arruinada por el ataque al corazón y su espíritu roto por la quiebra. Bernard no aceptaba compartir la responsabilidad de lo ocurrido y contemplaba su papel con humillación y vergüenza.

Había deudas personales, además de empresariales. En el momento en que Corcoran perdía más dinero, Bernard aceptó un préstamo personal para cubrir el déficit en los ingresos de la casa. Felix visitó el banco, esperando cierta comprensión y simpatía por la situación de su padre. Pero no recibió simpatía ni comprensión. Cuando señaló que su padre fue un buen cliente del banco durante más de cuarenta años, y que hasta los últimos tiempos jamás había dejado a deber ni un penique, sus ruegos cayeron en saco roto. Se estableció un calendario de devolución para el préstamo. Tenían que entregar dos tercios del salario de

Mia al banco cada mes para cubrir el préstamo. Bernard y Mia debían subsistir con lo que quedaba.

Esa fue la última vez que suplicó a nadie. La conmoción y la rabia lo endurecieron, confiriéndole una fría determinación. A través de un antiguo compañero de clase, encontró trabajo en un banco de la City. Necesitaba, como le dijo a Liv, aprender cómo se hace el dinero. Con la pequeña herencia que tenía de su madre pudo pagar la entrada de una casa adosada en Fulham. No pretendía trabajar para el banco mucho tiempo; solo era un trampolín. Enviaba dinero a Mia cada mes, para ayudarla a pagar las facturas.

Rose llevaba los dos últimos años viviendo en Great Dransfield, con Nancy. Era un arreglo que funcionaba bien y convenía a las dos mujeres. Los perros, los pavos reales, el caballo de Mia y las cobayas vivían en Great Dransfield también, restos de una vida distinta. A causa de Rose, precisamente, Felix se acercó a la antigua fábrica Corcoran aquella mañana. Desde que cerró había evitado visitar la fábrica, deprimido y rabioso por las obras que estaban haciendo justo al lado y por el incendio que el año anterior dañó parte del edificio victoriano. Pero al visitar a Rose en Great Dransfield, le preguntó qué era lo que más echaba de menos de Wyatts.

–Mi papel pintado –dijo ella, inesperadamente–. ¿Te acuerdas, Felix? En mi dormitorio. Se llamaba *Zarzarrosa*. –Sonrió–. Era la única chica del colegio que tenía un papel pintado con nombre propio.

Antes de dejar a su padre aquella tarde, Felix sacó del cobertizo un par de cizallas, un martillo, una llave inglesa y una linterna. Los metió en el maletero del coche y fue conduciendo con cuidado, respetando el límite de velocidad. La idea de que le parase la Policía no le hacía ninguna gracia. Aparcó a pocas calles de la fábrica, sacó la bolsa de herramientas del maletero. Era medianoche y una capa de nubes tapaba tanto la luna como las estrellas. Había notado aquella mañana que la puerta lateral estaba asegurada solo por una vuelta de cadena. Las cizallas la cortaron con facilidad y entró en el patio trasero de la fábrica. En tiempos pasados, aquel cuadrado asfaltado estaba siempre lleno de camiones y furgonetas, esperando su carga. Ahora estaba vacío, solo había algo de basura en los rincones, y unas cuantas botellas vacías y mantas arrugadas en un hueco donde había dormido algún vagabundo. Felix dio la vuelta a todo el edificio, buscando un lugar por donde entrar. Muchas de las ventanas eran muy altas, estaban fuera de su alcance, y todas las puertas tenían candados. Pero en la parte de la fábrica dañada por el fuego, descubrió una ventana en la planta baja con un cristal roto. A partir de ahí solo tuvo que subirse a un viejo cubo de basura, envolverse la chaqueta de cuero en torno a la mano y tirar las esquirlas de cristal que quedaban y correr el pasador. Ya estaba dentro.

El edificio apestaba a hollín y a humedad. Apartado de las ventanas exteriores, Felix encendió la linterna. La pálida luz iluminó el desastre: las vigas carbonizadas y ennegrecidas, los rollos de papel mohoso y los enormes charcos bajo los agujeros del tejado. Se concentró en la tarea que tenía entre manos. El fuego destruyó solo una parte de la fábrica. Los bloques de los diseños, a partir de los cuales se imprimían los papeles pintados, siempre se almacenaban en una bodega que estaba debajo de la sala de impresión principal. Felix recorrió los fríos y silenciosos pasillos hasta la escalera de la bodega. Mentalmente se preparaba para la decepción. Si la conflagración había alcanzado la bodega, los moldes, hechos de madera de pino o de árboles frutales, habrían quedado destruidos. De manera similar, alguien podía haber sospechado el posible valor de los bloques y haberlos guardado en otro lugar.

Paseó la linterna por la bodega. Solo olía ligeramente a humo y las estanterías de madera parecían intactas. Fue andando y leyendo las etiquetas de los estantes: «Celosía veraniega»... «Jardín japonés»... «Arlequín»... El papel pintado Corcoran ya no existía, pero los diseños originales seguían allí, casi tres mil, encerrados en aquellos moldes tallados de madera. Felix encontró el estante que andaba buscando y sacó los moldes. «Zarzarrosa»... Lo recordaba muy bien, rosa y dorado, en las paredes del dormitorio de Rose. El diseño fue encargado especialmente cuando ella nació. Envolvió los moldes en un paño y se los guardó en la bolsa.

Estaba ya a medio camino de las escaleras cuando hizo una pausa, con la linterna en su mano enguantada. Pensó en las hileras de casas idénticas que ya se estaban levantando en lo que fueron tierras de los Corcoran. Sabía que solo era cuestión de tiempo que el ayuntamiento admitiera que no encontrarían jamás comprador para la fábrica y que el edificio en ruinas fuese declarado peligroso. Se concedería un permiso de obras y la fábrica sería demolida hasta los cimientos, y cien años de historia se recordarían solo por el nombre de otra rentable promoción de viviendas, indistinguible de las demás.

Sin embargo, por el momento la historia seguía viva entre sus manos. Felix terminó de descender las escaleras, dio la vuelta a la habitación y tomó de los estantes lo que quería.

Cuando partió hacia Londres, la primera y pálida luz del amanecer brillaba en el horizonte. Los moldes de estampación llenaban el maletero y el asiento trasero del Renault. A unos treinta kilómetros de Norwich, en campo abierto, paró a un lado de la carretera y se quedó mirando por el parabrisas, mientras el motor seguía en marcha al ralentí. Recuerdos de las últimas veinticuatro horas aleteaban en su mente. Un motivo dorado con rosas de color rosa. Un bote de tinte carmesí de alizarina. Los ojos oscuros de Liv y de las niñas. Notaba una tensión bajo las costillas, como si hubiera corrido kilómetros y kilómetros. Qué extraño, pensó, sustituir tan de repente una obsesión por otra. Durante los últimos dos años y medio, su única *raison d'être,* la única fuerza que lo motivaba día y noche, era su decisión de recuperar Wyatts. Se juró a sí mismo que, de alguna manera, en algún momento, aquella casa volvería a pertenecerles. Todo lo que hacía tenía ese único objetivo. No permitió que nada lo distrajera. Dejó a un lado sus antiguos ideales, creyendo que estaban desfasados y eran demasiado indulgentes. Veía poco a Rose, a sus antiguos amigos casi nunca. Sus relaciones con mujeres eran poco más que citas de una noche. Trabajaba muchas horas y hacía inversiones cuidadosas. La rabia que le invadió cuando se enteró de que Wyatts les había sido arrebatada, la compasión que sintió por su padre y la vergüenza por su propio papel en aquella ruina, no menguaron a lo largo de los años. Soñaba con la casa. Hacía planes para la casa.

Y, sin embargo, aquel día apenas había pensado en todo aquello. Cerró los ojos un instante, apartó las manos del volante y contempló los primeros rayos del sol, que bañaban los surcos cultivados en los campos. La imagen de Liv había sustituido a la de Wyatts; la voz de Liv había borrado el rumor de las hayas que se alineaban a ambos lados del camino de entrada a Wyatts y al gorgoteo de la fuente en el jardín. Felix se apretó los puños contra la frente, como si al hacerlo pudiera eliminar el recuerdo de ella, pero persistía, era algo brillante enmedio de la oscuridad; al cabo de un rato, puso en marcha el coche y continuó.

Los temporales de noviembre arrancaron las hojas de los árboles, taponando los canalones de Samphire Cottage. El agua de lluvia caía en cascada por delante del porche delantero, amenazando a los incautos con un súbito chaparrón de agua helada. Liv se tambaleaba subida al taburete de la cocina, intentando quitar la pulpa de hojas muertas del canalón con un palo, cuando oyó que un coche paraba en el camino herboso que conducía a la casa. Miró por encima de su hombro, esperando ver el Land Rover de Daphne Maynard. Por el contrario, vio el Renault azul oscuro de Felix Corcoran. El taburete se balanceó peligrosamente, Liv dejó caer el palo y tuvo que agarrarse al alero para recuperar el equilibrio.

Oyó cerrarse de golpe la portezuela del coche, luego unos pasos en la grava y el sonido de la cancela que se abría y se cerraba. Oyó que Felix la llamaba:

—¿Liv? ¿Estás bien?

—El taburete resbala... Creo que se ha metido en un agujero.

—Ya voy. —Antes de que ella supiera lo que estaba haciendo, él la cogió por la cintura con ambas manos y la bajó al suelo. Casi igual que cuando ella cogía a Freya, subida a un sitio que no debía.

Felix miró hacia el porche.

—¿Qué demonios estabas intentando hacer?

«Intentando.» Qué cara más dura.

—Estaba limpiando el canalón –dijo ella, irritada–. Está atascado.

—¿No tienes una escalera o qué?

—Si la tuviera la habría usado, ¿no te parece? –Y dio un empujón furioso al taburete.

—Ya lo haré yo.

—No hace falta... –empezó ella, pero él ya se había subido al taburete, que misteriosamente se negó a tambalearse con él, y limpió el atasco con un eficiente movimiento del palo.

—Ya está –dijo él, saltando de nuevo al suelo.

Ella pensó: si dices «no ha sido nada», te daré una torta. Pero por el contrario, sonrió.

—Un rollo, los canalones. –Se miró a sí misma. Llevaba el jersey empapado y manchado con trocitos de hojas ennegrecidas.

Ella murmuró:

—Será mejor que entres. –Y abrió la puerta delantera. En la cocina, se quitó el jersey sucio. La camiseta que llevaba debajo estaba razonablemente seca. Vio que Felix se dirigía hacia el cobertizo y miraba las telas que colgaban de unos alambres suspendidos del techo.

—¿Tú has hecho todo esto, Liv? –Ella asintió, y él sonrió–. Claro, por eso comprabas tinte, ¿no? Son preciosas. De verdad.

Ella se ablandó un poco.

—La impresión con linóleo queda un poco desigual, me temo.

Había pasado muchas tardes tallando los trozos de linóleo y superponiendo un color tras otro. Diminutos cuadros, cada uno de ellos con un estilizado dibujo de una flor de la costa norte de Norfolk –*limonium,* hinojo marino, amapola loca– formaban el diseño.

—No estaba seguro de si este sería el lugar correcto –dijo él–. Quiero decir que podría haber cientos de Samphire Cottages, ¿no? Bueno, de todos modos, perdona por aparecer así, Liv. Habría llamado antes, pero parece que no estás en la guía.

—No tenemos teléfono.

—Te he traído esto. —Le tendió una bolsa de viaje. Ella miró dentro. Había libros, un par de calcetines diminutos y un fajo de dibujos. Dibujos infantiles. «Es un dragón verde, mamá», había dicho Freya, y luego miró al otro lado de la calle y vio a Stefan—. Miraba dentro de un armario y me los he encontrado. Los guardé hace años. Te los dejaste al salir tan deprisa y yo tuve que limpiar la casa de Beckett Street antes de renovarla. No quería tirarlos, por si...

Lo que quería decir su frase quedó en el aire. «Por si volvías.»

—Bueno, el caso —añadió— es que la mayor parte de esas cosas no parecen importantes, así que si no las quieres, tíralas. No sé por qué lo he guardado. Pero hay un par de cosas...

—La pulsera de Freya. —Liv sacó una pequeña pulsera de plata y lapislázuli del fondo de la bolsa. Katherine le regaló aquella pulsera a Freya justo después de nacer. Recordó que Katherine visitó Holm Edge, pisando con mucho cuidado con sus tacones altos el suelo fangoso.

Le ofreció una taza de té a Felix. Él le dio las gracias y dijo:

—Es una casa muy bonita. Aunque bastante apartada del camino.

—A mí me gusta. Creo que nunca estuve demasiado a gusto en Londres.

—Pasamos buenos ratos —dijo él, mirándola—, ¿no te parece?

Recordó las veladas que pasaron Katherine, Felix y ella. Lavando los platos juntos, él le enseñó la letra de una canción infantil. Liv todavía la recordaba.

—Cuando lo recuerdo —dijo ella, despacio—, me parece que fue un tiempo muy breve. Casi seis meses, pero no recuerdo que fuese tanto. No me parece real. Estaba Stefan por un lado y esta vida por otro, y Londres parece que quedó apretujado entre las dos cosas.

—¿Has vuelto a ver a Stefan?

—No. Estuvo un tiempo en la cárcel, después de lo que ocurrió en el café. Lo acusaron de lesiones graves. Le rompió el brazo a Sheila. —Su voz sonaba inexpresiva—. Y luego, después de salir de la cárcel, tuvo una crisis nerviosa y acabó en un hospital.

Después volvió a Canadá. No sé nada más desde entonces. Stefan tiene pasaporte canadiense, ¿sabes? Su padre era canadiense.

A lo largo de los últimos años ella había intentado no pensar en Stefan. No lo quería imaginar encerrado en la cárcel ni enfermo en el hospital. Sobre todo, había intentado olvidar lo que él le dijo: «Haré todo lo que pueda para que vuelvas, Liv, cualquier cosa».

—Eso está bien, ¿no? —dijo Felix—. Que se haya ido al extranjero.

—Claro. —Sin embargo, cuando me despierto a medianoche, pensó ella, cada crujido de la vieja casa es una pisada y cada susurro del viento a través de los juncos es una cortina que se aparta, o una puerta que se abre.

—¿Y tú, Liv? ¿Qué es de tu vida ahora? Aparte de hacer esas maravillosas telas...

—Ah —dijo ella—. Limpio casas y trabajo en un pub. Y también coso, claro.

Él había dejado su taza y caminaba inquieto por la habitación.

—Debe de ser un esfuerzo tremendo —dijo—. Con dos niñas que mantener...

—Nos las arreglamos. Vamos saliendo adelante.

—Un pub... —repitió él. La miró—. ¿No es..., bueno, algo aburrido?

—No, está bien. No me importa.

—Desperdicias tu talento.

—Felix...

—Quiero decir que una mujer inteligente y creativa como tú...

—¡Pero a mí me gusta! —susurró ella—. ¡Te lo he dicho, me va bien! El pub está bien, la casa también y todas estamos bien.

Él curvó un poco los labios.

—Una vida perfecta.

—Sí. Perfecta. Tengo todo lo que quiero.

Hubo un silencio. Entonces él dijo:

—Tienes algo en la punta de la nariz. ¿Puedo...? —Se chupó el dedo y con un movimiento diestro le quitó el trocito de hoja.

Ella dijo bajito, con sarcasmo:

—Supongo que tú has tomado una dirección distinta, ¿no?

Él se mostró cauteloso.

—¿El banco? Me pagan bien.

—El dinero no es lo único que importa.

—¿Ah, no? —La boca de él se retorció—. Pero es bastante útil.

El tono de él la molestaba.

—No puedo creer lo mucho que has cambiado —dijo, de repente.

Él se apoyaba en el fregadero, con las manos en los bolsillos y la mirada clavada en ella.

—Todos hemos cambiado, ¿no, Liv?

Ella no quiso entender lo que él pretendía decir.

—Cuando te conocí, te admiraba bastante. Venías de un entorno privilegiado, pero conseguiste quitarte de encima todo aquello. No dejabas que ese hecho dictase el rumbo de tu vida. Pero eso no ha durado demasiado, ¿no?

—¿Qué quieres decir? —De repente la voz de él sonaba baja, aprensiva.

—Que has vuelto a tus raíces, ¿no, Felix? A ganar y gastar.

De nuevo la sonrisa torcida.

—Amasando riquezas terrenales.

—Sí. —Y a ella le pareció que los ojos de él, tan familiares, entre verdes y dorados, miraban su casa, a ella misma, su vida, con una mirada desdeñosa, despectiva—. Despréciame si quieres —dijo ella, fríamente—, mira por encima del hombro los trabajos que hago..., pero al menos yo soy honrada, al menos no exploto a nadie, al menos lo que tengo me lo he ganado con mi esfuerzo.

Los ojos de él se entrecerraron hasta formar dos rendijas oscuras, llenas de furia.

—¿Quieres decir que yo no?

Ella se encogió de hombros.

—Supongo que era inevitable —dijo, con ligereza—. Una casa que se hereda..., el negocio familiar que te estaba esperando... Qué fácil, ¿verdad, Felix?

Ella vio que Felix palidecía visiblemente. Luego él dijo:

—Será mejor que me vaya. No quería hacerte perder el tiempo. Solo he venido a devolverte tus cosas.

Cuando llegó a la puerta, Liv dijo, hundiendo aún más el cuchillo:

—Ah, por cierto, ¿qué tal está Katherine?

—¿Katherine? —Cuando Felix se volvió a mirarla, ella vio que su expresión era confusa y perpleja—. Ni idea. No la veo desde hace años.

Liv se sintió vacía de repente, la ira huyó de ella. Lo vio salir de la casa y dirigirse hacia el coche. No miró hacia atrás.

Unos días después, Liv se encontró con Daphne Maynard en la tienda del pueblo. Daphne iba en coche a Norwich una vez a la semana para visitar a su hermana. Se ofreció a ir a la tienda de manualidades a comprarle otro trozo de linóleo a Liv.

Ella no recordaba el nombre de la calle.

—Había una iglesia victoriana —dijo Liv, pensativa—, bastante grande y fea... y una fábrica abandonada. Quemada.

—Te refieres a la fábrica Corcoran, supongo.

—¿Corcoran?

—Hacían papel pintado. Cerró hace tiempo. Una empresa familiar. Llevaba en Norwich más de cien años. Fue terrible.

—¿La vendieron?

—Creo que quebró. Hace unos años. Salió en los periódicos locales. Se perdieron muchos empleos.

«El negocio familiar que te estaba esperando», le había dicho ella, y vio que el color abandonaba el rostro de él. Caminando hacia casa se sintió avergonzada. Felix había ido en coche desde Londres a Samphire Cottage a devolverle sus pertenencias, y ella, ¿qué había hecho? Arrojarle el pasado a la cara, un pasado que, ahora se empezaba a dar cuenta, ella ni conocía ni había comprendido bien. ¿Y por qué? Porque él dijo en voz alta lo que ella sabía perfectamente: que se ganaba la vida a duras penas haciendo trabajos monótonos que no la llenaban ni la satisfacían, ni suponían un reto para ella, y que apenas le proporcionaban lo justo para vivir. Y, desde luego, sí que quería algo más, para Freya y Georgie en particular. Por supuesto que quería que los horizontes de sus hijas fueran más amplios de lo que eran los suyos, de modo que cuando llegase el momento decidieran de una manera más inteligente.

¿Eso era, pensó amargamente, lo que le habían hecho los años pasados con Stefan? ¿La habían convertido en una persona que se escondía en una casita de campo en los pantanos, que aceptaba trabajos rutinarios y que no permitía que nadie, salvo sus hijas, se acercara a ella?

Había supuesto que la vida de todos los demás había seguido exactamente igual, mientras la suya cambiaba y cambiaba. Te has vuelto muy dura, Liv Galenski, pensó, mientras iba empujando deprisa la sillita por la estrecha carretera. Te has vuelto dura y amargada, y te has apartado de todo el mundo.

Se preguntó si lo volvería a ver. Se preguntó por qué todavía le importaba la posibilidad de no volver a verlo. Necesitaba disculparse, se dijo. Tenía que explicarle que ella no sabía. Estaba casi segura de que no había otro motivo. Casi seguro que bajo las capas de ira y de autoprotección no ardía ya ninguna pequeña llama de añoranza, de deseo.

14

Katherine ayudaba a Alice a decorar el árbol de Navidad de los Seton. Después de que la niña se fuera a la cama, Katherine y Hector cenaron, con los platos en las rodillas, sentados junto a la chimenea. Hector explicaba:

—Ya sé que es un poco pronto para el árbol, pero he tenido que comprarlo porque Alice lo ha pasado mal. Estábamos comprando en Dickins & Jones, ¿sabes?, y entonces Alice ha querido ir al baño. Yo no podía entrar en el de señoras, claro, así que ha tenido que ir sola. Y tardaba muchísimo, así que he empezado a preocuparme y le he pedido a una de las dependientas de la librería que fuese a buscarla.

—¿Y qué ha pasado?

Hector suspiró.

—Ha cerrado la puerta del cubículo porque tenía miedo de que entrase alguien y luego no podía abrirla. El cerrojo era demasiado duro. Estaba llorando. Solo se ha animado cuando le he dicho que podía elegir el árbol de Navidad. —Hector llenó la copa de vino de Katherine—. Recuerdo que me pasó algo parecido cuando tenía siete años. Acababa de llegar al internado y todo era muy confuso..., muchas normas que no entendía... Entonces me quedé encerrado en el baño en la zona de deportes. Pensaba que me quedaría allí para siempre. —Sonrió—. Alice tiene mis peores atributos, me da la sensación, a veces. Rachel, en las mismas circunstancias, sencillamente habría llamado pidiendo ayuda. Pero Alice no. Le daba demasiada vergüenza.

—Rachel nunca se avergonzaba —dijo Katherine—. Siempre hacía exactamente lo que quería..., aunque no necesitaba demasiadas cosas, la verdad. No como yo. —Sonrió—. Yo la envidiaba terriblemente, ¿sabes?

—¿Ah, sí? ¿Y por qué?

—Ah, porque tenía un poni. Y daba clases de ballet. Yo di clases de ballet un curso. Se me daba fatal, claro. Era como si tuviera dos pies izquierdos. Pero Rachel tenía unas zapatillas rosas de raso de verdad, mientras las demás las teníamos de piel roja, y un tutú, cuando las demás llevábamos unas casacas azules horribles con las braguitas a juego.

Hector sonrió.

—Me cuesta imaginarte con una casaca azul con braguitas a juego, Katherine.

—No, por favor —imploró ella—. Y, por supuesto, la casa de Rachel siempre estaba limpia y ordenada. Y tenían pasteles caseros. Y manteles. Y toallas para los invitados. Y nadie gritaba nunca. Debe de ser mi vena convencional, supongo, la que echa de menos todo eso. Bajo este exterior de granuja hay un ama de casa burguesa. —Katherine buscó los cigarrillos en su bolso—. Cuando era pequeña pensaba que los Wyborne estaban fingiendo. Que cuando Liv y yo nos íbamos de su casa, se ponían a chillarse los unos a los otros, igual que hacía mi familia. —Le ofreció un cigarrillo a Hector.

—No, gracias, intento dejarlo. Por Alice —y añadió, pensativo—: Yo no chillaba con mi familia, había silencio. Solo éramos mi padre y yo.

—Ah, nosotros chillábamos mucho. Los Constant son unos chillones de primera. —Katherine se encendió el cigarrillo—. Nadie tenía tiempo suficiente para los demás, supongo. Mi padre siempre estaba trabajando, mi madre respondiendo el teléfono, cocinando, limpiando y cuidando a Philip. De modo que teníamos que chillar para llamar la atención —entrecerró los ojos—. Creo que es lo que más envidiaba. Rachel era la niña de sus ojos. La vida de sus padres parecía girar en torno a ella. Nunca he tenido la sensación de que alguien hiciera lo mismo por mí.

Hubo un silencio. Ella pensó: calla, calla, idiota sin tacto. Pero Hector dijo:

—Alice te quiere mucho, ¿sabes?

Ella se mostró escéptica.

—Es verdad —dijo él—, sabes perfectamente que es verdad. Mira. —Hector agarró del aparador el dibujo de una mujer hecha con palotes con unos rizos anaranjados alocados y unas enormes botas con plataforma—. Tu vivo retrato, me parece a mí.

—Idiota. —Katherine hizo una mueca mientras tiraba de uno de sus rizos—. Ya sabía yo que la permanente era un error.

Hector se levantó.

—¿Quieres café? Y hay unas uvas también.

Él llenó la cafetera y encendió el gas. Luego dijo:

—Supongo que por eso me he sentido siempre tan culpable. Por destruir algo que era tan perfecto. Por arruinar la vida de los Wyborne así como la de Rachel y la mía propia.

Ella lo miró muy seria.

—Hector, no fue culpa tuya. No puedes creer que aquello fuera culpa tuya.

Sonó un entrechocar de tazas y de cucharillas y Katherine se preguntó si él cambiaría de tema. Pero mientras colocaba el café y el frutero ante la chimenea, él dijo:

—Bueno, sí que lo fue, en realidad. Yo insistí en casarme con Rachel, aunque ella tenía solo dieciocho años, y a pesar de que sus padres querían que esperase. Y se quedó embarazada. No, Katherine —meneó la cabeza, haciéndola callar—, yo era mucho mayor que Rachel, y con más experiencia. Era responsabilidad mía preocuparme de cosas como esa. Y además —su rostro estaba grave—, yo estaba fuera cuando tenía que haber estado allí, cuidándola. No estuve con ella cuando me necesitó. Siempre he pensado que si ella no hubiese vuelto en coche sola a Bellingford, quizá no hubiese ocurrido aquello. Los médicos dijeron que no tenía nada que ver, pero...

—¿Volver a Bellingford? —dijo Katherine—. ¿Qué quieres decir, Hector? Yo pensaba que Rachel estaba en Bellingford.

—No. Estaba con sus padres. Yo estaba en Londres trabajando.

Katherine se sintió confusa.

—Pero ella me llamó desde Bellingford el día que murió.

Él hizo un gesto de impaciencia.

—Eso es lo que quiero decir. Se suponía que yo iba a tomar el tren para ir a casa de los Wyborne el viernes, cuando hubiese acabado en Londres, y llevaría a Rachel en coche de vuelta a Northumberland el sábado. —Se frotó la frente con la mano—. Tendría que haber dicho en el banco que no podía ir. Alice iba a nacer al cabo de tres semanas. Me tendría que haber mostrado firme.

Katherine encendió otro cigarrillo.

—¿Así que llevaste a Rachel a Fernhill Grange?

—A principios de aquella semana, sí. Ella quería recoger algunas de sus cosas antiguas de bebé. Luego me fui a Londres. Le dejé el coche a Rachel..., pensé que podía necesitarlo, y nunca me ha gustado conducir por Londres. Bueno, el caso es que cuando volví a Fernhill Grange, el viernes, Henry me dijo que ella ya se había ido a casa. Condujo hasta Bellingford sola. Yo no podía tomar ningún tren hasta la mañana siguiente. Y cuando llegué allí, a primera hora de la tarde, ella ya estaba de parto. —Su rostro pareció hundirse sobre sí mismo—. Las contracciones venían cada tres minutos, pero ella no quería ir al hospital sola. Alice nació unas pocas horas después de que llegásemos al hospital. Muy rápido para ser el primer hijo, dijeron. Y siempre he pensado..., siempre he pensado que ocurrió por eso. Que el viaje provocó un parto prematuro. Que ella sufrió la embolia porque la cosa fue demasiado rápido. —Hector tomó un cigarrillo del paquete de Katherine. Ella vio que le temblaban las manos al encenderlo.

»Rachel era mi milagro —dijo él, sereno—. Fue lo mejor que me ocurrió en la vida. No supe nunca por qué me amaba... No lo entendía, en absoluto. Soy raro, torpe y me cuesta mucho expresarme. No entendía por qué alguien como ella podía enamorarse de alguien como yo.

Hubo un largo silencio. Las lágrimas se agolpaban en los ojos de Katherine. Pero tenía que preguntar una cosa.

—Hector —dijo—. ¿Por qué volvió Rachel a Bellingford tan pronto?

Él levantó la vista.

—No tengo ni idea. Ni idea, en absoluto.

Después de abandonar la casita de Liv, Felix, lleno de ira, pensó en no volver nunca. Fuera lo que fuese lo que sintieron en tiempos el uno por el otro —y ahora, mirando hacia atrás, su amistad parecía superficial—, había desaparecido, no quedaba nada. Ella le dejó bien claro que despreciaba su forma de vida. También dejó claro que él no era bienvenido en su casa. Fue un idiota al pensar que podía recuperar lo que dejaron atrás. Intentaría apartarla de su mente, se dijo.

Al principio lo intentó con fuerza, trabajando intensamente en el banco, agotando las tardes con largas horas en los pubs y los bares. Pero ella no lo soltaba. En cualquier momento libre acababa viendo su rostro, escuchando su voz. Recordando la suavidad de su piel bajo su dedo, cuando le quitó el trocito de hoja de la nariz, y la estrechez de su cintura cuando la ayudó a bajar del taburete. A medida que pasaban las semanas se le ocurrió que él, después de todo, fue el primero en criticarla. Que fue él quien inició la pelea. «¿No es bastante aburrido?», le dijo, al contarle ella que trabajaba en un pub. Qué arrogante. Qué arrogancia reaparecer sin ser invitado en su vida y querer juzgarla.

En un pub de Leicester Square se encontró con Toby Walsh. Toby lo saludó como a un viejo amigo y le sugirió que comieran juntos. Felix fue un mediodía a la tienda de King's Road donde trabajaba Toby. Los propietarios eran sus padres, explicó Toby, mientras se la enseñaba, pero los últimos años la dirigía él. Estaba llena de tapizados, antiguos manteles de estilo campestre y aparadores.

—Bueno, no es que sean «antiguos», precisamente —dijo Toby, sin darle importancia. Los aparadores y mesas los hacían en un antiguo cobertizo ferroviario en Swindon. El propio Toby proporcionaba el pino antiguo, enormes armazones de cama, explicó, ese tipo de cosas, demasiado grandes para las casas modernas, y hacía que los transformaran en aparadores y mesas, muy decorativos, y rinconeras.

–¿Y los textiles? –le preguntó Felix, viendo las telas estampadas a mano de colores oscuros que llenaban las paredes. Le recordaban algo, pero no pudo situar el recuerdo de inmediato.

–Ah, vienen de todas partes –dijo Toby–. Hago que los conviertan en fundas de cojín, manteles, delantales... –sonrió–. Así las amas de casa modernas de Chelsea pueden satisfacer sus fantasías rurales permaneciendo a salvo en la ciudad.

Hasta que volvió a casa aquella noche Felix no consiguió situar el recuerdo volátil. Apretujado entre otros viajeros en un vagón atestado, vio claramente en su imaginación una tela agitándose en la brisa que entraba por una ventana abierta. Grises, rosas amoratados, amarillo ocre. Amapolas y *limonium,* y los pálidos y carnosos tallos del hinojo marino.

Pidió un día libre en el trabajo y fue en coche hacia el norte de Norfolk. En algún momento durante la última semana el invierno había entrado con fuerza y el cielo se perdía en un paisaje gris y emborronado por la niebla. La niebla se había helado durante la noche, de modo que la carretera estaba resbaladiza, negra y traicionera.

Estudió el momento de su visita cuidadosamente. Liv trabajaba en un pub a la hora de comer y tenía que recoger a las niñas después del colegio. Hacia las dos, más o menos, pensó. Un momento del día muy razonable.

Al final, llegó al recodo de Samphire Cottage justo cuando Liv bajaba de su bicicleta y se disponía a abrir la cancela. Vio que ella se volvía y que miraba el coche. Él la esperó. Que elija ella, pensó. Si se volvía de espaldas a él y entraba en la casa sin mirarlo, sabía que no tenía ninguna posibilidad.

Pero ella aparcó la bicicleta apoyándola en la cancela y se dirigió hacia él. Iba envuelta en una gorra y una bufanda de lana.

–Felix –dijo.

–Lo siento –dijo él, saliendo del coche–. Una vez más, aparezco sin anunciarme.

—No importa. —Liv sujetaba la bolsa en sus manos enguantadas. Él vio que retorcía las asas entre los dedos mientras hablaba. Luego dijo—: ¿Quieres entrar?

—Me preguntaba cuánto tiempo tendrías —dijo él— antes de tener que ir a recoger a las niñas al colegio.

Ella miró su reloj.

—Están jugando con unas amiguitas hoy, así que no tendré que ir a buscarlas hasta las cinco.

—Bueno, pues pensaba que a lo mejor quieres venir a dar una vuelta en el coche.

—¿Una vuelta?

—Quería enseñarte una cosa.

Ella retorció las asas de cuero hasta hacer un nudo. Pero luego, entre los pliegues de lana que rodeaban su rostro, apareció una repentina sonrisa alegre, y dijo:

—Encantada, Felix. —Y el corazón de él se ensanchó.

—Lo de la otra semana..., lo que te dije..., fui un maldito arrogante. Quería disculparme —dijo él, mientras salían del pueblo.

—No, soy yo la que debo disculparme.

—No. Qué arrogancia la mía, aparecer aquí y decirte cómo tienes que vivir...

—No sabía que el negocio de tu padre había quebrado. —Su voz le interrumpió y él se quedó callado—. No lo sabía, Felix. Cuando me enteré, me sentí fatal. Fue una falta de tacto por mi parte.

Felix condujo en silencio un rato, y luego dijo:

—¿Cómo ibas a saberlo?

—Pues es verdad. Pero te lo podía haber preguntado, ¿no?

Las comisuras de los labios de él se curvaron.

—Supongo que podríamos pelearnos otra vez... A ver cuál de los dos tiene más motivos para disculparse.

Liv le tocó la mano.

—Estamos en paz —dijo.

Él sonrió.

—Tienes una naturaleza comprensiva, Liv.

—Dime qué ocurrió —dijo ella.

—¿La fábrica? —Él aminoró la marcha, avanzando con cuidado por los lugares donde quedaba todavía hielo negro en la superficie del asfalto—. Mi padre no pudo hacer frente a la devolución de un préstamo. De modo que Corcoran quebró.

—Qué espanto. Qué horror para tu padre.

—Casi se muere. —Le contó lo del ataque al corazón de su padre—. Ahora está bien —dijo rápidamente, viendo la expresión de ella—. Ha salido adelante. Al principio no pensaban que se fuera a recuperar, pero él les ha dado una buena lección. —Puso en marcha los limpiaparabrisas para apartar la niebla que emborronaba el helado paisaje—. Mi padre y Mia viven ahora en Norwich —explicó—. Mia trabaja de secretaria.

Fueron tierra adentro, a través del paisaje exuberante de Norfolk. Como una fina capa de cristal, el hielo cubría los arbustos. En torno a los riachuelos, los juncos estaban helados y ribeteados de agudos fragmentos blancos de escarcha.

—No estamos lejos. —Felix sonrió para sí—. Casi hemos llegado.

Bajaban por la curva familiar de una carretera estrecha, donde los troncos de un gris plateado de las hayas permanecían como centinelas junto a la puerta. Felix aparcó el coche. Abriendo la puerta del pasajero para que saliera Liv, dijo:

—Solo un paseíto.

Se dirigieron al camino. Cuando ella vio el tejado de la casa, de color rojo atenuado por la niebla, dijo:

—¿Quién vive aquí? ¿Algún amigo tuyo?

Felix negó con la cabeza.

—Nadie, ahora mismo. La familia propietaria de esta casa la usa para los fines de semana —no pudo evitar la amargura de su voz. Se metió las manos en los bolsillos y, caminando deprisa, dijo—: Así no hay manera de conocer una casa, viviendo así, ¿verdad? No hay manera de aprender a quererla.

Su aliento formaba vaharadas en el aire frío. Liv se quedó callada un momento, sus pasos hacían eco con los de Felix, y luego dijo:

—Es tuya, ¿verdad? Es tu casa.

—Era nuestra casa. —Hizo una pausa mientras llegaban al patio delantero, mirando hacia las puertas, ventanas y gabletes—. Papá la puso como garantía. De modo que perdimos Wyatts también.

—Lo siento mucho, Felix.

Él dijo rápidamente:

—No te estoy pidiendo consuelo. No te he traído aquí por eso. Es porque quería hablarte de algo, y he pensado que lo podría explicar mejor si veías Wyatts.

Le hizo dar la vuelta por un lado de la casa. La escarcha volvía grises los setos de boj, tallándolos en forma de monolitos de granito. La fuente que se encontraba en el centro del estanque ornamental estaba helada. Él pensó que si miraba con intensidad podría ver el brillo dorado de una carpa congelada entre el hielo, esperando el deshielo.

—Es muy bonito —susurró Liv. Él vio que su mirada se desviaba desde la rosaleda hasta el prado que estaba al borde del bosque, y que marcaba las fronteras del jardín.

—Te quiero enseñar la casa por dentro —dijo él.

—Felix...

Él notó el nerviosismo en la voz de Liv, pero ya había encontrado el cerrojo de la ventana que, si se giraba de una manera determinada, daba acceso al vestíbulo de la parte trasera del gablete.

—Felix... —susurró ella de nuevo.

Él abrió la ventana.

—No pasa nada. Nos iremos sin dejar ninguna huella. No tardaremos ni un suspiro. —Se introdujo por la ventana abierta.

—Parece que esto se te da bien —dijo ella. A él le pareció que se reía—. ¿Lo tienes por costumbre?

Cuando la ayudó a entrar, recordó Corcoran y los moldes de madera.

—Sí, recientemente, parece que sí.

Liv entró. Felix la condujo por las habitaciones y pasillos. Le habló de su abuelo, Silas Corcoran, que construyó la casa, y de Edward Lutyens, que la diseñó. Le enseñó la habitación en la

365

que nacieron Rose y él, la habitación a la que llevaron a su madre después de su muerte.

En la parte delantera de la casa había una ventana de arco muy alta. Los colores de la vidriera, como piedras preciosas, brillaban entre los paneles, formando figuras, flores y un castillo fantástico y distante.

Liv sonrió.

—Blancanieves y Rosarroja.

—Sí señora.

—Es el cuento favorito de Freya, pero siempre le hace llorar. —Liv pasó los dedos lentamente por el cristal. Él vio que los colores se reflejaban en su pálida piel: oro, azul, rojo sangre. Dijo—: ¿De qué querías hablarme?

Felix le contó lo de su visita a la tienda de Toby. Y que volvió una semana después y le describió a Toby las telas que había visto colgando del cobertizo de Samphire Cottage.

—Dice que tienes que usar la serigrafía. Así evitarás las imperfecciones de la estampación por linóleo. Al principio admitirá las cosas solo en depósito, para no correr ningún riesgo.

—¿Qué estás diciendo, Felix?

—Que te ayudaré a vender tus estampados.

Los ojos de Liv se abrieron mucho.

—¿A través de la tienda de Toby?

—Sí. ¿Por qué no?

Ella hizo una lista de los motivos por los que no podía ser. Porque no funcionaría. Porque la gente de Chelsea no querría comprar sus torpes diseños de aficionada. Porque debía de haber montones de personas que tenían mucha más habilidad que ella.

—Déjame intentarlo —dijo Felix—. ¿Por qué no? ¿Qué podrías perder?

—Nada, supongo... Pero ¿por qué? Si funciona, para mí sería maravilloso, pero...

—¿Pero qué saco yo con todo esto? —Hector miró a través de la ventana, hacia la avenida de hayas, y pensó en las respuestas que podría haberle dado. «Porque me da un pretexto perfecto para verte», podría haber dicho, o, «porque te quiero».

Por el contrario, dijo:

—Porque puede salir algo bueno. Tengo el pálpito de que puede funcionar. Para los dos, quiero decir. En fin, mi padre tiene solo sesenta y un años. No es que sea tan viejo. Con un poco de suerte, le pueden quedar diez o veinte años más. Será tiempo suficiente.

—¿Tiempo suficiente para qué?

Felix bajó la vista y los cristales de colores se emborronaron formando una neblina de colores vivaces.

—Lo suficiente para hacer dinero —dijo—. Para recuperar esto. —Y apretó la mano contra la ventana de vidriera, como si al hacerlo pudiera extraer todos los recuerdos que permanecían incrustados en su interior.

Katherine pasó la Navidad con su familia. Su hermano mayor, Michael, había llevado a su prometida, Sarah, que también era médico. Simon iba acompañado de su novia, Coralie. Era una chica menuda, con el pelo rizado y los ojos grandes. Entrando en la atestada cocina, susurró:

—¿Hay espacio para una pequeñita? —Y Katherine tuvo que morderse la lengua para no hacer una observación sarcástica.

Katherine estaba fumando a escondidas un cigarrillo en su habitación, antes de comer, cuando Simon llamó a la puerta.

Se dejó caer en la cama junto a ella.

—Todavía parece algo furtivo, ¿verdad?, eso de fumar en casa de los padres...

Katherine sonrió.

—Echaba un poco de Aqua Manda por toda mi habitación para disimular el olor.

—Si me das un cigarrito de los tuyos, Kitty —dijo Simon—, te contaré un secreto.

Ella le tiró el paquete. Él dijo:

—Sarah está embarazada. Qué sorpresa, ¿eh?

—¿Estás seguro?

—Bueno... Ha vomitado en el coche al venir. —Simon tiró la ceniza en la papelera—. Que se la quede Michael, a mí no me va. Un poco culona, ¿no?

—Al menos Sarah es adulta —dijo Katherine, incisiva.

Simon sonrió.

—Coco tiene dieciocho años.

—¿Coco? Por favor, Simon...

—Y es enormemente servicial. Parece que no ha oído hablar de la liberación de la mujer.

—¡Por favor, Simon!

Después de comer, Katherine fue en coche hasta una cabina a dos kilómetros de distancia. Ella y Jordan hacían siempre lo mismo en Navidad: escapadas solitarias después del discurso de la reina, una llamada en la intimidad de una cabina telefónica.

Katherine marcó el número de la cabina donde le estaría esperando Jordan. Aunque el teléfono sonó y sonó, no hubo respuesta. Al final, alguien dio unos golpecitos en el cristal y ella volvió a su coche. Cuando el teléfono estuvo libre de nuevo, lo intentó una vez más, pero sin éxito. Se imaginó a Jordan impaciente, ansioso por abandonar su casa, de la que le impedían escapar las exigencias de sus parientes. O Tricia, quizá, insistiendo en que sacase a pasear el perro... «Voy a por el abrigo, cariño.»

Por supuesto, existían otras posibilidades. Sentada en el coche, mirando por el parabrisas, Katherine se preguntó si no se habría olvidado, sencillamente. Entretenido con su mujer y su hijo, las obligaciones de Jordan con su amante se le podían haber ido de la mente, sin más. O, peor aún, igual se acordaba, pero miró por la ventana, vio la lluvia y decidió posponer la tarea hasta que el tiempo hubiese mejorado. Katherine se preguntaba si la siguiente vez que lo viera, Jordan le haría otro regalo. Se preguntaba si las camisas de seda y los pendientes eran premios de consolación, para acallar su culpa.

Puso en marcha el coche y se fue, sin dirigirse a ningún lugar en concreto. La lluvia corría por el parabrisas. Se preguntó qué diría Jordan si ella le dijera que quería un hijo. Pensó que quizá antes él se podía mostrar comprensivo. Ahora se imaginaba que su voz se congelaría y que el gris de sus ojos se convertiría en hielo.

Y si ella, calladamente, sin decir nada, dejaba de tomar la píldora, ¿qué pasaría entonces? Si ella daba a luz un hijo suyo, ¿lo querría él, le daría la bienvenida? Ella sabía que no. Un niño era una prueba flagrante de infidelidad. No se podía esconder, no se podía negar convincentemente.

Se dio cuenta de que había llegado a Fernhill. Aparcó el coche junto a la carretera. La dirección de sus pensamientos la conmocionó. Te estás poniendo sensiblera, se dijo a sí misma. En realidad no quieres un niño. Solo piensas en eso por Sarah y porque te has encariñado con Alice. Los bebés cuestan una barbaridad de dinero. Arruinan tu carrera, llenan de cosas tu piso, te estropean la figura, las perspectivas y la independencia. Fíjate en Liv. Fíjate en Rachel. Y además, a quien quieres tú es a Jordan, no a ningún bebé imaginario.

Katherine salió del coche y fue andando por el pueblo. Hacía años que no paseaba por Fernhill. Los cambios la sorprendieron. Había unas viviendas de estilo neogeorgiano entre la escuela y el ayuntamiento, y se estaba construyendo un parque con un estanque artificial. La tienda local había cerrado y junto a la casita adosada en la que vivieron en tiempos Liv y Thea había faros de coche y un garaje.

Llegó a Fernhill Grange. Sabía que Hector había invitado a Henry Wyborne a pasar la Navidad con él y con Alice, y que Henry se había negado. Supuso que estaría pasando la Navidad con unos amigos. Mirando por la cancela, hacia el camino de entrada, Katherine vio que no había coches. Siguiendo un impulso, abrió la verja. Se sentía atrevida y descontrolada, invadiendo aquella propiedad tan exquisita.

Y sin embargo, mirando a su alrededor, vio que Fernhill Grange ya no era perfecta. Una botella de coca-cola vacía se encontraba tirada junto al camino; parecía casi blasfemo, de modo que la recogió. En los bancales de rosas se veían flores muertas y había que recortar el césped. Katherine recordaba que, visitando aquella casa de niña, envidiaba y despreciaba a los Wyborne. Ahora lo veía todo con unos ojos distintos, solo veía un lugar de luto, solitario y desolado.

Al mirar hacia la casa, atisbó un movimiento detrás de una ventana. Luego la puerta se abrió. Henry Wyborne dijo:

—¿Qué desea, señorita Constant?

Su corazón latía con fuerza y, sin darse cuenta, levantó la botella de coca-cola y dijo:

—Esto estaba en el césped.

Él la cogió y la tiró a un cubo de basura situado junto al garaje.

—Entran aquí a veces, cuando creen que no estoy. Jóvenes..., gamberros del pueblo... Llamo a la Policía, pero no sirve de nada, claro. —Henry hizo ademán de volver adentro. Luego miró de nuevo a Katherine—. ¿Le apetece tomar algo? Después de todo, es el día de Navidad, ¿no?

Sorprendida, ella lo siguió hacia la casa. Dentro, no consiguió disimular el respingo que dio, aspirando con fuerza. Las mesas y la chimenea estaban llenas de tazas y platos sucios, y los sillones y sofás salpicados con viejos periódicos tirados.

Henry Wyborne dijo:

—No es exactamente la casa perfecta, ¿verdad? La señora como se llame del pueblo ya no viene. Le pagan mejor en el supermercado.

Mirando aquel caos, Katherine exclamó:

—¿Pero no podría usted...? —Y recordó la ineptitud de Jordan con cualquier tarea doméstica, con cualquier electrodoméstico.

Pero Henry Wyborne la miraba con ojos intensos y desdeñosos.

—¿Llegar al extremo de ponerme a pasar la aspiradora? No lo creo, Katherine... No le importa que la llame Katherine, ¿verdad? Después de todo, la recuerdo con uniforme de colegio y con trenzas... Quizá no disfrute plenamente del favor de nuestra nueva líder, pero no creo que tenga que convertirme todavía en una «Señorita Fregona».

Una botella de whisky abierta reposaba en un aparador, en el salón. Henry Wyborne sirvió dos vasos. Le tendió uno a Katherine y le indicó que se sentara. Después de unas cuantas preguntas educadas y poco interesadas sobre su salud y carrera, ella dijo:

—Hector habló de usted, creo.

—Veo a menudo a Hector y Alice ahora. A Alice le va maravillosamente bien en el nuevo colegio. —Katherine se sentía bastante nerviosa. Quería irse—. Hector insiste en escribirme páginas y páginas sobre la niña. Un equivocado sentido del deber, supongo.

Ella lo miró.

—Pero... Alice es su única nieta, la hija de Rachel.

—Parece usted experta en decir obviedades, Katherine.

Sin embargo, ella siguió, ignorando el sarcasmo. Se le ocurría que podía hacer algo, que podía extraer alguna ventaja del bochorno de aquel encuentro.

—Hector todavía se siente culpable por lo de Rachel —dijo ella.

Henry Wyborne estaba de espaldas a ella, rellenándose la copa. Se encogió de hombros. Katherine podría haber estado hablando del tiempo o del precio de las patatas. Empezó a enfurecerse.

—¿No lo sabía?

—Lo que pase por la cabeza de Hector no es de mi incumbencia. Debe consultar a un psiquiatra, si cree que eso le aliviará. —Una sonrisa fugaz—. O bien darle a la botella, como yo.

—Podría hacer usted algo.

—¿Usted cree?

Su voz tenía una entonación peligrosa, pero Katherine siguió adelante.

—Podría hacer algo por Hector.

—Pero ¿deseo hacerlo en realidad, Katherine? ¿Me importa?

Ella tragó saliva.

—Es su yerno. Es el padre de Alice.

—Ya le he dejado bien claro a Hector que no reclamaré nada en absoluto de la niña. Ya he cumplido con mi deber, me parece.

—Hector cree que fue culpa suya que muriera Rachel. —Los nudillos de Katherine estaban blancos cuando cogió su copa—. Pero yo me pregunto si no habrá cosas que él no sabe. Si hubo alguna pelea, por ejemplo.

Una pelea familiar era la explicación obvia para el súbito regreso de Rachel a Bellingford. Tuvo una discusión con sus padres y se fue de Fernhill, alterada. Cuando Rachel llegó a casa, llamó a sus amigas, buscando su consuelo y su consejo.

—Hector me contó —explicó ella— que Rachel volvió sola a Bellingford, en coche. Supongo que hubo alguna pelea familiar o algo así.

—Supone usted demasiado, señorita Constant. —Sus palabras contenían una advertencia, pero ella no hizo caso.

—Pensaba que igual saberlo ayudaba a Hector.

La cara de Henry Wyborne palideció y sus ojos se endurecieron. Katherine se puso a hablar más rápido y en voz alta, para llenar aquel traicionero silencio.

—Igual entonces deja de pensar que es culpa suya. Si entiende claramente lo que pasó. Por supuesto, no fue culpa de nadie, en realidad, pero uno siempre tiene temores, ¿no? Si alguien te pide ayuda y no se la das por un motivo u otro, y luego ocurre algo horrible, tú... —Enfrentada con la ira de los ojos de él, susurró—: Tengo razón, ¿verdad?

Henry Wyborne miró su reloj.

—No quiero meterle prisa, señorita Constant, pero tengo un compromiso.

La sombra de él se proyectó sobre ella. Era un hombre alto y robusto, y ella se sorprendió al notar un escalofrío de miedo. Pero por Hector y por Rachel, perseveró. Se esforzó por mirarlo a los ojos.

—No se me ocurre por qué no quiere usted admitirlo. Todas las familias se pelean. Es normal tener discusiones.

—Como he dicho, no quiero meterle prisa, pero...

En los ojos de él vio la rabia, el desagrado y algo más... No estaba segura de lo que era. ¿Culpa? ¿Dolor?

—No tiene que ocultarlo, ¿sabe? Todas las familias tienen sus fallos, de vez en cuando.

—No debería usted juzgar a los demás según sus propios esquemas.

—No hay nada de lo que avergonzarse.

—Váyase. —La voz de Henry Wyborne era muy suave, muy controlada—. Váyase de aquí.

Katherine se levantó. Le temblaban las piernas. Al alejarse de la casa por el camino, se preguntó si la alta verja de hierro forjado y el camino largo y curvado sería para mantener fuera al resto del mundo o más bien para encerrar dentro a la familia Wyborne.

Alice se adaptó de maravilla a la nueva escuela. Llevaba un uniforme que consistía en un jersey azul marino y una falda tableada de cuadros, y un sombrero y un abrigo también azul marino. Hector la llevaba al colegio cada mañana y luego se iba a la librería. A las cuatro de la tarde recogía a Alice y se la llevaba con él a la tienda, donde ella podía sentarse en su despacho, leer un libro o pintar hasta que cerraba, a las cinco y media.

En los diez meses que llevaba viviendo con él, Hector se había ido acostumbrando a lo que le gustaba y lo que le disgustaba. Siempre se acordaba de quitarle la corteza del pan y darle una pajita para la bebida; había aprendido a dejarla elegir la ropa que iba a llevar cada día y a tener paciencia con sus pequeñas rutinas. En una reunión de padres, la maestra de Alice sugirió que hiciera un álbum de fotos.

—Podría poner fotos de la madre de Alice y de su abuela, señor Seton —le sugirió la señora Tavistock—. Y fotografías de las casas en las que ha vivido y los lugares donde ha estado de vacaciones. Sería como un reconocimiento de lo que ha perdido y puede ayudarla a sentirse más segura.

Hector se mostró indeciso al principio, y así lo expresó. Pero la señora Tavistock le dijo entonces:

—Quizá debería preguntarle su opinión a Alice, señor Seton.

Y Hector se lo preguntó, e hicieron el álbum. En él pusieron fotos de Henry y Diana Wyborne, y de Rachel. Rachel en el colegio, Rachel vestida de novia, y una foto de Rachel embarazada tomada durante la última semana de su vida: él dejó a un lado sus recuerdos y le dio a Alice una explicación rápida, bastante embarullada, de los bebés y los vientres de las mamás. Una foto de Fernhill Grange fue al álbum también, y Hector sacó de un cajón una borrosa foto en blanco y negro de Bellingford. Alice la miró y dijo:

—¡Pero papá, si es un castillo! —Hector parpadeó y recordó que Rachel dijo exactamente lo mismo la primera vez que vio Bellingford.

En un paquete de cartas sujetas con una goma elástica encontró una foto de Rachel, Katherine y Liv. Se la enseñó a Katherine. Ella chilló:

—¡La boda de Rachel! Ay, Dios mío... ¡Qué gorda estaba!

—No, no estabas gorda. Estabas preciosa. Me gustan las botas.

—Pero no pondrás eso en el álbum de Alice, ¿verdad?

—Pues claro que sí, ¿verdad, Alice? —Y Hector le tendió la foto a Alice, que la pegó en una página.

Él reconoció que el álbum había sido una buena idea: parecía darle a Alice algo sólido a lo que aferrarse, una sustancia para acontecimientos que no había vivido, que no podía comprender. Se preguntó si algún día la llevaría a Bellingford. No le resultaba agradable, recordando el día que abandonó la casa, un par de meses después de la muerte de Rachel. Se imaginaba que la capa de polvo y telarañas sería solo una fina cobertura para sus recuerdos.

En febrero hubo un brote de frío y la escarcha duraba todo el día. Esperando a la puerta del colegio para recoger a Alice, Hector tuvo que subirse el cuello del abrigo y soplar sus dedos entumecidos.

Alice salía algo tarde del colegio y después de que salieran del edificio un montón de pequeñas Samanthas, Lucys y Emmas,

Hector empezó a mirar el reloj, a atisbar por las esquinas, a comprobar la calle, ansioso, pensando que quizá no la hubiese visto. Y entonces la vio, cargada con su mochila y la bolsa para los zapatos y un trabajo artístico enorme y difícil de llevar.

La besó en la mejilla.

—Pero ¿qué es esto, cariño?

Envases de huevos, tubos de cartón del papel higiénico y unos macarrones estaban pintados y encolados en una hoja de cartulina grande.

—Es un monstruo, papi. —Alice lo señaló con un pequeño dedo enguantado—. Estos son los ojos y esta es la boca.

—Es terrible —dijo él—. Terrible de verdad.

Alice lo miró.

—¿Podemos ir andando por el parque?

A veces, para variar, cuando tenían tiempo, daban un rodeo a través de Regent's Park.

—Llego un poco tarde, Alice.

—Por favor, papi...

—Bueno, de acuerdo, si quieres...

Alice palmoteó, encantada. En el parque Hector caminaba con rapidez, llevando la mochila y la bolsa de los zapatos de Alice, que insistió en llevar el monstruo ella sola. Hector iba mirando su reloj de vez en cuando. Uno de sus clientes habituales tenía que llegar a la tienda a las cinco para examinar un libro de láminas de Audubon adquirido recientemente.

Alice iba detrás de él; la llamó y se dio la vuelta, esperando que llegara hasta él.

—¡Date prisa, cariño!

Nunca supo exactamente qué fue lo que ocurrió: el camino helado, los torpes zapatos escolares, el maldito cuadro..., pero el caso es que ella resbaló y se cayó hacia atrás. Él esperaba gritos, sollozos. Pero lo que hubo fue silencio. Se quedó allí tirada, inmóvil, en el camino, como un montoncito de color azul marino y de cuadros.

Hector echó a correr. Al llegar vio que tenía los ojos cerrados. Con los dedos temblorosos, no le encontraba el pulso.

Lo único que pensaba era: Dios mío, otra vez no. Dios mío, otra vez no.

Encontró el pulso al fin, latiendo regularmente en un lado de su cuello. Quiso echarse a llorar. Se sentía enfermo. La cogió entre sus brazos. Tenía una vaga idea de que no se debe mover a una persona que ha sufrido un accidente, pero no podía soportar dejarla allí tirada en el frío asfalto. Abrazándola contra su cuerpo, corrió hacia la salida del parque. Sus piernas eran exasperantemente débiles, entorpecían su paso. Fuera, en la calle, tomó un taxi y le dijo al conductor que los llevase al hospital más cercano. En el taxi tocó el bulto que tenía la niña en la parte trasera de la cabeza. Cuando apartó la mano del pelo revuelto de Alice, tenía los dedos manchados de sangre. Estaba temblando.

Pensó en lo peor. Que ella moriría. Que sufriría daños cerebrales, como el hermano de Katherine. Aunque no había rezado desde la muerte de Rachel, entonces sí que lo hizó. Pensó que si aquel accidente provocaba en ella algún efecto terrible y permanente, entonces sería un castigo para él, por no haber comprendido antes lo mucho que la quería. Por haber tardado tanto en comprender lo afortunado que era por haber tenido una segunda oportunidad.

Pero entonces ella se movió y susurró:

—¿Papi?

—Alice... —Había abierto los ojos—. Alice, ¿estás bien?

—Me duele la cabeza...

—Te has dado un golpe, cariño. El doctor te lo arreglará.

Llegaron al hospital. Hector pagó el taxi y llevó a Alice a urgencias. Allí tuvo que esperar media hora mientras Alice, apagada y temblando en su regazo, se acurrucaba contra él.

—Una conmoción leve —dijo el médico—, y está un poco afectada. —Luego le puso un par de puntos en el corte de la cabeza. Alice lloró y enterró la frente en el pecho de Hector, como si quisiera esconderse del dolor.

Aquella noche, él se quedó junto a su cama hasta que ella se durmió; luego fue al salón y se puso un whisky. Tras la muerte de Rachel se había apartado de todo el mundo, pensó, y Alice le había enseñado a sentir de nuevo. A amar de nuevo. Sabía que después de tantos años en el desierto, amar de nuevo era casi insoportable. Le asustaba. Sabía demasiado bien que con el amor venía la posibilidad de la pérdida, poniéndole una vez más en manos del azar. Se quedó sentado, oyendo el ruido del tráfico, con los dedos apretados en torno al frío y duro cristal, notando cómo caían todas sus capas de protección, y se sintió como si lo hubiesen despellejado.

15

Liv pidió unos libros de la biblioteca ambulante y leyó acerca de la serigrafía. Felix llegó un fin de semana con el coche lleno de rollos de tela y listones de madera y construyó un marco en la mesa de la cocina. Cuando se fue, ella luchó con aquel artilugio farragoso y temperamental. Pero al final de aquella semana ya había estampado un rollo de tela. Los colores eran claros, regulares y nítidos. A lo largo de las siguientes semanas hizo fundas de cojín y manteles, alfombrillas y delantales. Llegó un cheque por correo de Toby. Al hacerlo efectivo y tener en sus manos el fajo de billetes, sintió una punzada de orgullo.

El invierno recrudeció. Fuera, las olas golpeaban la playa de guijarros y el viento inclinaba los sauces y los hacía gemir. Dentro, florecían amapolas amarillas sobre un fondo de un verde liquen, y las flores espigadas del cardo de mar se abrían como estrellas de peltre. Pensaba que entre Felix y ella existía una especie de tregua: un acuerdo tácito y mutuo de hablar solo de temas prácticos, del día a día, de evitar discusiones y recuerdos dolorosos.

A última hora de la tarde de un día de febrero, iban caminando juntos por la playa, siguiendo el borde de encaje de la rompiente. El mar iba absorbiendo los guijarros, los hacía rodar y luego volvía a escupirlos.

—A veces hay focas —dijo ella—. Siempre me parecen sirenas. Chicas verde mar, con los ojos grandes y oscuros.

—Te gusta vivir aquí, ¿verdad?

—Me encanta. —Georgie y Freya corrían ante ellos, agachándose de vez en cuando a por un alga, un trocito de madera recuperada, blanca como un hueso–. Hemos vivido en unos sitios tan espantosos antes de Samphire Cottage... Ni te imaginas lo horrorosos que eran.

–¿Peores que Beckett Street?

–Mucho peores. Beckett Street tenía fregadero en la cocina, baño y un inodoro dentro de casa.

–Y lepismas y moho, también.

Ella se echó a reír. El viento había arreciado, arrojándoles granos de arena a la cara. Georgie se inclinaba contra el viento, con los brazos abiertos, riendo a carcajadas.

–Al principio –dijo Liv–, pensaba que sería mejor no vivir en ningún sitio más de seis meses seguidos, no llegar a establecernos nunca..., pero no se puede hacer eso cuando tienes niños, ¿no? Entonces pensé que por qué no ir a vivir con mi madre, a Creta; ella me lo ofreció, ¿sabes?, pero eso tampoco es seguro. Stefan me encontraría allí. Crees que el mundo es un lugar grande, pero luego te das cuenta de que está todo unido mediante aviones y barcos, teléfonos y otras cosas. Y además, tengo que aprender a arreglármelas yo sola.

–¿Así que te has establecido en Samphire Cottage?

–Sí. Bueno, en realidad he empezado a comprender que es imposible seguir siendo anónima. Tienes que apuntar a las niñas a un colegio, a grupos de juego, llevarlas al médico... Así que tu nombre aparece siempre en alguna lista. –Frunció el ceño–. Si Stefan nos buscara podría encontrarnos, Felix, sé que podría.

–Quizá ya no quiera.

Liv recordaba el brazo de Stefan en torno al cuello de Sheila. La garganta tensa de Sheila, echada hacia atrás. «Haré cualquier cosa para que vuelvas, Liv. Cualquier cosa.»

–¿Pedirás el divorcio? –dijo Felix.

–No puedo. Todavía no. A menos que ambos estemos de acuerdo, hay que vivir cinco años separados. Stefan y yo solo llevamos separados tres y medio.

–Pero ¿después?

–No lo sé. –Miró hacia el mar–. Lo que sé es que no quiero volver a casarme nunca más. –Retorció los dedos entre sí–. La mejor lección que me ha enseñado Stefan es la importancia de la independencia. De tener mi propio dinero. Sin eso, no tienes elección. –Se volvió hacia él y, siguiendo un impulso, le pasó la mano fría en torno al brazo–. Por eso estoy tan agradecida por lo que has hecho por mí, Felix. Ser capaz de ganar dinero con algo que me gusta..., ¿qué podría ser mejor?

–¿Qué te parecería tener un socio?

Ella lo miró.

–¿Tú y yo?

–Sí. Ya no es simplemente una afición, ¿verdad, Liv? Has hecho dinero con esto. Es hora de seguir adelante, de pasar a la siguiente fase. –La miró brevemente y luego su mirada se deslizó de nuevo hacia las olas, que rompían contra la costa. Repentinamente, la pasión apareció en sus ojos de un verde dorado–. He estado pensando en esto un tiempo. Hay un enorme mercado para el tipo de telas que tú diseñas, Liv. Sé que existe. Es solo cuestión de encontrarlo.

Por encima de ella, las gaviotas chillaron mientras subían hacia el cielo. Ella notó una burbuja de emoción en su interior, una premonición de cambios, de posibilidades.

–Deberíamos buscar un nombre –dijo Felix–. Galenski y Corcoran... Corcoran y Galenski...

–No.

–Stefan –dijo él, comprendiendo al instante–. Por supuesto.

–Y además –añadió Liv–, Corcoran y Galenski es demasiado largo y pesado. Tendría que ser algo más corto, más sencillo. Se abrazó a sí misma, mirándolo.

–Algo que resuma nuestra imagen...

–Imagen. –Liv quiso echarse a reír–. ¿Tendremos una imagen, Felix?

–Claro que la tendremos. –Las comisuras de sus labios se elevaron. Sus largas pestañas estaban salpicadas de agua de mar. Miró hacia delante, a la larga franja de guijarros de la playa–. Somos algo romántico..., nostálgico..., rural...

–Campos de ranúnculos...

–Olas que rompen en la costa...

—Setos... —dijo ella, con deleite en la voz.

—«Zarzarrosa» —dijo Felix—. ¿Qué opinas, Liv?

—Zarzarrosa... —pronunció la palabra lentamente, sonriendo mientras la iba repitiendo una y otra vez—. Zarzarrosa.

El inquietante recuerdo de su conversación con Henry Wyborne permanecía en el fondo de la mente de Katherine, arrinconado, pero no olvidado. El presente la preocupaba. Las tardes pasadas con Jordan, que antes eran un deleite privado, parecían salir siempre mal. Discutían a menudo. Ya se habían peleado antes, desde luego, pero siempre se reconciliaban, y la pasión de su reconciliación borraba el recuerdo de la pelea. Ahora, los sentimientos negativos permanecían y dolían.

Al final de la primavera, Jordan propuso que pasaran el día juntos. Un día entero para ellos, dijo. Irían en coche por el campo, hasta New Forest, quizá, comerían en algún lugar y luego volverían a Londres. Parecía encantado consigo mismo, orgulloso de ofrecerle el regalo de su compañía, un obsequio especial para mantenerla contenta los meses siguientes. Katherine pensó que a él no se le había ocurrido que ella se pudiera negar. El espíritu de contradicción le hacía desear decir: «No, lo siento, Jordan, no puedo», solo para ver la expresión de su cara. Pero no lo hizo, claro, y lo arregló para que él la recogiera el sábado siguiente.

El día empezó mal. Jordan se retrasó y no llegó al piso hasta mediodía. Asuntos electorales, explicó. Parecía enfadado. Katherine sugirió que abandonasen el plan de New Forest y se dirigieran a algún sitio más cercano.

—Desde luego que no —dijo él. Le había prometido New Forest, así que irían a New Forest. Apretó el acelerador del Jaguar y salieron de la ciudad.

Cuando llevaban una hora o así en la carretera, empezaron a sentir hambre, pero Jordan no quiso parar en una ciudad cercana. Encontrarían algo de camino, dijo. La sucesión de pubs y cafés que hasta entonces era frecuente pareció disminuir.

Los pocos lugares que quedaban Jordan los desechaba por un motivo u otro. «Demasiado siniestro», un restaurante Copper Kettle con unas cortinas de cuadritos rojos. «Demasiado público», un enorme restaurante de carretera con una docena de coches caros aparcados fuera. «Atroz», un pequeño bar en un área de descanso rodeado de motos. Al final se compraron unos bocadillos de queso y pepinillos y un poco de té en vasitos de cartón en una estación de servicio y se los comieron sentados en el coche. Los bocadillos estaban resecos por los bordes y el té tenía un sabor metálico.

Llegaron a Lyndhurst a media tarde. Llevaba todo el día lloviznando y, mientras caminaban entre los árboles, la lluvia arreció. Los zapatos se les hundían en el suelo fangoso y las gotas de agua que caían de las ramas de los robles los empapaban. Sería mejor dejarlo correr y cenar pronto, sugirió Jordan. Compensar aquellos espantosos bocadillos.

El restaurante estaba a unos pocos kilómetros a las afueras de Ringwood.

—Terriblemente discreto —dijo Jordan, mientras aparcaba el Jaguar en el camino amplio, de grava. Katherine se preguntó cómo lo sabría. ¿De qué hablarían él y sus colegas en el bar, en su club? «He encontrado un sitio discreto en el campo. No hay peligro de levantar la liebre, no sé si me entiendes, amigo mío.»

Katherine se arregló un poco en un lavabo de señoras lleno de cuencos con popurrís y cajas de pañuelos de papel rosa. El restaurante, con sus columnas, sus pórticos y sus tramos de escalones de piedra, estaba diseñado para impresionar. Jordan pidió champán. El alcohol, la comida, la relajaron un poco. Acabó riéndose con las insidiosas anécdotas de Jordan sobre sus colegas; ella a su vez le habló de los manuscritos tan espantosos que llegaban a su editorial.

Se estaban acabando el budín cuando él dijo:

—No te quedarás en ese trabajo, ¿verdad, Katherine?

Levantó la vista hacia él, sorprendida.

—No lo sé. ¿Por qué?

—Suponía que era transitorio. Quiero decir que los libros feministas tienen un público bastante minoritario, ¿no?

—La mitad de la población —dijo Katherine, tensa.

—No todas las mujeres leen esas cosas. —Se encogió de hombros—. Algunas son un poco extremistas, ¿no?

—Libros para mujeres, escritos por mujeres. Yo no llamaría a eso extremista, Jordan.

—Ya sabes a qué me refiero. Lesbianismo..., oscuras memorias de escritoras de diarios del siglo XVIII...

—¿Por qué las mujeres a las que les gustan las mujeres no pueden leer sobre otras que comparten sus sentimientos? ¿Y por qué no sacar de esa oscuridad memorias escritas por mujeres desconocidas?

—Quizá —dijo Jordan— son oscuras por merecimiento propio. Porque son de segunda fila.

Katherine dejó la cuchara.

—Son oscuras porque las han escrito «mujeres».

Él le tocó la mano.

—No te enfades conmigo, querida..., solo intentaba comprender.

—Y algunas de esas memorias son maravillosas —se defendió ella, furiosa—. Conmovedoras.

—Me parece que cuando hay problemas mucho más acuciantes en el mundo, estás desperdiciando tu talento con... asuntos secundarios.

—¡Secundarios! —repitió Katherine, tan alto que los comensales de la mesa adyacente se volvieron a mirarla. Se esforzó por hablar más bajo—. ¿Qué puede haber más acuciante que el derecho de la mitad de la población a ser igual a la otra mitad?

—Vamos, vamos, cariño. —Hizo señas al camarero para que les sirvieran el café—. Tu pequeña editorial no puede solucionar los problemas del mundo entero.

—No intentamos solucionar los problemas del mundo. No soy tan ingenua. Intentamos hacer, y hacemos, lo que podemos para mejorar un poco las cosas en nuestro rincón del mundo.

—El voto..., cambios en las leyes de divorcio..., aborto legal..., la píldora..., sueldos iguales... —Los fue señalando con los dedos—. Se han ganado todas las batallas, ¿no?

Katherine sacó sus cigarrillos.

—Cuando haya una mujer que sea jefa de policía... o cuando la mitad de los jueces del Tribunal Supremo sean mujeres... o la mitad de los miembros del Parlamento..., entonces se podrá decir que se ha ganado la batalla, Jordan.

Él le encendió el cigarrillo. Dijo:

—Mi trabajo no es demasiado envidiable, ¿sabes? Horas intempestivas, demasiados viajes.

—¿Por qué hacerlo, entonces?

Jordan le dirigió una sonrisa torcida.

—¿Para servir a mi país?

Ella pensó en Henry Wyborne.

—Eso no es todo, ¿verdad, Jordan?

Él le tomó la mano.

—Claro que no.

—A ti te gusta el poder, ¿no?

—Lo admito, sí, me gusta. —Hizo señas de nuevo al camarero, que le trajo la cuenta. Al escribir el cheque le dijo bajito—: ¿Me condenas por ello, Katherine?

—Claro que no.

Katherine lo examinó. Tenía ahora cuarenta y un años y su pelo castaño estaba ya encaneciendo por las sienes. Una red de finas arrugas corría en torno a los pesados párpados que ocultaban sus ojos. Ninguna de las metáforas para su color era demasiado acertada, pensó. Acero.., hierro..., granito... Todas eran vulgares y poco acertadas. Su color gris le recordaba el hielo pálido y opaco que quedaba en invierno en los bordes de estanques y lagos. Se preguntaba si fue aquello lo que le atrajo de él, el desafío de ese exterior frío, controlado; su conocimiento privado de la pasión que se encontraba debajo. Si era aquello precisamente lo que la devolvía una y otra vez hacia él, a pesar de sus diferencias, a pesar de las limitaciones de su relación.

—¿Qué estás pensando? —preguntó Jordan.

—Nada. Nada en absoluto. —No sabía por qué se sentía tan triste. Salieron al vestíbulo y él la ayudó a ponerse el abrigo. Fuera, el frío aire de la noche le quitó el aliento.

En el coche, Jordan puso en marcha el motor y dijo:

—Era bonito el sitio, ¿verdad?

Era bonito el sitio. Como si aquella velada hubiese sido un capricho para una niña difícil. Una concesión para una esposa gruñona. Se preguntó si haría lo mismo con Tricia. Regalos y escapadas para compensar los huecos que quedaban en medio. Se preguntó si él sería incapaz de ver los dolorosos huecos abiertos entre ellos a lo largo de todo el día.

Katherine tuvo el súbito e irresistible deseo de herirlo, de sacarle a sacudidas de su complacencia. Dijo:

—No has contestado a mi pregunta, Jordan. ¿Qué puede ser más acuciante que la igualdad de la mujer?

Él puso el coche a toda velocidad mientras enfilaban una carretera larga y recta. Le gustaba conducir rápido. Dijo:

—El estado terrible de la economía, obviamente. La inflación aún está fuera de control.

—Tú eres el político, Jordan —lo incitó—. Tú eres el que tiene el poder. ¿No deberías ser capaz de arreglar las cosas?

—Estamos en la oposición, cariño, ¿recuerdas? Por el momento lo único que podemos hacer es quejarnos un poco. Algo que saca de quicio y resulta frustrante, como intentar vadear un río de melaza.

—Pero las cosas no iban exactamente a las mil maravillas cuando los conservadores estaban en el Gobierno, ¿no?

—Heath no tenía buenas ideas. Era demasiado débil y titubeante. Necesitábamos un cambio de líder. Un líder más fuerte.

—¿Y tú crees que Margaret Thatcher es la persona adecuada?

—No lo sé. Debo admitir que tenía mis recelos, al principio.

—¿Porque es una mujer?

—Supongo que sí.

—¿No crees que una mujer pueda ser fuerte?

Él dijo, exasperado:

—Katherine, alguien tendrá que tomar algunas decisiones muy difíciles. Ahora mismo el país se está yendo al infierno de cabeza. —Tenía la frente arrugada—. Necesitamos un cambio de aires —murmuró—. Las cosas han sido demasiado fáciles durante demasiado tiempo. Nos hemos vuelto perezosos, comodones y blandos.

No me importa si el partido lo dirige un hombre, una mujer o un animal, mientras quienquiera que sea esté dispuesto a ser despiadado. Mientras haga lo que tenga que hacer.

—¿Otro Contrato Social? —dijo Katherine, burlona.

—Claro que no. La única cura para la inflación, la única forma de sofocar el poder de los sindicatos, es tener un desempleo mayor.

Ya estaba bastante oscuro. Se dirigían hacia una estrecha carretera rural. Las ramas de los árboles se unían por encima de ellos, agitándose con el viento, bloqueando el cielo color tinta.

—¿Elevar el desempleo deliberadamente? —dijo Katherine—. No es posible que pienses eso, Jordan.

—¿Por qué no?

—¿Asustar a la gente para que no pidan salarios más elevados?

—Es la única forma, Katherine.

—Pero eso es inmoral, Jordan. —Su voz temblaba de rabia—. Cruel, despiadado e inmoral.

—Entonces ¿qué sugieres? —preguntó él, desdeñoso—. ¿Seguir como hasta ahora?

—Tiene que haber otra forma.

—No lo creo. La gente se ha vuelto demasiado codiciosa, demasiado avariciosa.

Ella pensó en el restaurante: la porcelana, los cubiertos de plata, los camareros silenciosos y discretos. Dijo, furiosa:

—Dejar a los hombres sin trabajo es condenar a sus mujeres y sus hijos a la pobreza.

—No tendrán que ir pidiendo por las calles, Katherine. Tenemos un buen sistema de subsidios.

—A nivel de subsistencia, Jordan, y lo sabes perfectamente. Tú no podrías vivir con el subsidio de desempleo, ¿verdad que no?

El coche giró en una curva demasiado rápido. Katherine necesitaba otro cigarrillo, tenía el bolso en el asiento de atrás. Se desabrochó el cinturón de seguridad para girarse.

—No me he puesto en la situación de tener que necesitarlo —dijo Jordan.

—Gracias a Tricia. —Katherine buscaba el encendedor. No tenía gas, al parecer; intentó encenderlo una y otra vez–. No podrías permitirte tu piso en Londres, tu casa en Hertfordshire, tus vacaciones en la Toscana, este coche, sin Tricia, ¿verdad? —Ella sabía que estaba a punto de decir algo imperdonable, pero no podía parar–. No te podrías permitir tenerme a mí sin Tricia, ¿no, Jordan?

—¿Pero qué demonios quieres decir? —Una de sus manos se apartó del volante mientras le dirigía a Katherine una mirada furiosa.

—Los regalos, las joyas... ¿Los pagas tú o los paga Tricia?

—¡Por el amor de Dios, Katherine!

Ella temblaba. El encendedor no funcionaba. Notó como si algo largo tiempo reprimido estuviese hirviendo en su interior. Luego, mirando por el parabrisas, vio la rama caída en medio de la carretera. Se oyó gritar. Jordan dio un tirón al volante mientras apretaba el freno con el pie. Se oyó un chirrido de neumáticos y ella salió disparada contra el salpicadero.

Cuando el coche se detuvo ella estaba en el espacio para las piernas, con la cabeza empotrada en la puerta. Cielo y árboles, vistos desde la ventanilla, se encontraban en un ángulo extraño. Le dolía el pecho, como si tuviera un peso encima de él, pero cuando miró hacia abajo solo vio su bolso, con su contenido desparramado por el interior del coche.

—¿Katherine? Katherine, ¿estás bien? —oyó que decía Jordan. Ella notaba el miedo en su voz–. Katherine, cariño...

—Me duele... —Le dolía hablar, le dolía respirar.

Él encendió la luz del interior y se desabrochó el cinturón de seguridad.

—Katherine... —susurró–. Lo siento muchísimo... —Fue a agarrarla, pero cuando intentó ayudarla a subir, ella gritó–. ¿Dónde te duele?

—Aquí. —Se tocó las costillas. Recordó que se había desabrochado el cinturón para poder alcanzar los cigarrillos.

Muy despacio, suavemente, él la ayudó a levantarse del suelo. Ella lloraba de dolor cuando consiguió volver a sentarse en su asiento. Jadeó.

—El coche...

—Creo que tiene el morro metido en una zanja. —El Jaguar estaba en diagonal, atravesando la carretera—. Voy a intentar sacarlo.

—Había un pub ahí atrás..., podrías llamar a un mecánico...

—No puedo hacerlo, cariño —dijo él, seco—. Sabes que no puedo hacerlo.

El cerebro de ella parecía procesar las cosas a la mitad de la velocidad habitual.

—¿Por qué no?

—He bebido más de la cuenta. El champán, el vino... No puedo implicar a nadie más. Es demasiado riesgo. Si la Policía o la prensa... —Jordan se apretó la frente con la mano—. Creo que es mejor que te sientes ahí fuera, cariño, mientras intento sacar el coche de la zanja. Si tienes las costillas rotas no deberías moverte mucho.

La ayudó a salir del coche. Todos los movimientos le producían dolor. Se sentó en una manta de tartán que él echó encima de la hierba, con el abrigo de él por encima de los hombros. Respiraba con jadeos breves, para evitar el dolor. Era consciente del silencio del campo y del goteo de la lluvia, y de la figura inclinada de Jordan, que intentaba empujar el coche para volver a sacarlo a la carretera.

Pareció que le costaba una eternidad, pero al final acudió junto a ella, ayudándola a volver al asiento del pasajero. Ella vio el alivio en sus ojos.

—Parece que las ruedas no han sufrido daños... Hay una abolladura en el capó, pero parece que funciona, gracias a Dios. —Puso en marcha el Jaguar y se dirigieron de nuevo hacia la carretera—. Parece que va bien... —La miró—. Te llevaré a uno de los hospitales de Londres. A Guy, a un sitio decente. Allí te cuidarán, pobrecilla. Te pondrás bien, te lo prometo.

Katherine cerró los ojos. Cada vez que se adormilaba la despertaba de golpe el dolor en las costillas. No podía dejar de temblar, y eso también le dolía. Al final fue consciente del paso rápido y suave de la autopista, y luego los edificios que se apiñaban a su alrededor al entrar en la ciudad. El último tramo fue horrible, ya que el coche se paraba y se ponía en marcha de nuevo en los semáforos, tomaba velocidad y luego aminoraba de nuevo. Ella quería tumbarse. Quería algo que le aliviara el dolor. Quería sentir calor otra vez, poder dormir, borrar todo recuerdo de aquel día.

—Mira, ya estamos —dijo Jordan. Se inclinaba hacia ella, recogiendo sus cosas y poniéndoselas en el bolso. Sacó su cartera—. Aquí tienes dinero para un taxi. —Y le metió varios billetes en el bolso.

Ella lo miró.

—No puedo ir contigo, lo entiendes, ¿verdad, cariño? —dijo, paciente—. Lo siento muchísimo, pero es que no puedo. Lo comprendes, ¿verdad?

Se acercó a la entrada del hospital y ella salió del coche. No miró hacia atrás al entrar en el hospital, caminó ella sola. Oyó el zumbido del motor al alejarse.

Dos horas después, un doctor joven de aspecto cansado le dijo que tenía tres costillas astilladas.

—Puede tomar analgésicos, pero aparte de eso, lo único que necesita es descanso y tiempo, me temo. Veré si puedo encontrar una cama para usted, señorita Constant.

—Preferiría irme a casa.

—Deberíamos vigilarla un poco. Puede que sufra una conmoción.

—No, de verdad, prefiero irme a casa.

—Muy bien —suspiró el médico—. Si lo prefiere así... —Miró sus notas—. ¿Tiene a alguien que pueda cuidarla?

—Mi madre —mintió ella.

—¿Y dice que se ha producido estas heridas cayéndose por la escalera? —Parecía algo violento—. ¿Está segura, señorita Constant? Suele haber contusiones más generalizadas, en una caída. ¿Estaba usted sola cuando tuvo el accidente?

—Sí, sola —respondió con firmeza. Hasta que no estuvo en el taxi no comprendió lo que significaban aquellas preguntas.

La esposa maltratada, la mujer golpeada... Katherine cerró los ojos aislándose de la ciudad, enferma de dolor y de humillación.

Jordan llamó al día siguiente. Katherine le mintió, igual que había mentido al médico, diciéndole que se iba a casa de sus padres.

—Bueno —dijo él—, si estás segura de que así irá todo bien...
—Ella pensó que sonaba aliviado.

Se quedó en la cama dos días, levantándose solo para hacer lentos y dolorosos viajes a la cocina y al baño. Se tomó los analgésicos recetados por el médico del hospital, agradecida al ver que le permitían dormir por la noche y gran parte del día. No quería pensar aún: sabía que debía hacerlo pronto, que solo estaba posponiendo el momento, pero necesitaba un breve respiro.

Hector la llamó el martes por la noche.

—No has venido a cenar —dijo. Normalmente iba al piso de Hector después del trabajo, los lunes por la noche.

—No he podido.

—Ah. —Hubo un silencio. Luego él preguntó—: ¿Estás bien, Katherine? Tu voz suena un poco rara.

—Es que he tenido un accidente —respondió—. Un accidente de coche. Pero estoy bien. —Colgó y volvió a la cama.

A la mañana siguiente sonó el timbre. Al principio lo ignoró, pero siguieron llamando, así que al final se levantó de la cama como pudo.

—¿Quién es? —dijo, a través del interfono.

—Soy yo. Hector.

Lo dejó entrar. Abrió mucho los ojos al verla.

—¡Katherine!

—No llevaba el cinturón de seguridad. Me di un golpe con el salpicadero. Los dos ojos morados... —intentó sonreír—. Y tres costillas rotas.

Los cristales de las gafas de Hector se empañaron. Se las quitó y se las limpió con la corbata.

—Pensaba que a lo mejor necesitabas cosas..., comida, aspirinas... —Le echó un vistazo—. Podría traértelas después de salir del trabajo.

—No, estoy bien, no necesito nada.

—¿Lucozade, revistas...?

—Ya te lo he dicho, Hector. No necesito nada.

—Vale. —Se volvió a poner las gafas—. Entonces me voy.

Katherine se sentó en el sofá. Cuando creía que él ya se había ido, se secó los ojos con un pico del camisón. Entonces le oyó decir:

—Katherine, en realidad no estás bien, ¿verdad?

Hector estaba de pie, en la puerta. Ella apretó los párpados, cerrándolos con fuerza. Oyó cerrarse la puerta y supo que él había venido a sentarse a su lado.

—¿Has dicho que ha sido un accidente de coche? Es horrible. Te dejan conmocionado. Pensando en lo que podía haber pasado... ¿Alguien salió herido? —Ella negó con la cabeza—. ¿Conducías tú?

Las lágrimas corrían por su rostro, pero ella no se preocupó de secárselas.

—No. —Tragó saliva—. Iba con un amigo.

—¿Y tu amigo está bien?

—Eso creo.

—¿Eso crees?

—No lo he visto desde el accidente.

Hubo un silencio. Katherine abrió los ojos, vio la expresión de su cara. Pensó lo superficial, lo chabacana que debía de parecer su relación con Jordan a alguien como Hector. A alguien que había amado abiertamente, de una manera apasionada, completa. Pensó en todos los engaños, las evasivas morales que ella y Jordan practicaban de una manera rutinaria y se sintió amargamente avergonzada.

—No quiero hablar de eso ahora —susurró.

—Claro. Ahora no. Ni nunca, si no quieres.

La voz de él era amable, y eso le dio ganas de llorar otra vez. Él se sacó un pañuelo del bolsillo y, con mucho cuidado, secó las lágrimas de la cara magullada de ella. Luego se levantó y dijo:

—Ahora me voy a trabajar, pero volveré a verte más tarde, te lo prometo.

A las siete y media, aquella noche, Hector volvió a aparecer, cargado de bolsas. La señora Zwierzanski cuidaba de Alice, le explicó. La señora Zwierzanski era una viuda polaca que vivía en el piso de arriba. Vació las bolsas: colocó los bombones y las uvas junto a la cama de Katherine y arregló unas flores, lirios y narcisos, en un jarrón. Le preparó una sopa y una tostada, se las llevó en una bandeja y se sentó en una silla junto a la cama, contándole los acontecimientos del día mientras ella comía.

Volvió a la noche siguiente, y la siguiente. Le llevó zumo de naranja, galletitas especiales de jengibre de Fortnum y cintas para su reproductor de casetes, y maravillosos libros viejos y gastados de su tienda. Cuando ella tuvo un poco de fiebre y sintió dolores, inquieta y abatida, incapaz de encontrar una postura cómoda, él la ayudó a trasladarse al sofá mientras le volvía a preparar la cama. Cuando Katherine volvió a meterse entre las sábanas lisas y limpias, sonrió por primera vez aquel día.

—Hector, eres maravilloso.

—¿Te gustaría comer algo?

—No puedo. Pero creo que podré dormir un poco ahora.

Cerró los ojos y cuando volvió a abrirlos a la mañana siguiente su temperatura ya era normal. Se levantó y se duchó, e intentó lavarse el pelo. Fue un procedimiento lento y complicado, pero se sintió mucho mejor. Se puso unos vaqueros y un jersey suelto, se ató el pelo con una cinta elástica y se sentó en el sofá todo el día, leyendo un montón de manuscritos que hizo que le enviaran a casa.

Cuando llegó Hector aquella noche, dijo:

—Mira, ropa de verdad...

–Estás mucho mejor. –Él sonrió y le besó la mejilla, y miró los manuscritos–. ¿Son buenos?

–Un par de ellos. –Acababa de leer las memorias de una mujer prisionera en un campo japonés después de la caída de Singapur, y estaba empezando el diario de una joven que llevaba años sufriendo abusos por parte de su padre–. Algunos son inquietantes –dijo, con un pequeño escalofrío–. Horribles.

Hector le preparó una tostada con queso derretido y una ensalada de tomate, acompañados con un vaso de zumo de naranja. Casi había acabado de cenar cuando él le dijo:

–Daría cualquier cosa por saber lo que estás pensando.

Katherine lo miró y le dedicó una media sonrisa.

–Mis pensamientos no valen nada, me temo. –Tomó aliento con fuerza–. Tengo que aprender a pasar sin alguien, ¿sabes? Ya sé que debo hacerlo, era necesario desde hace siglos, creo, pero no sé si tendré el valor suficiente.

–¿El conductor del coche? –Ella asintió. Hector frunció el ceño–. Ya me imaginaba que había alguien, claro.

–Lo conocí en tu boda –dijo ella, y de repente volvió atrás en el tiempo, hacia aquel bello y vertiginoso verano de 1968–. Casado, claro. Y tiene un hijo. –Miró a Hector mientras hablaba, anticipando la desaprobación y la censura.

–¿Y tú te enamoraste de él?

–Sí. –Katherine se mordió el labio–. Qué mala suerte, ¿no te parece?

–Hace un año habría estado de acuerdo contigo. Pero ahora... –Se encogió de hombros.

–«Mejor haber amado y perdido», ¿no? –dijo ella, cínicamente.

–Creo que sí, ¿tú no?

–Fui a ver a Henry Wyborne por Navidad –respondió sin pensarlo–. Quería preguntarle si se habían peleado. Rachel y sus padres. Pensaba que por eso se había ido precipitadamente de Fernhill Grange.

Hector no parecía convencido.

–Se llevaban muy bien. Ni una mala palabra –continuó Katherine, que se fue a la cocina–. Y solo estaban Rachel y Henry.

Diana estaba fuera aquella semana. En una reunión, algo que tenía que ver con la guerra.

Se oyó el sonido de la cafetera, de lavar los platos. Al cabo de un rato, Hector volvió a la habitación.

—De todos modos, lo que quería decirte es que no siento ya ninguna amargura. Al menos he conocido el amor, la felicidad. No todo el mundo puede decir lo mismo, ¿verdad? Todavía tengo mis recuerdos de Rachel... y tengo a Alice, claro. De modo que porque algo no funcione al final, eso no significa que no tenga que haber ocurrido. —Hector hizo una mueca y se pasó las manos por el pelo despeinado—. Ay, Dios mío, estoy empezando a hablar como Patience Strong.* Lo que quería decir es que...

Ella le dio palmaditas en la mano.

—Sí, Hector, ya sé lo que quieres decir.

Katherine pasó otra mala noche. No por la fiebre, sino por los pensamientos incesantes y repetitivos que daban vueltas en su cabeza. Pensaba en Jordan, en Hector, en Rachel. Cuando se durmió, soñó con Rachel. Su viejo sueño: que se despertaba y Rachel estaba de pie a los pies de la cama, intentando decirle algo. Aunque se esforzaba por oírla, Rachel pronunciaba las palabras en silencio, guardando sus secretos. Por primera vez notó que, aunque ella misma había cambiado a lo largo de los años, Rachel estaba igual, con el pelo castaño recogido con la cola de caballo juvenil, la ropa y el maquillaje inconfundiblemente de la década anterior.

Katherine se despertó. Se sentó y miró a los pies de la cama, casi esperando que Rachel estuviese allí. Pero no había nadie, por supuesto; buscó el interruptor de la lamparita de la mesilla de noche y se abrazó las rodillas. La presencia de Rachel parecía invadir toda la habitación. De repente Katherine añoró la fácil y risueña amistad de su niñez. A Liv y a Rachel, y las experiencias y necesidades comunes que las unieron. Luego la añoranza se convirtió en rabia. Mi vida es un desastre, un completo desastre,

* Seudónimo de la poeta británica Winnifred Emma May (1907-1990), conocida por sus versos sentimentales. *(N. de la T.)*

pensó, y vosotras dos me habéis abandonado. Rachel, Liv, ¿dónde estáis ahora que os necesito?

Salió de la cama. Hacía frío, así que se envolvió con el cubrecama y se fue a la cocina. Quería un cigarrillo, pero el tabaco la hacía toser, y si tosía le dolían las costillas. Quería beber, pero el médico le había dicho que no mezclase el alcohol con los analgésicos. Pensó, compadeciéndose a sí misma, que no tenía ningún consuelo a su alcance. Puso la tetera y encontró una bolsita de té.

Estaba vertiendo agua hirviendo en una taza cuando recordó lo que le había dicho Hector. «Diana estaba fuera aquella semana. Estaban solo Rachel y Henry...» Katherine se frotó la frente con el dorso de la mano.

Sabía que no volvería a dormirse, de modo que fue a por el manuscrito de la hija que había sufrido abusos, el que empezó a leer el día anterior, y se lo llevó a la cama con la taza de té. Acurrucada bajo el edredón, se puso a leer. Para los extraños debió de parecer una vida muy corriente, aquella historia de poder, degradación y amor perverso. Una familia inglesa normal y corriente en una casa inglesa normal y corriente. Un padre y una hija que mantuvieron ese terrible secreto durante décadas...

El té salpicó de la taza y cayó en las sábanas. Katherine se irguió, muy tiesa, mirando hacia la oscuridad.

«Estaban solos Rachel y Henry...»

De una manera lenta, pero constante, el negocio de Samphire Cottage iba progresando. Felix construyó un nuevo bastidor de serigrafía más grande, que ocupaba casi todo el cobertizo. Los estantes más altos de la cocina estaban repletos de tintes. Rollos de tela de algodón, comprada por Felix a un proveedor en Lancashire, se apelotonaban junto con cubos y recogedores en el cuarto de las escobas. Cortes de tela secándose colgaban del techo con unos alambres, tanto en la cocina como en el cobertizo. En el salón, una mesa de caballete con lápices, colores y papeles competía por el espacio con los juguetes de las niñas.

La máquina de coser se encontraba en otra mesa con caballete en una esquina del dormitorio de Liv. La casa olía a tintes y a los productos químicos usados para fijarlos. Siempre había ollas hirviendo en la cocina Aga, y a menudo se notaba el olor a quemado de la tela vulcanizada. Retales e hilos de algodón llenaban todas las superficies.

A menudo, Liv trabajaba hasta pasada la medianoche. Estaba ocupada todos los momentos del día. Cuando había demasiado trabajo para ella sola, los demás la ayudaban. Un fin de semana, cuando Toby le encargó un pedido de veinte manteles, Liv preparó los tintes e hizo los dobladillos a las piezas terminadas, Felix manejaba el bastidor y la señora Maynard iba planchando la tela ya seca mientras cuidaba a las niñas.

Trabajaron toda la noche y, cuando el pedido quedó completo, el sábado por la tarde, lo celebraron con una botella de vino tinto.

Ella dejó tanto el trabajo del bar como el de limpieza. Las noches siguientes se despertaba de madrugada, insomne y asustada, convencida de que había cometido un error espantoso. Todo lo que podía ir mal pasaba por su mente formando una procesión terrorífica. Freya o Georgie podían ponerse enfermas y ella no ser capaz de servir los pedidos. A los clientes de Toby podían no gustarles sus últimos diseños, inexplicablemente, y negarse a comprarlos. Los estampados florales se podían pasar de moda. Y lo peor de todo, simplemente, un día podía quedarse sin inspiración. Se imaginaba a sí misma sentada ante la mesa de caballetes, en el salón, con la mente en blanco y el lápiz quieto. No podría pagar el alquiler y las niñas pasarían hambre. La seguridad que había adquirido con tanto esfuerzo a lo largo de los últimos años quedaría destruida.

Pero Felix, una noche, disipó sus miedos con una llamada, de camino hacia la casa de sus padres.

—Si los clientes de Toby no quieren nuestros textiles, otros los querrán. —Estaba arrodillado ante la Aga, desmontando el horno, que desprendía un desagradable olor a quemado los últimos días—. Han salido dos sitios esta semana. Uno en Richmond y y otro en Bath.

Liv estaba sentada ante la mesa de la cocina, rematando unas costuras. Hizo una pausa.

—¿Bath? ¿Así, sin más ni más?

—Mmm. Iré en el coche la semana que viene. —Su voz sonaba ahogada desde el cavernoso interior de la Aga.

Estaba impresionada, aunque no quisiera reconocerlo. Lo miró.

—¡Felix, tu camisa!

Había venido en coche a Norfolk directamente desde el trabajo y todavía llevaba traje, camisa y corbata. Él se apartó del horno.

—Mierda. —Su camisa blanca estaba manchada de negro hollín.

—Hay algunas prendas horrorosas que se dejó el hermano de la señora Maynard, el que tenía alquilada la casa antes que nosotras. Siempre quiero devolvérselas, pero nunca me acuerdo. Puedo dejarte un jersey. —Del fondo del armario desenterró un jersey de hombre de un marrón verdoso y áspero—. No sé de qué es.

—Espinas de erizo —dijo Felix, al verlo.

Liv rio.

—Pero está limpio.

Él se soltó la corbata y se quitó la camisa. Piel morena, cintura esbelta, hombros musculosos. De repente a ella se le secó la boca. Tuvo que apartar la mirada y fingir que buscaba unos copos de jabón en un aparador. Al principio no se le ocurría por qué se sentía tan rara, y luego se dio cuenta, claro, y se le cayó el paquete al suelo por el nerviosismo. Era como si se hubiese encendido un interruptor, recordándole unos sentimientos que ella había ocultado, que llevaban tanto tiempo enterrados que casi no se sentía capaz ya de experimentar. El deseo físico: Dios mío, pensó, me había olvidado de eso. Se fue al armario de las escobas, aparentemente para buscar el cepillo y el recogedor, pero en realidad para apretar la cara caliente contra la fría pared embaldosada. Parecía haber perdido su serenidad, su equilibrio.

Recogió los copos de jabón. Vaciando el recogedor en el cubo de la basura de fuera, aspiró con fuerza el aire frío para tranquilizarse un poco. De vuelta a la cocina, recogió la camisa que se había quitado Felix y dejó correr el agua en el fregadero.

—No tienes que hacerlo.

—Pero no me importa.

—Es muy amable por tu parte. —Felix apoyó la mano en su hombro. Liv quiso inclinar la cabeza, apretar la cara contra ella, pero él se había apartado y había vuelto ya al horno—. Y en cuanto a tus otras preocupaciones —dijo—, bueno, Freya y Georgie parecen rebosantes de salud, por lo que veo. Y si pillan el sarampión o las paperas o algo, la señora Maynard podrá ayudarte, ¿no?

—Supongo que sí... —Liv puso la camisa lavada en el escurridero.

—Además —añadió él—, las telas florales siempre están de moda, ¿no? —Su voz resonó en un lado de la Aga—. Y si por alguna extraña razón los estampados florales no se venden, entonces podrías hacer alguna otra cosa, ¿no? —Salió del horno con algo en la mano—. Ardillas —dijo vagamente—. Lagartos, caracoles...

Liv soltó una risita, apretándose la boca con los nudillos.

—¿Qué?

—Caracoles... —Apenas podía pronunciar la palabra.

—¿Qué pasa con los caracoles? —Felix se puso de pie.

—¡En unas cortinas! De verdad que no... —Liv se apoyó en la mesa, sin poder parar de reír.

—Pues no veo por qué no —sonrió y le tendió un trozo de tela chamuscado—. Esto era lo que causaba problemas en la cocina.

Liv hizo un esfuerzo por contenerse.

—Es una funda de cojín.

—Debió de caerse por detrás cuando las estabas secando.

—Pensaba que había hecho una menos, que me había equivocado al contar. —Sentía ganas de reír de nuevo. Se secó los ojos con el dorso de la mano.

—Casi me había olvidado —dijo Felix, y salió fuera. Al abrir el maletero del coche, los ojos de ella trazaron los contornos de su cuerpo. Pensó: incluso con el jersey de erizos..., incluso con hollín debajo de las uñas y unas ojeras muy negras en torno a los ojos por la larga semana de trabajo... Se echó a temblar y se envolvió con los brazos.

Felix volvió a la casa.

—He comprado esto para celebrarlo. —Le dio una botella de champán—. Selfridges ha prometido hacer pedidos regulares. Es una noticia maravillosa, ¿no te parece, Liv?

—Ingresos garantizados.

—Al menos para los próximos meses. —Él estaba descorchando la botella—. A menos que cambies radicalmente tus diseños.

—¡Caracoles!

—Podríamos iniciar una nueva tendencia. Especializarnos en moluscos.

El champán burbujeó por encima del borde de los vasitos y se derramó por la mesa. Él le tendió un vaso.

—Por Zarzarrosa.

Las burbujas secas y picantes le cosquillearon la garganta. Tomaría un trago o dos, pensó ella, y quizá así podría olvidar aquellos pensamientos agotadores e inconvenientes, y podría volver a pensar entonces en Felix como en un socio, o un amigo. Vació su vaso. Sabía que él la estaba mirando.

—¿Qué pasa? —dijo.

Y él le contestó:

—Pareces feliz. Hacía mucho tiempo que no te veía realmente feliz, Liv. Desde... —Sonrió—. ¿Recuerdas cuando nos conocimos?

—En casa de Toby.

—Daba una fiesta. Y tú viniste con Katherine.

—Estaba pasando el fin de semana con ella. —Recordó la habitación amueblada de Katherine, con carteles del Che Guevara y bocadillos de pasta de levadura—. Me estaba recuperando...

—¿De qué?

—El corazón roto. —De nuevo, ella sonrió—. ¿Cómo se llamaba? Charles... Carl. Eso es. Carl.

—¿Tu primer amor?

—El vigésimo, creo. Siempre me estaba enamorando, por aquel entonces. Pero no de verdad, claro.

—¿Y cómo lo sabes?

Liv tuvo que apartar la mirada para escapar de la intensidad con que la miraba Felix. Él le leería la mente. Vería su deseo escrito en sus ojos.

—Bueno, eso se sabe, ¿no?

—Pues ya ves, una vez yo pensé que era de verdad, pero luego... —Se encogió de hombros.

De nuevo ella pensó en Katherine y notó un puñal agudo clavado en el corazón.

—¿Quién era, Felix?

—Se llamaba Saffron. Vivía en casa de Nancy.

Liv lo miró, curiosa.

—¿Y nadie más?

Felix negó con la cabeza. Ella notó alivio.

—Y tú... —dijo él.

—Ah... solo Stefan. Lo de Stefan fue sincero. —Vació de nuevo el vaso—. Y con él era... era como ahogarse.

Le temblaban las manos y derramó champán mientras se servía otro vaso.

—Tranquila... Ya te lo pongo yo. —Sus dedos rozaron los de Liv mientras le quitaba la botella.

Ella soltó una risa breve.

—Ya no estoy acostumbrada a beber. Con las niñas..., siempre me preocupa tener que levantarme por la noche. —Se puso a temblar.

—¿Tienes frío?

—La Aga... —Liv había dejado que la cocina de carbón se apagase y se enfriase para que Felix pudiera repararla.

—Podría encenderla.

—No hace falta. El fuego ya está preparado en la habitación delantera.

Felix tomó la botella y los vasos. En el salón, encendió con su mechero el montón de leña menuda y periódicos. Surgieron las llamas. Él estaba arrodillado en el hogar, ante el fuego, y ella se arrodilló también a su lado y apretó la cara contra su hombro, y cerró los ojos. El dorso de su mano rozó el pelo de él, sus rizos cortos, sedosos.

Y entonces él la estrechó entre sus brazos y la besó en la cara, en el cuello, en la boca. Se oyó un ruido de desgarro cuando uno de los botones de la blusa de ella se soltó y salió disparado hacia la esquina más alejada de la habitación. Las palmas de Felix rozaron su piel desnuda mientras luchaba con los corchetes del sujetador.

—Este maldito jersey —dijo, quitándose el jersey del hermano de la señora Maynard por la cabeza. Los labios de ella se apretaron contra el hueco de sus clavículas y notó el sabor salado de su piel. Cuánto tiempo, pensó de manera confusa, sin tener que preocuparse por las consecuencias, cuántos años de tener cuidado.

«Tener cuidado.» Se apartó, se sentó.

—Felix.

—¿Qué? —Tenía el pelo revuelto, los ojos urgentes.

—No tomo la píldora.

—No importa. —Buscaba algo en el bolsillo de atrás de sus pantalones—. Quiero decir que ya me ocupo yo...

—¡Felix! —dijo Liv, ligeramente conmocionada, y luego ya no dijo nada más.

Era medianoche cuando Felix llegó a casa de su padre. Tras aparcar el coche se quedó un momento sentado dentro, recordando. La imagen de Liv estaba clavada en el cielo nocturno, y en la superficie plana y plateada de la luna, y su ligero aroma permanecía en su piel. Tenía la sensación de que acababa de ocurrir algo milagroso, algo repentino, inesperado, que había recuperado la buena suerte que ya creía perdida.

Al final, salió del coche y se dirigió hacia la casa. Había luz en la cocina. Mia estaba sentada a la mesa. Tenía un vaso ante ella y un paquete de cigarrillos junto a un cenicero.

—Felix —dijo, y le sonrió. Él pensó que parecía cansada. Tenía los ojos rojos. Parte de su euforia desapareció.

—¿Qué pasa? —Su voz sonaba tensa—. ¿Papá...?

—Bernard está bien. Duerme. Y no pasa nada. —La tenue sonrisa todavía flotaba en las comisuras de sus labios; ella sacó un cigarrillo del paquete y pulsó el encendedor una y otra vez—. Maldito chisme...

—Déjame a mí. —Le encendió el cigarrillo.

—Gracias, Felix, cariño. —Empujó el paquete de Player's hacia él—. Y la ginebra está en la despensa, si quieres servirte.

401

Él negó con la cabeza.

—¿Hay algo de comer? —No había comido desde el mediodía: el trayecto hasta Norwich... Liv...

—Quedan salchichas, creo. —Mia hizo ademán de levantarse de la silla.

—Vale, no es necesario, Mia. Ya me ocupo yo.

Ella se volvió a sentar.

—Probablemente, una decisión sabia... Estoy un poco achispada, y nunca he sido una buena cocinera que digamos, ¿verdad?

—Tonterías.

—Vamos, Felix, no tienes que mentir. Nos conocemos desde hace mucho tiempo, ¿verdad? —Su voz sonaba sarcástica.

—Bueno, es posible que papá te quisiera por otros atributos que no fueran tus habilidades culinarias, Mia.

Puso la sartén en el hornillo y encendió el gas. Entonces oyó los sollozos pequeños y ahogados de Mia. Se volvió.

—¿Mia? —Estaba conmocionado—. No quería decir... Lo siento mucho...

—¡No es eso! ¡No es que no sepa cocinar!

Las lágrimas corrían sin enjugar por sus mejillas. Él buscó un pañuelo en su bolsillo, pero aunque aquel día llevaba uno, había quedado abandonado en el suelo del salón de Liv, desperdigado con el resto de su ropa.

Le tendió un trapo de cocina y se sentó a su lado, pasándole el brazo por encima de los hombros temblorosos. Mia sollozaba.

—Pensaba... que cuando nos fuésemos de aquel lugar..., pensaba... que todo sería diferente...

—¿Cuando os fueseis de qué lugar?

—Wyatts. —Mia se secaba la cara con el trapo de cocina—. El maldito Wyatts.

Felix la miró asombrado.

—¿No te gustaba?

Las lágrimas se detuvieron. Ella lo miró.

—Vamos, Felix. Yo odiaba Wyatts. Nunca fue mi casa. Era la casa de ella. —Su voz estaba llena de rabia—. La casa de Tessa. Un santuario. Un altar para una santa —Mia se sonó la nariz con el paño de cocina y dijo, más calmada—: Lo siento, Felix. No debería decirte estas cosas a ti. Ya sé que Tessa era tu madre y que la querías muchísimo, y que su muerte fue una tragedia para ti y para Rose y Bernard... Es que... —tomó aliento—, yo podría competir con una mujer de verdad, viva. Quiero decir que no estoy mal para mi edad, ¿no? No me he abandonado. Pero no puedo competir con un fantasma.

Salía humo de la sartén; él se levantó y apagó el gas. Dijo:

—No se trata de competir con nadie.

—¿Ah, no? —Lo miró furiosa—. Pensaba que cuando llegásemos aquí todo sería diferente. Un nuevo comienzo..., una casa nueva, una segunda oportunidad. Pero no ha cambiado nada. Esta tarde he ido al estudio de Bernard y él estaba mirando sus fotos. Un álbum entero, lleno de fotos de Tessa. Y he visto la expresión que tenía en la cara... —Cerró los ojos con fuerza y susurró—: No estoy segura de poder soportar mucho tiempo más ser la segundona. Pensaba que ya estaba acostumbrada, ¿sabes? Pero duele mucho, Felix, ¡mucho!

Pensó en Liv. «Nunca me volveré a casar», había dicho. «Lo de Stefan fue sincero.» Se apartó de Mia y se puso a rascar la parte negra de la sartén en el fregadero.

—Ah, sí, aprendes formas de protegerte —dijo ya más tranquila—. Estrategias para defenderte. Para no empeñar todo tu ser. En Wyatts podía cuidar de los animales y quererlos. Aquí tengo mi trabajo. No es gran cosa, pero estoy distraída. —Bajó la voz—. Pero no es suficiente. No basta. Quizá si hubiera tenido algún hijo... —Suspiró y dijo una vez más—: Lo siento. No tendría que haberte echado todo esto encima, Felix. Además, en cuanto has entrado por la puerta. Pero es que quiero a Bernard, ¿sabes? Lo quiero mucho.

Felix le dio un abrazo y dijo:

—Y papá te adora, claro que sí. —Pero sus palabras sonaban mecánicas. Ahora notaba pesadez en el corazón.

—Ya lo sé. A su manera. Y la mayor parte del tiempo me conformo con eso.

Felix se quedó en la cocina media hora más, hablando con Mia, y luego subió a la habitación de invitados. Se echó en la cama, apoyando la cabeza en las manos, con las cortinas abiertas, mirando hacia el cielo nocturno. Se preguntaba si él, como Mia, podría contentarse con no ser amado igual que amaba. «Aprendes a protegerte –había dicho Mia–, para no empeñar todo tu ser.» Cuando sus pensamientos derivaron inevitablemente hacia Saffron, él recordó la profundidad de sus celos y el sufrimiento que acompañó a la infinita y agotadora certeza de que él nunca fue ni sería el primero para ella.

Al cabo de un rato corrió las cortinas y apagó la luz. Pero no se quedó dormido al momento, sino que permaneció echado, despierto, pensando en Liv, casi asustado por la intensa necesidad que sentía de ella.

16

El cerrojo de la verja delantera de Fernhill Grange estaba roto; Katherine no podía cerrarlo y la verja se movía lentamente hacia delante y hacia atrás con la brisa. Su sonido metálico proporcionaba un triste acompañamiento a su ascenso por el caminito.

Llamó al timbre y al cabo de unos pocos momentos oyó unos pasos. Henry Wyborne abrió la puerta.

–¿Puedo entrar? –Se obligó a mirarlo a los ojos.

–¿Hay algún motivo particular para su visita? ¿O tiene la costumbre de visitar a viudos solitarios?

–Quería hablarle de Rachel. –Sus ojos se mostraban precavidos–. ¿Puedo entrar?

Hubo un silencio. Luego él dijo:

–Tengo la sospecha de que si me niego, acampará usted en mi puerta. –Se apartó, dejándola entrar–. Tiene usted una tenacidad notable, ¿verdad? Desde niña, creo recordar. A Rachel siempre se la podía distraer, tranquilizar. –La precedió, dirigiéndose hacia el salón–. Siéntese, Katherine. ¿Una bebida?

–No, gracias. –Estaban a primera hora de la tarde. El aire de la habitación era rancio y mohoso, como si no hubieran abierto las ventanas desde hacía semanas. Henry Wyborne se sirvió una buena cantidad de whisky en un vaso de cristal tallado, mientras Katherine se sentaba en una silla. Habían pasado dos semanas desde el accidente y todavía le dolían las costillas después de hacer algún esfuerzo.

»Hector me ha dicho –empezó Katherine– que usted y Rachel estaban solos aquí la semana antes de que ella muriera.

–Sí. –Él estaba de espaldas mientras volvía a colocar el tapón de la botella–. ¿Qué importa eso?

–Así que usted sabe qué fue lo que ocurrió. Usted lo sabía, Rachel lo sabía, y nadie más.

Él suspiró.

–Ya se lo dije. No ocurrió nada.

–Rachel me llamó, ¿sabe? –Al volverse hacia Katherine, vio un relámpago atravesar su rostro. Sorpresa. Precaución.

–¿La llamó?

–El sábado. Desgraciadamente, yo había salido. Pero Liv sí que estaba. –Deseó entonces haber aceptado el ofrecimiento de una bebida–. Rachel nos llamó tanto a Liv como a mí, la mañana siguiente de volver a Bellingford. El día antes de morir. Como le he dicho, yo no respondí al teléfono, pero Liv sí. Rachel quería que Liv y yo fuésemos a verla ese día.

Vio que los nudillos de él estaban blancos.

–¿Y lo hicieron?

–No. Yo había salido y Liv estaba ocupada. –Katherine se imaginaba a Rachel, sola y asustada, en Bellingford. La culpa todavía permanecía allí, oscura y arraigada–. Rachel no le dijo a Liv qué era lo que pasaba. Lo único que le dijo es que había ocurrido algo horrible, y que no sabía qué hacer. Liv intentó convencerla de que le contara algo más, pero ella no lo hizo. Rachel insistió en que fuera a hablar con ella en persona. Estaba muy alterada, dijo Liv. Frenética..., asustada. Liv pensó que estaba llorando.

Observaba atentamente a Henry Wyborne mientras hablaba. No era capaz de interpretar su expresión. Pero de su cara había desaparecido el color, de modo que ahora parecía amarillento y viejo.

–Desde que murió Rachel esto me ha atormentado –dijo ella–. No saber qué quería contarnos.

–El bebé –dijo después de humedecerse los labios–. El bebé nació ese día. Por eso estaba asustada, supongo. El mal trago del parto...

–No era el bebé. Liv se lo preguntó a Rachel. Y no tenía nada que ver con Hector. –Levantó la vista hacia él–. Yo le he dado

406

vueltas y más vueltas, señor Wyborne, y he llegado a la conclusión de que es algo que tiene que ver con usted.

Henry Wyborne soltó una risita.

—¿Y le importaría contarme cómo ha llegado a esa extraordinaria conclusión, Katherine?

—Intentó evitar que Rachel y Hector se casaran, ¿no? Le dijo a Hector que ella decidió irse a París. Pero no era cierto, ¿no? Usted la obligó a irse.

—Es una forma de verlo, supongo.

—¿Qué otra forma hay?

—Que yo intentaba protegerla.

—¡Protegerla! —Katherine casi se echa a reír.

—Sí. Para que no hiciera algo que pudiera lamentar más tarde.

—No. Usted quería quedarse a Rachel para usted solo, ¿no?

Él entrecerró los ojos.

—¿Qué demonios está insinuando?

—Que intentó evitar el matrimonio porque no quería perderla.

—¿Qué tiene eso de malo? Yo la quería.

Katherine notó la angustia que se reflejaba en su voz, pero perseveró.

—Hay diferentes tipos de amor, ¿no?

Los ojos de él eran unas rendijas duras y oscuras que contrastaban con su pálido rostro. Ella pensó en Graham y en Stefan, y dijo:

—El amor puede ser destructivo. Para algunos hombres, amar significa propiedad..., posesión. Posesión de una mujer, en cuerpo y en alma.

Henry dio un paso hacia Katherine, y ella se encogió.

—¿Está usted sugiriendo... —hizo una pausa, hablando con voz tensa, a punto de saltar— que mi amor por mi hija era inadecuado..., que era... antinatural?

—¿No lo era?

Durante una fracción de segundo Katherine pensó que él le iba a pegar. Luego el momento pasó, al parecer, y vio que los hombros de Henry Wyborne caían.

—No —murmuró—. No, está usted muy equivocada. —Le dirigió una breve mirada—. Está usted obsesionada con el sexo, como muchos de su generación. —La comisura de su labio se movía con un pequeño tic—. ¿Cómo pudimos traerles al mundo precisamente nosotros, para quienes la procreación y el placer eran cosas tan furtivas e innombrables? Está usted muy equivocada, Katherine. Y hay otras obsesiones, ¿sabe?

No estaba segura de creerlo. Pero entonces pensó en Jordan. En el hecho de que su mujer, hijo y amante existieran solo como puros elementos periféricos de su ambición y su necesidad de poder.

—Pero ocurrió algo, ¿verdad? —susurró ella—. Algo espantoso, que hizo que Rachel abandonase Fernhill Grange temprano. Tengo razón, ¿no?

Katherine sabía, al mirarlo, que había tocado un punto sensible. Siguió, implacable.

—Debe usted decirme la verdad, señor Wyborne. Por Hector. ¿Tiene idea de lo culpable que se siente todavía?

—Dios mío, ¡culpable! —su tono era feroz—. ¿Por qué cree que le entregué la niña? ¿Por qué cree que lo hice?

—Pues no lo sé. No había pensado...

—Para empezar a hacer las cosas bien, por supuesto. —Henry Wyborne cerró los ojos—. Aunque nunca se puede enmendar el pasado. Piensas que estás a salvo y de repente... —La miró—. Usted no tiene ni idea de lo que le estoy hablando, ¿verdad, Katherine? Su generación comprende muy poco las experiencias de la mía. ¿Qué saben ustedes, que no han vivido una guerra, lo que es el amor o la pérdida?

—He leído sobre el tema —vaciló Katherine—. Supongo que debió de ser espantoso..., los bombardeos, la batalla de Inglaterra... Todo eso. —Aun a sus propios oídos, sus palabras balbucientes sonaban ingenuas e infantiles—. Pero no veo qué tiene que ver todo eso con Rachel.

—Pues claro que no lo ve. ¿Por qué iba a verlo? —Estaba junto a la ventana y miraba hacia fuera, al jardín abandonado. Hubo un largo silencio. Luego dijo, tan bajo que ella tuvo que esforzarse por oírlo–: Pero eso no importa, ¿no? Nada importa, porque no tengo nada que perder ya. –Se dio la vuelta y se enfrentó a ella cara a cara. Entonces dijo–: Rachel estaba alterada, Katherine, porque acababa de conocer a mi mujer. –La ira había desaparecido de su voz, que reflejaba un enorme cansancio.

–¿Su mujer? –Entonces fue ella quien se lo quedó mirando–. Pero su mujer era Diana.

Henry Wyborne negó con la cabeza.

–No. Ese es el problema, ¿sabe? Que no lo era.

Al cabo de un momento ella se levantó y fue al aparador y se sirvió una bebida. Le oyó decir:

–Vaya por Dios, Katherine, ¿he conseguido hacerla callar? Qué hazaña.

Ella se volvió a sentar y bebió un sorbito de whisky.

–Diana era su mujer.

–Diana creía que era mi mujer. Igual que Rachel, claro, también lo creía. Pero no lo era, me temo. –Su mirada descansó en Katherine–. Usted me ha recordado que yo intenté evitar que Rachel se casara con Hector. Y tiene razón, eso fue lo que hice. Pero no porque, como usted ha expresado con tanta delicadeza, yo quisiera conservar a Rachel para mí. No, sencillamente quería evitar que Rachel cometiera el mismo error que yo.

–¿Qué error? –susurró Katherine.

–Rachel tenía solo dieciocho años cuando conoció a Hector. Demasiado joven para saber lo que quería, creía yo. Después de todo, yo tenía solo veinte cuando estuve en Francia. Y veintiuno cuando me casé.

Intentó hacer el cálculo. Los números se le resistían. Él dijo bajito:

–Me casé con Lucie Rolland el 10 de mayo del cuarenta.

Katherine se lo quedó mirando, muda. El señor Wyborne le dirigió una sonrisa amarga.

–¿Quiere que satisfaga su curiosidad, Katherine? ¿Quiere que le hable de Lucie? La conocí la primavera de aquel año.

—La guerra...

—Llevaba varios meses destinado en Francia con la Fuerza Expedicionaria Británica. No había gran cosa que hacer... La llamaban la «guerra de broma». Muchos de los otros chicos se hicieron muy amigos de las chicas francesas..., algo que hacer, aparte de andar por ahí perdiendo el tiempo. Pero yo no. Yo era demasiado joven, supongo, hacía solo un año que había salido del colegio. No tenía hermanas... ni mucha experiencia con chicas en general, de hecho. Conocí a Lucie un día que volvía al campamento en bicicleta. Ella estaba sentada en la cuneta, junto a la carretera. Se le había roto el cordón del zapato. —Los ojos de Henry Wyborne tenían un aspecto extraviado, y a Katherine le pareció que miraba hacia atrás, al pasado—. No llevaba medias. Tenía unos pies tan preciosos... Pequeños y esbeltos. Era la primera vez que sentía algo así por una mujer. Una mujer de verdad, quiero decir, no una estrella de cine ni una chica de anuncio.

Sacó su pitillera del bolsillo interior y le ofreció un cigarrillo a Katherine. Ella meneó la cabeza. Él siguió hablando:

—Bueno, el caso es que me dijo que se llamaba Lucie Rolland y que vivía con su madre viuda en una granja junto a Servins. Ella no sabía inglés y mi francés era de colegial, pero eso no parecía importar. A mí siempre me había costado mucho hablar con las chicas, parece que nunca se me ocurría nada que decirles, pero con Lucie era fácil, no sé por qué. —Sonó el chasquido de su encendedor—. En fin, que decidimos vernos la noche siguiente. Y la siguiente. Yo no podía pensar en nada más que en Lucie. Allí estaba, metido en el rincón más aburrido de toda Francia, a kilómetros de casa, comprometido en una guerra que no era ni siquiera una guerra de verdad, y era más feliz de lo que había sido en toda mi vida.

—¿Se enamoró de ella?

Él exhaló una nube de humo azul.

—Estaba muy enamorado de ella. Y la deseaba, Dios mío, cómo la deseaba. Pero ella era una buena chica católica, y las buenas chicas católicas, en aquella época, no solían meterse en la cama con hombres con los que no estuvieran casadas. De modo –hizo una pausa– que le pedí que se casara conmigo.

Ella parpadeó.

–¿Y aceptó?

–Señaló, muy sensatamente, que éramos jóvenes y de nacionalidades distintas, y de distintas religiones.

Katherine se esforzó por imaginarse a Henry Wyborne a los veintiún años. Joven e inexperto en una tierra extranjera. Enamorado por primera vez.

–¿Sabían sus padres algo de Lucie?

–No. Pero yo tenía muchas ideas. Grandes planes. –Sus palabras eran contundentes, sarcásticas–. Después de ganar la guerra, y yo contemplaba un enfrentamiento breve y glorioso en el cual yo acabaría distinguiéndome, claro está, me llevaría a Lucie a Inglaterra. Se la presentaría a mis padres, mis orgullosos, mojigatos y empobrecidos padres, y ellos se enamorarían de ella igual que me había pasado a mí. Verían lo hermosa, sencilla y encantadora que era, y no importaría un pimiento que ella fuese católica romana y que hubiese nacido judía, que fuese extranjera, que fuera una campesina, de hecho. –Se notaba el rencor en su voz–. Bueno, eso era lo que me decía a mí mismo, al menos. El optimismo o más bien la estupidez de la juventud...

Se quedó un rato callado, fumando y bebiendo, y luego dijo:

–Pero las cosas no salieron tal y como yo había planeado. La historia no tiende a salir nunca según un plan, ¿verdad? En mayo, Hitler invadió Holanda y de repente ya no era una guerra de broma. Era una guerra de verdad. Y enmedio de todo aquello, mi principal preocupación no era mi país, ni mi regimiento, ni el destino de todos aquellos pobres tipos que se encontraron atrapados enmedio de una guerra, sino Lucie. Nos dieron órdenes de marchar. Una vez más le pedí que se casara conmigo. Le dije que no sabía cuándo nos podríamos volver a ver.

–Y esa vez... –susurró Katherine.

–Dijo que sí. Y encontró a un sacerdote dispuesto. –Henry Wyborne sonrió–. Supongo que pensó que si se negaba a casarnos,

411

sencillamente, prescindiríamos de la ceremonia. −Miró con intensidad a Katherine−. No fui el único, ¿sabe? Hubo otros. Un hombre se llevó a su esposa francesa a Inglaterra a través de Dunquerque... La vistió con el uniforme de combate, la pasó de contrabando en un barco. −Apagó su cigarrillo−. Bueno, pues nos casamos. Marido y mujer. Un amigo mío llamado Roger Bailey fue el padrino y la madre de Lucie la asistió a ella. Y luego, al día siguiente, nos dijimos adiós y yo me fui a Bélgica con el resto de la Fuerza Expedicionaria. −Miró a Katherine−. Debe comprender que yo no contemplaba la posibilidad de sufrir una derrota. En lo que a mi concernía, todo iba a ser fácil. Nos dirigíamos hacia el río Dyle, donde yo suponía que derrotaríamos a los alemanes. Entonces, pensé, volvería a Arras, recogería a Lucie y la llevaría a Inglaterra conmigo, triunfante. −Soltó una risa agria−. Recuerdo que incluso pensé que a mis padres les parecería todo bien, si volvía a casa convertido en un héroe. Que me perdonarían lo otro. Pero no salió así, claro. La campaña fue un desastre. Ni el ejército francés ni el nuestro estaban preparados para lo que se les echó encima. La maldita línea Maginot, en la que tanta fe habíamos puesto, resultó inútil por completo, y los generales franceses se peleaban entre ellos. De modo que no nos quedó otra opción que la retirada.

−¿Y Lucie? −preguntó Katherine.

Él la miró rápidamente.

−Volví a buscarla. Roger y yo... volvimos a por ella. Pero había desaparecido.

−¿Desaparecido? −Le brillaban los ojos.

−La granja de los Rolland estaba desierta.

−¿Adónde? ¿Adónde había ido?

−No lo sé. Supongo que al sur. Todo el mundo se iba al sur. Las carreteras iban llenas..., llenas de refugiados de Holanda, Bélgica y Francia. Iban a pie, en coches, con su ganado. Recuerdo a un viejo que llevaba a su mujer inválida en un cochecito de bebé... Recuerdo las caritas de los niños apretadas contra la ventanilla de los coches..., ponían los colchones encima de los coches porque pensaban que les protegerían de las bombas. −Una sola lágrima brilló como un diamante en el hueco que tenía bajo el ojo−. Entonces fue cuando empecé a hacerme mayor −continuó, furioso−. Fue cuando me di cuenta de que todo aquello era real. Cuando empecé a comprender que, comparado con todo aquello, yo no era nada, y Lucie tampoco era nada. Cuando ves a pueblos enteros huyendo para salvar la vida...

Ella tuvo que apartar la vista, incapaz de soportar la expresión de sus ojos. Al cabo de un rato, más calmado, continuó:

−Roger y yo buscamos a Lucie, claro está. La buscamos por todas partes, preguntamos en cafés y tiendas en Arras y Servins... pero sin resultado. Entonces Roger señaló que quizá ella me estuviera buscando. De modo que volvimos por donde habíamos venido e intentamos unirnos a nuestro regimiento. Pero eso tampoco lo conseguimos. Se desperdigaron a los cuatro vientos, aquí y allá. Cada uno por su cuenta y riesgo. De modo que seguimos como pudimos y acabamos en Dunquerque con el resto de la unidad.

−¿Y Lucie? −volvió a preguntar Katherine.

−Ni rastro. Al principio preguntamos por todas partes, pero al cabo de un tiempo... −Su voz se desvaneció. Entonces la miró desafiante, y dijo−: Al final, lo único que quieres es seguir vivo. Y volver a casa. Lo demás deja de tener importancia. −Agarrado entre sus dedos, el cigarrillo se había consumido casi hasta el filtro−. Y cuando vi la playa −añadió, más bajo−, cuando vi Dunquerque..., las colas de hombres que se dirigían hacia el mar, los bombarderos, los barcos hundidos... Dios mío, nada en mi vida me había preparado para aquello. Nada. ¿Cómo me podían haber preparado para aquello en casa, en mi colegio, con todas las idioteces de una educación inglesa de clase media? Era el infierno, pensé. Como una pintura medieval del infierno.

Se quedó callado de nuevo. Katherine recordó sus palabras: «Su generación comprende muy poco las experiencias de la mía».

Al final, él dijo:

—Me fui. Me recogió un vapor del canal el último día. Roger no sobrevivió. Un Stuka disparó y le dio mientras esperábamos en la playa.

—Lo siento —dijo Katherine en voz baja.

—En fin, el caso es que volví. Y después de Dunquerque todo fue distinto. Pocas ilusiones, ¿sabe? Y Hitler justo al otro lado del canal, provocándonos sin parar. Pero yo todavía no lo había entendido del todo. Si me hubieran dicho..., si me hubieran dicho que pasarían más de cuatro años hasta que Francia pudiera ser libre de nuevo, nunca lo habría creído. Y en cuanto a Lucie —su cara se nubló—, bueno, el primer permiso que tuve fui a ver a mis padres. Intenté contárselo, de verdad. Pero no podía hacerlo. Los periódicos estaban llenos de noticias sobre la caída de Francia y mi padre despotricaba y decía que los franceses eran una pandilla de inútiles, que habían dejado que los alemanes entrasen tranquilamente en su país dos veces, esperando que nosotros les sacásemos las castañas del fuego, tonterías de ese estilo. Me dije que esperaría a que se calmase un poco, a que hubiese un momento mejor. Y cuanto más esperaba, más difícil se volvía todo. Y entonces... —Su voz se quebró.

Katherine apuntó, con suavidad:

—¿Y entonces...?

—Y entonces conocí a Diana. Diana Marlowe, se llamaba entonces. Fue en un club en el West End, durante un bombardeo. —Él extendió las manos en un gesto de impotencia y de reconocimiento—. Y en cuanto conocí a Diana, ya no volví a pensar más en Lucie.

—Oh... —exclamó Katherine en un susurro.

—Aquella primera noche, cayó una bomba en el edificio de al lado. El impacto hizo que se resquebrajara el techo del club. Muchas de las chicas se pusieron a chillar y a armar escándalo, pero Diana no. Estábamos bailando justo en ese momento y ella se echó a reír y se quitó el yeso que le había caído en la nariz y dijo: «Qué bien, casi me había quedado sin polvos». Yo pensé que era una chica estupenda, capaz de hacer una broma en un momento así. —Miró orgullosamente a Katherine—. Supongo que Diana era una de esas que dan tanta risa a los de su generación. Una chica de confianza. Una buena chica.

Katherine dijo, con toda sinceridad:

—A mí siempre me gustó mucho Diana. Era una persona muy feliz, ¿verdad? Siempre pensé que Rachel era muy afortunada por tener a Diana como madre.

Henry inclinó la cabeza entonces, mordiéndose el labio. Cuando volvió a hablar, su voz se había oscurecido.

—Ella me quitaba la respiración. La gente dice esa frase, pero no la dice en serio. Es simplemente una frase hecha. Pero a mí me ocurría. La veía y se me quedaba el aliento congelado en la garganta. —Cuando se volvió a mirarla, Katherine vio las lágrimas en sus ojos—. No debe pensar que fue por ambición o por poder. Fue por amor.

Las lágrimas se agolpaban en los ojos de Katherine.

—¿Le habló de Lucie a Diana?

—No. Nunca. Al principio porque me habría parecido... —hizo una pausa— impropio. Una interrupción de algo que era casi perfecto. Y luego, a medida que pasaba el tiempo, no podía soportar contárselo a Diana; sencillamente, no podía. Sabía lo que pasaría si lo hacía, lo decepcionada que se sentiría. Ella era una persona muy honrada y directa, como ya sabrá. Así que cada día que pasaba me resultaba más difícil, el engaño se hacía mayor. Cada día que pasaba, mi secreto, mi silencio, se volvían más profundos. —Los ojos de Henry mostraban angustia—. Y luego empecé a pensar... —Se detuvo, pero al cabo de un rato pareció recuperarse. Miró a Katherine—. Empecé a pensar que quizá no tuviera que contárselo.

—¿Qué quiere decir?

—Que quizá Lucie no sobreviviera a la guerra.

—Oh... —Volvió a decir ella.

—Lucie era de origen judío —siguió Henry Wyborne con tristeza—, como ya le he dicho. Católica conversa. A medida que la guerra seguía su curso, resultó obvio que, como judía en una Europa ocupada, sus oportunidades de supervivencia eran pocas.

De modo que me dije a mí mismo: ¿por qué preocupar a Diana hablándole de un matrimonio que quizá no exista ya? ¿Por qué no esperar hasta el final de la guerra y entonces averiguar si Lucie está viva o muerta?

—¿Y lo hizo?

—Yo iba con el Tercer Ejército el día D. Tuve una oportunidad aquel mismo año, después de la liberación de París, y volvimos después de tantos años al norte de Francia. No quedaba prácticamente nada de la granja de los Rolland: se quemó en algún momento de la guerra. Pero hice algunas averiguaciones. Alguien me dijo que se llevaron a Lucie y su madre de su casa y las enviaron a Alemania. —La miró—. A un campo de concentración.

Las duras palabras hicieron eco en el lujoso salón de los Wyborne. Katherine oyó decir a Henry Wyborne en un tono más bajo:

—Y lo más terrible es que entonces empecé a tener esperanzas.

—¿Esperanzas?

—Sí, que Dios me perdone. Esperanzas de que hubiese muerto. De que la historia me hubiese dado una vía de escape fácil de un matrimonio que fue solo una molestia; no, peor, un secreto culpable, algo que llegué a lamentar profundamente. Si Lucie estaba muerta, yo podría casarme con Diana, que a ojos de mis padres sería una novia infinitamente más adecuada para su hijo único que la pobre Lucie. Porque —una vez más, Henry Wyborne sonrió con su inquietante sonrisa—, aunque mi familia tenía el linaje, la de Diana tenía el linaje y también el dinero.

—Mientras que Lucie no tenía ninguna de las dos cosas.

—Exactamente. El matrimonio con Diana me daría un enorme empujón para subir en la escala social. En cambio, reconocer mi matrimonio con Lucie no podía hacerme más que daño. —Frunció el ceño—. Recuerdo que me desprecié a mí mismo un tiempo, al menos, por alegrarme del sufrimiento de otra persona. Pero aprendí a racionalizarlo. Me dije que no era la posibilidad de la muerte de Lucie lo que me complacía, sino poder casarme con la mujer que amaba. Y me dije a mí mismo que el matrimonio con Lucie seguramente ni siquiera fuera legal. Que fue algo muy precipitado, una aberración juvenil y que yo solo tenía veintiún años, y que ni siquiera tenía el consentimiento de mis padres ni de mi oficial al mando. Y cuando, después del fin de la guerra, hice más averiguaciones, bastante vagas, tengo que admitirlo, y seguí sin encontrar ni rastro de Lucie, me dije que ya lo había intentado y que hice todo lo posible, y que a partir de entonces lo más honorable sería casarme con la mujer que llevaba amándome más de cinco años. −Sus labios se curvaron−. Cómo nos engañamos a nosotros mismos, Katherine. Cómo retorcemos la moralidad para que se adapte a nuestra propia conveniencia.

«No puedo ir al hospital contigo, Katherine. Lo entiendes, ¿verdad?» Ella tuvo que apartar la vista.

−¿Así que se casó usted con Diana?

−Sí. Una boda de sociedad, en lo posible, dada la época. Una boda de sociedad bígama.

Katherine tembló.

−¿Lucie estaba viva todavía?

−Sí.

−¿Cuándo lo averiguó?

La expresión de sus ojos se alteró, apartándola.

−Ah, no lo supe hasta al cabo de los años. Muchos, muchos años. −Se quedó callado un rato y luego pareció espabilar−. ¿Otra copa?

La botella estaba casi vacía. Ella dijo:

−Prepararé un poco de té.

Él sonrió.

−Claro. Una chica inteligente. Es la cura para todos los males, ¿verdad?, una buena taza de té.

Katherine fue a la cocina. La vajilla sucia cubría todas las superficies, y la tetera contenía un té ya frío. La lavó y buscó en los armarios un paquete de té. Al poner a hervir la tetera y echar el azúcar le temblaban las manos, y le dolían las costillas astilladas, en la zona del corazón.

Llevó las tazas al salón.

−No hay leche, así que he tenido que poner limón −dijo−. Espero que esté bien.

La mirada de él se dirigió a la sucia habitación.

—Debería limpiar un poco... No hace honor al recuerdo de Diana este sitio, ¿verdad? —Removió su té—. La familia de Diana nos ayudó a comprar Fernhill Grange —dijo él—. El padre de Diana me ayudó en mi carrera política..., tenía mucha influencia dentro del partido. Cuando nació Rachel, yo pensé que tenía todo lo que quería. A Diana le habría gustado tener más hijos, pero no llegaron. No me importó... Para mí, Rachel era perfecta. —Dejó la taza y el platillo en el alféizar de la ventana y encendió otro cigarrillo—. Empecé a creer —dijo— que era yo quien me había labrado mi buena suerte. Que me la merecía. Mi familia..., mi hogar..., mi carrera... —Miró a Katherine—. Sé que todo eso ahora parece una locura. La muerte de Rachel me lo enseñó.

—¿Y Lucie? —murmuró Katherine.

Henry Wyborne cerró los ojos un momento.

—Vino aquí —dijo desesperado—. Aquella semana. Sencillamente... apareció, cuando Rachel estaba alojándose aquí, recogiendo cosas de bebé. Yo había ido al garaje a buscar el coche, porque le estaban haciendo una revisión. Rachel descansaba en el jardín. Lucie se dirigió a ella, le dijo que estaba buscando a alguien. Recuerde que Rachel hablaba francés muy bien. Se presentó a Lucie como la señora Seton. Lucie le dijo a Rachel que buscaba a su marido. A Henry Wyborne.

Apretó con fuerza los párpados. Ella pensó que no iba a decir nada más, pero entonces susurró:

—Sea cual sea la culpa que sienta Hector, no es nada comparada con la mía. Desde aquel día, no he conocido un momento libre de remordimientos. Ni un solo momento.

Más tarde, cuando se disponía a salir de la casa, el señor Wyborne le preguntó:

—¿Qué va a hacer ahora?

—¿Hacer? —Katherine lo miró sin comprender. Ansiaba salir de allí, respirar el aire fresco, limpio.

—Podría vender esta historia a los periódicos. Una exclusiva, ¿no? Ella meneó la cabeza.

—No pienso hacer tal cosa. Le prometo que no lo haré. Pero tiene que contárselo todo a Hector. Se merece saber lo que ocurrió. —Ella vio que él inclinaba la cabeza, como si asintiera—. ¿Y usted, señor Wyborne? ¿Qué va a hacer?

—Ah, nada, dimitir de mi escaño, por supuesto. E intentar buscar a Lucie. —Sonrió débilmente—. Intentar arreglar las cosas, dentro de lo posible. Procurar que esté cómoda en la vejez, al menos. —Se quedó callado un momento, y luego dijo—: Cuando murió Rachel, pensé que Dios me estaba castigando. ¿Cree usted que es así, Katherine?

Ella pensó en Philip. Pensó en Lucie Rolland, a la que secuestraron en su país, estuvo prisionera y sufrió en un país extranjero.

—Creo —dijo lentamente— que un Dios que hace daño a la gente para castigar a otra gente no es un Dios que valga la pena. Pero, en realidad, lo que creo es que esas cosas son casuales. Sencillamente, ocurren. —Le ofreció la mano—. Adiós, señor Wyborne.

Felix no volvió a Samphire Cottage después de pasar el fin de semana con su familia y Liv se dijo a sí misma que su padre quizá lo necesitase en Norwich. A medida que pasaban los días y él no le escribía, pensó que quizá estuviese esperando a que ella lo telefonease... Después de todo, él tenía teléfono pero ella no. Llamó a su piso el lunes por la noche, y luego el martes, pero no respondieron. Recordó que le había dicho que iba a Bath. Enviaría una postal. Los días pasaron. No llegó ninguna postal.

Recordó que fue ella quien hizo el primer movimiento, no Felix. Le pasó los dedos por el pelo, apretó los labios contra su nuca... Sus dudas alteraron el aspecto de sus días, arrojando una sombra sobre ellos. Después de todo se había equivocado antes con Felix. En Londres, hacía años, pensó que él la quería, y luego descubrió que amaba a Katherine. Recordó la noche que los vio juntos. El asunto duró poco, presumiblemente. Se le ocurrió que ella misma no había cambiado tanto como creía.

A pesar de todo lo que le había ocurrido –dos hijas, un matrimonio desastroso, los años de supervivencia por sí sola–, debajo de todo aquello se encontraba todavía la misma ingenua y romántica Liv. Al parecer no había cambiado con los tiempos. Todavía buscaba el amor, el amor duradero, en una época en que la mayoría parecía contentarse con el sexo.

Ella bebió demasiado y se le echó encima, y él –el amable y servicial Felix– no tuvo corazón para rechazarla. Sintió pena de ella: la madre soltera hambrienta de sexo, la solitaria exesposa. Lo mejor que podía hacer, concluyó con abatimiento, era fingir que no había ocurrido nada. No debía haber situaciones violentas, ni recriminaciones. Su estupidez no debía amenazar el negocio que estaban montando juntos. Cuando llamó a Felix el viernes por la noche, él estaba en casa. Ella fue directa al grano. La señora Maynard se había ofrecido a alquilarles el granero. Fue el mismo Felix el que sugirió que buscasen un nuevo local, y dado que estaba bastante cerca de Samphire Cottage, el granero podía ser la solución perfecta. Si él lo deseaba, podía venir en coche y hacer una visita rápida... Ella estaba ocupada y no podía perder mucho tiempo. Cuando colgó el teléfono se sintió complacida consigo misma. Le había dejado claro, pensó, que él no tenía ninguna obligación con ella. Que lo que había ocurrido no tenía importancia, que su relación podía continuar como antes, amistosa y práctica.

Y, sin embargo, al volver andando desde la cabina telefónica a la casita, se sentía particularmente deprimida. Todas las señales de la primavera que veía a su alrededor, los capullos en los arbustos de espino, las mariposas limoneras como retales de seda amarilla, justo en aquel momento, no conseguían desprender su habitual optimismo. Una semana antes, solo una semana antes, se sentía feliz. El amor obró su milagro, transformándolo todo. Lo vulgar le parecía brillante y lleno de promesas. Intentó sacudirse el abatimiento, estrechar las manos de las niñas entre las suyas y correr por el camino, pero aun así, persistía.

Encontró a Felix en la granja al día siguiente, al mediodía. Dejaron a las niñas con la señora Maynard y fueron a ver el granero. Era un edificio enorme y viejo con tejado de cimbras. La linterna de Felix iluminó las vigas arqueadas del techo.

—Parece una catedral.

—A lo mejor es demasiado grande —dijo Liv, indecisa.

—Mejor así que demasiado pequeño, si no tendríamos que buscar otra cosa dentro de seis meses. —Paseó la luz de la linterna por el perímetro del suelo.

—¿Qué buscas?

—Humedad. Está muy bajo. El río no está lejos. Pero parece seco.

Liv se abrazó a sí misma.

—Hace frío.

—Será muy difícil de calentar, eso ya me lo imagino. En verano estará bien, pero en lo más crudo del invierno, hará un frío horroroso.

—Podemos usar calefactores de petróleo.

—Es muy caro... Pero tendremos que arreglarnos, supongo. Tomaré algunas medidas para ver cómo podemos aprovechar de la mejor manera todo el espacio.

Parecía que él ya se había decidido, pensó ella.

—¿Crees que deberíamos alquilarlo entonces, Felix?

—Claro.

—Pensaba que solo estábamos mirando...

—¿Ah, sí?

—No creía que nos decidiéramos hoy mismo —dijo Liv, de mal humor.

—No tiene sentido prolongarlo. —Felix la miró—. A menos que tengas alguna duda.

—¿Dudas?

—Es barato y es conveniente. Un precio muy bueno por metro cuadrado. ¿Cuál es el problema?

Ni siquiera lo había hablado con ella. Qué arrogante, pensó, furiosa. Es tan típico de los hombres, tomar las decisiones importantes a marchas forzadas. Ella dijo:

—Es que es un compromiso importante.

—Y no eres favorable a los compromisos, ¿verdad, Liv?

Apenas oyó las palabras, dichas en voz muy baja.

—¿Qué has dicho? —Pero él ya se había apartado. Quería sacudirlo—. Felix ¿qué has dicho?

—Si no estás dispuesta..., si te estás arrepintiendo de lo del negocio, por el amor de Dios, dilo ahora, antes de que nos metamos demasiado.

—Yo no he dicho que me arrepintiera.

—¿Ah, no? —Al final su mirada se encontró con la de Liv—. Pero te estás negando a todo desde que he llegado, ¿no?

—Yo pensaba —susurró ella— que hablábamos del granero.

—Entre otras cosas. —Los ojos de Felix eran tan helados y duros como el ónix.

Liv apretó los puños.

—Eres tú el que se está arrepintiendo, Felix, no yo. Y en cuanto a lo de no acabar de decidirse... —Pensó en Katherine—. Bueno, tú tampoco es que seas «coherente», precisamente, ¿no? Dices una cosa y haces otra..., nunca sé dónde estoy contigo. —Le enfurecía notar que las lágrimas se agolpaban en sus ojos—. Supongo que es culpa mía... Supongo que siempre pienso que esas cosas tienen que significar algo... Supongo que nunca se me han dado demasiado bien los hombres... —Su voz vaciló, se volvió y salió precipitadamente del granero.

No volvió a la granja, sino que se dirigió hacia los campos, hacia la carretera que conducía a Samphire Cottage. Necesitaba estar sola. Sabía que se había engañado a sí misma, diciéndose que ella y Felix podían recuperar su antigua amistad. No se puede recuperar el pasado; aunque fuera brevemente, habían sido amantes, y eso lo alteraba todo. Se preguntó si con el tiempo las cosas serían más fáciles, y pensó que probablemente no.

Caminando por la carretera hacia la casita vio un coche desconocido. Y luego a la mujer que estaba en su interior. Le costó un momento, parpadeando para apartar las lágrimas, darse cuenta de que la mujer era Katherine.

Katherine salió del coche.

—¿Estás bien, Liv?

—Bien, estoy bien.

Katherine llevaba vaqueros y una blusa de aire campesino color café. Llevaba el pelo color albaricoque cortado al estilo paje, rozándole los hombros. Se quitó las gafas de sol.

—Sé que han pasado siglos, Liv, pero tengo que hablar contigo. Toby me ha dicho dónde encontrarte.

Era difícil pensar en algo que deseara menos que una conversación con Katherine. Le dolían los ojos. Pero dijo, de mala gana:

—Ven, vamos adentro. Aunque no tenemos mucho tiempo. Las niñas...

—Freya y Georgie. —Katherine sonrió—. ¿Cómo están? Freya debe de tener cinco..., no, seis.

—Y Georgie cuatro.

Dentro, Katherine miró la cocina.

—Qué bonita. Siempre se te dio bien el rollo campestre y rural, ¿verdad, Liv? —Hundió la cara en el jarrón de rosas silvestres que estaba enmedio de la mesa. Luego dijo—: Toby me ha dicho que Felix y tú tenéis negocios juntos.

—Por el momento.

—¿No es una situación permanente?

—No lo sé. No lo hemos decidido. —En cuanto Katherine se fuera, pensó, iría a buscar a Felix y le explicaría que la cosa no iba a funcionar. Era imposible fingir que lo ocurrido entre ellos no tenía importancia para ella. Sería muy duro, al principio, sobrevivir sola, sin los ingresos del negocio, pero ya se las arreglaría. Se las había arreglado antes.

Sin embargo, la idea de no volver a verlo hacía que se sintiera completamente desamparada. Quería echarse en la cama, quitarse los zapatos y llorar, como hacía Freya cuando se sentía triste.

—Quería hablarte de Rachel —dijo Katherine, de repente—. He hablado con su padre.

No sabía de qué le estaba hablando Katherine.

—¿Crees que podría hacer un poco de café o algo? Es que ha sido un viaje muy largo y estoy intentando dejar de fumar. —Sus dedos largos y pálidos doblaban y desdoblaban los pliegues de su blusa. Por primera vez a Liv se le ocurrió que Katherine también encontraba difícil aquella conversación–. No estaba segura de si debía venir aquí y molestarte cuando llevamos tanto tiempo sin hablar, pero Hector me ha dicho que debía hacerlo y...

–¿El Hector de Rachel?

–Somos amigos desde hace años.

–¿Hector? ¿Amigo tuyo?

–Sí. Un amigo. No creerás que pueda ser algo más para mí, ¿no, Liv? Hector todavía está enamorado de Rachel. Hector siempre estará enamorado de Rachel. Por eso fui a ver al señor Wyborne. Por Hector. Quería saber qué pasó. Aquel fin de semana en que ella murió, quiero decir. Pensaba que podía ayudar.

Parecía que hacía muchísimo tiempo, pensó Liv, desde el día que ella miró por una ventana y vio a Stefan acercándose a ella. Sin embargo, todavía recordaba aquel momento maravilloso, y cómo la voz suplicante de Rachel dejó de importar, de repente.

Puso la tetera en el hornillo. Notaba las manos torpes mientras ponía el café en las tazas. Oyó decir a Katherine:

–Rachel había averiguado que Henry y Diana no estaban casados en realidad, ¿sabes?

El azúcar se desparramó por la superficie de trabajo. Conmocionada, ella se quedó mirando a Katherine.

–¿Vivían juntos?

–Bueno, en cierto sentido.

–No es tan terrible. Mi madre vive con Richard.

–No era así la cosa. Se casaron, pero era un matrimonio bígamo.

Ella se dio la vuelta con la cucharilla en la mano.

–¡Dios mío!

–Henry Wyborne estuvo casado antes, en el año cuarenta. Pensaba que su mujer, su primera mujer, había fallecido, pero no era así. –Katherine se retorcía los dedos–. Me muero por un cigarrillo... –Miró a Liv–. ¿Tú no...?

–No.

–Ay, Liv. Siempre eres tan buena... Siempre haces que me sienta como una fulana.

Ella se dio cuenta de que, por un momento, se había olvidado de Felix. Puso la taza de café frente a Katherine.

–Cuéntame –dijo–. Cuéntamelo todo.

Katherine le habló a Liv del día en que Henry Wyborne conoció a Lucie Rolland, sentada al borde de la carretera, con el cordón del zapato roto en la mano. Su aventura amorosa y su precipitado matrimonio, y el escape de Henry Wyborne de Dunquerque sin su nueva esposa. Y la noche que conoció a Diana Marlowe en un club de Londres, cuando ellos bailaban y las bombas caían a su alrededor. Y los intentos de Henry después de la guerra de averiguar lo que le había ocurrido a Lucie. Su creencia de que había muerto en Alemania y su matrimonio con Diana. La reaparición de Lucie más de veinte años después, en Fernhill Grange.

Lucie se presentó ante Rachel como la esposa de Henry Wyborne.

–Al principio Rachel no la creyó –dijo Katherine–, pero luego, cuando Lucie le contó lo del matrimonio y la guerra, Rachel empezó a aceptar que estaba diciendo la verdad. Siempre había sabido que su padre escapó de Dunquerque. Luego apareció Henry. Rachel estaba muy alterada, por supuesto. Cuando hablé con él, el señor Wyborne me habló de una manera bastante vaga de lo que ocurrió entonces, pero yo creo que lo que pasó fue esto: al principio él se mostró horrorizado, claro, de que su secreto se hubiese descubierto después de tantos años, pero luego me imagino que el instinto de supervivencia entró en juego. Metió a Lucie en otra habitación y habló con ella a solas. Luego volvió con Rachel. Al principio intentó negar a Lucie, asegurando que no decía la verdad, que era una loca, pero al final, cuando vio que la cosa no iba bien, cambió de táctica e intentó justificarse. –Katherine calló un momento y luego dijo–: Me dijo que no se había dado cuenta de que Rachel pudiera ser tan implacable. De que todo con ella era blanco o negro. Pero recuerdo que yo también era así, por aquel entonces. Veía que los mayores lo convertían todo en un lío y no quería ser como ellos. Pensaba que las cosas estaban bien o mal, y que no había nada enmedio.

—¿Se pelearon?

—Por primera y única vez. Rachel quería hacerlo todo como es debido, que se reconociera a Lucie y se le otorgara una pensión, algo así. Pero, claro, Henry no quería nada semejante. De modo que señaló a Rachel lo que significaría todo aquello para Diana, si la verdad salía a la luz. Lo espantoso que sería.

—¡Oh!

—Exacto. Y entonces fue a servirse una bebida o algo, y a continuación oyó que arrancaba el coche, y vio a Rachel salir por el camino. —Katherine frunció el ceño—. Creo que al principio tuvo la sensación de que él había hecho lo correcto. Que había mantenido el statu quo. Pensó que Rachel acabaría por calmarse, que vería las cosas como él, que se olvidaría de todo. De modo que le dio algo de dinero a Lucie y la mandó de nuevo a Francia. Y pensó que eso era todo, o lo esperó, al menos.

—Y al día siguiente Rachel nos llamó.

—Sí. Bueno, ya te puedes imaginar lo que pasaba por su cabeza. Todo, absolutamente todo lo que poseían los Wyborne dependía del matrimonio de sus padres. La preciosa casa, los criados, las vacaciones en el extranjero, su colegio privado, su ropa, sus lecciones de equitación, incluso la propia legitimidad de Rachel, toda esa mierda. Y Bellingford también. Henry le dio dinero a Rachel cuando se casó con Hector para que pudieran arreglar Bellingford. Creo que Rachel debió de tener la sensación de que todo lo que tenía, todo lo que era, dependía de una mentira. Vio que Lucie Rolland era pobre, estaba enferma y quizá un poco desequilibrada, y comparó la vida de Lucie con la suya propia. Y quizá Rachel empezó a pensar que todo lo que era suyo tenía que haber sido de Lucie. —Katherine levantó la vista—. Creo que por eso nos llamó, porque quería hablar con nosotras. Creo que se enfrentaba a una decisión imposible. La bigamia es un delito, al fin y al cabo. Debió de pensar que podía decir la verdad y arruinar la vida de su madre, y también la de su padre, o bien callar y vivir sabiendo que todo lo que tenía se había conseguido mediante el engaño.

La voz de Rachel resonó en sus oídos: «Tienes que venir, Liv. Te necesito. No sé qué hacer».

—Pobre Rachel —susurró Liv.

—Supongo que decidió hablar con nosotras porque no estábamos implicadas —siguió Katherine—. Hector sí que lo estaba, de alguna manera, a causa del dinero y de la casa. Ella no podía decidirse sola, y no tenía hermanos o hermanas con los que hablar, así que nos llamó a nosotras.

—Hermanas de sangre —dijo Liv, en voz baja.

—Sí. Y al final, claro, no tuvo que tomar ninguna decisión. Se puso de parto y luego... —La voz de Katherine se apagó—. Lo sentí mucho por él, ¿sabes? Por Henry Wyborne. Nunca creí que pudiera ser así, pero la verdad es que sí lo sentí. Haberse peleado de aquella manera con Rachel..., haberle hecho chantaje para que guardara silencio, diciéndole lo que significaría la verdad para Diana... Y luego que muriese Rachel. —Meneó la cabeza—. ¿Cómo vivir con semejantes recuerdos? Él estaba convencido de que el disgusto contribuyó a la muerte de Rachel. Que fue lo que causó la embolia. Y por eso no discutió con Diana cuando ella le dijo que quería educar a Alice. Creyó que como había sido responsable de que Diana perdiera a su hija, no podía negarle el consuelo de su nieta. Sabía que estaba mal, igual que sabía que estaba mal que Diana echase la culpa a Hector por la muerte de Rachel. Pero no podía decírselo a Diana. No sin contarle la verdad. Como tampoco podía quitarle lo poco que le había quedado tras la muerte de Rachel: su posición en la sociedad, la fe en su matrimonio.

—¿Y fue culpa de Henry Wyborne? ¿Fue el disgusto lo que mató a Rachel?

—No lo creo. Hablé con mi padre de eso. Me dijo que las embolias son muy raras y que, simplemente, a veces ocurren, sin ningún motivo en particular.

Liv fue hacia la ventana. El sol había salido ya y las hojas de los sauces, que eran como rendijas de un verde pálido, resplandecían. Ella dijo:

—Pero ¿por qué? ¿Por qué volvió entonces?

—¿Lucie? Ah, porque vio una foto de Henry Wyborne en el periódico. Ella suponía que había muerto. En 1940, él le dijo que volvería a buscarla. Le prometió que, ocurriera lo que ocurriera, volvería a por ella. Y ella perdió a tantas personas que amaba que le resultó fácil creer que había perdido a una más. Así que como él no volvió, supuso lo peor. Y entonces, en 1968, vio su foto en un periódico francés. Un artículo sobre los políticos europeos más prometedores, algo así. La propia Lucie estaba en un momento muy bajo, por aquel entonces. Sin dinero, con miedo a perder su casa. De modo que se fue a Inglaterra a buscarlo.

—¿Y Lucie... se había vuelto a casar?

—No. Parece ser que pasó el último año de la guerra en un campo de concentración. Algo así. Después de eso, no vuelves a ser la misma, ¿no? Sospecho que Henry encontró muy fácil librarse de ella. Ella le tenía miedo..., esa casa enorme, un hombre tan importante... Estaba nerviosa y asustada. No había ido a verlo para causarle problemas ni para chantajearle.

—¿Y qué quería entonces?

—Volver al momento en que lo habían dejado, supongo. Recuperar aquel diminuto fragmento de su vida en el que había sido feliz.

Katherine se levantó de la mesa y se fue al cobertizo. Se hizo el silencio. Liv oyó que se sonaba la nariz. Al cabo de un rato, Liv dijo:

—¿Se lo has contado a Hector?

—Sí. Creo que le ha ido bien. —La voz de Katherine sonaba ligeramente densa—. Al principio se agobió, claro... y se enfadó con Henry por no haberle contado la verdad. Pero creo que le ha ayudado. Las cosas se han tranquilizado un poco. —Volvió a sonarse. Luego dijo—: ¿Tú has hecho todo esto?

Liv fue al cobertizo. Katherine pasaba la mano por una de las telas.

—Es preciosa. Realmente preciosa. No debes dejarlo. ¿Cómo has podido pensar en dejarlo?

—Por Felix. —Katherine la miró sin comprender—. No estoy segura de poder trabajar con él.

Katherine hizo una mueca.

—Es un poco quisquilloso, sí. Ya me di cuenta cuando trabajábamos para *El dedo de Frodo*. Y horriblemente tozudo, pero la mayoría de los hombres tienen ese defecto, ¿no? Eso no es motivo para...

—No es eso. —De repente comprendió que no había necesidad de ocultar la verdad. Los secretos corroen, destruyen—. No es una relación solo de negocios, Katherine —dijo, con franqueza—. Bueno, sí lo era hasta hace poco, pero el último viernes..., bueno, yo no quería, pero...

—¿Te acostaste con él? —Katherine se encogió de hombros—. Felix lleva años y años enamorado de ti, así que, ¿qué problema hay?

—No tienes por qué decir eso, Katherine. No tienes por qué mentir.

—No miento. ¿Por qué iba a hacerlo? Es verdad.

—Pero aquella vez... —Liv tomó aliento con fuerza—. Os vi, ¿sabes? A ti y a Felix. La noche que arrestaron a Stefan.

La expresión de Katherine se alteró.

—Ah. Ya me parecía extraño. Por eso te fuiste de Londres tan repentinamente. Me decía a mí misma que debía de ser a causa de Stefan, pero aun así me extrañó.

—Yo creía que él me quería —dijo Liv, cansadamente—, pero cuando os vi, supe que no era así.

—No, lo has entendido todo mal, Liv.

—Sé lo que vi —replicó, furiosa.

—Felix y yo hicimos el amor una vez —dijo Katherine. Sus ojos se encontraron con los de Liv—. Solo una vez. Y bastó para demostrarnos que aunque nos llevábamos bien como amigos, nunca sería así como amantes. —Katherine levantó las manos—. Yo lo seduje, por si te interesa. Me sentía horriblemente mal por una cosa, una historia demasiado larga para contarla ahora... Y él también estaba fatal porque acababa de averiguar que su familia iba a perder la casa y porque creía que tú volvías con Stefan. De modo que nos consolamos el uno al otro. —Miró a Liv—. Cuando me dijo que estaba enamorado de ti, yo te odié. Tú lo tenías todo y yo no tenía nada. Pensé: Felix es amigo mío, ¿por qué tiene que amarla a ella y no a mí? Estaba celosa. No me gusta admitirlo, pero así era. Siempre he tenido la mala costumbre de querer lo que tienen otras personas. En fin, él estaba borracho, yo estaba borracha, y acabamos juntos en la cama, y en cuanto terminó la cosa, al momento, ambos supimos que había sido un espantoso error.

Katherine se pasaba las manos por el pelo.

—Por el amor de Dios, Liv —dijo, exasperada—, hasta Toby ha notado que Felix está enamorado de ti, y nunca ha sido una persona muy observadora que digamos. —Sus ojos oscuros se concentraron en Liv, y repitió—: Felix te ama, Liv. Te ama desde hace años.

El coche de Felix estaba aparcado todavía en el patio. Liv miró en el granero, pero estaba vacío. Luego lo vio, de pie junto a la cancela, en el extremo más alejado del campo.

Pensó en Lucie Rolland. Cómo, después de décadas, una persona que pensabas que había desaparecido para siempre podía volver a tu vida. Y pensó en la casa rosa junto al mar y las olas que entraban y salían por sus ventanas abiertas.

Fue andando por la pradera. Altos tallos de hierba y ranúnculos dorados le rozaban las piernas. Al oír sus pasos, Felix se dio la vuelta. La sonrió fugazmente.

—Lo siento, Liv. No debí darte órdenes de esa manera. Es que pensaba..., pensaba que aunque lo demás no significase nada para ti, todavía teníamos Zarzarrosa. —Hizo una pausa, y luego añadió—: No creo que pueda soportar quedarme sin nada.

Ella se acercó a él y apoyó los brazos en la verja.

—No te vas a quedar sin nada, Felix. Estoy aquí, ¿no?

—Cuando me fui la semana pasada —dijo él, lentamente—, pensaba que nunca sería lo primero para ti. Siempre sería la segunda opción. El caso es que... te quiero.

—Tú no eres la segunda opción, Felix. Eso nunca. —Liv apoyó la cabeza en su hombro—. Stefan fue el primer hombre del que me enamoré. Antes de eso, pensé a menudo que me había enamorado, pero en cuanto conocí a Stefan, supe que nada se había acercado siquiera a lo que sentía por él. –Miró la carretera y las marismas, hacia donde el mar neblinoso, de un verde grisáceo, se fundía en el horizonte, y dijo con tranquilidad–: Pero yo no quiero volver a sentir nada como aquello, Felix. Pensaba que era lo que quería, un amor apasionado que lo llenara todo, pero estaba equivocada. Aquello no me trajo felicidad. Casi me destruye.

Felix le acarició el pelo.

–Te deseo –dijo ella–, y me gustas, y disfruto de tu compañía. Y no quiero a nadie más. No sé si eso se puede llamar amor, pero aunque no lo sea, ¿no sería bastante para ti?

–Ah, pues creo que sí –respondió él, justo antes de besarla–, tendré que conformarme con eso.

Katherine se reunió con Jordan en la pajarera, justo en el centro del parque. Mientras le decía que todo había terminado, veía a los pájaros revolotear desde las perchas a los alambres.

–Estoy harta de compartir –dijo–. Toda mi vida he tenido que compartir. Prefiero estar sola.

Vio en los ojos de él una mezcla de dolor y alivio. Se habían arriesgado demasiado y él estaba asustado. Ella sabía que si no ponía fin a aquello, su relación habría ido desapareciendo, sus encuentros se habrían vuelto cada vez menos frecuentes, su pasión se habría ido disipando, poco a poco. Se dijo a sí misma que debía estar orgullosa de ser ella quien tuviese el valor de poner fin a algo que ya estaba muriendo, pero no sentía orgullo alguno, solo desolación y vacío.

Él la besó antes de irse; cerrando los ojos, ella olió a plumas y a excrementos. Al irse, él hizo una pausa.

–Ah, por cierto, Henry Wyborne ha dejado su escaño. ¿Lo sabías? –Y luego se alejó.

Pasaron los meses. El implacable verano de 1976 era un telón de fondo inadecuado para el frío que le rodeaba el corazón. Un día radiante sucedía a otro. El sol brillaba en un cielo de un azul mediterráneo, y la sequía agotaba todos los pantanos y resquebrajaba los lechos secos de los ríos formando un rompecabezas de barro seco. El polvo cubría los coches aparcados en la calle y las flores se marchitaban en los jardines. Diligentemente, Katherine colocó un ladrillo dentro de su cisterna y regaba las plantas con el agua del baño.

A finales de agosto, Hector y Alice alquilaron una casita de campo en Lyme Regis para pasar allí dos semanas. Katherine estuvo unos días con ellos. La casita tenía las paredes pintadas de azul y unos techos tan bajos que Hector tenía que agacharse. Por las noches jugaban a juegos de mesa y veían la televisión; cada mañana, iban andando por encima de las rocas planas y sombreadas que bordeaban la costa. Las anémonas, de un marrón rojizo, brillaban en los charcos, y cangrejos color ónix se escabullían entre las rocas. Los fragmentos de piedra caliza que caían de los acantilados revelaban sus secretos: amonitas y erizos de mar, y las delicadas varitas de las belemnites.

A medida que avanzaba la mañana, Katherine se refugiaba en la sombra, escondiendo del sol sus pálidos miembros. El mar se agitaba y ella se contentaba con sentarse durante horas a contemplar la curva de las olas y el brillo del sol en el agua. Su corazón, que antes estaba tan seco y arrugado como los cauces de los ríos vacíos, pareció humedecerse un poco, como si fuera volviendo a la vida al compás rítmico del mar. Dentro de un año no pensaré en él constantemente. Dentro de cinco años, apenas pensaré en él.

Haciéndose sombra ante los ojos, veía a Alice sumergiendo su red en una charca entre las rocas. La mano de Hector se apoyaba en su hombro, sujetándola. Alice sacó la red del agua; al mirar en su interior, se puso a saltar, riendo.

Katherine buscó en su bolso y sacó una postal. Escribió la dirección de Liv y sonrió para sí. Si no hubiese sido por ti, Rachel, pensó Katherine, nunca habría hecho las paces con Liv. Estés donde estés, espero que te sientas contenta de ti misma.

17

Felix separó con una pantalla una parte del granero para hacer un pequeño despacho y un estudio de diseño para Liv. Se preparó también aparte otra zona como taller para mezclar los tintes. Poco después de trasladarse allí, Felix compró una máquina de estampación continua, para acelerar la producción. Liv trabajaba cada día después de llevar las niñas al colegio; a las tres y media, dejaba lo que estuviera haciendo y corría a buscar a Freya y Georgie. El granero hacía eco con el susurro de las secadoras y el traqueteo de los rodillos de la máquina de estampado. Una vez estampada la tela, se introducía en un horno, se lavaba para eliminar el exceso de tinte y luego se secaba al vapor. El aire siempre estaba cargado del aroma espeso de los tintes y humeante de vapor. A Liv le encantaba. Le encantaba el ruido, el olor, los colores. Y, sobre todo, le encantaba el momento en que veía aparecer por primera vez su diseño en la tela recién estampada: un campo de amapolas escarlata sobre unas espigas de trigo de un dorado pálido, o una celosía de rosas diminutas.

Felix dejó su trabajo en el banco para trabajar a tiempo completo en Zarzarrosa. Compraba la tela en crudo y los tintes, mantenía los ojos abiertos en busca de maquinaria más eficiente y viajaba por toda Gran Bretaña en busca de nuevas salidas para sus telas. Liv creaba los diseños, mezclaba los tintes y supervisaba el proceso de estampación. Daphne Maynard cuidaba a Freya y Georgie mientras Liv estaba ocupada y echaba una mano con lo que necesitara cuando tenía que entregar un pedido urgente.

En diciembre de 1976, Thea y Richard volvieron a Inglaterra, a vivir en la casa de Richard en Fernhill. La artritis de Richard, provocada por la herida que había sufrido en Monte Cassino durante la guerra, había empeorado; probablemente necesitaría una operación. Felix, Liv y las niñas los visitaron por Navidad. Las enormes jarras cretenses de Thea decoraban los salones elegantes y pálidos de la casa estilo Reina Ana, junto con los libros de Richard y su colección de objetos de la Primera Guerra Mundial. Thea había empezado a retapizar los sofás y *chaise longues* desvaídos con telas que traían a la mente los colores del Mediterráneo: arena, azul, turquesa...

La noche antes de que volvieran a Norfolk, Thea llevó aparte a Liv. Le dijo que como debido al empeoramiento de la salud de Richard no sabían cuándo podrían viajar de nuevo, habían hecho una ruta larga al volver a Inglaterra desde Creta, visitando los lugares que todavía no habían visto juntos: Malta, el norte de África, Portugal y España. En un pequeño hotel de Marrakesh, el propietario pronunció el apellido de Thea. «Fairbrother», dijo, frunciendo el ceño. «Tuvimos a un caballero con ese mismo nombre no hace mucho tiempo.» Y le enseñó a Thea la entrada en el registro. La firma decía: «F. Fairbrother», con una escritura que hizo que el corazón de Thea se detuviese un momento antes de reemprender el ritmo habitual de sus latidos.

—No estoy segura —dijo Thea, mirando a Liv—. La letra cambia a medida que la gente se hace mayor y, además, no veía la firma de Fin desde hacía años. Pero es posible que fuese la escritura de tu padre.

Hizo averiguaciones, añadió Thea, pero no consiguió saber nada más.

—No sabía si decírtelo, Liv, pero pareces tan feliz estos días, que he pensado que aunque sea otro callejón sin salida, otra decepción... —Thea abrazó a su hija.

Por la noche, echada en la cama con Felix dormido a su lado, Liv imaginó a Fin prosiguiendo su interminable camino por el mundo. Las preguntas sin contestar que la acosaban desde la niñez habían perdido ya el poder de poner en peligro la seguridad en sí misma. Él no las dejó porque no la quisiera, o porque ella no fuera una hija lo bastante buena. Fue una peculiaridad del propio carácter de Fin lo que le impulsó a irse, y no un fallo suyo. Ella había aprendido demasiado del amor y el fracaso del amor para culparse a sí misma por la ausencia de su padre, o para continuar culpándole por dejarla. Al cabo de un rato se dio la vuelta en la cama, envolvió a Felix entre sus brazos, cerró los ojos y se durmió.

En Año Nuevo contrataron a una chica del pueblo a tiempo parcial para que los ayudase con el papeleo. Ya tenían teléfono en Samphire Cottage y, para deleite de Freya y Georgie, también televisión. Liv aprendió a conducir y se compró un coche pequeño. Tanto el teléfono como el coche le daban una gran sensación de libertad. Por primera vez en su vida adulta se veía libre, también, de la ansiedad por el dinero. Aunque sabía que el éxito de su negocio era todavía precario, se sentía mucho más segura financieramente de lo que se había sentido nunca. Felix insistía en reinvertir la mayor parte posible de los beneficios, pero aun así, Liv podía permitirse comprar a las niñas la ropa, libros y juguetes que necesitaban. Una vez al mes, más o menos, los cuatro se iban a comer a un restaurante. Freya había empezado a ir a clases de ballet en el ayuntamiento, y Liv le prometió a Georgie que podría aprender equitación en cuanto tuviera la edad suficiente.

Felix seguía viviendo en Londres. Cuando, en Año Nuevo, él sugirió que vivieran juntos y ella se negó, casi se pelean.

—Una semana buena —dijo él—, pasamos dos o tres noches juntos. Una semana mala, con suerte, tenemos media hora para nosotros.

Liv le señaló que, aunque se fueran a vivir juntos, seguirían sin verse demasiado. Él pasaba la mitad de la semana viajando y, además, tenía responsabilidades propias, ¿no? Su padre y su juramento de recuperar el hogar familiar perdido. Wyatts. No es que no quisiera verlo más tiempo, dijo ella, mientras le besaba. Es que el arreglo que tenían en aquel momento les iba bien a los dos. Freya y Georgie estaban cada una en su colegio, y no quería volver a alterar su rutina como en los primeros años, trasladándolas. Ella vivía cerca del granero; él estaba cerca de Toby y las grandes tiendas de Londres. Él la atrajo hacia sí y ella apoyó la cabeza en la curva de su hombro.

—Es que te echo de menos, Liv —dijo—. Y quiero estar contigo.

Más tarde, sola, ella reconoció para sí que seguía encontrando maravilloso el aislamiento de su casita junto a las marismas. Era su retiro, su santuario. Después del estruendo y la agitación del granero, el silencio de la casita era fantástico. Al final de un largo día, podía sentarse en el cobertizo y beberse una copa de vino mientras los últimos rayos del sol se hundían por debajo del horizonte. Si se concentraba, podía oír el murmullo distante del mar. Su vida parecía haber derivado al fin a una fase más asentada, más feliz. Sabía que su satisfacción era frágil y se mostraba reacia a hacer cualquier cambio que pudiera interrumpirla. Se decía a sí misma que le había costado demasiado conseguir su independencia como para arriesgarse a perderla a la ligera. Y aunque sabía, en el fondo, que sus dudas a la hora de dar estabilidad a su relación con Felix se debían a su falta de confianza en sí misma, tras los años pasados con Stefan, desechaba esa idea, sin querer enfrentarse a ella.

Freya tenía ya siete años y Georgie cinco. Ambas asistían a la escuela primaria del pueblo. Ambas, para alivio de Liv, aceptaron a Felix fácilmente como visitante frecuente de la casa, por la noche. Cuando, los escasos días que no trabajaban, los cuatro iban al cine o a hacer un picnic junto al mar, Liv sabía que parecían, al menos desde fuera, una familia normal. Sin embargo, sabía también que no debía cimentar la vida de sus hijas sobre un engaño, de modo que buscó una foto de Stefan, la enmarcó y la puso en el dormitorio de sus hijas.

Georgie la miró brevemente y luego siguió bañando sus cerditos de plástico rosa en una taza; Freya se quedó mirando la imagen en blanco y negro, trazando los rasgos de Stefan con la punta del dedo. Liv buscó las palabras que pudieran explicar lo de Stefan a aquella hija suya de siete años, lista, larguirucha, inquieta. Las palabras que pudieran explicarle que aunque Stefan siempre la había amado, no podía vivir con ella. Los ojos de Freya —los mismos de Stefan, de un azul oscuro, denso— la miraban con curiosidad, con ansia, expectantes.

A lo largo de la primera mitad de 1977, el negocio fue prosperando. Liv diseñó una serie de telas inspiradas en los moldes de Corcoran, adaptando los viejos diseños de papel pintado para usarlos con textiles. Una de las telas, *Rosa roja*, tuvo mucho éxito. Liv solo empezó a apreciar lo grande que era ese éxito cuando apareció en la portada del número de mayo de *Casa y Jardín*.

A finales de junio, Thea se ofreció a cuidar a las niñas mientras Felix y Liv pasaban un fin de semana largo fuera. Reservaron unas noches en una casa de huéspedes en el Distrito de los Lagos para visitar a algunos clientes de Edimburgo y Glasgow. La casa de huéspedes estaba junto al lago Windermere. Qué delicia, pensó Liv, no tener que levantarse temprano por la mañana. Qué delicia, que cocinara para ti otra persona. Qué delicia, poder leer una novela sin que nadie te interrumpiera, y poder hacer el amor con Felix sin preocuparse por el ruido de pequeñas pisadas en el pasillo.

El domingo por la tarde bajaron por la M6. Liv miraba ociosamente el mapa cuando unos nombres captaron su atención. Lancaster..., Caton..., Littledale... Miró a Felix.

—¿Tenemos tiempo para dar un pequeño rodeo?

—Pues sí. ¿Adónde?

—Holm Edge.

Notó que él la miraba.

—¿Estás segura?

Asintió. Salieron de la autopista por el desvío de Caton. Al atravesar Caton, ella reconoció las tiendas y las casas. Si entornaba los ojos, casi podría ver entre las sombras a su yo anterior, empujando el pesado cochecito de bebé por el arcén, corriendo de tienda en tienda para no llegar tarde a casa, donde la esperaba Stefan.

Le dio las indicaciones a Felix. Entrando por la carretera de Littledale, levantó la vista y vio la casa arriba, en la colina. Recordó el momento en que siguió el mapa que Stefan le dibujó en el dorso de la mano y vio Holm Edge por primera vez.

—Ahí —señaló.

—Pensaba que sería más grande. —Felix examinó la casa—. Siempre pensé que sería una especie de mamotreto gótico.

Entraron por el camino.

—El acebo —dijo Liv—. Ha desaparecido.

Un tocón era lo único que quedaba del acebo que antes se encontraba junto a la cancela. La cancela misma estaba oxidada, con las bisagras rotas. Casi esperaba, atisbando por encima del muro de piedra seca, ver el Citroën de Stefan. El jardín, por supuesto, estaba vacío y lleno de malas hierbas. Las ventanas de la casa le devolvían la mirada, negras, vacías, sin vista.

Ella quiso abrir la cancela, pero estaba atascada en el barro. Felix la empujó con todo su peso y la abrió lo suficiente como para que pudieran entrar en el jardín. Cardos y ortigas les azotaban las piernas al cruzar el césped. Mirando hacia el valle, Liv vio que el cúmulo de zarzas, donde antes iban a por moras para hacer mermelada, había doblado su tamaño, y sus zarcillos serpenteantes se agarraban al suelo pedregoso.

La casa parecía que llevaba años deshabitada. Parte del tejado se había derrumbado y fragmentos grises de pizarra salpicaban la hierba. Algunas de las ventanas estaban abiertas, otras cubiertas de polvo y telarañas. La pintura de la puerta principal estaba descascarillada. Y abierta. Al empujarla, Liv vio los trozos de yeso caídos del techo que se desmoronaba. Dentro, en la cocina, las puertas de los armarios colgaban de sus bisagras y el suelo estaba cubierto por una capa fina de agua marrón. Rodeando la casa, Liv miró por una sucia ventana hacia la habitación que antes fue el estudio de Stefan. Ahora, el cristal mugriento arrojaba al interior una luz grisácea, volviéndolo neblinoso, de modo que si entrecerraba los ojos podía imaginárselo igual que era antes: el escritorio de Stefan, las pilas de libros y, trepando por las paredes, las arañas de colores de los diagramas. La pequeñez de la cocina y el estudio, con sus techos bajos y sus dimensiones diminutas, la sorprendieron. Las habitaciones, la casa, incluso el paisaje mismo parecía haber menguado a lo largo de los años.

Entró en el granero.

—Tuvimos que quemar las puertas —le explicó a Felix—. Nos quedamos sin carbón por culpa de la huelga de los mineros, de modo que Stefan cortó las puertas. —Algo captó su mirada y, agachándose, recogió un trocito de papel rojo: un envoltorio de Kit-Kat.

—Hay restos de una fogata. —Felix dio una patada a un montón de cenizas grises—. Y mira esto. —Unas latas vacías, botellas de agua mineral y una manta apelmazada, apiladas en un rincón.

—Niños jugando, probablemente.

—O algún vagabundo. —La miró—. ¿Ya has visto bastante?

Ella asintió. Salieron. Pasó una nube ante el sol, arrojando sombras en la hierba. Ella se volvió y miró el páramo. El brezo se agitaba y se movía: el viento, pensó. Notando frío de repente, se abrazó a sí misma.

Volvieron al coche.

—Podemos regresar atravesando el campo, si quieres —dijo Felix—. Por el Bosque de Bowland. Nos costará un poco más, pero estará bonito en esta época del año.

Ella lo miró un momento, mientras él inclinaba la cabeza para consultar el mapa. Sabía que aquella casa y el paisaje que la rodeaba habían perdido todo el poder de hacerle daño o de limitarla. Lo que tuvo lugar allí ya concluyó, estaba acabado. Recordó lo que le dijo a Felix el verano anterior: «Felix, te deseo, me gustas, disfruto de tu compañía, pero no sé si eso significa amor». Qué idiota era, pensó. Ahora sí que lo sabía.

Era un verano extrañamente frío y húmedo y, sin embargo, dos veces durante aquellos meses grises y fríos Felix experimentó una sensación de triunfo. La primera vez fue cuando, saliendo de Bristol en coche, vio unas cortinas de tela *Rosa roja* en la ventana de la casa de un desconocido. La segunda vez fue el día que liquidó el préstamo bancario de su padre. Le habría gustado, en aquella ocasión, arrojar un fajo de billetes al escritorio del director del banco y restregárselos en la cara, pero se limitó a enviar un cheque por correo.

Las gracias de Bernard fueron profusas, pero había un aire de derrota en su gratitud que preocupó a Felix. Ni siquiera en los peores momentos Bernard se rindió. Luchó para recuperar su salud tras el ataque al corazón, soportó la venta de la casa y los procedimientos de la quiebra con una dignidad infatigable, e hizo valientes esfuerzos para aceptar un estilo de vida distinto. Ahora, Mia le confió a Felix que, cuando ella no estaba en casa, Bernard comía solo pan y queso, porque no se molestaba en cocinar. Ya no compraba el periódico y pasaba horas sentado frente a la televisión. Mia intentó que se apuntara a un club, o al menos visitar la biblioteca local, pero aunque Bernard hizo el esfuerzo una vez o dos, no perseveró.

Para Felix, era más obvio que nunca lo mucho que su padre echaba de menos Wyatts. Lo mucho que necesitaba Wyatts.

En tiempos, Wyatts ocupó todo el tiempo libre del que disponía Bernard Corcoran. Sus fines de semana los pasaba haciendo reparaciones y manteniendo los campos. Bernard era un hombre práctico y la diminuta casa de Norwich le daba poco espacio para sus antiguos placeres. Nunca pareció encajar en las pequeñas habitaciones y el estrecho jardín. Felix recordaba la perturbadora conversación que tuvo con Mia el año anterior, pero apartaba aquel recuerdo de su mente. Mia seguramente no quiso decir que odiaba Wyatts; habría sido solo un momento bajo, un mal día.

Al volver a Londres desde el granero, siempre tomaba la ruta que pasaba junto a Wyatts. Un día, entre un parpadeo de hojas de haya, vio un letrero azul y amarillo. Frenó, con el corazón alborotado y la boca seca, y salió del coche. El cartel decía «Se vende».

Fue andando por el camino. Una mujer respondió cuando él llamó a la puerta. Tenía unos cuarenta años y llevaba unos bonitos pantalones, una chaqueta azul marino con botones de latón y una camisa de algodón rosa. Las comisuras de sus labios se curvaban hacia abajo.

—Solo con cita previa —le recordó a Felix agriamente, mientras intentaba refrenar al pastor alemán que estaba a sus pies—. Lo dice en el cartel. Tendrá que contactar con el agente inmobiliario.

Él le dirigió una sonrisa amable. Unas pocas observaciones halagüeñas sobre la casa y su ubicación, pronunciadas con su acento de escuela privada, y ella pareció ablandarse un poco. Se presentó como la señora Darnell y le dijo el precio que pedían por la casa. Sesenta y cinco mil libras. El corazón de Felix dio un vuelco. Cuatro años antes vendieron Wyatts por cuarenta mil. La casa llevaba tres semanas en el mercado, dijo la señora Darnell, pero todavía no había despertado demasiado interés. De nuevo la mueca amargada en la boca. La compraron como inversión, explicó, pero ahora necesitaban liberar un poco de capital. Buscaban una venta rápida. Negocios de su marido... Ella se encogió de hombros.

Él volvió al coche y se dirigió al pub del pueblo siguiente, y allí almorzó. Sesenta y cinco mil libras... Se bebió un whisky para tranquilizar sus nervios y luego empezó a hacer cálculos. La señora Darnell probablemente accedería a rebajar un poco la cantidad con tal de venderla rápido. Él compró su casa de Londres en un buen momento, y en una zona en auge, y sacaría veinticinco mil o así. Podía liquidar las pocas acciones y valores que le dejó su madre y estaba seguro de que, si se lo pedía, Rose también haría lo mismo. Tendría que pedir prestado el resto. Ninguna empresa hipotecaria se lo prestaría –trabajaba por su cuenta, como socio de un negocio que empezaba a tener éxito–, de modo que tendría que buscar en alguna otra parte. En cuanto volviese a Londres entraría en contacto con algunos de sus antiguos colegas del banco de inversiones. Pediría favores, recurriría a las redes que eran la fuerza vital de la City.

Se aflojó el cuello de la camisa. Tenía mucho calor y su pulso corría a toda velocidad, como si tuviera fiebre. Mirando su reloj, vio que tenía el tiempo suficiente para llamar a Norwich, de camino hacia Londres. Para darle a su padre la buena noticia. Mientras conducía, la ansiedad agitaba su mente. La inversión que todavía necesitaba desesperadamente el negocio, y de la cual tendría que distraer fondos..., el hecho preocupante de que los beneficios de Zarzarrosa subían y bajaban a lo loco de un mes a otro...

Sí, pensó con furia, necesitaban Wyatts; les pertenecía. Imaginó a Liv allí. Freya y Georgie jugando en el jardín... Un hijo propio, quizá, en el cuarto infantil...

Mientras se acercaba a la calle donde vivía su padre, oyó la sirena de la ambulancia. La luz azul relampagueó en su espejo retrovisor y él tuvo que apartarse a un lado de la calle para dejarla pasar. El aullido de la sirena resonó mientras la ambulancia doblaba la esquina. Pensó: ¿cuál de los vecinos? Por segunda vez aquel día, el corazón le dio un vuelco y toqueteó confuso el freno y las marchas, y el optimismo del día quedó completamente borrado por una sospecha mortal, mientras seguía al vehículo.

Philip Constant murió aquel verano. Sufrió ataques cada vez más frecuentes durante el último año y, a finales de julio, tuvo un ataque masivo. Katherine se ausentó del trabajo y fue a Cambridge, al hospital Addenbrookes. Al principio Philip estaba rodeado de tubos, pero al cabo de un par de días su padre entró en la habitación y los quitó todos, con suavidad y cuidado, como si todavía fuese posible alterar la tranquila compostura de su hijo menor. Katherine comprendió lo que significaba la retirada de los tubos: que Philip no se recuperaría.

Hizo turnos con su madre, sentadas junto a la cabecera de su hermano. Ella sabía que Philip estaba lejos, muy lejos de ella; notaba que solo le quedaba un paso final, una última travesía hacia una costa distinta. De vez en cuando, ella salía del hospital, cegada por la luz del sol, aturdida al ver cómo el resto del mundo continuaba sus complacientes giros. Sentada en un banco del jardín botánico, tuvo que controlar el impulso que sentía de gritar a los despreocupados extraños que la rodeaban y decirles que, no muy lejos de allí, un joven de veinte años se estaba muriendo.

Cuando llegó, el momento de la muerte fue simplemente un suave declive en la respiración, una quietud final del trabajoso esfuerzo de un cuerpo dañado. Cuando supo que todo había terminado, Katherine dejó a su madre sola con Philip y salió al pasillo. Simon estaba de pie junto a una ventana. Su rostro debió de decirle lo ocurrido, porque se limitó a abrazarla muy fuerte, mientras ella lloraba en su chaqueta.

Durante el funeral, una semana después, Katherine hizo turnos para ocuparse del hijo de Michael y Sarah, Tristram. Tristram era un bebé grande, babeante, quejoso, por el cual Katherine sentía poco cariño como tía, pero al menos limpiarse la saliva de las solapas de su chaqueta negra le proporcionaba alguna distracción. Mirando en torno, en la iglesia atestada, Katherine pensó: cuánta gente...

No sabía que tanta gente quisiera a Philip. Varios miembros del personal de la residencia donde vivió Philip de adulto estaban allí, así como profesores y alumnos de la escuela especial a la que asistía cuando era más joven. Amigos, vecinos y colegas de su padre llenaban los bancos intermedios, y a un lado de la iglesia Katherine vio a Liv, Thea y Richard. Luego, cuando empezó a sonar la música de órgano, vio que Hector entraba por la parte trasera de la iglesia y su corazón dio un pequeño vuelco de alivio.

Al salir de la iglesia, el cielo blanco y nublado cayó sobre ella. El aire parecía caliente y húmedo, como si estuviera comprimido entre cielo y tierra. Al entierro siguió un bufé en casa de los Constant. Katherine fue pasando unos bocadillos, hizo té y habló con tías y primos a los que no veía desde hacía años.

Estaba en la cocina, entre pilas de platos sucios, sacando los cubitos de hielo de una bandeja, cuando se abrió la puerta. Al mirar hacia allí, vio a Hector. Los últimos restos de su frágil compostura desaparecieron.

–Qué bien que hayas venido, Hector. No lo esperaba. Todo este camino. La tienda... –Sus dedos se abrieron y un cubito de hielo resbaló por el suelo.

–Déjame –dijo. Agarró la bandeja y metió el hielo en la jarra–. No creerás que pongo la maldita tienda por delante de esto, ¿no, Katherine?

–Apenas conocías a Philip –respondió débilmente.

–Eso no tiene nada que ver. Te conozco a ti. Sé lo que esto significa para ti. –Hubo un silencio, y luego él dijo–: Lo siento, no quería enfadarme. Es lo último que necesitas ahora mismo. Pareces exhausta. Siéntate. –Le trajo una silla.

Katherine se quedó quieta un momento, retorciéndose las manos frías, húmedas.

—La limonada..., y la gente quiere más té...

—Yo lo haré todo. Siéntate. Insisto.

—Qué autoritario, Hector. —Sonrió débilmente.

Él le dirigió una sonrisa torcida.

—Cuando me pongo, me pongo.

Katherine se sentó. Era verdad, estaba exhausta. Le dolían las piernas y una vena a un lado de la cabeza llevaba todo el día con pulsaciones. Cerró los ojos y oyó salir a Hector de la habitación.

Cuando volvió, dijo:

—Ya está, todos tienen té o lo que sea. Y te he buscado un poco de whisky, pero parece que no hay.

—Hay brandy debajo del fregadero. Para usos medicinales.

Hector buscó el brandy entre los paquetes de detergente y las botellas de lejía. Sirvió un buen vaso y se lo puso a Katherine entre las manos.

—¿Querrás comer algo?

—No, gracias. No podría.

—Entonces... ¿quieres que hablemos?

—¿De Philip? No. Realmente, no hay mucho más que decir, ¿verdad? —Se sentía exprimida, consumida por los acontecimientos de aquella semana—. Para ser sincera, estoy harta de hablar. Creo que he pasado las últimas horas diciendo lo mismo una y otra vez. Que ha sido muy misericordioso, que al menos el final fue fácil, que él no sintió ningún dolor..., en fin, todo eso.

Él estaba llenando el fregadero de agua caliente.

—¿Y no es eso lo que piensas?

—¡Hector, estoy muy enfadada! —Miró a través de la cristalera, hacia el jardín—. Digo todas esas cosas, pero por dentro estoy rabiando por lo injusto y lo absurdo que es todo. —Luchaba por contenerse—. Me gustaría poder pensar en otra cosa, hacer cualquier otra cosa, pero no puedo, y eso hace que me sienta exhausta, además de furiosa.

Hector metió los platos sucios en el fregadero.

—Te hemos echado mucho de menos Alice y yo. ¿Cuándo volverás a Londres?

444

—Pronto. Tengo muchísimo trabajo.

—Entonces ya pensaré en algunas distracciones. Buscaré una canguro. Iremos al cine. Y veremos algunas películas...

—No creo que sea muy buena compañía.

—Katherine, tú llevas años y años aguantándome. Dios sabe por qué. Seguro que yo no era buena compañía. Además, te debo alguna salida. Y me preguntaba...

—¿Qué, Hector?

—Si debo llevar a Alice a Bellingford.

Katherine lo miró.

—Supongo que eso significaría... enfrentarse a los fantasmas.

—Un exorcismo final. —Hector puso otro vaso en el escurridero—. No puedo dejar que Alice siga pensando que su familia es solo una serie de fotos antiguas en un álbum, ¿verdad?

—¿Y cuándo irías?

—No lo sé. Cuando cuadre bien por el colegio y la tienda. Me tomaré un fin de semana... Está demasiado lejos para ir y volver el mismo día. —Se volvió hacia ella—. Cuando vayamos, ¿querrás venir con nosotros, Katherine?

—¿Como apoyo moral?

—Bueno, en parte sí. Y además... —Se calló. Luego dijo—: Y además, porque disfruto mucho con tu compañía.

—Claro que iré, Hector.

—Pues gracias. —Se inclinó hacia delante y posó sus labios en los de ella. Katherine soltó una risita.

—Creo que nunca —y en ese momento no sabía si reía o lloraba— me había besado un hombre con guantes de goma y delantal.

Al despertarse una noche, Liv oyó los pasos. Luego un chasquido pequeño, ahogado: una ramita que se rompía, o una cerilla al encenderse. Se incorporó en la cama, escuchando, y le pareció oír las suelas de unos zapatos que pisaban los matojos de hierba húmeda, pero no pudo separar su ruido débil y regular de los latidos de su propio corazón. Entonces, inconfundible, oyó el chasquido de la cancela que se cerraba. En el silencio que siguió, interpretaba cada sonido —el viento rozando las hojas de los sauces, el crujido de las maderas de la antigua casita— como pruebas de que había un intruso. Apartando una cortina, miró hacia fuera por la ventana. El jardín estaba quieto y vacío, bañado por la luz de la luna.

Se acurrucó en la cama pero no podía dormir. Sus pensamientos volvían de una manera inevitable a los acontecimientos del verano. La muerte del padre de Felix y, solo seis semanas después, la de Philip Constant. Varias veces durante el mes transcurrido desde la muerte de Philip abrazó a Katherine mientras ella lloraba por la pérdida de su hermano. Le dolía mucho que Felix todavía no le hubiese dejado que hiciera lo mismo por él.

El segundo ataque al corazón fue masivo y mató al instante a Bernard Corcoran. Desde la muerte de su padre, Felix se sumergió en el trabajo y dedicó todas sus energías al negocio. Hablaba poco de su padre y rechazó todos los intentos por parte de Liv de sacar el tema. Allí, echada y despierta en la oscuridad, Liv se recordó a sí misma una vez más que Felix necesitaba elaborar el duelo a su manera. La mayor parte del tiempo lo creía. Pero sola, en medio de la noche, en ese momento tan incómodo, todos los pensamientos agobiantes que por el día conseguía reprimir aparecían de nuevo en su mente. Que Felix no le permitía que compartiese con él su dolor. Que no aceptaba el consuelo que ella le ofrecía. Que lo que sentían el uno por el otro era una especie de amor de segunda categoría, adecuado solo para los momentos fáciles.

Durmió mal y, al despertarse temprano por la mañana, fue al jardín en busca de señales de algún extraño. Pero no había nada: ningún trocito de tela desgarrado entre las zarzas, ninguna huella impresa en la tierra húmeda junto al camino. Se dijo que se lo habría imaginado, que habría malinterpretado los sonidos propios de la noche creyendo que eran algo más siniestro.

Sin embargo, tres días más tarde, al volver a casa desde el granero a última hora de la tarde, vio que la cancela del jardín estaba abierta de par en par. La cancela tenía un cerrojo complicado, que

Georgie acababa de aprender a manejar, e insistía en cerrar ella misma cada vez que salían de casa. Ella recordaba claramente a Georgie cerrando la cancela aquella mañana. El cartero, se dijo, o si no el cura, que repartía el boletín de la parroquia. Sin embargo, no había nada en el buzón.

Aquella noche se durmió y se despertó varias veces, confundiendo los sueños con la realidad. Una figura oscura caminaba por la cima del montículo de guijarros. Una silueta se escondía detrás de las ramas de los sauces. Unos ojos, de un azul denso, opaco, relucían entre los altos juncos.

Una mano abría el cierre de la cancela. En sus sueños, él esperaba agazapado junto a la cuneta. Esperaba su momento.

Antes de irse a la cama cada noche, daba la vuelta a la casa, comprobando todos los cerrojos y las ventanas. Una vez, a medianoche, salió de la cama y se puso a vigilar. Había luna llena y le pareció ver una figura silueteada contra un cielo color azul marino.

La lluvia empezó a primera hora de la mañana, golpeando el cristal de la ventana, y el ruido la sacó del sueño de repente. Pasó toda la mañana en el granero, revisando el papeleo con Janice, la secretaria a tiempo parcial, y la tarde en casa, trabajando en un nuevo diseño. Los charcos relucían en los baches de la carretera y la hierba que rodeaba la casa era un lodazal. El agua rebosaba de las zanjas y bajaba por el tejado del cobertizo. Más tarde, al limpiar la cocina, oyó en la distancia el restallido de un trueno. Por la ventana de la cocina un súbito movimiento captó su vista y se sobresaltó, pero solo eran las ramas de los árboles que se curvaban con el viento.

Hubo un tiempo en que adoraba su soledad; ahora, el aislamiento de la casita la asustaba. La velada se extendía vacía ante ella, con la televisión como única compañía. Encontró el resto de una botella de vino en la nevera y se acurrucó en la cama, leyendo una novela y bebiendo, y soñando con extrañas criaturas que emergían del mar, se deslizaban por encima de las piedras y del pantano y la esperaban, ocultas entre la vegetación.

El teléfono sonó muy temprano a la mañana siguiente, sacándola de golpe de un sueño inquieto. Uno de los trabajadores de la señora Maynard le dijo que el río se había desbordado durante la noche y había inundado el granero. Metió a Freya y Georgie en el coche en camisón, pijama y con botas de agua. Conduciendo hacia el granero, los neumáticos de su coche levantaban olas de agua fangosa. Al entrar en la granja, las ruedas del coche se atascaron en el espeso barro, girando impotentes. Llena de temor, ella vio el río marrón y crecido, y el agua oscura que pasaba por encima del prado y rodeaba la base del granero.

Intuyó la escala del desastre en cuanto abrió la puerta. La sensación era mala, sonaba mal, olía mal. El aroma del algodón y el tinte habían quedado borrados, reemplazados por el olor húmedo del agua fangosa. Cuando la luz del día iluminó los rollos de tela flotando en el agua, Liv quiso llorar.

Trabajó todo el día para intentar salvar lo que pudiera. Todo lo que se encontraba almacenado al nivel del suelo estaba estropeado, las balas de algodón crudo, así como las telas estampadas. El agua había entrado también en el archivador, convirtiendo los pedidos y todos los documentos en papel maché. La máquina de estampar había ido flotando hasta la pared divisoria y estaba muy dañada.

Dejó mensajes en el piso de Felix en Londres, y a Toby también. Luego llevó unas balas de tela que no habían sufrido daños a un cobertizo seco junto a la granja y telefoneó a Janice, y entre las dos rescataron todos los documentos que pudieron. A medida que el río fue bajando, pudo drenar el agua marrón y espesa por las puertas del granero, hacia fuera. A medida que trabajaba recordó otra inundación, en Holm Edge, el día antes de que naciera Freya. Aunque intentó reprimir los horribles recuerdos —el abandono de Stefan, su propio aislamiento y su miedo— de vez en cuando volvían, abrumadores.

Se dijo a sí misma muy seria que cada cubo de agua fangosa que quitaba era un cubo menos en el granero, y que cada bala de algodón estropeada o cada frasco roto que sacaba significaba que el montón de desechos del interior era más pequeño. Se obligó a trabajar, aunque le temblaban todos los músculos por el agotamiento, tenía la ropa fría, húmeda y enfangada, y deseaba irse a casa y meterse en un baño caliente.

Janice se ofreció a llevar a Freya y Georgie a casa a las seis y quedarse con ellas hasta que volviera Liv a la casita. A las siete en punto Liv oyó un coche que se acercaba al patio. Salió y vio a Felix.

Dijo:

—Me lo ha dicho Toby, cuando he llamado a la tienda.

Ella vio que él se puso pálido al mirar hacia el interior del granero. Andando de aquí para allá, fue tocando un rollo de tela empapado, un carrete de hilo enfangado. Se detuvo junto a la máquina de estampación rota.

—Justo cuando las cosas nos empezaban a ir mejor —murmuró—. Justo cuando estábamos ya doblando la primera esquina. —Se retiró un poco, con los hombros caídos, mirando aquella devastación—. Bueno, pues ya está, ¿no?

Liv se había sentado en una caja de embalaje vuelta del revés. Le dolía la cabeza.

—¿Qué quieres decir con eso de que ya está?

—Pues que hemos fracasado, ¿no? —Con ferocidad, Felix agarró un rollo de tela húmeda y lo arrojó contra la pared—. Buscas el dinero, trabajas cada hora del maldito día y al final el mal tiempo acaba contigo.

Se frotó con los dedos embarrados el hondo surco que dividía su frente. Estaba cansado y hambriento y con los nervios a flor de piel.

—Es horroroso, ya lo sé, pero eso no significa que hayamos fracasado, Felix.

—Mira esto, Liv. Mira todo esto. —Agachándose, recogió algo de un charco. Era una etiqueta, con la palabra Zarzarrosa bordada en fucsia sobre un fondo azul marino—. ¿Qué te parece que es esto, Liv? ¿Alguna especie de contratiempo sin importancia..., un pequeño bache en nuestro camino hacia el éxito? —Su mirada recorrió el granero y dijo, amargamente—: No queda nada. Nada.

Ella, que llevaba todo el día de mal humor, saltó.

—Tenemos un montón de pedidos y todavía queda algodón en tu casa, en Londres, todos mis diseños están a salvo en mi casa. Y tenemos un sitio donde vivir... e incluso algo de dinero en el banco. —Le temblaba la voz—. Esto no es nada, Felix. Yo no tenía nada cuando vivía en Holm Edge. No tenía nada cuando me fui de Londres. Esto no es nada.

—Pero la máquina de estampación está estropeada. Casi todo nuestro *stock* de tela cruda está estropeado...

—Pero podrías reparar la máquina de estampar, ¿no?

—Quizá. Pero me costaría un tiempo.

—Entonces podrías trabajar toda la noche, ¿no, Felix? Y en cuanto a la tela cruda, podemos comprar más, ¿no?

—¿Con qué? —Levantó las manos.

—Pues lo pediremos prestado, si no queda más remedio. —Liv se abrazó con fuerza. Era consciente de que estaba a punto de llorar—. No te atrevas a darte por vencido, Felix Corcoran —dijo, con furia—. No después de todo lo que hemos trabajado. Esto fue idea tuya, recuérdalo. No te atrevas a darte por vencido.

Hubo un largo silencio. Entonces los hombros de él cayeron y miró en torno, al granero.

—No estoy seguro de lo que hago, ya no, Liv —dijo—. Y no estoy seguro de que me importe ya.

Ella lo miró, incapaz de creer lo que estaba oyendo.

—¿Así que te vas a rendir, simplemente, sin más? Nuestro primer tropiezo serio... ¿y lo mandas todo a paseo? ¿No es eso un poco... débil? ¿Un poco... cobarde? —Las palabras de Liv resonaban contra las enfangadas paredes del granero, duras, acusadoras.

Por los ojos de Felix pasó un rápido relámpago de ira que se apagó en cuanto nació; luego dijo, tranquilo:

—Intentaba arreglar las cosas para mi padre, ya sabes. Ahora que él está muerto, bueno, ¿qué sentido tiene? —Se volvió y salió del granero.

Mientras caminaba por la hierba la voz de ella lo siguió.

—Te diré por qué lo estás haciendo, Felix. Lo estás haciendo por mí. Lo estás haciendo por Freya y Georgie. ¡Porque te queremos y te necesitamos!

Sin embargo, el viento se llevó sus palabras y ella no sabía si él la había oído. Las lágrimas corrían por su cara, lágrimas de ira y de dolor.

–Piénsalo, Felix –gritó, mientras él abría la portezuela de su coche–. ¡Decide de una vez por todas si es esto lo que quieres de verdad!

Pero se le rompió la voz y se quedó en silencio. Las luces traseras del coche de él relampaguearon como estrellas rojas gemelas al enfilar el camino.

No podía soportar estar solo, así que compró una botella de whisky y unos gramos de hierba y llamó a media docena de antiguos amigos, de sus días de estudiante, que vivían en una casa ocupada en Bethnal Green. En la calle jugaban niños bengalíes, con ropa de vivos colores y los ojos oscuros y vivaces, que se apartaban del camino cuando pasaban los coches. El aire estaba cargado de especias y de humo de los coches. Las puertas y ventanas de la casa ocupada estaban cerradas con tablas, de modo que Felix tuvo que pasar por el jardín trasero, saltando por encima de cubos de basura desbordantes, antiguos colchones y una parra rusa muy retorcida que abrazaba la casa con sus verdes retoños. Dentro, las habitaciones eran oscuras y frías, ya que las tablas clavadas y las hojas de la vid apenas dejaban pasar la luz del sol. La cocina era una pesadilla llena de moho negro y cosas inidentificables que flotaban en un agua opaca y gris. Los amigos de Felix estaban en la habitación delantera, echados en el suelo sobre unos cojines desvencijados, fumando. Un disco de Grateful Dead ahogaba el ruido del tráfico que procedía de la calle.

Al principio tuvo la sensación de que regresaba a casa. La música, las pinturas psicodélicas en las paredes y el acre olor de la hierba le recordaron tanto a las casas compartidas en las que vivió mientras estudiaba como a las fiestas en casa de Toby, en Chelsea. Echado en los cojines, cerrando los ojos, dejó que todo fluyera, y notó que sus responsabilidades desaparecían. El negocio, su familia, los años inútiles que pasó intentando recuperar lo que habían perdido: lo olvidó todo. Se sintió libre de nuevo, joven de nuevo. Un momento antes de deslizarse hacia el sueño, decidió sacar su antigua mochila e irse de viaje. Aquella vez iría mucho más lejos..., al Lejano Oriente, quizá.

Aunque se había propuesto dormir hasta tarde, a la mañana siguiente se despertó temprano. La luz del sol se filtraba por las grietas entre las tablas que cubrían la ventana. Sus amigos dormían aún, entre los cojines o acurrucados en el suelo. Fue a la cocina y buscó con cuidado entre los paquetes de comida caducada de los sucios armarios, y se preparó una taza de café. Salió a la calle y se compró un poco de pan, algo de queso y paté, y se sentó a la sombra de la parra rusa, que era como una cueva, a comer. Si su mente volvía a Liv y la devastación del granero, apartaba aquellos pensamientos a un lado, despiadadamente. Se dijo que llevaba demasiado tiempo intentando encajar en un molde que, sencillamente, no le iba. Se había cargado de posesiones, de compromisos. Necesitaba ponerse él mismo primero, hacer de nuevo lo que le diera la gana, recuperar los ideales que había perdido.

Sin embargo, su felicidad se fue disipando a medida que avanzaba el día. Hablando con sus amigos, se dio cuenta de que ninguno de ellos había trabajado desde que salieron de la universidad. Iban gorroneando a sus padres o amigos, o solicitando ayudas sociales. Vivían sin pagar alquiler en pisos ocupados, eran expertos en meterse una lata de judías o un paquete de té entre los pliegues del abrigo mientras recorrían un supermercado. Felix pensó en Liv, en los años que pasó aceptando cualquier trabajo que encontrara para poder alimentar y vestir a sus hijas. Cuando intentó expresar su inquietud, sus amigos le dijeron que se tranquilizara y señalaron que su forma de vida en sí misma era un ataque contra el sistema capitalista. Sin embargo, la intranquilidad de Felix persistía y, aunque se quedó un par de noches más, una mañana salió de la casa y no volvió.

Después de ir a casa a ducharse y cambiarse de ropa, se dirigió hacia un pub de la City. Varios de sus colegas de los tiempos del banco de inversiones estaban allí todavía, apoyados en la barra.

Le dieron la bienvenida como a un viejo amigo, le pagaron copas, le ofrecieron cigarrillos. A medianoche se encontró en un club del Soho viendo cómo una chica aburrida se quitaba la ropa al compás de la canción «Big Spender», de Shirley Bassey. Luego una parte de la noche desapareció, al parecer, porque lo siguiente de lo que tuvo conciencia fue de que abrió los párpados entre las paredes familiares de su propia casa. Le dolía mucho la cabeza y tenía muy mal sabor de boca. Al final consiguió arrastrarse hasta el cuarto de baño y vomitó horriblemente. Pasó todo el día en la cama, con el teléfono descolgado, ignorando el timbre. No comió otra cosa que aspirinas y solo bebió agua.

Cuando se despertó a la mañana siguiente, el dolor de cabeza había desaparecido y ya no le temblaban todos los miembros. Tomó una larga ducha, pero no podía quitarse la sensación de odio hacia sí mismo. Se hizo café y se quedó un rato sentado, mirando los titulares de los periódicos, pero nada tenía sentido, de modo que al cabo de un rato se puso la chaqueta fue a por las llaves y salió de casa. Fue conduciendo sin objetivo claro al principio, sin proponerse ir en una dirección determinada, solo con el deseo de dejar Londres atrás. Al final, se encontró rodeado por los placenteros bosques y valles de Berkshire. Pueblos, colinas y recodos de la carretera se fueron volviendo familiares. Y supo al fin adónde se dirigía.

Llegó a Great Dransfield a mediodía. Fue rodeando la casa, asomándose tras las buddleias y las lilas muy crecidas, abrió la cancela verde y contuvo el aliento, lo mismo que había hecho en su primera visita, años atrás, mientras veía cómo se extendían ante él los jardines, huertos y el lago. No fue enseguida a la casa, sino que recorrió los campos. Todo estaba igual, pensó. Los recuerdos jugueteaban en su cansado cerebro, desencadenados por el paisaje familiar. Claire, sentada en la terraza, rodeada por madejas de lana teñida que se iban secando al sol. Justin e India chillando y riendo mientras se columpiaban en el árbol junto al lago. Y Saffron, por supuesto, flotando en el agua tranquila a la luz de la luna, como una pálida y etérea Dama del Lago.

Oyó una voz que pronunciaba su nombre. Nancy venía por la terraza. Le hizo la misma pregunta que aquella vez que visitó Great Dransfield por vez primera:

—¿Puedo quedarme unos días, Nancy?

Su respuesta hizo eco a través de los años:

—Claro que puedes, Felix. Quédate todo el tiempo que quieras.

Hector se tomó la tarde del sábado libre en la tienda y llevó a Alice y Katherine a Northumberland. Se iban a alojar en Alnwick aquella noche y se dirigirían a Bellingford a la mañana siguiente. Mientras se acercaban a Alnwick, Hector explicó que una agencia había cuidado Bellingford durante los últimos ocho años, ocupándose de las tuberías rotas y las filtraciones en el tejado, y que él guardó en un almacén los muebles y cuadros antes de irse.

—Así que estará bastante vacío, bastante deprimente, me temo.

Dejaron el equipaje en el hotel y se fueron en coche a Alnmouth. El sol brillaba en el cielo cuando iban caminando por la playa. Alice corría delante, dejando escapar su energía contenida durante el largo viaje en coche. Negras piedrecillas de carbón marino salpicaban la pálida arena, y el mar del Norte era como oro líquido en el atardecer.

De vuelta en el hotel, después de que Alice se hubiese ido a dormir, Katherine y Hector cenaron en el comedor del hotel. Mientras comían pollo a la cazadora, Katherine habló a Hector de su madre.

—Tiene trabajo..., un trabajo a tiempo parcial, en una zapatería de Cambridge. Y está planeando irse a pasar un fin de semana a París con una amiga. ¡A París! No ha estado en el extranjero desde antes de casarse.

—Está abriendo las alas —dijo Hector—. Echando su canita al aire.

—Supongo que sí. Aunque un poco tarde, ¿no crees?

—Más vale tarde que nunca. —Hector frunció el ceño—. Supongo que yo nunca he llegado a hacerlo.

Katherine levantó la vista hacia él.

—¿La canita al aire?

—Los sesenta..., hacer lo que te apeteciera... Nunca he podido. Ella sonrió.

—Nada de viajes *hippies* a Marrakech, ¿no, Hector? Ni años de tomar ácido en una comuna...

—Me temo que no. Nunca he sido demasiado... alternativo.

—No te imagino con collares de cuentas y una cinta en el pelo.

Él llevaba una chaqueta deportiva y un polo.

—Supongo que soy bastante convencional. Más bien pasado de moda. —Parecía compungido—. Y bastante aburrido.

Katherine le tocó la mano.

—De aburrido nada. Aburrido nunca. Era una broma. —Dejó su tenedor y su cuchillo. El pollo estaba bastante correoso.

—Yo pasé del colegio a la City, ya sabes. No hubo época dorada en medio.

—¿Y lo lamentas?

—A veces.

—¿Te atrae lo poco convencional?

—A veces. —La miraba. Ella notaba el rostro acalorado. El vino, pensó.

—¿Tomamos postre?

Miraron la carta.

—Bizcocho con crema, budín de frutos secos o helado. Creo que paso. ¿Katherine?

—No, gracias. Igual una copa.

—Iré a ver qué tal está Alice.

—Ya iré yo, si quieres. Me he dejado los cigarrillos en la habitación.

Ella fue al piso de arriba. Alice dormía con el pulgar metido en la boca, con el pelo rubio extendido en la almohada. Katherine la miró un momento, luego le dio un beso, con mucho cuidado para no despertarla. En su propia habitación se repasó el maquillaje y el pelo, y se guardó los cigarrillos.

Hector la esperaba en el bar. Unas cristaleras daban a un césped amplio, rodeado de rosales. Él se puso de pie cuando llegó Katherine y le tendió un vaso.

—Whisky y ginger ale, he pensado.

—Cuéntame algo de tu familia, Hector. ¿Los Seton llevan siglos viviendo en Northumberland?

—Ah, sí, siglos y siglos —dijo él—. Los orígenes se pierden en la niebla del pasado.

—¿Sabes algo de ellos?

—¿De mis antepasados? Bastante. Especialmente las locuras y maldades. —Sonrió—. Black Johnnie Seton se supone que coqueteó con la brujería. Y Margaret Seton dejó a su soso pero respetable marido y se fugó con un gitano.

—No me imagino lo que debe ser pertenecer a algún sitio —dijo Katherine—. Quiero decir, de verdad. Yo ni siquiera sé demasiado de mis abuelos.

—Cuando yo era pequeño, me encantaban todos los cotilleos de la casa que me contaba mi niñera. Un lugar maravilloso cuando eres niño, Bellingford. Pero la historia no me interesaba en absoluto. Me parecía todo muy aburrido.

—¿Y ahora?

—Ah, no, ahora no pienso lo mismo. Por Alice, supongo. Después de todo, es su pasado, igual que el mío, ¿no?

Hector se había acabado el whisky.

—¿Quieres otra copa? —preguntó Katherine.

—Yo las traeré.

—¡Hector! Me toca a mí.

—Ya te lo he dicho. —Él se levantó—. Estoy anticuado. Soy muy convencional.

Mientras iba al bar, Katherine probó a abrir las cristaleras. Se abrieron, así que salió a la terraza y encendió un cigarrillo. Solo cinco hoy, pensó. No está mal. El aire estaba perfumado con el aroma de las rosas tardías. El jardín daba a unos campos y bosques, en las colinas distantes. Las hojas de las rosas brillaban a la luz de la luna y las flores eran como de grueso terciopelo gris.

Hector se acercó a ella.

—Esto —dijo en voz baja— es lo que echo de menos en Londres.

—Sí —dijo ella, bromeando—, pero ¿dónde están los teatros y los cines? ¿Las tiendas y los restaurantes? Quiero decir... ¿qué hace la gente aquí?

Bajaron los escalones de la terraza y llegaron al césped. Las hojas húmedas lamían los tobillos de Katherine, que se agachó para evitar las ramas de un rosal trepador.

—Ah —dijo Hector—, en el quinto pino nos divertimos a nuestra manera.

—Mordiendo pajitas.

—Haciendo sidra.

—Bailando bailes folklóricos.

—Durmiendo con las ovejas.

Katherine se echó a reír. Detrás de ellos una voz exclamó:

—¡Que es tarde, por favor!

—Supongo que tendríamos que volver —propuso Hector, de mala gana.

—Yo no puedo —dijo ella—. Estoy atrapada. —Llevaba el tallo rastrero de un rosal enganchado a la falda.

—Déjame ver... —Hector se arrodilló en la hierba ante ella y liberó las espinas diminutas—. Tienes un pinchazo. —Tenía una burbujita de sangre justo por encima del tobillo.

—Es solo un arañazo.

—En tiempos victorianos —dijo él—, ver un tobillo se consideraba tremendamente erótico.

Katherine se echó a reír.

—¿Y tú qué piensas, Hector?

—Ya te lo he dicho —dijo él—. Soy muy anticuado.

Katherine se despertó a la mañana siguiente feliz, una emoción rara desde la muerte de Philip. Será esta mañana brillante y soleada, pensó. El recuerdo de una noche deliciosa y la perspectiva de un día entero en compañía de Hector y Alice.

Después de desayunar fueron a Bellingford en el coche. Hector le explicó:

—Bellingford no es un castillo en realidad. Es una torre de vigilancia rectangular con algunos añadidos victorianos de un gusto no demasiado exquisito. Por eso el National Trust nunca se ha interesado, porque no es ni una cosa ni otra. Así que no esperes nada distinguido. Ahí. —Señaló.

Katherine levantó la vista. Desde los muros de la torre de piedra cuadrangular, unas troneras los miraban como ojos malévolos entornados. La casa adjunta victoriana era un festival de torretas y almenas decorativas de estilo gótico. El entorno de Bellingford era tan estricto, pensó Katherine, como la propia torre rectangular: no se veía ninguna otra casa y las colinas rodeaban el edificio como murallas fortificadas.

Exploraron primero el terreno de alrededor. Alice corría ante ellos, subiendo y bajando por las terrazas y metiéndose bajo las grandes ramas colgantes de las hayas rojas. Mientras caminaban, Hector se quedó callado. Mirándolo, Katherine dijo, dubitativa:

—Esto debe de ser terrible para ti. Por lo de Rachel.

—Sí, me trae recuerdos. —Hector miró hacia el largo promontorio del jardín—. A Rachel no le gustaba nada el estanque. Lo llamaba la bañera. —Había un estanque ornamental alargado en la terraza—. Quería quitarlo, reemplazarlo y poner algo de aspecto más natural, pero nunca tuvimos ocasión.

Fueron andando entre arbustos y parterres, llenos de maleza después de años de descuido.

—Ven a ver la casa —dijo Hector. Llamó a Alice, que fue corriendo por el césped hacia ellos.

—Prefiero jugar fuera, papá. Por favor, por favor, ¿puedo jugar fuera?

—¿Tú sola, Alice?

—No soy ningún bebé. Tengo ocho años. Por favor, papá.

Hector suspiró.

—Vale, muy bien. —Alice palmoteó encantada y corrió por el césped—. Pero no te acerques a la carretera ni tampoco al estanque, y no te subas a los árboles, y...

Entraron en la casa. Mientras iban pasando de habitación en habitación Hector hablaba poco, replicando solo con monosílabos a las preguntas de Katherine. Al cabo de un rato, ella también se quedó callada. ¿Vería él fantasmas, se preguntaba ella, recorriendo aquellos pasillos vacíos? ¿Vería todavía en aquella percha colgado el abrigo de Rachel? ¿Oiría todavía, haciendo eco en aquellas paredes, la risa de Rachel? Subiendo las escaleras y explorando las oscuras y tétricas habitaciones, Katherine se encontró sin darse cuenta buscando pruebas, rastros. Al volver la cabeza, seguramente vería la bufanda roja de cachemir de Rachel, arrojada descuidadamente en la barandilla. Si aspiraba con fuerza notaría el olor a Joy, el perfume de Rachel, aprisionado durante todos aquellos años en las habitaciones cerradas del castillo.

Pero no había nada, claro. Hacía mucho tiempo que alguien había empaquetado las ropas de Rachel y guardado sus cepillos del pelo, sus joyas, su reloj de pulsera, todos esos pequeños objetos que parecen reunir la esencia de una persona, y habían retirado también las revistas, las novelas, los costureros y las cajas de pinturas, todo aquello que pudiese dar alguna pista de su carácter y sus aficiones. Ahora, Katherine intentaba recordar los intereses de Rachel, las preocupaciones de Rachel. ¿Le gustaba coser, como a Liv? ¿O prefería leer, o cabalgar? No lo recordaba.

Volviendo desde Fernhill Grange para pasar el último fin de semana de su vida, Rachel debió de andar por aquellas mismas habitaciones y pasillos, en lucha con su dilema. Desde allí debió de hacer las llamadas telefónicas, y en aquella casa esperó a las amigas que nunca llegaron. Sola entre aquellos muros, incluso debió de recibir el inicio del parto con algo de alivio. El dolor y el conocimiento de que era inminente el nacimiento de su hijo pudieron haber constituido una distracción. Las fuerzas que se desencadenaban en su cuerpo debieron de ofrecer al menos la compensación de no permitirle pensar demasiado.

Sin embargo, allí no quedaba ni rastro de su última angustia. Ninguna huella, grabada en las piedras, de soledad o de sensación de traición. Quizá la tragedia de Rachel no quedara disminuida allí, pero sí que adoptó una perspectiva distinta, se convertía en un momento en el tiempo, una llamarada brillante que ardió con brevedad, ocupando su lugar en el curso de siglos de pasiones humanas. Aquellas habitaciones oscuras y vacías guardaban bien sus secretos.

Salieron al patio. Hector miró los altos muros.

—Aquí fue donde le pedí a Rachel que se casara conmigo. O más bien fue ella quien me lo pidió. Yo llevaba todo el día dándole vueltas, claro, pero no acababa de decidirme. No encontraba las palabras. —Sonrió compungido—. Un fallo que tengo.

Las sombras corrieron por las desgastadas paredes. Katherine vio que Hector fruncía el ceño.

—Me pregunto —dijo— si Alice no encontrará todo esto un poco abrumador.

—Parece en su elemento.

—Bien. Eso está bien. —Él iba recorriendo el patio. Parecía inquieto, nervioso. De repente dijo—: Estoy pensando en dejar la librería, Katherine.

Ella lo miró.

—¿Ah, sí?

—El alquiler sube de nuevo, el año pasado apenas conseguimos cubrir los gastos. Y como tengo que pagar el colegio de Alice y lo que pago a la agencia por este lugar, pues he tenido que ir tocando mi capital. —Apoyó el hombro contra la pared, mirando a Katherine—. Y a decir verdad, no estoy demasiado entusiasmado con la tienda.

—¿Y qué harás? ¿Trabajar otra vez en un banco?

—Dios mío, no. —Una vez más miró hacia el jardín—. Rachel tuvo la idea de sacar dinero de Bellingford. Hacer salones de té, establos para equitación, ese tipo de cosas.

—¿Y lo hicisteis?

—No. Nunca llegamos a hacerlo. Pero creo que valdría la pena intentarlo.

Ella estaba segura de que le había oído mal, de que le había comprendido mal.

—¿Hector...?

—Sería perfecto, Katherine. Si volvemos aquí, yo podría prescindir de la agencia y vender mi piso de Londres. Ahorraría una fortuna. Y además, llevo ya tiempo pensando que el centro de Londres no es el sitio ideal para educar a un hijo. El tráfico... y hace un par de semanas había un tío raro a la salida del colegio, diciéndoles a las niñas que se acercaran y les enseñaría unos cachorritos que llevaba, esas cosas. Enviaron cartas a los padres. Me hizo pensar. Esas cosas te hacen pensar.

De repente el corazón de Katherine sufrió un pellizco frío, como si unos dedos helados lo hubiesen tocado y retorcido.

—¿Así que estás pensando en volver a vivir aquí? —preguntó.

—Es una posibilidad. —Se pasó una mano por el pelo despeinado—. No ahora mismo, claro. Habría que arreglar muchas cosas.

—Yo pensaba —dijo ella, intentando que su voz sonase ligera—, yo pensaba que simplemente le estabas enseñando su historia a Alice. Eso fue lo que dijiste, Hector. Para que no fueran simplemente unas fotos en un álbum.

—En parte es así. Pero había otros motivos para venir aquí, Katherine.

Ella se volvió antes de que él pudiera mirarla a los ojos. Ya le había dicho cuáles eran sus otros motivos para volver a Bellingford. «Enfrentarse a los fantasmas... Un exorcismo final...» Ella no sabía al principio por qué sentía tanto temor, y luego, de repente, se dio cuenta.

Hector se había quitado las gafas y estaba limpiando los cristales con el pañuelo.

—No estaba seguro —dijo—. Con lo de Rachel. Era tan joven... Y yo nunca he estado seguro de las cosas. No estaba seguro de si ella me quería o no. De si duraría o no. Recuerdo que le dije que la querría al cabo de diez años, y al cabo de veinte. Que sería suyo hasta que muriera. Pero...

La voz de Alice, a cierta distancia, lo interrumpió. Gritaba algo. Hector parpadeó, mirando a Katherine.

—Yo no..., o sea, lo que yo quería decir es que...

—¡Papá!

—Quería decirte, Katherine...

—¡Papá! ¡Papá! ¡Tienes que venir ahora mismo!

Él dijo una vez más: «Katherine», y luego, como ella no respondió, oyó los pasos de él que se alejaban. Sola en las sombras de los altos muros de Bellingford, ella agradeció aquel breve respiro. Comprendía ahora por qué Hector la había llevado allí. Había intentado advertirla, darle con suavidad la noticia de su partida. Había intentado, el considerado Hector, ser amable porque había visto en ella cierta dependencia. O, peor aún —se echó a temblar—, una necesidad.

Algún día, al cabo de seis meses quizá, o un año incluso, Hector se iría de Londres a Northumberland. Alice, a quien ella había llegado a querer mucho, se iría con él. La idea de su ausencia la dejó anonadada.

Katherine vio reaparecer a Hector en la entrada del patio llevando a Alice de la mano. Ni se te ocurra dejar que sepa lo que piensas, se dijo a sí misma, orgullosamente. Ni se te ocurra. No podía haber nada más humillante que mirarle a los ojos y ver el miedo: miedo a que ella llorase, a que armase un escándalo, a que montase una escena.

De modo que sonrió, con la cabeza alta, para conservar su orgullo a toda costa. En realidad, pensó con algo parecido a la desesperación, era lo único que le quedaba. Se oyó a sí misma empezar a hablar, las primeras palabras rápidas, casi atropellándose unas a otras, su sufrimiento escondido bajo su veta más radiante y divertida.

—Brrr... Está haciendo un poco de frío, ¿verdad? Me muero de hambre. ¿No podríamos ir a buscar un pub o algo? Aunque probablemente no haya ninguno en kilómetros. Este lugar realmente está en medio de la nada, Hector. Tan apartado... Cuando lo comparas con Londres, es como si hubiésemos retrocedido décadas.

18

Solo quedaban unos pocos de la comunidad original de Great Dransfield. A Felix le pareció que Nancy no había cambiado nada, pero el pelo oscuro de Claire estaba ahora salpicado de canas grises y Justin e India se habían convertido en huraños adolescentes muy rubios. Rose ocupaba ahora la habitación del ático en la que en tiempos durmió Felix. Un joven alto y desgarbado llamado Jason tenía la antigua habitación de Saffron y una pareja con dos bebés gemelos ocupaba el dormitorio que antes tenían Bryony y Lawrence. Y a Felix le pareció que había enjambres de niños, desde bebés en sus cochecitos a criaturas desharrapadas y ruidosas que se subían a las barandillas y correteaban por el jardín, y nadaban en las aguas del lago, frías como el hielo.

Las emociones de Felix, que oscilaban agotadoramente entre la ira, la melancolía y la culpa, parecieron al fin encontrar un equilibrio. Una noche, pocos días después de su llegada, estaba sentado en los escalones de la terraza cuando Nancy se acercó a él.

Se sentó a su lado.

—Pareces absorto, querido Felix.

—Estaba pensando en lo fácil que era todo aquí.

El largo vestido color cobalto que llevaba Nancy formaba pliegues en torno a sus tobillos.

—¿Fácil? —repitió—. Con el niño de Bryony siempre con cólicos, aquellas horribles reuniones en las que todo el mundo discutía, la vez que Justin casi se ahoga... ¿Fácil?

—Pensaba en mí mismo, supongo. Todo parecía estar más claro entonces.

Nancy dijo con suavidad:

—Cuéntame, Felix.

Él sonrió.

—Eres la mujer con más tacto que conozco, Nancy. Aparezco ante tu puerta como un vagabundo por segunda vez y ni siquiera me preguntas nada.

—Lo más difícil —dijo ella— fue convencer a Rose de que no hiciera preguntas.

Él sonrió, compungido. Ella lo miró.

—¿Por qué has venido, Felix?

—Porque no se me ocurría adónde ir.

—Pero ¿piensas quedarte?

—No, esta vez no.

Ella esperó entonces a que continuase. Él oyó en el silencio el suspiro de los árboles con el viento.

—Venir aquí ha sido... muy autocompasivo —dijo—. Egoísta. He dejado a alguien en la estacada, ¿sabes, Nancy? Alguien a quien quiero mucho. Ha sido muy feo por mi parte, pero es que estaba desesperado. Todo parecía ir mal.

Miró hacia el lago. Algunos de los niños jugaban en la orilla. Una de las niñas, delgada y morena, le recordó a Freya.

Se volvió a Nancy.

—¿No te asusta a veces todo esto? La responsabilidad que has asumido hacia la vida de esas personas, por hacer que funcione este sitio... Quiero decir, ya sé que se supone que todo funciona repartido a partes iguales, pero nunca es así en realidad, ¿no?

Nancy se colocó el chal en torno a los hombros.

—Antes me despertaba por la noche preguntándome si sería capaz de pagar los impuestos y la factura de la luz. O temiendo que cayera una chispa de una de las chimeneas y nos quemásemos todos en nuestras camas. Y, lo que es peor, que la simple idea de una comunidad autosuficiente fuera solo un autoengaño. Que no fuera más que el sueño estúpido e ingenuo de una solterona de clase media y de mediana edad que simplemente no sabe cómo enfrentarse al mundo real. –Sonrió–. Pero con el tiempo he dejado de preocuparme. No sirve para nada. He llegado a la conclusión de que lo mejor que podemos hacer cada uno de nosotros es ir tirando, intentando hacer las cosas lo mejor que podamos.

Felix miró hacia el lago.

–Cuando mi padre quebró –dijo–, yo intenté ser un buen hijo, de verdad que lo intenté, Nancy. Tuve un trabajo como Dios manda. Ahorré dinero en el banco. Todo eso. –Los niños corrían por el prado, de vuelta a la casa. Mentalmente Felix vio el cartel de SE VENDE junto a Wyatts. Susurró–: Quería arreglar las cosas otra vez. Casi lo consigo. Era como si pudiera alcanzarlo, como si lo estuviera tocando. –Recordó cuando siguió a la ambulancia a lo largo de la calle y la vio aparcar ante la casa de su padre. Cuando el temor se convirtió en una certeza. La amargura de saber que todos tus esfuerzos habían sido en vano.

Recogió una piedrecilla de los escalones y jugó con ella entre las manos.

–Y pensé: ya está, ya he acabado con la responsabilidad. Ya he tenido bastante.

No pudo soportar que nadie se le acercase tanto. Recordó las airadas palabras de Liv, las que le arrojó en el prado que estaba entre el granero y la granja. Ella le había dicho que lo quería. Él llevaba años esperando oír esas palabras. Pero se alejó de ella.

Oyó a Nancy que le apuntaba:

–¿Y has cambiado de opinión?

–El caso es que... las echo de menos. Muchísimo. No solo a Liv, sino también a las niñas. Me he acostumbrado a ellas.

Ir tirando, pensó. Se preguntó si eso bastaría. Se quedaron un rato sentados en silencio, viendo cómo el sol moribundo pintaba el lago de color escarlata.

Fue con el coche a Wyatts por última vez. Era a finales de septiembre y las hojas caían ya. Recordó que a su madre siempre le gustó el otoño, decía que los marrones y dorados hacían juego con los tonos desgastados de la casa.

El letrero de SE VENDE había desaparecido. Aparcó el coche y anduvo por el camino. Un contenedor se encontraba colocado en el patio y un hombre vaciaba una carretilla en él. Al ver a Felix, se incorporó.

—¿Qué se le ofrece?

—Me he perdido. —Miró la casa—. Qué casa tan bonita y antigua.

—¿Verdad que sí? —Era un hombre joven, de solo unos cinco años menos que Felix, pelirrojo y de aspecto alegre—. Nos acabamos de trasladar. Hay muchísimo trabajo por hacer.

—¿Ah, sí?

—Me temo que sí. Los propietarios anteriores solo la usaban los fines de semana y antes fue de la misma familia durante muchos años. No estaba adaptada a los tiempos. Todos esos deprimentes paneles viejos...

El contenedor estaba lleno de tablas de roble rotas. Felix recordó el cálido vestíbulo a la entrada, con sus paredes forradas de paneles de roble.

—Vamos a tener mucha leña —añadió el pelirrojo—. Con unos colores más vivos la casa será mucho más alegre. —Sonrió—. Sí, hay mucho que hacer aún. La cocina es como si saliera del Arca de Noé. Vienen a instalar la nueva la semana que viene.

Felix dejó que su mirada derivase por la casa y el jardín, de la pérgola al prado y los setos de boj, desde los gabletes gemelos que abarcaban todo el jardín hasta las ventanas abuhardilladas en el tejado inclinado.

—Como he dicho, muchas posibilidades. Y me gustan los desafíos. Y en el fondo, es una casa antigua muy bonita.

—Sí, ¿verdad?

—Decía usted que se había perdido. ¿Quiere que le indique? Tengo un mapa en el coche.

Felix dijo:

—En realidad, ya me acuerdo de cuál era mi camino. Pero gracias, de todos modos. —Y se alejó por el camino.

Fue hasta el granero. Vio que, en la semana transcurrida desde que se pelearon, el río había retrocedido hasta su cauce habitual y Liv había sacado toda la tela y materiales estropeados del granero, apilándolos en un montón en el prado.

Entró. Ella estaba sentada ante el escritorio, con la cabeza inclinada sobre un fajo de papeles. Él dijo su nombre y ella se volvió.

—Felix.

Él reconoció el cansancio en sus ojos. Durante un momento no encontró las palabras. Miró a su alrededor.

—Has hecho un trabajo maravilloso.

—¿Ah, sí?

—El suelo. Has limpiado todo el suelo.

—Antes era fregona profesional, no sé si lo recordarás —dijo, intentando hacer una broma. Pero sus ojos lo miraban recelosos y permanecía sentada.

—He venido a decirte que lo siento mucho.

Hubo un silencio. Entonces Liv dijo:

—¿El qué, exactamente, Felix?

—Dejarte con todo esto mientras yo me iba por ahí y tenía mi pequeña crisis nerviosa.

Hubo una pausa.

—No me importa que te fueras. Lo entiendo. Es lo que quise hacer yo cuando lo vi todo. Irme, sin más, dejarlo todo plantado. —Liv daba vueltas al bolígrafo entre los dedos mientras hablaba—. Pero tengo que saber si vas a volver. Y si es así, me gustaría saber cuánto tiempo piensas quedarte.

—Para siempre, si me aceptas. —Felix vio que ella cerraba los ojos y los apretaba mucho.

Al abrirlos se levantó y dijo, con una voz algo estrangulada:

—No creo que tenga muchas alternativas. Creo que te necesito, Felix. No consigo aclararme con los malditos números sin ti. —El libro de facturas, con sus hileras de cifras, estaba abierto ante ella.

—He ido a Wyatts —dijo él. Pensó en aquel hombre tan alegre y el contenedor, y los remolinos de hojas color cobre en el camino. Se miró las manos–. Pensaba que me resultaría insoportable ver a otras personas viviendo allí. Que odiaría verlos dejar su marca en ese sitio. Pero es curioso, en realidad no me ha importado. De alguna manera, casi me ha ayudado ver lo mucho que ha cambiado. Ha trazado una línea, ha representado un punto y aparte. –Levantó la mirada hacia ella–. Las casas no son más que ladrillos y cemento, ¿no? Son las personas lo que importa. Ahora me doy cuenta. Rose y Mia importan. Y tú, y Freya y Georgie. Tú me importas más que nada en el mundo, Liv.

Fue hacia Liv entonces y ella apretó la mejilla contra su muslo mientras él enterraba sus dedos en el pelo negro y abundante de ella. Agachándose, él le quitó las lágrimas con sus besos.

Al cabo de un rato él dio una vuelta por el granero.

–¿Crees que se puede salvar?

–Janice me ha ayudado a hacer las cuentas. –Se sonó la nariz–. He llamado por teléfono a la mayoría de los clientes y les he contado lo que ha ocurrido.

–¿Ha habido cancelaciones?

–Media docena. Podría haber sido peor.

–Tenemos que ir a mendigar al banco, me temo. –Suavemente, Felix pasó los pulgares por las oscuras sombras bajo los ojos de Liv–. Pareces muy cansada, cariño.

–No he dormido apenas. –Se abrazó a sí misma–. Tenía miedo... –Se calló.

–¿De qué?

–De que alguien me estuviera espiando.

–Cuéntame, Liv.

–Realmente, no hay mucho que decir. Solo... ruidos por la noche. Y la cancela abierta, cuando yo estaba segura de haberla dejado cerrada. Y me pareció ver a alguien en la montañita de grava.

–¿Un observador de aves?

–¿Por la noche? –Sus ojos se oscurecieron–. He pensado en Stefan, ¿sabes?

Miedo no, pensó él. Terror. Dijo, suavemente:

–¿Estás segura?

Liv meneó la cabeza.

—No, en absoluto.

—Ese hombre al que viste...

—Estaba demasiado lejos. Era solo una silueta.

—¿Has llamado a la Policía?

—No creo que sirva de nada. No hay nada... sólido.

—¿No es posible —eligió con cuidado las palabras— que al estar tan cansada y agobiada hayas llegado a una conclusión errónea?

—Sí —respondió Liv, y sonrió con desgana—. Perfectamente posible. Y además, si hubiera sido Stefan lo habría sabido, ¿no? Eso es lo que me digo todo el rato. Habría venido a casa, se habría dado a conocer... Me habría hablado o algo... Habría intentado convencerme de que volviera con él. ¿Verdad?

Felix la rodeó con sus brazos de nuevo.

—Todo irá bien, Liv —susurró—. Todo irá bien.

—¿Tú crees? —Lo miró—. ¿Recuerdas cuando nos conocimos? ¿En Londres, después de la fiesta de Toby? ¿Los dinosaurios? ¿Huir de los dinosaurios? —Se echó a temblar—. Todavía los noto, a veces. Justo doblando la esquina. Los malditos dinosaurios.

Hector llamó por teléfono a Katherine.

—No viniste a cenar anoche.

—Lo siento. He estado muy ocupada. Quería decírtelo, pero se me olvidó.

—Alice te echó de menos.

Ella notaba el asombro y el dolor en la voz de él. Hizo acopio de todas sus fuerzas y dijo:

—En realidad, Hector, hay algo que quería decirte.

—¿Sí?

—He solicitado un nuevo empleo.

—Ah —Parecía aliviado—. Las solicitudes de empleo hacen perder mucho tiempo, sí. Te entretienen. ¿Es algo interesante?

—Maravilloso. Justo lo que quería. —A ella misma le sonaba a falso—. Una antigua amiga mía, Netta Parker, quiere hablarme del tema. Es una revista —dijo—. Una revista muy prestigiosa. Si acepto el trabajo, seré jefa de sección.

—Es maravilloso. Felicidades.

—Pero tendría que trasladarme.

—¿Cómo que trasladarte?

—A América —dijo ella—. Nueva York.

Hubo un silencio. Luego él dijo:

—Oh..., no pensaba que...

—Es una oportunidad.

—Claro.

—No puedo rechazarla, Hector. —Le picaban los ojos.

Otro silencio.

—Pues me alegro mucho por ti, Katherine.

De repente, ella no pudo soportarlo más.

—Tengo que dejarte. Están llamando a la puerta. Ya hablaremos en otro momento...

Colgó y se quedó un buen rato quieta, apretándose las palmas de las manos contra los ojos cerrados. Luego fue al armario y empezó a echar sus mejores ropas —el traje de Betty Jackson y el vestido de Bill Gibb— en el sofá, para llevarlos a la tintorería al día siguiente.

De visita en Londres el viernes, Liv dio un rodeo hacia el piso de Katherine. Había hablado con ella por teléfono la noche antes. Con estudiada tranquilidad, Katherine le mencionó que iba a ausentarse unos días. Tenía una entrevista de trabajo, explicó. Luego puso una excusa muy poco convincente y colgó. Liv se quedó con una sensación de intranquilidad, con la sospecha de que algo importante había quedado por decir.

Llegó a casa de Katherine justo antes de mediodía. Notó a Katherine nerviosa y aturullada. En el suelo del salón tenía una maleta abierta y mucha ropa repartida por las sillas y el sofá.

—Está todo un poco desordenado —se disculpó Katherine. Miró a Liv—: ¿Qué estás haciendo en Londres?

—Felix y yo teníamos una entrevista con el director del banco. Necesitamos un préstamo.

—Ah. ¿Café?

—Por favor. —Liv apartó a un lado varias chaquetas y se dejó caer en una silla.

—¿Y cómo ha ido?

—Pues no lo sé. El banco nos hará saber su decisión a su debido tiempo. —Liv hizo una mueca—. En realidad, ha sido horrible. Se han mostrado muy condescendientes. Y desdeñosos.

Katherine preparó el café.

—¿Y dónde está Felix ahora?

—Intentando engatusar a algunos amigos de la City.

—¿Y qué tal Felix y tú?

—Mejor —dijo, y sonrió—. Mucho mejor. —Miró la habitación en desorden—. Muchas cosas para una entrevista de trabajo, ¿no, Katherine?

—Es en América. En Nueva York.

Liv abrió mucho los ojos.

—¡No me digas!

—Netta me habló de este trabajo hace siglos, pero entonces yo no estaba preparada. Ahora... —Su voz se extinguió. Luego pareció recuperarse—. Es la oportunidad de mi vida.

Katherine, pensó Liv, parecía horriblemente desdichada. No tenía el aspecto de una persona que va a buscar el trabajo de sus sueños.

—¿Qué es lo que te ha hecho cambiar de opinión?

Katherine encendió un cigarrillo.

—Ah, nada, unas cosas y otras.

—¡Katherine!

—El caso es que he hecho una tontería —dijo Katherine, de repente—. Una auténtica estupidez. —Se quedó de pie mirando por la ventana, de espaldas a Liv—. El caso es que me he enamorado de Hector.

—No es ninguna estupidez enamorarse de alguien —la tranquilizó Liv, amablemente—. Ninguna estupidez en absoluto.

—Lo es —dijo Katherine—, cuando no existe ni la más mínima oportunidad de que esa persona sienta lo mismo por ti.

—¿Estás segura? ¿Estás segura de que Hector no...?

—Absolutamente segura. —La voz de Katherine, interrumpiéndola, era cortante. Se dio la vuelta—. Hector regresará a Bellingford, Liv. Quiere vivir allí. Fuimos el fin de semana pasado. Yo pensaba que quería que Alice lo viera. Nunca se me pasó siquiera por la imaginación que él pensara vivir allí otra vez. Pero así es. Y cuando me lo dijo —se encogió de hombros—, bueno, pues lo supe. Supe que se había convertido en algo más que un amigo. Para mí, al menos. —Hizo una pausa—. Creo que fue después del accidente cuando empecé a sentir algo diferente por él. Fue tan amable conmigo. Es muy seductora la amabilidad, ¿verdad? Y luego, cuando murió Philip... —Liv vio lágrimas en los ojos de Katherine—. Cuando estábamos en Bellingford, me dijo que se iba a ir de Londres y de repente me di cuenta de lo horroroso que sería que él ya no estuviera aquí. Y me di cuenta de que prefería estar con él que con cualquier otra persona. Lo quiero, Liv. Y no solo a él, sino también a Alice. La echaré muchísimo de menos. —Katherine intentó sonreír—. Una sustituta de un hijo propio, supongo. Se me habrá despertado el instinto maternal. Patético, ¿verdad? La hija de otra mujer... —Katherine se retorcía furiosa un mechón de pelo en torno al dedo.

—¿Sabes? Pasamos una velada maravillosa el día antes de ir a Bellingford. Cenamos juntos en un hotel en Alnwick. Y de repente lo deseé. Y pensé que aquella noche él me deseaba también. Pero al día siguiente, cuando fuimos a Bellingford, fue diferente. Estaba callado, nervioso. Como si tuviera miedo de meterse en algo de lo que no supiera luego cómo salir. Como si lamentara las cosas que había dicho la noche anterior. Por supuesto —sonrió Katherine una vez más, sin humor—, podría obligarle a que me quisiera. Sé que podría hacerlo, porque se me da bien, ¿verdad, Liv? —Su voz sonaba llena de furia. Entonces su expresión cambió—. Pero no lo haré —añadió en voz baja—, no lo haré, por Rachel.

—¿Rachel? No entiendo...

—¿Recuerdas hace siglos, cuando todavía íbamos al colegio, cuando Rachel nos dijo que tenía miedo de quedarse atrás? —Katherine encendió otro cigarrillo con la colilla del anterior y se sentó en el alféizar de la ventana—. Fue en primavera. Estábamos haciendo el vago al salir del colegio. Nos presentamos a un *casting...*

Liv sonrió.

—Para una película.

—Tú y yo íbamos a ir a la universidad, y Rachel a ese horrible colegio para señoritas. Y nos dijo que tenía miedo de que la olvidásemos.

Katherine miró a Liv.

—El caso es que cuando yo estaba en Bellingford, me costó muchísimo recordar algo de ella. Quiero decir, recordar de verdad. No solo hechos... Cómo era, dónde vivía, ese tipo de cosas. Quiero decir qué tipo de persona era.

—Pero ella no tuvo demasiadas oportunidades de ser algo, ¿no? —añadió Liv, lentamente—. Después de todo, murió muy joven. Piensa lo mucho que hemos cambiado tú y yo desde que teníamos diecinueve años.

—La hemos olvidado, ¿verdad? Prometimos no hacerlo, pero lo hemos hecho. Pero Hector no. Cuando estábamos en Bellingford pensaba en ella, lo sé. Hector no ha olvidado a Rachel. Y si eso es lo único que le queda a ella..., si el recuerdo de Hector es lo único que queda de ella, entonces, ¿quién soy yo para arrebatárselo?

Liv casi dice: «Pero Rachel está muerta». Pero al mirar la cara pálida y triste de Katherine se comió sus palabras.

—¿Y lo sabe Hector?

—¿Que lo quiero? No. Casi se me escapa, pero entonces apareció Alice, gracias a Dios, y lo distrajo. —Esbozó una sonrisa torcida—. Sé que siempre he tenido la mala costumbre de querer lo que tienen otras personas, pero vaya, el marido de otra persona y su hija, hasta yo misma comprendo que es demasiado.

«La hija de otra persona...»

—Alice te necesita, Katherine —dijo Liv, con firmeza.

—Ya tiene a Hector. Le irá bien. —Sin embargo, la voz de Katherine sonaba tensa.

—Alice ya ha perdido a su madre y a su abuela. No puedes irte de su vida sin más. Piensa lo que sería para ella.

Katherine se bajó del alféizar y empezó a meter faldas y pantalones en la maleta.

—Tengo que irme, Liv. Mi avión...

—Déjame que hable con Hector.

—¡No! —Katherine la fulminó con la mirada—. No le dirás ni una sola palabra, ¿entiendes? Tienes que prometérmelo. —Miró su reloj—. Tengo que estar en Heathrow dentro de pocas horas. Será mejor que me dé prisa.

—¿Te vas hoy mismo?

—Sí, a las seis.

Liv hizo un último intento.

—Katherine, esto es una locura. No puedes irte sin más.

—¿Que no puedo? Espera y verás. —Los hombros de Katherine cayeron, como si la ira hubiese desaparecido de su interior. Añadió, más tranquila—: Tengo que hacerlo. —Se sentó en el brazo del sofá—. Ya fui a Estados Unidos antes, después de que muriera Rachel y después de que aquel hombre espantoso intentara violarme. Así empecé desde cero. Era lo que había que hacer entonces y es lo que hay que hacer ahora. No podría soportar quedarme aquí. No podría soportar no ser nada para ellos. No sé cómo me las arreglaré, pero tengo que empezar de nuevo, ¿no?

Alejándose del piso de Islington, Liv recordó lo que le había dicho Katherine: «No le digas ni una sola palabra a Hector. Tienes que prometérmelo». Hizo una pausa, indecisa un momento, pero luego pensó: maldita seas, Katherine, eres más terca que una mula. Algunas promesas es mejor romperlas. Tomó un taxi y pidió que la llevaran a Bayswater.

La librería de viejo era oscura y mohosa, como suelen ser las librerías de viejo. Los estantes iban desde el suelo hasta el techo.

Un hombre joven con el pelo rubio y peinado de punta se encontraba detrás del mostrador. Liv preguntó por Hector.

—¡Hector! —aulló el joven—. ¡Tienes una visita!

Hector salió parpadeando de una habitación posterior.

—¿Qué pasa, Kevin? —Entonces vio a Liv.

—Tengo que hablar contigo, Hector.

—Estoy con un cliente.

—Pues despáchalo. Tenemos que hablar.

—¿De qué?

—De Katherine.

El rostro de él pareció contraerse.

—Parece que no servirá de gran cosa, ¿no?

—¡Hector! —siseó Liv, furiosa.

Kevin dijo:

—Yo me ocuparé del señor Potter, si quieres. —Y desapareció en la trastienda.

Liv fulminó a Hector con la mirada.

—¿Sabes que Katherine se va a América?

—Sí —respondió, fríamente—. Me lo dijo.

—¿Te dijo que se iba hoy?

—¿Hoy? —La mirada de él cayó y empezó a ordenar alrededor de la caja—. No. Eso no me lo dijo.

—Tienes que detenerla, Hector.

—¿Y cómo quieres que haga semejante cosa?

—Llámala por teléfono.

—Ella ya se ha decidido, Liv. —Hector seguía ordenando el fajo de papeles y bolígrafos detrás de la caja—. Lo ha dejado muy claro.

—¿No te importa que se vaya?

Los papeles cayeron de las manos de Hector al suelo. No les hizo caso.

—Claro que me importa —dijo en voz muy baja.

—¿Pero no lo suficiente como para hacer algo? —preguntó, furiosa.

—No es eso...

—Ella te quiere.

—No. Eso es lo que pasa. Que no me quiere.

—¡Hector! Vengo de casa de Katherine. Me ha dicho que te quiere.

—Creo que te equivocas, Liv.

—No estoy equivocada.

—Creo que sí, que en realidad tú...

Liv quiso sacudirlo.

—Lo que pasa es que a lo mejor eres tú quien no la quieres.

—Liv, yo...

—Después de todo lo que ha hecho por ti —le recriminó, furiosa—. Todos estos años siendo tu amiga, ayudándote con Alice...

—Liv...

—Si es por Rachel, es ridículo. Absolutamente ridículo. Tienes que pensar en los vivos, no en los muertos...

—¡Liv! —gritó Hector— ¡yo quiero a Katherine!

Hubo un silencio.

—Ah —dijo ella, al cabo de un momento.

Kevin volvió a salir del despacho.

Hector repitió, más bajo:

—Amo a Katherine. Adoro a Katherine. Y quiero casarme con Katherine. —Varios clientes, que rebuscaban entre los estantes, se volvieron a mirarlo. Kevin, que recogía los papeles del suelo, levantó la vista.

Hector suspiró y continuó:

—No estaba seguro de lo que ella sentía por mí. El fin de semana pasado, que pasamos en Northumberland, empecé a pensar que realmente me quería. Iba a pedirle que se casara conmigo, Liv. Estuve a punto.

—¿Y qué ocurrió?

—Ella me dejó bien claro que no estaba interesada.

Liv pensó en Hector, el precavido y tímido Hector, y la susceptible y orgullosa Katherine.

—¿Le dijiste que la querías?

Hector negó con la cabeza. Exasperada, ella insistió:

—¿Le dijiste algo, acaso?

Él se quitó las gafas y empezó a limpiárselas con la corbata.

—Hablábamos de la casa, sobre todo. Yo estaba muy nervioso. Intentando reunir el valor suficiente.

—¿Hablasteis de Rachel?

Sus ojos azules se abrieron.

—Sí. Sí, supongo que hablamos de ella.

—Hector, Katherine cree que tú todavía estás enamorado de Rachel.

Kevin se levantó del suelo y estaba de pie ante Hector, con los papeles apretados contra el pecho. Los clientes se habían ido acercando para poder oír la conversación, hojeando sus libros sin ver, aguzando los oídos.

Hector dijo, sereno:

—Siempre habrá una parte de mí que amará a Rachel. No estaría bien olvidarla, ¿verdad? Pero hay que seguir adelante. Me costó mucho tiempo comprender eso, y no habría sido capaz sin Katherine y Alice, pero hay que seguir adelante. —Se apretó la frente con los dedos y arrugó los ojos. Luego gruñó—. Ay, Dios mío, ahora veo lo que debió de parecerle a ella... Hablar de la casa, decirle que estaba pensando en vivir allí otra vez... Hablarle de Rachel... Le conté a Katherine los planes que hicimos, que yo le había dicho a Rachel que la querría hasta el día que muriese. Pero en realidad lo que intentaba explicarle a Katherine era que, aunque, de alguna manera, eso siguiera siendo verdad, eso no significaba que no pudiera querer a otra persona. Que no pudiera quererla a ella. Ay, Dios mío —repitió, recordando, mientras se pasaba los dedos por el pelo—. Alice me llamó, Liv, y tuve que ir a por ella y, cuando volví, Katherine estaba distinta. Antes parecía feliz, pero luego cambió. Estaba mordaz. A la defensiva. Me evitaba. Quería irse de Bellingford lo antes posible. Pensé que no había nada que hacer. —Levantó la vista y por primera vez vio que los ojos de Liv se iluminaban—. ¿Crees de verdad que...?

—Katherine te quiere, Hector. Me lo ha dicho ella misma. Y no quiere irse a América. En realidad, no.

—¿Cuándo sale su vuelo?

—A las seis, me ha dicho.

—Llamaré a su casa. —Fue a la oficina de atrás. Cuando volvió dijo—: No responde. Debe de haber salido ya. —Miró su reloj—. Voy a por el coche, me voy a Heathrow.

Se oyó un coro de murmullos aprobadores de los clientes.

—¡Alice! —exclamó.

—Ya la recogeré yo del colegio —dijo Liv.

—¿Y la tienda?

—Yo me ocupo —respondió Kevin.

Camino de Hammersmith, Hector miraba sin parar el reloj del salpicadero. Introduciéndose entre el tráfico intenso, saltándose todos los semáforos en ámbar, su humor alternaba constantemente entre el optimismo y la desesperación. Que ella lo quería. Que podía ser demasiado tarde.

Se encontró retenido en una larga cola de coches en el paso elevado de Hammersmith, y tabaleaba con los dedos en el volante mientras avanzaba palmo a palmo. Pasado Hammersmith el tráfico aflojó un poquito pero, mirando una vez más el reloj, vio que casi eran las tres y media. Ella facturaría a las cuatro, quizá, y luego se dirigiría a la zona de *duty free*. Pisó aún más el acelerador. La aguja del velocímetro se disparó: ochenta, noventa, cien... Tomó el carril interior, maniobró entre camiones y autobuses, murmuró una rápida plegaria rogando que la Policía de tráfico estuviera ocupada en otro lugar aquel día.

En Chiswick giró hacia la A4. Subió a ciento veinte kilómetros por hora y el chasis de su MGB, que ya tenía diez años, traqueteó como protesta. No hizo ni caso; tampoco hizo caso de la aguja de la gasolina, que se iba acercando peligrosamente al rojo.

No podía recordar la primera vez que la vio, entre la neblina del recuerdo. No era lo mismo que con Rachel, que sería para siempre aquella primera llama plateada y brillante. Katherine se había convertido en una parte de él poco a poco, casi insidiosamente, una acumulación de imágenes y recuerdos que le había apartado de una vida de dolor y ensimismamiento y dirigido hacia un nuevo optimismo y esperanza en el futuro. Pensó en Katherine sentada en su casa después del susto de la bomba, en el metro, intentando disimular el temblor de sus manos al sujetar la taza de café. Pensó en Katherine o bien engatusándole o bien fustigándole para que saliera de su aislamiento autoimpuesto durante los primeros días de su amistad. Katherine con Alice en sus rodillas. Katherine a la orilla del mar, estirando sus miembros largos y pálidos a la sombra de los acantilados.

Y Katherine herida y magullada después del accidente. Vio entonces la vulnerabilidad en sus ojos y quiso protegerla, defenderla, agarrar a aquel maldito amante suyo por el pescuezo y preguntarle qué demonios pensaba que estaba haciendo con ella. Y, finalmente, Katherine en Northumberland, rodeada de rosas, con aquella gota de sangre como un solitario rubí encima de su tobillo. Él habría deseado quitárselo con un beso, probar su piel, la sangre que corría por sus venas, conocerla íntimamente. Aquella noche se quedó despierto en la cama, loco de deseo por ella.

Conocía su valor y también su carácter. Su gracia algo desgarbada y larguirucha, su sensualidad. Su inteligencia brillante y feroz, y su capacidad de amar. Conocía todas esas cosas de ella.

Estaba solo a unos pocos kilómetros de Heathrow. Por encima de su cabeza, las formas sólidas de los aviones planeaban como enormes aves de rapiña. Mirando el reloj, juró para sí y giró el volante con decisión, bajando a toda velocidad por la vía de acceso que le sacaba de la carretera nacional. Un desvío lo llevó hacia el aeropuerto. Pensó: si llego tarde, te seguiré hasta el otro lado del océano, si hace falta. Me arrodillaré ante tu puerta, Katherine, y aullaré como un lobo hasta que vengas conmigo.

La cola de facturación había menguado un poco, pero Katherine todavía esperaba, empujando el carrito con su equipaje entre los pasillos de la papelería. No sabía qué era lo que estaba esperando: una señal de que hacía bien, de que había tomado la decisión correcta, suponía. «Si lo quieres, está en el bote, Katherine», le había dicho Netta, conspirativa. Estaba pasando por delante de todos sus colegas, tanto hombres como mujeres. Era todo lo que había querido siempre, se dijo a sí misma. Una carrera emocionante y prestigiosa, un apartamento en Nueva York. Netta la presentaría a un nuevo círculo de amigos. El salario que ganase le aseguraría el futuro y le permitiría disfrutar del presente. Aunque Hector la hubiese querido, ¿por qué iba a abandonar tal perspectiva en favor de la vida hogareña, en forma de una familia ya hecha y un castillo lleno de corrientes de aire en medio de la nada?

Compró una revista que no se molestaría en leer y un *best seller* al azar de entre los libros. Eran las cuatro en punto. En cuanto hubiese facturado su equipaje y pasado por el control de pasaportes, no habría vuelta atrás. Con una sensación de fatalismo, empezó a empujar su carrito hacia el mostrador de facturación.

Entonces oyó que alguien la llamaba por su nombre. Se quedó quieta un momento, medio convencida de que se lo había imaginado. Al levantar la vista, lo vio.

Iba sorteando a la gente. De pie, en medio de la explanada, lo esperó.

—¡Katherine...! —exclamó. Tenía la cara roja e iba sin aliento.

—¿Qué estás haciendo aquí, Hector?

—Liv... —jadeó—. Liv me ha dicho que te ibas hoy...

—Le he dicho que no te lo dijera —dijo ella, tensa—. He hecho que me lo prometiera.

—Katherine, no debes irte. Por favor, no te vayas.

—Ya me he decidido, Hector. —Intentó apartar el carrito. Pero una rueda estropeada se quedó atascada, negándose a permitir que siguiera adelante.

—Puedes cambiar de opinión —insistió, mientras ella luchaba con la rueda.

—¿Y por qué demonios iba a hacer semejante cosa? —Lo miró y luego intentó desesperadamente empujar el carrito hacia delante.

—Porque no quiero que te vayas —respondió él, sencillamente—. Porque te quiero.

Ella hizo una pausa, mirando al frente. Las palabras de él eran el único sonido entre el ruido y la agitación del aeropuerto.

—Te quiero, Katherine —repitió—. Y quiero que te cases conmigo.

—Rachel... —susurró Katherine. Él le tomó las manos entre las suyas, apartándolas del asa del carrito.

—Rachel estuvo antes y tú estás ahora, Katherine. Lo que tiene el pasado es que se queda congelado, ¿verdad? Rachel nunca tendrá más de diecinueve años. Rachel y yo nunca sabremos lo que es estar casados cinco años, o veinticinco, o cincuenta. No sé cómo habría sido si hubiésemos estado más tiempo juntos. Quizá habría sido maravilloso. Quizá no. Pero nunca lo sabremos. Pero yo lo quiero averiguar contigo, Katherine. Lo quiero de verdad.

Ella cerró los ojos.

—Pero Bellingford... —Su voz temblaba.

—Ya sé que odias el campo —continuó Hector rápidamente—. Fui un idiota por llevarte allí. Y sé que te encanta tu trabajo. Nos quedaremos en Londres. Donde tú prefieras, cariño. Donde tú quieras.

—Pensaba que no me querías, Hector. Pensaba que me habías llevado allí para romper conmigo de una manera suave. Para decirme que te ibas.

—Oh, Katherine... —dijo él, en voz baja—. Te llevé allí para pedirte que te casaras conmigo.

Ella dio un último e inútil empujón al carrito con la cadera.

—¡Este puto trasto! —se quejó. Entonces su voz se rompió y él la estrechó entre sus brazos y la abrazó y la besó.

Al final ella dijo:

—Supongo que será mejor que volvamos.

—He traído el coche. —Hector hizo una mueca—. Aunque probablemente ya se lo habrá llevado la grúa.

—¿Dónde lo has dejado?

—En un muelle de descarga.

—¡Pero Hector! —dijo ella, con los ojos como platos—. Lo encontrará la Policía, pensarán que hay una bomba...

—¡Dios mío! —exclamó él, horrorizado—. No lo había pensado.

–El aeropuerto de Heathrow entero se colapsará. –Katherine estaba a punto de echarse a reír.

–Nuestra primera noche juntos como es debido –dijo él–, y probablemente la pasaré en la cárcel. –Sacó la maleta de ella del carrito.

–Ya te visitaré en la prisión de Strangeways. –Se dirigían hacia la salida.

–¿Aunque lleve un traje de esos a rayas?

–Creo –respondió, mientras corrían por la acera– que ese tipo de cosas ya se acabaron con Dickens.

Un policía estaba ante el MGB y apuntaba algo en un bloc.

–¡Ay! –exclamó Hector, le dio la mano y echaron a correr.

19

Los sonidos del otoño penetraban en sus sueños. Por la noche, los pantanos estaban llenos de susurros. Se oían voces cuchichear entre los juncos que se movían suavemente, pero ella nunca acababa de entender las palabras. Las ramas se frotaban unas con otras, emitiendo leves chasquidos y roces. Al oír su eco, ella soñaba con huesos que salían del mar, tan secos y pálidos como madera desechada, que iban colocándose en forma de hombres que caminaban con un ruido discordante y se dirigían hacia la casa. Los pies esqueléticos dejaban unas huellas como de pájaro en el suelo fangoso y unos dedos grises tabaleaban en los cristales de las ventanas. A veces, medio despierta, se imaginaba que lo veía de pie junto a la ventana. O bien, cuando ya se deslizaba en el sueño, se metía en la cama junto a ella y quería tocarla con su mano fría.

Se decía a sí misma que solo había sido el grito de una gaviota o el murmullo distante del mar. «Todo va bien», susurraba, y cerraba los ojos. Sin embargo, tenía la piel helada y notaba el latido de su corazón. Se representaba la casita, viendo claramente que las marismas y los árboles la escondían de la carretera y del mar, apartándola del resto del mundo.

Despierta por la noche, intentaba distraerse recordando los acontecimientos de las últimas semanas. Los intentos de Felix, hasta el momento infructuosos, de encontrar un inversor para rescatar su negocio; los problemas de Freya en el colegio, la lenta recuperación de Richard Thorneycroft de su operación de cadera. Alguien entró en casa de Richard y Thea: quedaron cristales rotos en el suelo, en el lugar donde rompieron las cristaleras, y huellas en la alfombra.

—No se han llevado nada —dijo Thea—, pero no se trata de eso, Liv. La casa ya no parece nuestra. Me imagino a ese hombre mirando mis cosas, tocándolas, echándolas a un lado. No creía que pudieran ocurrir ese tipo de cosas en Fernhill. Todos los años que hemos estado en Creta, nunca cerrábamos la puerta...

Un mar de problemas. Daba vueltas en la cama intentando concentrarse en cosas más felices: el compromiso de Katherine con Hector, la nueva certeza y seguridad de su relación con Felix. Compartir su vida con otra persona no parecía ya sinónimo de pérdida de independencia y libertad. Había descubierto que le daba profundidad y dimensión a sus días. Un intelecto para afilar el suyo contra él. Unos fuertes brazos que la acogían cuando estaba cansada. Alguien con quien compartir sus miedos.

Sin embargo, no le contaba los sueños a Felix. No comprendía sus propios sueños. Nunca había sido tan feliz, así que, ¿por qué soñar? La sombra de aquel que la acechaba en verano, pensó, permanecía.

Iba caminando sola por la playa. Oía los guijarros que entrechocaban bajo sus pies, veía el suave cristal pulido convertido en gemas por el subir y bajar de la marea. Miró hacia el mar y vio a Freya. Flotaba entre las olas, con la cara hacia arriba, a pocos centímetros bajo la superficie del agua. Parecía que estaba encerrada bajo un cristal, como una princesa de cuento. Su pelo negro se agitaba en la corriente como si fueran algas y tenía los ojos abiertos. Aunque ella estiraba una mano para tocarla, para sacar a su hija de las olas, no podía alcanzarla. Algo absorbía las piedras debajo de sus pies, de modo que luchaba para mantener el equilibrio, y la fuerza de las olas impedía que pudiera caminar hacia delante. Sus lágrimas se mezclaban con la espuma de las olas.

Se despertó mirando hacia la oscuridad, con la cara mojada. Aunque estuvo dormitando intermitentemente el resto de la noche, el sueño seguía presente. Le dolía la cabeza y recordaba aquella cara pálida y quieta, sus mapas y contornos familiares alterados por el dibujo cambiante del agua. La incapacidad de salvar a su hija en sueños la acosaba y le amargó el día.

Freya estuvo inusualmente tranquila aquella mañana, se comió rápidamente el desayuno y se vistió con una velocidad y obediencia poco habituales. Se fue hacia su dormitorio mientras Liv le cepillaba el pelo a Georgie. Le encantaba peinar a Georgie. Su pelo, espeso y rizado, saltaba y brillaba bajo su contacto como un animal salvaje.

A las nueve menos veinte, Freya bajó las escaleras. Liv la observó detenidamente.

—No necesitas ponerte ese abrigo tan grueso hoy, cariño. —Freya llevaba el abrigo del invierno anterior—. No hace frío.

—Me gusta este abrigo —dijo Freya, obstinada.

—Y ahora te va demasiado pequeño..., has crecido y ya no te vale. Ve a ponerte el anorak.

—Quiero llevar este abrigo. Quiero ponerme lo que quiera.

Liv vio un brillo guerrero en los ojos de Freya. Las peleas justo antes de ir al colegio parecían mucho peores que las demás peleas; estaba a punto de ceder cuando vio un bulto bajo los pesados pliegues del abrigo.

—¿Qué llevas ahí, Freya?

—Nada.

—¡Freya!

De mala gana Freya sacó una bolsa grande. Liv miró en su interior. Estaba llena de muñecas y ropas de muñeca.

—No puedes llevarte tantos juguetes al colegio, cariño. A la señora Chambers no le parecerá bien. Ve y vuelve a ponerlos en el dormitorio.

—No son para el colegio.

—Entonces ¿para qué son?

Freya se apoyaba en un pie y luego en el otro. Al final dijo:

—Voy a poner un puesto.

—¿Un puesto? —Liv se miró el reloj. Las nueve menos diez.

—Como Daphne, pero ella vende verduras. Un puesto al lado de la carretera. Voy a vender mis muñecas. No me gustan nada, o sea que da igual.

Liv miró a su hija:

—¿Al lado de la carretera?

La expresión de Freya reflejaba tozudez.

—Mientras estás trabajando. Siempre estás trabajando. Es muy aburrido.

—¿Dónde, Freya? ¿Dónde pensabas poner tu puesto?

—Fuera de la granja. Ya te lo he dicho, como hace Daphne.

Liv miró de nuevo en la bolsa.

—Algunas de estas cosas son de Georgie.

—No quiero sus tontas muñecas en mi dormitorio.

Su humor, ya frágil aquel día, saltó.

—No puedes vender los juguetes de tu hermana. Debes ponerlos otra vez en el dormitorio, Freya.

—No quiero.

Liv buscó las llaves de casa, las llaves del coche.

—Hazlo ahora mismo.

—No puedes obligarme. —La voz de Freya temblaba.

Las nueve menos cinco. Arrancó la bolsa de las manos de Freya y la echó al sofá. Freya chilló. Liv encontró las llaves de casa en el bolsillo de su impermeable y las del coche debajo de un cojín.

—Ve al coche.

Georgie se escabulló; Freya aullaba. Mientras Liv condujo los dos kilómetros y medio hasta el colegio, le latía la cabeza al compás de los lloros de Freya. Junto a las puertas del colegio hizo un último y desesperado esfuerzo por arreglar las cosas.

—Freya, si no quieres ya tus muñecas, puedes darlas, claro. Igual puedes regalarlas a un mercadillo benéfico o a una tienda de caridad.

Pero Freya dijo, enfadada:

—Yo quería el dinero. No se saca dinero de un mercadillo de esos. —Y se fue corriendo por el patio hacia el colegio.

Sin un beso de despedida. La primera vez, pensó Liv, tristemente.

Felix había pasado la noche en Londres. Llamó al granero a media mañana. Liv le contó lo de Freya.

—Tiene espíritu emprendedor —afirmó él.

—No tiene gracia, Felix. Iba a poner su puesto en la carretera, fuera de la granja. —Tembló imaginando a su hijita, todavía con la confianza innata de la niñez, que veía a un desconocido que le hacía señas desde un coche que pasaba—. Cualquiera podía pasar por allí —dijo—. Podía haber ocurrido cualquier cosa.

—Liv, tú o Daphne o Janice habríais notado que no estaba. —explicó Felix con sensatez—. O la habrías visto arrastrando una mesa o Dios sabe qué más por la carretera. Quiero decir que Freya no es precisamente una niña silenciosa, ¿verdad? Todo lo que hace lleva consigo mucha conmoción. Te habrías dado cuenta, de verdad. Y además, lo has cortado de raíz, ¿no?

—Sí. —Ella garabateaba en un trocito de papel.

Hubo una pausa. Luego Felix dijo:

—Liv, ¿qué pasa?

—Uf... —ella suspiró—. No he dormido bien. Y además Freya ha dicho una cosa...

—¿El qué?

—Que siempre estoy trabajando. —Le dolía todavía la cabeza. Se frotó los ojos con el puño cerrado—. Y tiene razón, ¿no?

—No será para siempre —la tranquilizó, con amabilidad—. Estamos pasando un bache, eso es todo. Nos iremos de vacaciones pronto, te lo prometo. Los cuatro.

—Sí. —Ella hizo un esfuerzo—. Sí, irnos de vacaciones sería estupendo.

—Volveré a última hora de la tarde. Y hablaré con Freya de sus planes de negocios, si quieres.

Freya pensó que era uno de los días más horribles de toda su vida. Primero mamá se había puesto de muy mal humor por lo de las muñecas. Solo porque algunas eran de Georgie, aunque las muñecas de Georgie siempre estaban por el suelo del dormitorio que ella, Freya, tenía que compartir con su hermana, cosa que significaba, pensaba Freya, que tenía derecho a venderlas. Luego en el colegio resultó que la señora Chambers estaba enferma, de modo que vino una profesora nueva llamada señorita Pritchard. La señorita Pritchard era delgada, con el pelo amarillo y un poco tiesa, y regañó a Freya por llegar tarde. Y luego les dio mates, que Freya odiaba. Habían llegado al punto de su libro de mates en que ella se suponía que tenía que dividir cosas entre varias personas, y ella sabía hacerlo, si no eran demasiadas cosas para dividir entre demasiadas personas. Pero la señorita Pritchard miró por encima del hombro de Freya y dijo que se estaba quedando un poco atrás y que sería mejor que avanzara unas pocas páginas, ¿no? Un nuevo y terrorífico grupo de problemas apareció ante Freya, mientras la señorita Pritchard se desplazaba a la siguiente víctima.

Los números se le mezclaban en la cabeza, peor que de costumbre, y cuando tuvo que enseñar su libro a la señorita Pritchard, supo que iba a recibir otra bronca.

—Será mejor que repases esta página después del recreo, ¿no te parece, Freya? —dijo la señorita Pritchard secamente, después de marcar la mayoría de las respuestas de Freya con un rotulador rojo.

Durante el resto del día estuvo enfadada y se sintió desgraciada. Odiaba el colegio, quería huir de allí. Se imaginó que tomaba el tren y se iba a la orilla del mar, o que se subía a un autobús y llegaba a una ciudad grande. Pero no tenía dinero, porque su mamá no le había dejado poner el puesto. En el recreo de la tarde hizo otro intento con sus odiadas mates y consiguió, más por suerte que por otra cosa, algunas respuestas correctas. La señorita Pritchard miró el reloj y le dijo que saliera con los demás unos minutos para airearse un poco. Freya fue vagando por el patio que estaba delante del colegio y entonces sonó la campana. No quería volver dentro con la horrible señorita Pritchard, de modo que fue arrastrando los pies y pasando los dedos por las verjas de hierro que rodeaban el patio de juegos. Beverly Baverstock, a quien Freya odiaba, le gritó:

—¡Te vas a meter en líos, Freya Galenski! —Pero Freya la ignoró.

Cuando el patio de juegos se quedó vacío, de repente se sintió aliviada, como si, al estar sola, todos sus pensamientos negativos se alejasen y ella se sintiera mejor. Entonces oyó que alguien la llamaba por su nombre.

Levantó la vista y vio a un hombre de pie junto a las verjas. Lo reconoció al instante por la foto de su dormitorio.

–¿Tú eres mi papá? –preguntó, y él le tendió los brazos.

Uno de los clientes más importantes de Zarzarrosa llamó a las tres y diez e hizo una serie de preguntas complicadas, de modo que Liv salió del granero tarde para ir a recoger a las niñas. Georgie ya estaba en el patio cuando Liv llegó al colegio; estuvo parloteando y contando sus aventuras del día, mientras esperaban fuera a que saliese Freya. Al cabo de unos minutos empezaron a salir los compañeros de clase de Freya. Liv, recordando la pelea de aquella mañana, supuso que Freya saldría la última, arrastrando los pies y con el abrigo por el suelo, como viva afirmación de protesta. Decidió comprar unos bollitos glaseados en la panadería y así poner a Freya de mejor humor y poder tener una larga charla. Descolgaría el teléfono y se olvidaría del negocio durante el resto de la velada.

Pero a las tres y media no había ni rastro de Freya. Liv miró a su alrededor, convencida de que la estaría espiando, chupándose el pulgar, acechando desde los columpios o bien, olvidados ya sus problemas, hablando animadamente con alguno de sus compañeros de clase. Pero el patio seguía vacío y la mayor parte de las demás madres y niños se habían ido ya. Liv fue andando junto a las verjas, con Georgie de la mano. Freya no estaba. Ni en el patio, ni en el camino. Notó una sensación de intranquilidad en la boca del estómago. La misma sensación que siempre tenía cuando las niñas estaban en peligro: si jugaban demasiado cerca del río o si cruzaban corriendo una carretera rural sin mirar primero.

Entró en el guardarropa. No había nada colgado en la percha de Freya: ni el abrigo ni la bolsa. Liv recordó la imagen de su sueño: la cara de Freya tras una prisión de cristal. O aquella otra imagen de su pesadilla de aquella mañana: Freya metiéndose en el coche de un desconocido, viendo su sonrisa, escuchando sus palabras, subiendo...

Qué tontería, se dijo a sí misma. Encontraría a Freya en la clase, hablando con la señora Chambers. Pero cuando abrió la puerta del aula, allí solo estaba una mujer rubia desconocida, apilando libros en los estantes.

Levantó la vista al ver a Liv.

—¿En qué puedo ayudarla?

—Busco a la señora Chambers..., bueno, en realidad busco a mi hija, Freya.

—Soy la señorita Pritchard. La señora Chambers no se encontraba bien, señora Galenski, así que he ocupado su puesto hoy. —Frunció el ceño—. El padre de Freya la ha recogido temprano. Decía que tenía que llevarla al dentista.

Durante un momento se sintió aliviada. Todo iba bien. Felix se había llevado a Freya a casa. Luego recordó que ella ya llevó a las dos niñas al dentista para las vacaciones de mitad de trimestre.

Se sentía confusa. ¿Por qué iba a decirle Felix a la profesora de Freya que iba a llevarla al dentista?

—¿Al dentista?

—Sí. —Colocó otro libro pulcramente en el estante—. Realmente, tenían que haber traído ustedes una nota, señora Galenski, si Freya iba a faltar unas horas al colegio.

«El padre de Freya la ha recogido temprano. Decía que tenía que llevarla al dentista.» Una cita con el dentista que no existía. «El padre de Freya.» Ella nunca se refería a Felix como el padre de Freya. Siempre había sido muy sincera tanto con sus hijas como con sus profesoras sobre las circunstancias familiares.

Pareció que se formaba una nube negra en el interior de su cabeza y un extraño zumbido amenazaba con engullir sus pensamientos. Oyó que la señorita Pritchard decía:

—Señora Galenski, ¿está bien? —Y se esforzó por rehacerse.

—¿A qué hora se han ido?

—A las dos y cuarto. Al final del recreo de la tarde.

Por primera vez, la rápida y eficiente señorita Pritchard vaciló un poco.

—No hay ningún problema, ¿no? Ningún error, ¿verdad?

Ella dijo:

—¿El padre de Freya era alto y moreno..., con los ojos azules?

Asintió.

—Señora Galenski...

—¿Y su voz?

—Hablaba bien. En realidad era encantador. Con un ligero acento extranjero... —La señorita Pritchard levantó la vista. Liv vio el miedo en sus ojos—. Era el padre de Freya, ¿verdad?

—Sí —respondió Liv. El zumbido se convirtió en un rugido. Parpadeó para aclararse la vista—. Sí, lo era.

Fue en coche hasta la casita y luego a la granja. Metiendo las marchas rápidamente, girando demasiado cerca del bordillo. Al llegar a la granja, los frenos chirriaron y los neumáticos resbalaron cuando entró por el camino.

El coche de Felix estaba aparcado en el patio. Él salía del granero y se dirigió hacia ella. Ella jadeó:

—Freya... ¿está aquí?

—Pensaba que ibas a recogerlas. Daphne me ha dicho que...

El último fragmento de esperanza se desmoronó. Si él no la hubiese sujetado, se habría caído al suelo. Ella oyó la voz de él, como si viniera de un lugar muy lejano.

—Liv, ¿qué ha pasado?

—Stefan. Stefan se ha llevado a Freya.

Él se la llevó al interior de la granja e hizo que se sentara. Daphne hizo té. Cuando ella tomó la taza entre sus manos, con una sensación de distanciamiento veía temblar sus dedos, como si ya no formaran parte de ella.

—Está con Stefan —repitió. Su voz sonaba neutra, sin expresión—. Ha ido al colegio y ha dicho que tenía que llevársela antes.

Una profesora suplente, que no conocía las circunstancias de Freya, le ha dejado que se la llevara.

Oyó murmurar a Daphne: «Dios mío», y vio que se llevaba a Georgie con ella.

Felix se agachó ante ella.

—¿Estás segura, Liv? ¿Estás segura de que era Stefan?

Ella comprendió lo que quería decirle. Quería decir: «¿Estás segura de que era Stefan y no algún monstruo sin nombre que estaba espiando a una solitaria y desdichada niñita?».

Ella asintió.

—Estoy segura. Se lo he descrito a la maestra. Y Freya dijo que era su papá. No lo habría dicho si hubiese sido otro hombre cualquiera, ¿no? Tiene la foto de Stefan en su dormitorio, y... —Notaba que su voz se iba alzando cada vez más y más. Se tapó la boca con la mano.

—Llamaré a la Policía —dijo Felix.

—No.

Él se detuvo, con la mano en el receptor.

—Liv...

—No, no debes hacerlo. —Se obligó a tragar un sorbito de té—. Tenemos que encontrarla nosotros. No la Policía.

Él se frotó la frente con el dorso de la mano.

—Realmente, creo que deberíamos llamar a la Policía, Liv. Ellos tienen recursos. Quizá puedan rastrear el coche de Stefan.

—Él no se asustará de mí, pero podría asustarse de la Policía. —Empezaba a pensar ya con mayor claridad. Dejó a un lado la taza y apretó las manos entre sí, fuertemente—. Si metemos a la Policía, podría asustarse y hacer alguna locura. —Recordó la pelea en el café de Londres, la expresión de la cara de Stefan cuando oyó la sirena de la Policía. Miró a Felix—. No le quiere hacer daño, de eso estoy segura. La quiere —«Freya, mi pequeña diosa»—. No le hará daño a menos que algo lo asuste, a menos que piense que está acorralado.

De mala gana, Felix dejó el teléfono.

—¿Adónde crees que habrán ido?

—He ido a casa, pero no hay ni rastro de ellos. —Se apretó la frente con los dedos, cerrando los ojos. En tiempos conoció íntimamente el funcionamiento irracional de la mente de Stefan. ¿Por qué se la habría llevado? ¿Y adónde?

Se iban formando imágenes detrás de sus párpados. Un envoltorio rojo de Kit-Kat en el suelo del granero. Las cenizas de una fogata. Un montón de latas y botellas vacías. Abrió los ojos.

—Ha vuelto a Holm Edge. Estoy segura, Felix. Stefan se ha llevado a Freya a Holm Edge.

Stefan les llevaba una ventaja de una hora y media. Yendo hacia el oeste por Norfolk, circulando por la carretera A1, Liv rezaba. Por favor, Dios mío, no dejes que le pase nada malo a Freya, por favor, Dios mío. Que no se asuste y que no sufra ningún daño. Que esté en Holm Edge sana y salva y que yo sea capaz de encontrar las palabras para persuadir a Stefan de que me la devuelva.

Empezaba a llover. Unas gotas grises resbalaban por el parabrisas. Ella hizo una promesa. Si soy yo lo que quiere, muy bien. Se lo daré. Me quedaré con él, mientras deje marchar a Freya. Cualquier cosa. Apartó la vista de Felix, miró por la ventanilla lateral el rápido borrón de un marrón grisáceo del tráfico, como si tuviera miedo de que él pudiera leer en sus ojos la promesa que acababa de hacer.

Pensó en Stefan de pie junto a la ventana del dormitorio, con la escopeta en las manos. Lo que quiera, repitió en silencio, mientras sea yo y no Freya.

Freya se había dormido en el coche y no se despertó hasta que llegaron a la casa. Era una casa muy rara, que estaba subiendo una colina. Le dijo a su papá que era una casa rara, y él sonrió, y dijo:

—Como una casa de cuento de hadas, ¿verdad? —Ella le devolvió la sonrisa, complacida al ver que él la entendía tan bien.

No la llevó a la casa de piedra, sino al granero que se encontraba al lado. Era un granero mucho más pequeño que el de la granja de la señora Maynard y no estaba lleno de viejas máquinas aburridas y trozos de tela. Había pacas de paja y un saco de dormir, y una mesita inestable que tenía solo tres patas. Y muchos libros: Freya miró uno de los libros, pero era muy aburrido, sin dibujos.

Su papá dijo:

—Supongo que tendrás hambre, ¿verdad, Freya? —Ella asintió.

—Me muero de hambre.

Fue el tipo de cena que más le gustaba a Freya. Galletas de chocolate, patatas fritas, manzanas y limonada. Cuando hubieron comido, Freya le preguntó a su papá si tenía televisión.

Él negó con la cabeza.

—No me gusta la televisión. Hay muchas cosas malas en la televisión. —La miró—. ¿Te gustaría hacer algún dibujo, Freya?

Ella dibujó un rato, pero él solo tenía papel blanco normal y un lápiz, no rotuladores de colores, así que al cabo de un rato se empezó a aburrir un poco. Quería hacer pipí, así que preguntó dónde estaba el lavabo.

—Puedes hacerlo en la hierba —dijo él—. Llévate mi linterna, Freya.

Ella salió al jardín. No le parecía bien eso de hacer pipí en el jardín. El jardín era muy grande y oscuro y, aunque llevaba la linterna, daba bastante miedo. Se oían muchos ruidos extraños y feos, como si los monstruos vinieran a por ella. Echaba de menos a su mamá. Incluso echaba de menos a Georgie.

Volvió al granero. Su papá le hizo señas.

—¿Qué te pasa, Freya?

—Quiero irme a casa. —Su voz temblaba.

—Mañana, cariño —dijo él. Suavemente le estrechó las manos entre las suyas.

—Quiero a mi mamá. —Sabía que sonaba como un bebé.

—Tu mamá viene a por ti ahora, Freya. —Y sonrió. Aquella sonrisa la asustó más aún que el jardín. Se metió el pulgar en la boca y empezó a chupárselo, sin importarle que pareciera una cosa de bebé.

—Tú espérame en lo alto de la carretera, Felix. No quiero que Stefan te vea.

Él apagó el motor.

—Voy contigo.

—No. —Le puso la mano en el brazo—. No, Felix.

—Entonces, media hora. Media hora y voy.

Ella salió del coche. A medida que iba recorriendo el camino, apagó la linterna. En la oscuridad total pudo ver leves destellos de luz entre las paredes de madera del granero y se le aceleró el corazón. Freya estaba allí. Ella sabía que estaba allí.

Abrió la cancela. Las suelas de sus zapatos resbalaron en los matojos de hierba húmeda, a medida que cruzaba el jardín. En la puerta del granero hizo una pausa.

—¿Stefan?

Una luz iluminaba el interior del granero. Ella lo vio sentado en una paca. Su mirada recorrió el lugar rápidamente y vio a Freya, metida en un saco de dormir y acurrucada en el suelo. Tenía los ojos cerrados, pero veía que su pecho se alzaba y bajaba. Casi sintió vértigo del alivio.

—Temía que la luz no la dejara dormir, pero creo que ahora está bien dormida —dijo Stefan, y levantó la vista hacia ella—. Has venido, Liv.

—Eso es lo que querías, ¿no, Stefan? Por eso te has llevado a Freya, ¿verdad?

Él había colocado la linterna encima de una paca de paja. La débil luz iluminaba el interior del granero. Ella miró a su alrededor. Vio la mesita de picnic, las filas de latas y botellas, la caja de cartón llena de patatas fritas, servilletas de papel y manzanas. El agua embotellada, la palangana con un plato, cuchillo y tenedor situados al lado. El papel y el bolígrafo colocados exactamente paralelos a la pila de libros.

—Lo he arreglado bien para ti, ¿verdad, Liv? —dijo. Y el corazón de ella pareció detenerse.

—¿Has hecho todo esto para mí?

—¿Te gusta?

—Sí, está muy... —le fallaba la voz—, muy ordenado.

Lo miró. Llevaba unos vaqueros y una camiseta, una ropa poco abrigada para el tiempo que hacía, y encima un impermeable. El impermeable tenía un desgarrón en la manga. Ella vio que a lo largo de los años había perdido peso y que unas sombras oscuras marcaban las órbitas de sus ojos y sus pómulos, y que se podían trazar las líneas de los huesos en sus manos largas y delgadas.

—¿Cuánto tiempo llevas viviendo aquí, Stefan?

—Pues... meses —respondió él, vagamente—. Mucho tiempo.

—¿Por qué has vuelto?

—Aquí es donde fui feliz. —Sonrió.

Liv se apartó de el un momento y cerró los ojos. Cuando consiguió hablar de nuevo dijo:

—¿No eras feliz en Canadá, Stefan?

—Me metieron en un hospital. ¿O era una cárcel? No me gustaba. Me daba miedo.

—Pobre Stefan —dijo en voz baja. Su mirada se deslizó una vez más por la habitación. Vio la escopeta entonces, encima de la pila de pacas de heno.

Él debió de seguir su mirada, porque dijo:

—Todavía hay ratas. ¿Te acuerdas de las ratas, Liv? Todavía las oigo por la noche.

Liv unió las manos, apretándolas.

—¿Les disparas, Stefan?

—A veces. —Se humedeció los labios—. Se retuercen al morir. No puedo soportarlo. Las odio, pero no puedo soportar ver cómo se retuercen cuando mueren.

Hubo un silencio.

—¿Cómo me has encontrado? —preguntó Liv.

—Encontré una carta en casa de tu madre. —Volvió a sonreír—. Una carta que tú le habías escrito a ella. Llevaba tu dirección.

Exhausta, Liv intentó hacerse cargo de lo que le decía.

—¿Fuiste a casa de mi madre? ¿En Fernhill?

—Qué listo, ¿eh? —Parecía complacido consigo mismo—. No sé por qué no lo pensé antes. No estaba bien cuando vine aquí,

Liv. —Su sonrisa se desvaneció—. Tenía la cabeza mal. Veía cosas. Me hicieron cosas en Canadá, tratamiento de *shock,* y me pusieron la cabeza mal. —Se inclinaba suavemente hacia atrás y hacia adelante al hablar, como un niño desgraciado—. Pero entonces fui a Fernhill. Pregunté por tu madre y por Richard Thorneycroft. Alguien me dijo que habían vuelto a Inglaterra y que vivían en el pueblo. Fue fácil entrar en la casa. Me corté en la mano al romper la ventana, pero bueno.

—Así que fuiste tú. Tú entraste... —La confusión persistía—. O sea que acababas...

—Ya te lo he dicho, Liv. Estaba enfermo. —Por primera vez, sonaba enfadado.

—Sí. Lo siento, Stefan. Ya lo entiendo. —Pensó en las pisadas por la noche y en la silueta en el promontorio de grava—. Pero es que pensaba que habías encontrado mi casa antes, en verano.

Él meneó la cabeza.

—Habría ido a verte antes, entonces, ¿no?

—Sí, Stefan. —Su voz hizo eco en el granero—. Lo habrías hecho.

—Tú no estabas en casa —dijo—. Así que se me ocurrió ir al colegio, a ver si podía ver a las niñas. Y entonces ella salió al patio. —Miró a Freya—. Qué guapa es, ¿verdad? Muy guapa.

Otro silencio. Ella miró a Freya, acurrucada en el saco de dormir. Quiso estrecharla entre sus brazos y no soltarla nunca. Sin embargo, Stefan se interponía entre ellas y recordó la sensación de impotencia de su sueño, cuando luchaba contra el mar y la arena para llegar hasta su hija.

—¿No te gustaría tomar algo? —preguntó Stefan.

—Sí, claro.

Con mucho cuidado, él llenó una taza de limonada. Liv pensó en lo patético que era todo aquello: la colección de vajilla desparejada, las botellas de agua mineral y las latas de espaguetis.

Se bebió la limonada.

—Cuánto me alegro de verte por aquí, Liv. Como en los viejos tiempos.

Entonces sonrió y, durante un momento nada más, ella lo vio como era antes, joven, fuerte y sano.

Dejó la taza.

—¿Por qué has querido que viniera aquí, Stefan?

—Solo quería verte otra vez. —Se puso de pie y ella cerró los ojos mientras él pasaba la punta de los dedos por el contorno de su cara—. Te quiero, Liv —dijo—. Siempre te he querido. Nunca he querido a nadie como te quiero a ti —y luego citó, en voz baja—:

> ¡Ay!, cuando a Olivia vi por vez primera,
> el aire con su aliento embalsamaba;
> en el instante aquel troqueme en ciervo;
> y desde entonces como alanos crudos
> me acosan mis deseos...

Las manos de Stefan rodearon su cara.

—No puedo olvidarte —dijo—. Lo he intentado, pero no puedo. No puedo empezar de nuevo.

—Stefan... —susurró ella.

—Solo quería verte otra vez. Es lo único que quería. Y después...

Y después..., pensó ella.

—¿Qué, Stefan? —su voz temblaba.

Pero en el silencio que siguió, algo en los ojos de él pareció alterarse.

—Nada. —Sonrió—. No volveré a molestarte.

—Sabes que tengo que llevarme a Freya a casa, ¿verdad?

—Todavía no. —La voz de él suplicaba.

—Aquí no hace el calor suficiente, ¿sabes? Se resfriaría.

Dio un paso hacia el saco de dormir. Ahora, pensó, ahora él agarrará la escopeta.

Pero él no se movió y, al mirarle, ella vio lágrimas en sus ojos. Supo que no le haría daño, que no haría daño a Freya. Fuera lo que fuese lo que en el pasado lo llevaba a ejercer el control y lo ponía violento, le había abandonado hacía mucho tiempo. Ya no tenía motivos para temerlo. Pensó: llamaré a algún médico mañana, buscaré a alguien que lo cuide. Encontraré un sitio decente para que viva, algún sitio que lo ponga mejor.

—¿Te importa si me llevo el saco de dormir, Stefan? Es que no quiero despertarla.

—Llévatelo. Yo no lo voy a necesitar.

Ella tomó a Freya en brazos. Su mejilla rozó la de su hija y apretó el cálido cuerpo de la niña. Y luego se dirigió hacia la puerta.

La mirada de él viajaba veloz del camino al reloj. Veinticuatro minutos, veinticinco. Cinco minutos más y volvería con el coche a la granja por la que habían pasado en la carretera y les diría que llamasen a la Policía. Y luego él mismo iría a buscarla.

Sentado en la oscuridad, esperando aquel tiempo insoportable, pensaba una vez más en lo precaria que es la felicidad. Todas sus viejas preocupaciones sobre la confianza y el compromiso parecían irrelevantes, reducidas al tamaño de un cascarón de nuez por la enormidad del momento. Él no rezaba, porque hacía mucho tiempo que no le prometía nada a Dios, pero siguió mirando entre la oscuridad, esperando la luz de la linterna de ella. Debatiéndose entre el terror y la esperanza, al final pareció llegar a una meseta, a una tranquilidad en la cual solo estaban el reloj y la noche.

Treinta minutos. Puso en marcha el coche. Iluminada por la luz de los faros la vio entonces bajar por el camino, con la niña en brazos. Se inclinó solo un momento y apoyó la cabeza contra el volante, exhausto por el alivio.

Entonces oyó el disparo de escopeta. Y a Felix le pareció que duraba siempre, reverberando contra los páramos altos, llenando todo el valle, nublando incluso las estrellas en el cielo.

Liv no volvió nunca a la casita junto a las marismas. Aquellas primeras semanas, cuando persistían las imágenes de la pesadilla, las pasó con Thea y Richard. Thea se encargó de hablar con la

Policía y de mantener alejada a la prensa. La menor tarea la dejaba exhausta; por primera vez desde hacía años, dejaba que otras personas la cuidaran. Tomaba pastillas para dormir por la noche y agradecía mucho la neblina que ponían en sus días. La gente la miraba como si fuera un fenómeno curioso: veía la compasión en sus ojos. Quería decirles: «Pero si todo va bien, si en realidad no siento nada. Ya he dejado de sentir».

Después de la investigación y del funeral, se fue a vivir con Felix a Londres. Poco a poco fue recuperándose. El ruido y la animación de la ciudad la tranquilizaban; necesitaba ocupaciones, inmediatez. Empezó a trabajar de nuevo. En el desván luminoso y alegre del piso de arriba de la casa, que Felix había convertido en estudio para ella, de su pluma fluían atrevidos motivos geométricos y coloridos abstractos. Ya estaba harta de sus motivos florales, sus anticuados estampados de flores. Ahora sabía que el campo era cruel e implacable, y que los sueños que ofrecía eran falsos.

Siempre, siempre temía por sus hijas, sabía que era un miedo que no la abandonaría nunca. Podía guardarlo en un armario distante y cerrar la puerta, pero aun así, acabaría por aflorar en sus momentos más oscuros, acosándola. Resistía el impulso de llevar a Freya y Georgie permanentemente a su lado, sabiendo que si cedía a aquella tentación, ellas sufrirían un daño distinto. Sin embargo, dejar que Freya recorriese sola los cien metros que separaban la casa de la tienda del barrio la aterrorizaba y, cada día, al recoger a las niñas de su nuevo colegio, el miedo le ponía los hombros tensos, hasta que las veía correr por el patio.

Sabía que se había trasladado a la ciudad también por el bien de Freya, porque veía en su hija mayor la capacidad de soñar que destruyó a Stefan y que casi la destruye a ella. Haría que los pies de sus hijas estuviesen firmemente asentados en el suelo. Serían doctoras, abogadas, profesoras, profesiones enraizadas en los hechos. Temía los genes que podían formar parte de su herencia, la doble herencia de soñadores como Fin, como Stefan, como ella misma.

Se fijó en él por primera vez una mañana cuando estaba trabajando en su estudio. Miró por la ventana y lo vio al otro lado de la calle, de pie en la acera, mirando hacia la casa. No lo reconoció como uno de los vecinos y supuso que se habría perdido y estaría mirando el número de las casas.

Pero por la tarde volvió a verlo. Se detenían muchos días, después del colegio, en un parquecito situado frente a la casa para dar de comer a los patos y rodear el estanque circular. Él estaba sentado en un banco, deshaciendo lo que parecían los restos de un bocadillo y arrojando las migas a los patos. Llevaba un perro, un animal grandote y desgarbado de una raza indeterminada. A lo mejor vive cerca, pensó Liv. Era alto y ancho de hombros, de unos sesenta años, supuso. Al dar la vuelta al estanque sonrió y les deseó buenas tardes. Tenía la cara curtida por la intemperie y los ojos bonitos, oscuros y amistosos.

A la mañana siguiente las calles quedaron plateadas por la primera escarcha del invierno. El cielo tenía un color azul pálido y el aire era punzante. Liv llevó las niñas al colegio y volvió a casa corriendo. Se estaba formando en su mente la idea de un nuevo diseño. Por primera vez desde la muerte de Stefan, estaba impaciente por llegar a su mesa, emocionada por la perspectiva de la creación.

El desconocido ocupaba el mismo lugar de la mañana anterior, de pie en la acera, al otro lado de la calle, frente a la casa. Ella le dirigió un rápido movimiento de cabeza y subió corriendo las escaleras. Intentaba meter la llave en la cerradura cuando le oyó decir:

—Olivia.

Volvió la vista, mirándolo por encima del hombro, y vio que cruzaba la calle hacia ella. El corazón le latía muy fuerte, abrió la puerta, con las manos torpes y débiles, y la cerró de golpe tras de sí. Se sentó en las escaleras, temblando, mirando la puerta cerrada. Llamaría a Felix. Llamaría a la Policía. Otro acosador no, por favor, pensó irracionalmente, no más pisadas en la noche.

Ya tenía el teléfono en la mano cuando una idea extraordinaria atravesó su mente. Nunca supo qué fue lo que la alentó:

501

el recuerdo, el reconocimiento, un breve atisbo de su propia imagen en la de él. Dejó el teléfono y abrió la puerta. Él subía por la calle, con el perro a su lado, alejándose de ella. Pero mientras lo miraba, se volvió como para echar un último vistazo y, al verla, se detuvo. Volvió hacia ella.

—Lo siento —dijo—. No quería asustarte. Qué idiota.

—No importa. Eres Fin, ¿verdad? —Y él asintió.

Lo dejó entrar en casa. En la cocina preparó un café mientras él permanecía de pie, un hombre grandote, inquieto, con una presencia que parecía llenar la pequeña habitación.

—Fuiste tú, ¿verdad? —preguntó ella—. En la casita de campo.

—¿Me viste?

—Una vez. Y oí... ruidos. Por la noche.

—Ah —parecía abatido—. Antes se me daban bien esas cosas. Operaciones encubiertas. —Sonrió compungido—. Debo de estar perdiendo facultades.

Ella puso una taza de café en la mesa. Él continuó hablando.

—Lo siento mucho. No quería asustarte. Pero quería asegurarme de que estabas bien.

—Veinte años —dijo ella. De repente, se sentía llena de ira—. Has estado ausente casi veinte años.

—No puedo hacer ni decir nada para compensar eso, Olivia.

—Liv —replicó, furiosa—. Todo el mundo me llama Liv.

—Pues Liv. Puedo pasarme todo el día disculpándome, pero eso no compensaría lo que hice, ¿verdad?

—Todos estos años... preguntándome adónde habrías ido... Pensando siempre que ibas a volver. —Se volvió hacia él—. Creyendo que era culpa mía. Creyendo que yo no era lo bastante buena.

—Eso nunca. —Vio el dolor en los ojos de ella—. Nunca fue así, Liv.

Ella se acercó a la ventana. Una parte de sí misma quería gritarle, decirle que se fuera y que no volviera nunca más. Después de todo, llevaba los últimos veinte años sin él, así que, ¿por qué no iba a ser capaz de arreglárselas en el futuro?

Pero se sentía cansada, la ira ya había desaparecido de su interior, y dijo, por el contrario:

—Recibí tu postal. La que me enviaste cuando cumplí los dieciocho.

Hubo un silencio.

—Siéntate —dijo ella—. Y tómate el café. Y cuéntame por qué te fuiste. Y por qué has vuelto.

Lo vio ponerse azúcar en el café. El perro estaba echado en el suelo a su lado, con la cabeza entre las patas.

—Me fui porque pensé que si no lo hacía, me moriría. —Levantó la vista hacia ella—. ¿Te has sentido alguna vez así, Liv? ¿Atrapada en algún lugar donde no deberías estar? ¿Presa en una vida que no es la adecuada para ti?

Ella pensó en Holm Edge.

—Tú podías vivir donde quisieras —afirmó, tensa—. Eras libre de irte a trabajar a cualquier sitio. Tenías dinero. Nadie te estaba haciendo daño.

—Y yo había elegido aquella vida, después de todo, ¿no? Dilo, Liv —insistió, suavemente—. Porque, claro, tienes razón... Decidí volver a Inglaterra después de la guerra y elegí el matrimonio y la paternidad. ¿Por qué quejarme de lo que tenía debido a mi libre elección?

Sin embargo, ella también había decidido casarse con Stefan. Nadie la obligó. Dijo, muy tensa:

—Sí, cometemos errores, supongo.

—Tú no eres ningún error. Ni Thea tampoco lo era. El error era yo. Era yo el que no encajaba.

Ella lo miró, sin comprender.

—La guerra me iba bien. —Liv se encogió de hombros—. Me avergüenza admitirlo, porque destruyó a muchos millones de personas. Pero es la verdad, me iba bien. Daba salida a mis talentos. Nunca fui tan feliz como entonces. Y nunca me sentí más vivo. Al principio estaba en Noruega y luego en el Lejano Oriente. Vi cosas que no había visto antes, hice cosas que no he vuelto a hacer. —Se dio una palmadita en el bolsillo—. ¿Te importa que fume?

Liv le buscó un cenicero. Él encendió una cerilla e inhaló el humo de su cigarrillo.

—Y entonces —dijo—, acabó la guerra y volví a Gran Bretaña. Y aquí no había sitio para mí. Yo era un desecho, una reliquia de otra época. No encajaba. —Levantó la vista hacia ella—. Lo intenté, Liv. De verdad que lo intenté. Pero no podía. No podía obligarme a ser algo que no era. —Suspiró—. Fue lo de Suez lo que me decidió, creo. Qué espectáculo montamos, intentando convencernos de que todavía éramos una gran nación, de que todavía teníamos influencia.

—¿Así que te fuiste al extranjero?

—Sí. Thea y yo nos peleábamos mucho. No sé si lo recordarás. Mala cosa para una niña, tener que oír cómo sus padres se gritan el uno al otro.

Liv recordaba caminar por la playa, mientras sus palabras furiosas se desgarraban como harapos al viento. Intentaba cerrar los oídos a sus voces concentrándose en encontrar cristalitos de colores.

—Así que pensé —continuó Fin— que sería mejor romper limpiamente. Mejor para vosotras, y para mí también.

Sabía que le estaba pidiendo la absolución. Dos veces había huido ella de Stefan. Le dijo con cautela:

—Es difícil saber lo que es mejor, ¿verdad? Sobre todo cuando tienes hijos. No siempre está claro. —Lo miró—. No te has tomado el café. Se te enfriará. Te prepararé otro. —Puso el cazo a hervir—. ¿Adónde fuiste?

—Ah, pues por ahí, a muchos sitios. Sudamérica. El Pacífico. El Lejano Oriente. Trabajaba en barcos, sobre todo. Siempre me han gustado los barcos.

Liv puso café en la jarra.

—Pero has vuelto. ¿Por qué has vuelto?

—Porque casi acabo ahogado.

Ella pensó en la casa rosa junto al mar y el sueño que había tenido de Freya, con el pelo negro como algas bajo las olas.

—¿Ahogado?

–Tuve suerte durante muchos años. Luego elegí el barco equivocado, el capitán equivocado y acabé bebiendo demasiada agua del mar del sur de la China. Me pescaron, pero después me puse enfermo. Neumonía. Estuve semanas en un hospital. –Fin apagó su cigarrillo–. No tuve visitas. Nadie. Todos los demás pacientes tenían a gran parte de su extensa familia en torno a sus camas y yo estaba allí totalmente solo. Eso me hizo pensar. Me hizo pensar que me estaba pasando un poco. Que era demasiado viejo para ir correteando por todo el mundo como si tuviera veinte años. Y me hizo pensar que, antes de morir, había cosas que debía hacer. Visitas. Deudas que debía pagar. –La miró–. Me sentía culpable por ti y quería asegurarme de que estabas bien.

Liv se mordió el labio. De espaldas a él, echó agua hirviendo sobre el café.

–¿Así que volviste a Inglaterra?

–Sí. Hace seis meses –sonrió–. No sé por qué motivo, pensaba que todavía estaríais viviendo en la misma casa.

–¿La casita rosa?

–Sí. En parte yo era consciente de que probablemente os habríais mudado, por supuesto, pero me parecía un buen lugar por donde empezar, de todos modos. El caso es que había desaparecido. –Se pasó los dedos por el pelo plateado.

–Se la llevó el mar.

–No podía creerlo. Me quedé estupefacto, al principio. Vi que había sido un idiota, esperando que las cosas permanecieran sin cambiar mientras yo jugaba a mis estúpidos jueguecitos. Pero luego tuve suerte. Pregunté en la estafeta de correos que estaba junto a la casa, y la encargada se acordaba de ti.

Liv lo recordó claramente: la huida a la costa para escapar de Stefan y la horrible decepción que sintió al comprobar que la casa había desaparecido.

–Me quedé allí unas semanas. Hace unos años, cuando me fui de Londres.

–La encargada me dijo que yo era la segunda persona que preguntaba por la casa. Se acordaba de tu nombre. Olivia Galenski, dijo, pero yo supe que eras tú.

—La prestación familiar —dijo Liv—. Hice efectivo el cheque de la prestación familiar allí.

—Me dijo que ibas con dos niñitas pequeñas. Pero sin marido.

—Por aquel entonces había dejado a Stefan. —Le resultaba duro todavía pronunciar su nombre.

—Y pensé —continuó Fin— que parecía que habías tenido dificultades. Estaba preocupado por ti. Dos niñas pequeñas, teniendo que arreglártelas sola... De modo que empecé a buscar tu rastro. Te seguí por la costa. —La miró—. Pensaba que probablemente escaparías de algo. Es lo que uno hace cuando las cosas no funcionan, ¿no? Volver al lugar donde fue feliz. Y suponía que no tendrías mucho dinero, una mujer sola con dos niñas pequeñas, así que fui preguntando en las residencias de vacaciones y los aparcamientos de caravanas. —Hizo una mueca—. Sitios bastante deprimentes, algunos.

Liv sonrió al recordarlo.

—Una vez vivimos en una caravana que se movía cuando hacía viento. —Le puso el café delante—. ¿Así que nos encontraste..., encontraste Samphire Cottage?

—Al final, sí. Me costó bastante, te lo aseguro.

—Pero no me dijiste que me habías encontrado. No me dijiste que habías vuelto.

—Creí que no tenía derecho —respondió él, con toda sencillez—. Ya veía que eras feliz. Esas dos niñas preciosas, tu amigo, que parece un hombre formal. Ah, sí, quería verte, Liv, llamar a tu puerta y decir: «Aquí estoy», el padre pródigo, abrazarte, conocer a mis nietas, todo eso. Incluso durante un tiempo bromeaba conmigo mismo diciéndome que eso haría. Anduve un tiempo por allí, intentando reunir el valor suficiente. Pero al final no me atreví. —Parecía triste—. Me dio miedo. Me dije que tú no me necesitabas y me fui.

—¿Y adónde fuiste?

—A Cornualles. Hay muchos barcos en Cornualles. He ahorrado algo de dinero a lo largo de los años y encontré una casita de alquiler; me compré un barquito. Y también encontré a *Eric*. —Dio unas palmaditas al perro—. O más bien fue él quien me encontró a mí. Me siguió a casa un día y ya no se fue. —Se quedó callado un momento—. Y entonces me enteré de lo que había ocurrido. Tu marido. No leo mucho los periódicos ni suelo escuchar la radio, he perdido la costumbre, la verdad, y nunca me ha gustado la televisión, pero un día estaba sentado al lado de un hombre en el autobús y él iba leyendo el periódico, y entonces vi tu nombre. Era un artículo sobre la investigación policial tras la muerte de tu marido.

Salió en todos los periódicos: «Suicidio en una granja desierta», en los periódicos serios, «Triángulo amoroso, marido secuestra a su hija y luego se suicida», en los sensacionalistas.

—Así que fui a tu casita de Norfolk, pero ya no estabas. Pensé que te había perdido otra vez. Pero entonces recordé que en el periódico mencionaban el nombre de tu empresa... Zarzarrosa. Eso me dio un punto por donde empezar. Bueno, para abreviar una historia algo larga, el caso es que al final averigüé dónde vivías en Londres. —Fin hizo una pausa—. Qué cosa más horrible —añadió—. Espantosa de verdad. —La miró—. Conocí a un hombre en Malasia que hizo lo mismo. Yo sabía que se le estaba yendo la cabeza, pero no se me ocurrió cómo ayudarle.

Liv se apartó de él y se sonó la nariz.

—Lo siento. No tenía que haberlo mencionado. Cambiemos de tema —dijo Fin.

Ella negó con la cabeza.

—En el juzgado de instrucción dijeron que Stefan se suicidó en un momento en que el equilibrio de su mente estaba alterado. Como si la mente fuera una cosa precisa, como una balanza. Pero no es así, ¿no crees?

—¿Cómo era? —preguntó Fin con suavidad.

—¿Stefan? —Las lágrimas le ardían en los ojos, pero no quería que cayesen—. Ah, pues muy guapo, y listo, y era maravilloso estar con él. Y también era violento, frío, posesivo y controlador y, al final, supe que no tenía otro remedio que dejarlo.

Él dio unas palmaditas en la silla que tenía al lado.

—Ven, siéntate.

Liv se sentó.

–¿Qué tal está la pequeña? –le preguntó.

–¿Freya? Está bien. Bueno, casi bien. Todavía tiene pesadillas.

–¿Y la otra? ¿La pequeñina más gordita?

–¿Georgie? –Liv sonrió–. Georgie siempre estará bien. Es de ese tipo de personas. No sé cómo se las arregla, cuando uno piensa en sus padres, pero la verdad es que es así.

–Es de ese tipo de personas, porque tiene una madre maravillosa.

–Mmm –dijo ella, incrédula–. No estoy tan segura. La mayor parte del tiempo parece que todo lo hago mal.

–Bueno, en eso consiste ser madre, precisamente, mi querida Olivia. En eso consiste ser madre.

Le habló del día en que ella y Thea dejaron la casa rosa y Diana Wyborne las ayudó a encontrar una casa. Y le habló también de Katherine y Rachel, y de Hector, y de Alice. Salieron a dar un paseo al parque y él le preguntó por Thea, de modo que ella le habló de Richard Thorneycroft. Él se metió las manos en los bolsillos del abrigo y se quedó mirando el estanque, sin hablar. Al cabo de un rato ella se colgó de su brazo y le sugirió que fueran a una cafetería a comer.

Era extraño, pensó, tener padre de nuevo. Le costó un poco acostumbrarse a ese hecho. «Mi padre», decía, para practicar. Le veía jugando con las niñas y se preguntaba si un día sencillamente saldría por la puerta y no volvería más. Pero pasaron los meses y Fin y *Eric* viajaban regularmente desde Cornualles a Londres para pasar el fin de semana. Al cabo de un tiempo ella empezó a darse cuenta de que él la necesitaba. De que había decidido estar con ella. De que, a veces, los sueños se hacen realidad.

Katherine y Hector se casaron en la primavera de 1978. Alice, Freya y Georgie fueron damas de honor. Liv les hizo los vestidos de chiffón azul zafiro, y el traje de novia de Katherine, color crema.

Hubo un almuerzo de boda en la sala grande de Bellingford, y luego los invitados varones salieron para ver los desagües que acababa de instalar Hector. Las mujeres se quedaron –Barbara, Thea, Freya, Georgie, Daphne, Rose, Alice y Netta–, llenando el inmenso vestíbulo de chillidos, parloteos y risas.

Katherine, con un plato en la mano, fue a sentarse junto a Liv.

–Cuántas mujeres... –susurró–. Qué escándalo...

–Tendrás que tener chicos, Katherine.

–Bueno... –Katherine parecía complacida. Casi tenía un aire de suficiencia–. Pensaba que iba a vomitar esta mañana. Cuando hemos llegado al momento en que el vicario ha preguntado si existía algún impedimento legal. Menos mal que las náuseas me han obligado a cerrar la boca, o si no podría haber recordado todos los motivos por los cuales el matrimonio es una idea horrible.

Liv se distrajo momentáneamente del espectáculo de Georgie dándole de comer el ramito de dama de honor al perro de Rose Corcoran. Abrazó a Katherine.

–¡Un bebé! Eso es maravilloso, Katherine. Felicidades.

Katherine hizo una mueca.

–Me parece que estoy haciendo todo lo que dije que no haría nunca. Casarme. Tener un niño. Vivir en medio de la nada. Ah, y me he apuntado a la universidad a distancia. Bueno, algo tendré que hacer para seguir ejercitando mi cerebro, ¿no?, ya que vivo aquí en el quinto pino... –Katherine se comió otro volován. Luego dijo–: He recibido carta de Henry Wyborne.

La cinta del ramito ahora estaba anudada en torno al cuello del perro. Liv hizo señas a Freya y miró extrañada a Katherine.

–¿Henry Wyborne?

–Ha conseguido encontrar el rastro de Lucie Rolland. Me ha dicho que se ha asegurado de que esté bien. Financieramente, quiero decir. No es que se haya vuelto a enamorar de ella ni nada por el estilo.

–Bueno –dijo Liv–, casi un final feliz.

–Mamá –susurró Freya–, ¿cuánto tiempo tendré que seguir llevando este vestido horrible?

–Tus vaqueros están en el coche, cariño. ¿Sabes lo que vamos a hacer? Si te llevas fuera a Georgie y la vigilas un poco mientras corre, yo iré a buscártelos dentro de un minuto.

Katherine se había ido a hablar con Netta. Liv dijo con insistencia:

–Freya... –Y Freya suspiró, le dio la mano a Georgie y la arrastró al jardín. Liv vio a Felix de pie en el exterior, junto a la puerta. Se levantó y se acercó a él.

Le besó en la nuca.

–¿Ya habéis acabado con los desagües?

–Bueno –dijo Felix, volviéndose–, es que tienen un atractivo bastante limitado.

–Katherine está embarazada –anunció Liv.

–¡Oh! –Él la miró–. ¿No te hace pensar...?

–Cuando el negocio me ocupe menos tiempo –respondió con firmeza–. Y cuando sea más fácil con Freya y Georgie. Entonces... quizá.

Felix miró a su alrededor.

–¿Dónde están Freya y Georgie?

–En el jardín. Georgie estaba torturando al perro de Rose. Le he dicho a Freya que la vigile.

Felix la miró con escepticismo.

–¿Vienes a dar un paseo? –Le tendió la mano.

–Dentro de un momento. –Ella lo besó otra vez–. Tengo que hacer una cosa.

Volvió atravesando el vestíbulo hasta la puerta que conducía a la torre rectangular. Cuando la hubo cerrado, acallando el ruido de conversaciones y risas, subió por la estrecha y serpenteante escalera. En la cima de la torre se puso de pie, con las palmas apoyadas en el parapeto, mirando por encima de los jardines, hacia las colinas. Miró hacia abajo y vio que los invitados a la boda habían salido del salón grande al jardín. Tres niñitas con sus vestidos azul zafiro corrían por el césped. Alice, que era legado de Rachel, y Freya y Georgie. Definitivamente, un final feliz, pensó.

Entonces se apartó del parapeto y extendió los brazos. Empezó a girar. Más rápido cada vez, hasta que todo se emborronó: sus propias niñas de ojos oscuros y la de Rachel, Katherine y Thea, hasta que, deteniéndose al fin, al abrir los ojos, miró a lo lejos y vio, en el horizonte, el mar, como una cinta de plata resplandeciente.